EX LIBRES

CATHERINE JOYCE
CAYARD

KNAURS MÄRCHENBÜCHER

ANDERSEN MÄRCHEN

MÄRCHEN

von

Hans Christian Andersen

Mit 100 Bildern nach Aquarellen von

Ruth Koser-Michaëls

Gesamtauflage 537 000

Droemer Knaur

© 1938 by Th. Knaur Nachf. Berlin · Gedruckt bei Mandruck München Theodor Dietz KG
Aufbindung Großbuchbinderei Wennberg, Leonberg · 23 · 10 · 76 · Printed in Germany
ISBN 3-426-01101-8

DER SCHWEINEHIRT

Es war einmal ein armer Prinz; er hatte nur ein ganz kleines Königreich; aber es war immer groß genug, um sich darauf zu verheiraten, und verheiraten wollte er sich.

Nun war es freilich etwas keck von ihm, daß er zur Tochter des Kaisers zu sagen wagte: „Willst du mich haben?" Aber er wagte es doch, denn sein Name war weit und breit berühmt; es gab hundert Prinzessinnen, die gerne ja gesagt hätten; aber ob sie es tat?

Nun, wir wollen hören.

Auf dem Grabe des Vaters des Prinzen wuchs ein Rosenstrauch, ein herrlicher Rosenstrauch; der blühte nur jedes fünfte Jahr und trug dann auch nur eine einzige Blume; aber das war eine Rose, die duftete so süß, daß man alle seine Sorgen und seinen Kummer vergaß, wenn man daran roch. Der Prinz hatte auch eine Nachtigall, die konnte singen, als ob alle schönen Melodien in ihrer Kehle säßen. Diese Rose und die Nachtigall sollte die Prinzessin haben, und deshalb wurden sie beide in große silberne Behälter gesetzt und ihr zugesandt.

Der Kaiser ließ sie vor sich her in den großen Saal tragen, wo die Prinzessin war und mit ihren Hofdamen ‚Es kommt Besuch' spielte. Als sie die großen Behälter mit den Geschenken erblickte, klatschte sie vor Freude in die Hände.

„Wenn es doch eine kleine Miezekatze wäre!" sagte sie, aber da kam der Rosenstrauch mit der herrlichen Rose hervor.

„Wie niedlich sie gemacht ist!" sagten alle Hofdamen.

„Sie ist mehr als niedlich", sagte der Kaiser, „sie ist schön!"

Aber die Prinzessin befühlte sie, und da war sie nahe daran, zu weinen.

„Pfui, Papa!" sagte sie, „sie ist nicht künstlich, sie ist natürlich!"

„Pfui", sagten alle Hofdamen, „sie ist natürlich!"

„Laßt uns nun erst sehen, was in dem andern Behälter ist, ehe wir böse werden!" meinte der Kaiser, und da kam die Nachtigall heraus, die so schön sang, daß man nicht gleich etwas Böses gegen sie vorbringen konnte.

„Superbe! Charmant!" sagten die Hofdamen; denn sie plauderten alle französisch, eine immer ärger als die andere.

„Wie der Vogel mich an die Spieldose der seligen Kaiserin erinnert!" sagte ein alter Kavalier; „ach ja, das ist derselbe Ton, derselbe Vortrag!"

„Ja!" sagte der Kaiser, und dann weinte er wie ein kleines Kind.

„Es wird doch hoffentlich kein natürlicher sein?" sagte die Prinzessin.

„Ja, es ist ein natürlicher Vogel!" sagten die Boten, die ihn gebracht hatten.

„So laßt den Vogel fliegen", sagte die Prinzessin, und sie wollte nicht gestatten, daß der Prinz käme.

Aber dieser ließ sich nicht einschüchtern. Er bemalte sich das Antlitz mit Braun und Schwarz, drückte die Mütze tief über den Kopf und klopfte an.

„Guten Tag, Kaiser!" sagte er. „Könnte ich nicht hier auf dem Schlosse einen Dienst bekommen?"

„Jawohl!" sagte der Kaiser. „Ich brauche jemand, der die Schweine hüten kann, denn deren haben wir viele."

So wurde der Prinz angestellt als kaiserlicher Schweinehirt. Er bekam eine jämmerlich kleine Kammer unten bei den Schweinen, und da mußte er bleiben; aber den ganzen Tag saß er und arbeitete, und als es Abend war, hatte er einen niedlichen, kleinen Topf gemacht. Rings um ihn waren Schellen, und sobald der Topf kochte, klingelten sie und spielten die schöne Melodie:

,Ach, du lieber Augustin,
Alles ist hin, hin, hin!'

Aber das Allerkünstlichste war, daß, wenn man den Finger in den Dampf des Topfes hielt, man sogleich riechen konnte, welche Speisen auf jedem Feuerherd in der Stadt zubereitet wurden. Das war wahrlich etwas ganz anderes als die Rose!

Nun kam die Prinzessin mit allen ihren Hofdamen daherspaziert, und als sie die Melodie hörte, blieb sie stehen und sah ganz erfreut aus, denn sie konnte auch ,Ach, du lieber Augustin' spielen. Das war das einzige, was sie konnte, aber das spielte sie mit einem Finger.

„Das ist ja das, was ich kann!" sagte sie. „Dann muß es ein gebildeter Schweinehirt sein! Höre, gehe hinunter und frage ihn, was das Instrument kostet!"

Da mußte eine der Hofdamen hineingehen.

Aber sie zog Holzpantoffeln an.

„Was willst du für den Topf haben?" fragte die Hofdame.

„Zehn Küsse von der Prinzessin!" sagte der Schweinehirt.

„Gott bewahre uns!" sagte die Hofdame.

„Ja, anders tue ich es nicht!" anwortete der Schweinehirt.

„Er ist unartig!" sagte die Prinzessin, und dann ging sie; aber als sie ein kleines Stück gegangen war, erklangen die Schellen so lieblich:

,Ach, du lieber Augustin,
Alles ist hin, hin, hin!'

„Höre", sagte die Prinzessin, „frage ihn, ob er zehn Küsse von meinen Hofdamen will!"

„Ich danke schön", sagte der Schweinehirt; „zehn Küsse von der Prinzessin, oder ich behalte meinen Topf."

„Was ist das doch für eine langweilige Geschichte!" sagte die Prinzessin. „Aber dann müßt ihr vor mir stehen, damit es niemand sieht!"

Die Hofdamen stellten sich davor und breiteten ihre Kleider aus, und da bekam der Schweinehirt zehn Küsse, und sie erhielt den Topf.

Nun, das war eine Freude! Den ganzen Abend und den ganzen Tag mußte der Topf kochen; es gab nicht einen Feuerherd in der ganzen Stadt, von dem sie nicht wußten, was darauf gekocht wurde, sowohl beim Kammerherrn wie beim Schuhflicker. Die Hofdamen tanzten und klatschten in die Hände.

„Wir wissen, wer süße Suppe und Eierkuchen essen wird, wir wissen, wer Grütze und Braten bekommt! Wie schön ist doch das!"

„Ja, aber haltet reinen Mund, denn ich bin des Kaisers Tochter!"

„Jawohl, jawohl!" sagten alle.

Der Schweinehirt, das heißt der Prinz – aber sie wußten es ja nicht anders, als daß er ein wirklicher Schweinehirt sei –, ließ die Tage nicht verstreichen, ohne etwas zu tun, und da machte er eine Knarre. Wenn man diese herumschwang, erklangen alle die Walzer und Hopser, die man von Erschaffung der Welt an kannte.

„Ach, das ist superbe", sagte die Prinzessin, indem sie vorbeiging. „Ich habe nie eine schönere Musik gehört! Höre, gehe hinein und frage ihn, was das Instrument kostet, aber ich küsse nicht wieder!"

„Er will hundert Küsse von der Prinzessin haben!" sagte die Hofdame, die hineingegangen war, um zu fragen.

„Ich glaube, er ist verrückt!" sagte die Prinzessin, und dann ging sie; aber als sie ein kleines Stück gegangen war, blieb sie stehen. „Man muß die Kunst aufmuntern", sagte sie; „ich bin des Kaisers Tochter! Sage ihm, er soll wie neulich zehn Küsse haben; den Rest kann er von meinen Hofdamen nehmen!"

„Ach, aber wir tun es ungern!" sagten die Hofdamen.

„Das ist Geschwätz", sagte die Prinzessin, „wenn ich ihn küssen kann, dann könnt ihr es auch; bedenkt, ich gebe euch Kost und Lohn!" Da mußten die Hofdamen wieder zu ihm hineingehen.

„Hundert Küsse von der Prinzessin", sagte er, „oder jeder behält das Seine!"

„Stellt euch davor!" sagte sie dann, und da stellten sich alle Hofdamen davor, und nun küßte er.

„Was mag das wohl für ein Auflauf beim Schweinestall sein?" fragte der Kaiser, der auf den Balkon hinausgetreten war. Er rieb sich die Augen und setzte die Brille auf. „Das sind ja die Hofdamen, die da ihr Wesen treiben; ich werde wohl zu ihnen hinuntergehen müssen!"

Potztausend, wie er sich sputete!

Sobald er in den Hof hinunterkam, ging er ganz leise, und die Hofdamen hatten so viel damit zu tun, die Küsse zu zählen, damit es ehrlich zugehen möge, daß sie den Kaiser gar nicht bemerkten. Er erhob sich hoch auf den Zehen.

„Was ist das?" sagte er, als er sah, daß sie sich küßten; und dann schlug er seine Tochter mit einem Pantoffel auf den Kopf, gerade als der Schweinehirt den sechsundachtzigsten Kuß erhielt.

„Fort mit euch!" sagte der Kaiser, denn er war böse, und sowohl die Prinzessin wie der Schweinehirt mußten sein Kaiserreich verlassen.

Da stand sie nun und weinte, der Schweinehirt schalt, und der Regen strömte hernieder.

„Ach, ich elendes Geschöpf", sagte die Prinzessin, „hätte ich doch den schönen Prinzen genommen! Ach, wie unglücklich bin ich!"

Der Schweinehirt aber ging hinter einen Baum, wischte sich das Schwarze und Braune aus seinem Antlitz, warf die schlechten Kleider von sich und trat nun in seiner Prinzentracht hervor, so schön, daß die Prinzessin sich verneigen mußte.

„Ich bin dahin gekommen, dich zu verachten!" sagte er. „Du wolltest keinen ehrlichen Prinzen haben! Du verstandest dich nicht auf die Rose und die Nachtigall, aber den Schweinehirten konntest du für eine Spielerei küssen. Das hast du nun dafür!"

Und dann ging er in sein Königreich hinein; da konnte sie draußen ihr Lied singen:

,Ach, du lieber Augustin,
Alles ist hin, hin, hin!'

DER TANNENBAUM

Draußen im Walde stand ein niedlicher, kleiner Tannenbaum; er hatte einen guten Platz, Sonne konnte er bekommen, Luft war genug da, und ringsumher wuchsen viel größere Kameraden, sowohl Tannen als Fichten. Aber dem kleinen Tannenbaum schien nichts so wichtig wie das Wachsen; er achtete nicht der warmen Sonne und der frischen Luft, er kümmerte sich nicht um die Bauernkinder, die da gingen und plauderten, wenn sie herausgekommen waren, um Erdbeeren und Himbeeren zu sammeln. Oft kamen sie mit einem ganzen Topf voll oder hatten Erdbeeren auf einen Strohhalm gezogen, dann setzten sie sich neben den kleinen Tannenbaum und sagten: „Wie niedlich klein ist der!" Das mochte der Baum gar nicht hören.

Im folgenden Jahre war er ein langes Glied größer, und das Jahr darauf war er um noch eins länger, denn bei den Tannenbäumen kann man immer an den vielen Gliedern, die sie haben, sehen, wie viele Jahre sie gewachsen sind.

„Oh, wäre ich doch so ein großer Baum wie die andern!" seufzte das kleine Bäumchen. „Dann könnte ich meine Zweige so weit umher ausbreiten und mit der Krone in die Welt hinausblicken! Die Vögel würden dann Nester zwischen meinen Zweigen bauen, und wenn der Wind weht, könnte ich so vornehm nicken, gerade wie die andern dort!"

Er hatte gar keine Freude am Sonnenschein, an den Vögeln und den roten Wolken, die morgens und abends über ihn hinsegelten.

War es nun Winter und der Schnee lag ringsumher funkelnd weiß, so kam häufig ein Hase angesprungen und setzte gerade über den kleinen Baum weg. Oh, das war ärgerlich! Aber zwei Winter vergingen, und im dritten war das Bäumchen so groß, daß der Hase um es herumlaufen mußte. ‚Oh, wachsen, wachsen, groß und alt werden, das ist doch das einzige Schöne in dieser Welt!' dachte der Baum.

Im Herbst kamen immer Holzhauer und fällten einige der größten Bäume; das geschah jedes Jahr, und dem jungen Tannenbaum, der nun ganz gut gewachsen war, schauderte dabei; denn die großen, prächtigen Bäume fielen mit Knacken und Krachen zur Erde, die Zweige wurden abgehauen, die Bäume sahen ganz nackt, lang und schmal aus; sie waren fast nicht zu erkennen. Aber dann wurden sie auf Wagen gelegt, und Pferde zogen sie davon, aus dem Walde hinaus.

Wohin sollten sie? Was stand ihnen bevor?

Im Frühjahr, als die Schwalben und Störche kamen, fragte sie der Baum: „Wißt ihr nicht, wohin sie geführt wurden? Seid ihr ihnen begegnet?"

Die Schwalben wußten nichts, aber der Storch sah nachdenkend aus, nickte mit dem Kopfe und sagte: „Ja, ich glaube wohl; mir begegneten viele neue Schiffe, als ich aus Ägypten flog; auf den Schiffen waren prächtige Mastbäume; ich darf annehmen, daß sie es waren, sie hatten Tannengeruch; ich kann vielmals von ihnen grüßen, sie sind schön und stolz!"

„Oh, wäre ich doch auch groß genug, um über das Meer hinfahren zu können! Was ist das eigentlich, dieses Meer, und wie sieht es aus?"

„Ja, das ist viel zu weitläufig zu erklären!" sagte der Storch, und damit ging er.

„Freue dich deiner Jugend!" sagten die Sonnenstrahlen; „freue dich deines frischen Wachstums, des jungen Lebens, das in dir ist!"

Und der Wind küßte den Baum, und der Tau weinte Tränen über ihn, aber das verstand der Tannenbaum nicht.

Wenn es gegen die Weihnachtszeit war, wurden ganz junge Bäume gefällt, Bäume, die oft nicht einmal so groß oder gleichen Alters mit diesem Tannenbaume waren, der weder Rast noch Ruhe hatte, sondern immer davon wollte; diese jungen Bäume, und es waren gerade die allerschönsten, behielten immer alle ihre Zweige; sie wurden auf Wagen gelegt, und Pferde zogen sie zum Walde hinaus.

„Wohin sollen diese?" fragte der Tannenbaum. „Sie sind nicht größer als ich, einer ist sogar viel kleiner; weswegen behalten sie alle ihre Zweige? Wohin fahren sie?"

„Das wissen wir! Das wissen wir!" zwitscherten die Meisen. „Unten in der Stadt haben wir in die Fenster gesehen! Wir wissen, wohin sie fahren! Oh, sie gelangen zur größten Pracht und Herrlichkeit, die man sich denken kann! Wir haben in die Fenster gesehen und erblickt, daß sie mitten in der warmen Stube aufgepflanzt und mit den schönsten Sachen, vergoldeten Äpfeln, Honigkuchen, Spielzeug, und vielen hundert Lichtern geschmückt werden."

„Und dann?" fragte der Tannenbaum und bebte in allen Zweigen. „Und dann? Was geschieht dann?"

„Ja, mehr haben wir nicht gesehen! Das war unvergleichlich schön!"

„Ob ich wohl bestimmt bin, diesen strahlenden Weg zu betreten?" jubelte der Tannenbaum. „Das ist noch besser als über das Meer zu ziehen! Wie leide ich an Sehnsucht! Wäre es doch Weihnachten! Nun bin ich hoch und entfaltet wie die andern, die im vorigen Jahre davongeführt wurden! Oh, wäre ich erst auf dem Wagen, wäre ich doch in der warmen Stube mit all der Pracht und Herrlichkeit! Und dann? Ja, dann kommt noch etwas Besseres, noch Schöneres, warum würden sie mich sonst so schmücken? Es muß noch etwas Größeres, Herrlicheres kommen! Aber was? Oh, ich leide, ich sehne mich, ich weiß selbst nicht, wie mir ist!"

„Freue dich unser!" sagten die Luft und das Sonnenlicht; „freue dich deiner frischen Jugend im Freien!"

Aber er freute sich durchaus nicht; er wuchs und wuchs, Winter und Sommer stand er grün; dunkelgrün stand er da, die Leute, die ihn sahen, sagten: „Das ist ein schöner Baum!" und zur Weihnachtszeit wurde er von allen zuerst gefällt. Die Axt hieb tief durch das Mark; der Baum fiel mit einem Seufzer zu Boden, er fühlte einen Schmerz, eine Ohnmacht, er konnte gar nicht an irgendein Glück denken, er war betrübt, von der Heimat scheiden zu müssen, von dem Flecke, auf dem er emporgeschossen war; er wußte ja, daß er die lieben, alten Kameraden, die kleinen Büsche und Blumen ringsumher nie mehr sehen werde, ja vielleicht nicht einmal die Vögel. Die Abreise hatte durchaus nichts Behagliches.

Der Baum kam erst wieder zu sich selbst, als er im Hofe mit andern Bäumen abgeladen wurde und einen Mann sagen hörte: „Dieser hier ist prächtig! Wir wollen nur den!"

Nun kamen zwei Diener im vollen Staat und trugen den Tannenbaum in einen großen, schönen Saal. Ringsherum an den Wänden hingen Bilder, und bei dem großen Kachelofen standen große chinesische Vasen mit Löwen auf den Deckeln; da waren Wiegestühle, seidene Sofas, große Tische voll von Bilderbüchern und Spielzeug für hundertmal hundert Taler; wenigstens sagten das die Kinder. Der Tannenbaum wurde in ein großes, mit Sand gefülltes Faß gestellt, aber niemand konnte sehen, daß es ein Faß war, denn es wurde rundherum mit grünem Zeug behängt und stand auf einem großen, bunten Teppich. Oh, wie der Baum bebte! Was würde da wohl vorgehen? Sowohl die Diener als die Fräulein schmückten ihn. An einen Zweig hängten sie kleine, aus farbigem Papier ausgeschnittene Netze, und jedes Netz war mit Zuckerwerk gefüllt. Vergoldete Äpfel und Walnüsse hingen herab, als wären sie festgewachsen, und über hundert rote, blaue und weiße kleine Lichter wurden in den Zweigen festgesteckt. Puppen, die leibhaft wie die Menschen aussahen – der Baum hatte früher nie solche gesehen –, schwebten im Grünen, und hoch oben in der Spitze wurde ein Stern von Flittergold befestigt. Das war prächtig, ganz außerordentlich prächtig!

„Heute abend", sagten alle, „heute abend wird er strahlen!" und sie waren außer sich vor Freude.

‚Oh‘, dachte der Baum, ‚wäre es doch Abend! Würden nur die Lichter bald angezündet! Und was dann wohl geschieht? Ob da wohl Bäume aus dem Walde kommen, mich zu sehen? Ob die Meisen gegen die Fensterscheiben fliegen? Ob ich hier festwachse und Winter und Sommer geschmückt stehen werde?‘

Ja, er wußte gut Bescheid; aber er hatte ordentlich Borkenschmerzen vor lauter Sehnsucht, und Borkenschmerzen sind für einen Baum ebenso schlimm wie Kopfschmerzen für uns andere.

Nun wurden die Lichter angezündet. Welcher Glanz, welche Pracht! Der Baum bebte in allen Zweigen dabei, so daß eins der Lichter das Grüne anbrannte; es sengte ordentlich.

„Gott bewahre uns!" schrien die Fräulein und löschten es hastig aus.

Nun durfte der Baum nicht einmal beben. Oh, das war ein Grauen! Ihm war bange, etwas von seinem Staate zu verlieren; er war ganz betäubt von all dem Glanze. Da gingen beide Flügeltüren auf, und eine Menge Kinder stürzte herein, als wollten sie den ganzen Baum umwerfen, die älteren Leute kamen bedächtig nach; die Kleinen standen ganz stumm, aber nur einen Augenblick, dann jubelten sie wieder, daß es laut schallte; sie tanzten um den Baum herum, und ein Geschenk nach dem andern wurde abgepflückt und verteilt.

‚Was machen sie?‘ dachte der Baum. ‚Was soll geschehen?‘ Die Lichter brannten gerade bis auf die Zweige herunter, und je nachdem sie niederbrannten, wurden sie ausgelöscht, und dann erhielten die Kinder die Erlaubnis, den Baum zu plündern. Sie stürzten auf ihn zu, daß es in allen Zweigen knackte; wäre er nicht mit der Spitze und mit dem Goldstern an der Decke festgemacht gewesen, so wäre er umgefallen.

Die Kinder tanzten mit ihrem prächtigen Spielzeug herum, niemand sah nach dem Baume, ausgenommen das alte Kindermädchen, das zwischen die Zweige blickte; aber es geschah nur, um zu sehen, ob nicht noch eine Feige oder ein Apfel vergessen sei.

„Eine Geschichte, eine Geschichte!" riefen die Kinder und zogen einen kleinen, dicken Mann gegen den Baum hin, und er setzte sich gerade unter ihn, „denn so sind wir im Grünen", sagte er, „und der Baum kann besonders Nutzen davon haben, zuzuhören! Aber ich erzähle nur eine Geschichte. Wollt ihr die von Ivede-Avede oder die von Klumpe-Dumpe hören, der die Treppen hinunterfiel und doch erhöht wurde und die Prinzessin bekam?"

„Ivede-Avede!" schrien einige, „Klumpe-Dumpe!" schrien andere. Das

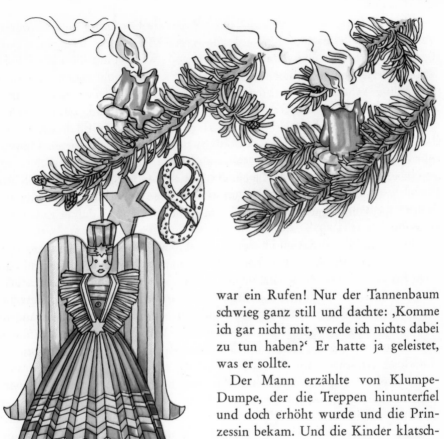

war ein Rufen! Nur der Tannenbaum schwieg ganz still und dachte: ‚Komme ich gar nicht mit, werde ich nichts dabei zu tun haben?‘ Er hatte ja geleistet, was er sollte.

Der Mann erzählte von Klumpe-Dumpe, der die Treppen hinunterfiel und doch erhöht wurde und die Prinzessin bekam. Und die Kinder klatschten in die Hände und riefen: „Erzähle, erzähle!“ Sie wollten auch die Geschichte von Ivede-Avede hören, aber sie bekamen nur die von Klumpe-Dumpe. Der Tannenbaum stand ganz stumm und gedankenvoll, nie hatten die Vögel im Walde dergleichen erzählt. ‚Klumpe-Dumpe fiel die Treppen hinunter und bekam doch die Prinzessin! Ja, ja, so geht es in der Welt zu!‘ dachte der Tannenbaum und glaubte, daß es wahr sei, weil ein so netter Mann es erzählt hatte. ‚Ja, ja! Vielleicht falle ich auch die Treppe hinunter und bekomme eine Prinzessin!‘ Und er freute sich, den nächsten Tag wieder mit Lichtern und Spielzeug, Gold und Früchten und dem Stern von Flittergold aufgeputzt zu werden.

‚Morgen werde ich nicht zittern!‘ dachte er. ‚Ich will mich recht aller meiner

Herrlichkeit freuen. Morgen werde ich wieder die Geschichte von Klumpe-Dumpe und vielleicht auch die von Ivede-Avede hören.' Und der Baum stand die ganze Nacht still und gedankenvoll.

Am Morgen kamen die Diener und das Mädchen herein.

,Nun beginnt der Staat aufs neue!' dachte der Baum; aber sie schleppten ihn zum Zimmer hinaus, die Treppe hinauf, auf den Boden und stellten ihn in einen dunklen Winkel, wohin kein Tageslicht schien. ,Was soll das bedeuten?' dachte der Baum. ,Was soll ich hier wohl machen? Was mag ich hier wohl hören sollen?' Er lehnte sich gegen die Mauer und dachte und dachte. Und er hatte Zeit genug, denn es vergingen Tage und Nächte; niemand kam herauf, und als endlich jemand kam, so geschah es, um einige große Kasten in den Winkel zu stellen; der Baum stand ganz versteckt, man mußte glauben, daß er ganz vergessen war.

,Nun ist es Winter draußen!' dachte der Baum. ,Die Erde ist hart und mit Schnee bedeckt, die Menschen können mich nicht pflanzen; deshalb soll ich wohl bis zum Frühjahr hier im Schutz stehen! Wie wohlbedacht ist das! Wie die Menschen doch so gut sind! Wäre es hier nur nicht so dunkel und schrecklich einsam! Nicht einmal ein kleiner Hase! Das war doch niedlich da draußen im Walde, wenn der Schnee lag und der Hase vorbeisprang, ja selbst als er über mich hinwegsprang; aber damals mochte ich es nicht leiden. Hier oben ist es doch schrecklich einsam!'

„Piep, piep!" sagte da eine kleine Maus und huschte hervor; und dann kam noch eine kleine. Sie beschnüffelten den Tannenbaum, und dann schlüpften sie zwischen seine Zweige.

„Es ist eine greuliche Kälte!" sagten die kleinen Mäuse. „Sonst ist hier gut sein; nicht wahr, du alter Tannenbaum?"

„Ich bin gar nicht alt!" sagte der Tannenbaum; „es gibt viele, die weit älter sind denn ich!"

„Woher kommst du?" fragten die Mäuse, „und was weißt du?" Sie waren gewaltig neugierig. „Erzähle uns doch von den schönsten Orten auf Erden! Bist du dort gewesen? Bist du in der Speisekammer gewesen, wo Käse auf den Brettern liegen und Schinken unter der Decke hängen, wo man auf Talglicht tanzt, mager hineingeht und fett herauskommt?"

„Das kenne ich nicht", sagte der Baum; „aber den Wald kenne ich, wo die Sonne scheint und die Vögel singen!" Und dann erzählte er alles aus seiner Jugend. Die kleinen Mäuse hatten früher nie dergleichen gehört, sie horchten auf und sagten: „Wieviel du gesehen hast! Wie glücklich du gewesen bist!"

„Ich?" sagte der Tannenbaum und dachte über das, was er selbst erzählte, nach. „Ja, es waren im Grunde ganz fröhliche Zeiten!" Aber dann erzählte er vom Weihnachtsabend, wo er mit Zuckerwerk und Lichtern geschmückt war.

„Oh", sagten die kleinen Mäuse, „wie glücklich du gewesen bist, du alter Tannenbaum!"

„Ich bin gar nicht alt!" sagte der Baum; „erst in diesem Winter bin ich aus dem Walde gekommen! Ich bin in meinem allerbesten Alter, ich bin nur so aufgeschossen."

„Wie schön du erzählst!" sagten die kleinen Mäuse, und in der nächsten Nacht kamen sie mit vier anderen kleinen Mäusen, die den Baum erzählen hören sollten, und je mehr er erzählte, desto deutlicher erinnerte er sich selbst an alles und dachte: ‚Es waren doch ganz fröhliche Zeiten! Aber sie können wiederkommen, können wiederkommen! Klumpe-Dumpe fiel die Treppe hinunter und bekam doch die Prinzessin; vielleicht kann ich auch eine Prinzessin bekommen.' Und dann dachte der Tannenbaum an eine kleine, niedliche Birke, die draußen im Walde wuchs; das war für den Tannenbaum eine wirkliche, schöne Prinzessin.

„Wer ist Klumpe-Dumpe?" fragten die kleinen Mäuse. Da erzählte der Tannenbaum das ganze Märchen, er konnte sich jedes einzelnen Wortes entsinnen; die kleinen Mäuse sprangen aus reiner Freude bis an die Spitze des Baumes. In der folgenden Nacht kamen weit mehr Mäuse und am Sonntage sogar zwei Ratten, aber die meinten, die Geschichte sei nicht hübsch, und das betrübte die kleinen Mäuse, denn nun hielten sie auch weniger davon.

„Wissen Sie nur die eine Geschichte?" fragten die Ratten.

„Nur die eine", antwortete der Baum; „die hörte ich an meinem glücklichsten Abend, aber damals dachte ich nicht daran, wie glücklich ich war."

„Das ist eine höchst jämmerliche Geschichte! Kennen Sie keine von Speck und Talglicht? Keine Speisekammergeschichte?"

„Nein!" sagte der Baum.

„Ja, dann danken wir dafür!" erwiderten die Ratten und gingen zu den Ihrigen zurück.

Die kleinen Mäuse blieben zuletzt auch weg, und da seufzte der Baum: „Es war doch ganz hübsch, als sie um mich herumsaßen, die beweglichen kleinen Mäuse, und zuhörten, wie ich erzählte! Nun ist auch das vorbei! Aber ich werde gerne daran denken, wenn ich wieder hervorgenommen werde."

Aber wann geschah das? Ja, es war eines Morgens, da kamen Leute und wirtschafteten auf dem Boden; die Kasten wurden weggesetzt, der Baum

wurde hervorgezogen; sie warfen ihn freilich ziemlich hart gegen den Fußboden, aber ein Diener schleppte ihn gleich nach der Treppe hin, wo der Tag
leuchtete.

‚Nun beginnt das Leben wieder!‘ dachte der Baum; er fühlte die frische
Luft, die ersten Sonnenstrahlen, und nun war er draußen im Hofe. Alles ging
geschwind, der Baum vergaß völlig, sich selbst zu betrachten, da war so vieles
ringsumher zu sehen. Der Hof stieß an einen Garten, und alles blühte darin;
die Rosen hingen frisch und duftend über das kleine Gitter hinaus, die Lin-
denbäume blühten, und die Schwalben flogen umher und sagten: „Quirre-
virrevit, mein Mann ist kommen!“ Aber es war nicht der Tannenbaum, den
sie meinten.

„Nun werde ich leben!“ jubelte der und breitete seine Zweige weit aus; aber
ach, die waren alle vertrocknet und gelb; und er lag da zwischen Unkraut und
Nesseln. Der Stern von Goldpapier saß noch oben in der Spitze und glänzte
im hellen Sonnenschein.

Im Hofe selbst spielten ein paar der munteren Kinder, die zur Weihnachtszeit den Baum umtanzt hatten und so froh über ihn gewesen waren. Eins der
kleinsten lief hin und riß den Goldstern ab.

„Sieh, was da noch an dem häßlichen, alten Tannenbaum sitzt!“ sagte es und
trat auf die Zweige, so daß sie unter seinen Stiefeln knackten.

Der Baum sah auf all die Blumenpracht und Frische im Garten, er betrachtete sich selbst und wünschte, daß er in seinem dunklen Winkel auf dem Boden
geblieben wäre; er gedachte seiner frischen Jugend im Walde, des lustigen
Weihnachtsabends und der kleinen Mäuse, die so munter die Geschichte von
Klumpe-Dumpe angehört hatten.

„Vorbei, vorbei!“ sagte der arme Baum. „Hätte ich mich doch gefreut, als
ich es noch konnte! Vorbei, vorbei!“

Der Diener kam und hieb den Baum in kleine Stücke, ein ganzes Bund lag
da; hell flackerte es auf unter dem großen Braukessel. Der Baum seufzte tief,
und jeder Seufzer war einem kleinen Schusse gleich; deshalb liefen die Kinder,
die da spielten, herbei und setzten sich vor das Feuer, blickten hinein und riefen: „Piff, paff!“ Aber bei jedem Knalle, der ein tiefer Seufzer war, dachte
der Baum an einen Sommerabend im Walde oder an eine Winternacht da draußen, wenn die Sterne funkelten; er dachte an den Weihnachtsabend und an
Klumpe-Dumpe, das einzige Märchen, das er gehört hatte und zu erzählen
wußte – und dann war der Baum verbrannt.

Die Knaben spielten im Garten, und der kleinste hatte den Goldstern auf

der Brust, den der Baum an seinem glücklichsten Abend getragen hatte. Nun war der vorbei, und mit dem Baum war es vorbei und mit der Geschichte auch; vorbei, vorbei.

Und so geht es mit allen Geschichten!

DER STANDHAFTE ZINNSOLDAT

Es waren einmal fünfundzwanzig Zinnsoldaten, die waren alle Brüder, denn sie waren aus einem alten zinnernen Löffel gemacht worden. Das Gewehr hielten sie im Arm und das Gesicht geradeaus; rot und blau, überaus herrlich war die Uniform; das allererste, was sie in dieser Welt hörten, als der Deckel von der Schachtel genommen wurde, in der sie lagen, war das Wort „Zinnsoldaten!" Das rief ein kleiner Knabe und klatschte in die Hände; er hatte sie erhalten, denn es war sein Geburtstag, und er stellte sie nun auf dem Tische auf. Der eine Soldat glich dem andern leibhaft, nur ein einziger war etwas anders; er hatte nur ein Bein, denn er war zuletzt gegossen worden, und da war nicht mehr Zinn genug da; doch stand er ebenso fest auf seinem einen Bein wie die andern auf ihren zweien, und gerade er war es, der sich bemerkbar machte.

Auf dem Tisch, auf dem sie aufgestellt wurden, stand vieles andere Spielzeug; aber das, was am meisten in die Augen fiel, war ein niedliches Schloß von Papier; durch die kleinen Fenster konnte man gerade in die Säle hineinsehen. Draußen vor ihm standen kleine Bäume rings um einen kleinen Spiegel, der wie ein kleiner See aussehen sollte. Schwäne von Wachs schwammen darauf und spiegelten sich. Das war alles niedlich, aber das niedlichste war doch ein kleines Mädchen, das mitten in der offenen Schloßtür stand; sie war auch aus Papier ausgeschnitten, aber sie hatte ein schönes Kleid und ein kleines, schmales, blaues Band über den Schultern, gerade wie ein Schärpe; mitten in diesem saß ein glänzender Stern, gerade so groß wir ihr Gesicht.

Das kleine Mädchen streckte seine beiden Arme aus, denn es war eine Tänzerin, und dann hob es das eine Bein so hoch empor, daß der Zinnsoldat es durchaus nicht finden konnte und glaubte, daß es gerade wie er nur ein Bein habe.

‚Das wäre eine Frau für mich‘, dachte er, ‚aber sie ist etwas vornehm, sie wohnt in einem Schlosse, ich habe nur eine Schachtel, und da sind wir fünfundzwanzig darin, das ist kein Ort für sie, doch ich muß suchen, Bekanntschaft mit ihr anzuknüpfen!‘ Und dann legte er sich, so lang er war, hinter eine

Schnupftabaksdose, die auf dem Tische stand. Da konnte er recht die kleine, feine Dame betrachten, die fortfuhr auf einem Bein zu stehen, ohne umzufallen.

Als es Abend wurde, kamen alle die andern Zinnsoldaten in ihre Schachtel, und die Leute im Hause gingen zu Bette. Nun fing das Spielzeug an zu spielen, sowohl ‚Es kommt Besuch!‘ als auch ‚Krieg führen‘ und ‚Ball geben‘; die Zinnsoldaten rasselten in der Schachtel, denn sie wollten mit dabei sein, aber sie konnten den Deckel nicht aufheben. Der Nußknacker schoß Purzelbäume, und der Griffel belustigte sich auf der Tafel; es war ein Lärm, daß der Kanarienvogel davon erwachte und anfing mitzusprechen, und zwar in Versen. Die beiden einzigen, die sich nicht von der Stelle bewegten, waren der Zinnsoldat und die Tänzerin; sie hielt sich gerade auf der Zehenspitze und beide Arme ausgestreckt; er war ebenso standhaft auf seinem einen Bein; seine Augen wandte er keinen Augenblick von ihr weg.

Nun schlug die Uhr zwölf, und klatsch, da sprang der Deckel von der Schnupftabaksdose auf, aber da war kein Tabak darin, nein, sondern ein kleiner, schwarzer Kobold.

Das war ein Kunststück!

„Zinnsoldat“, sagte der Kobold, „halte deine Augen im Zaum!“

Aber der Zinnsoldat tat, als ob er es nicht hörte.

„Ja, warte nur bis morgen!“ sagte der Kobold.

Als es nun Morgen wurde und die Kinder aufstanden, wurde der Zinnsoldat in das Fenster gestellt, und war es nun der Kobold oder der Zugwind, auf einmal flog das Fenster zu, und der Soldat stürzte drei Stockwerke tief hinunter.

Das war eine erschreckliche Fahrt. Er streckte das Bein gerade in die Höhe und blieb auf der Helmspitze mit dem Bajonett abwärts zwischen den Pflastersteinen stecken.

Das Dienstmädchen und der kleine Knabe kamen sogleich hinunter, um zu suchen; aber obgleich sie nahe daran waren, auf ihn zu treten, so konnten sie ihn doch nicht erblicken. Hätte der Zinnsoldat gerufen: ‚Hier bin ich!‘, so hätten sie ihn wohl gefunden, aber er fand es nicht passend, laut zu schreien, weil er in Uniform war.

Nun fing es an zu regnen; die Tropfen fielen immer dichter, es ward ein ordentlicher Platzregen; als der zu Ende war, kamen zwei Straßenjungen vorbei.

„Sieh du!“ sagte der eine, „da liegt ein Zinnsoldat! Der soll hinaus und segeln!“

Sie machten ein Boot aus einer Zeitung, setzten den Soldaten mitten hinein, und nun segelte er den Rinnstein hinunter; beide Knaben liefen nebenher und klatschten in die Hände. Was schlugen da für Wellen in dem Rinnstein, und welcher Strom war da! Ja, der Regen hatte aber auch geströmt. Das Papierboot schaukelte auf und nieder, mitunter drehte es sich so geschwind, daß der Zinnsoldat bebte; aber er blieb standhaft, verzog keine Miene, sah geradeaus und hielt das Gewehr im Arm.

Mit einem Male trieb das Boot unter eine lange Rinnsteinbrücke; da wurde es gerade so dunkel, als wäre er in seiner Schachtel.

‚Wohin mag ich nun kommen?' dachte er. Ja, ja, das ist des Kobolds Schuld! Ach, säße doch das kleine Mädchen hier im Boote, da könnte es meinetwegen noch einmal so dunkel sein!'

Da kam plötzlich eine große Wasserratte, die unter der Rinnsteinbrücke wohnte.

„Hast du einen Paß?" fragte die Ratte. „Her mit dem Passe!"

Aber der Zinnsoldat schwieg still und hielt das Gewehr noch fester.

Das Boot fuhr davon und die Ratte hinterher. Hu, wie fletschte sie die Zähne und rief den Holzspänen und dem Stroh zu:

„Halt auf! Halt auf! Er hat keinen Zoll bezahlt; er hat den Paß nicht gezeigt!"

Aber die Strömung wurde stärker und stärker! Der Zinnsoldat konnte schon da, wo das Brett aufhörte, den hellen Tag erblicken, aber er hörte auch einen brausenden Ton, der wohl einen tapfern Mann erschrecken konnte.

Denkt nur, der Rinnstein stürzte, wo die Brücke endete, geradehinaus in einen großen Kanal; das würde für den armen Zinnsoldaten ebenso gefährlich gewesen sein wie für uns, einen großen Wasserfall hinunterzufahren!

Nun war er schon so nahe dabei, daß er nicht mehr anhalten konnte. Das Boot fuhr hinaus, der Zinnsoldat hielt sich so steif, wie er konnte; niemand sollte ihm nachsagen, daß er mit den Augen blinke. Das Boot schnurrte drei-, viermal herum und war bis zum Rande mit Wasser gefüllt, es mußte sinken. Der Zinnsoldat stand bis zum Halse im Wasser, und tiefer und tiefer sank das Boot, mehr und mehr löste das Papier sich auf; nun ging das Wasser über des Soldaten Kopf. Da dachte er an die kleine, niedliche Tänzerin, die er nie mehr zu Gesicht bekommen sollte, und es klang vor des Zinnsoldaten Ohren das Lied:

> ‚Fahre, fahre Kriegsmann!
> Den Tod mußt du erleiden!'

Nun ging das Papier entzwei, und der Zinnsoldat stürzte hindurch, wurde aber augenblicklich von einem großen Fisch verschlungen.

Wie war es dunkel da drinnen!

Da war es noch schlimmer als unter der Rinnsteinbrücke, und dann war es so sehr eng; aber der Zinnsoldat war standhaft und lag, so lang er war, mit dem Gewehr im Arm.

Der Fisch fuhr umher, er machte die allerschrecklichsten Bewegungen; endlich wurde er ganz still, es fuhr wie ein Blitzstrahl durch ihn hin. Das Licht schien ganz klar, und jemand rief laut: „Der Zinnsoldat!" Der Fisch war gefangen worden, auf den Markt gebracht, verkauft und in die Küche hinaufgekommen, wo die Köchin ihn mit einem großen Messer aufschnitt. Sie nahm mit zwei Fingern den Soldaten mitten um den Leib und trug ihn in die Stube hinein, wo alle den merkwürdigen Mann sehen wollten, der im Magen eines Fisches herumgereist war; aber der Zinnsoldat war gar nicht stolz. Sie stellten ihn auf den Tisch und da – wie sonderbar kann es doch in der Welt zugehen! Der Zinnsoldat war in derselben Stube, in der er früher gewesen war, er sah dieselben Kinder, und das gleiche Spielzeug stand auf dem Tische, das herrliche Schloß mit der niedlichen, kleinen Tänzerin. Die hielt sich noch auf dem einen Bein und hatte das andere hoch in der Luft, sie war auch standhaft. Das rührte den Zinnsoldaten, er war nahe daran, Zinn zu weinen, aber es schickte sich nicht. Er sah sie an, aber sie sagten gar nichts.

Da nahm der eine der kleinen Knaben den Soldaten und warf ihn gerade in den Ofen, obwohl er gar keinen Grund dafür hatte; es war sicher der Kobold in der Dose, der schuld daran war.

Der Zinnsoldat stand ganz beleuchtet da und fühlte eine Hitze, die erschrecklich war; aber ob sie von dem wirklichen Feuer oder von der Liebe herrührte, das wußte er nicht. Die Farben waren ganz von ihm abgegangen – ob das auf der Reise geschehen oder ob der Kummer daran schuld war, konnte niemand sagen. Er sah das kleine Mädchen an, sie blickte ihn an, und er fühlte, daß er schmelze, aber noch stand er standhaft mit dem Gewehre im Arm. Da ging eine Tür auf, der Wind ergriff die Tänzerin, und sie flog, einer Sylphide gleich, gerade in den Ofen zum Zinnsoldaten, loderte in Flammen auf und war verschwunden. Da schmolz der Zinnsoldat zu einem Klumpen, und als das Mädchen am folgenden Tage die Asche herausnahm, fand sie ihn als ein kleines Zinnherz; von der Tänzerin hingegen war nur der Stern noch da, und der war kohlschwarz gebrannt.

DÄUMELINCHEN

Es war einmal eine Frau, die sich sehr nach einem kleinen Kinde sehnte, aber sie wußte nicht, woher sie es nehmen sollte. Da ging sie zu einer alten Hexe und sagte zu ihr: „Ich möchte herzlich gern ein kleines Kind haben, willst du mir nicht sagen, woher ich das bekommen kann?"

„Ja, damit wollen wir schon fertig werden!" sagte die Hexe. „Da hast du ein Gerstenkorn; das ist gar nicht von der Art, wie sie auf dem Felde des Landmanns wachsen oder wie sie die Hühner zu fressen bekommen; lege das in einen Blumentopf, so wirst du etwas zu sehen bekommen!"

„Ich danke dir!" sagte die Frau und gab der Hexe fünf Groschen, ging dann nach Hause, pflanzte das Gerstenkorn, und sogleich wuchs da eine herrliche, große Blume; sie sah aus wie eine Tulpe, aber die Blätter schlossen sich fest zusammen, gerade als ob sie noch in der Knospe wären.

„Das ist eine niedliche Blume!" sagte die Frau und küßte sie auf die roten und gelben Blätter, aber gerade wie sie darauf küßte, öffnete sich die Blume mit einem Knall. Es war eine wirkliche Tulpe, wie man nun sehen konnte, aber mitten in der Blume saß auf dem grünen Samengriffel ein ganz kleines Mädchen, fein und niedlich, es war nicht über einen Daumen breit und lang, deswegen wurde es Däumelinchen genannt.

Eine niedliche, lackierte Walnußschale bekam Däumelinchen zur Wiege, Veilchenblätter waren ihre Matratze und ein Rosenblatt ihr Deckbett. Da schlief sie bei Nacht, aber am Tage spielte sie auf dem Tisch, wo die Frau einen Teller hingestellt, um den sie einen ganzen Kranz von Blumen gelegt hatte, deren Stengel im Wasser standen. Hier schwamm ein großes Tulpenblatt, und auf diesem konnte Däumelinchen sitzen und von der einen Seite des Tellers nach

der anderen fahren; sie hatte zwei weiße Pferdehaare zum Rudern. Das sah ganz allerliebst aus. Sie konnte auch singen, und so fein und niedlich, wie man es nie gehört hatte.

Einmal nachts, als sie in ihrem schönen Bette lag, kam eine Kröte durch eine zerbrochene Scheibe des Fensters hereingehüpft. Die Kröte war häßlich, groß und naß, sie hüpfte gerade auf den Tisch herunter, auf dem Däumelinchen lag und unter dem roten Rosenblatt schlief.

„Das wäre eine schöne Frau für meinen Sohn!" sagte die Kröte, und da nahm sie die Walnußschale, worin Däumelinchen schlief, und hüpfte mit ihr durch die zerbrochene Scheibe fort, in den Garten hinunter.

Da floß ein großer, breiter Fluß; aber gerade am Ufer war es sumpfig und morastig; hier wohnte die Kröte mit ihrem Sohne. Hu, der war häßlich und garstig und glich ganz seiner Mutter. „Koax, koax, brekkerekekex!" Das war alles, was er sagen konnte, als er das niedliche kleine Mädchen in der Walnuß-schale erblickte.

„Sprich nicht so laut, denn sonst erwacht sie!" sagte die alte Kröte. „Sie könnte uns noch entlaufen, denn sie ist so leicht wie ein Schwanenflaum! Wir wollen sie auf eins der breiten Seerosenblätter in den Fluß hinaussetzen, das ist für sie, die so leicht und klein ist, gerade wie eine Insel; da kann sie nicht davonlaufen, während wir die Staatsstube unten unter dem Morast, wo ihr wohnen und hausen sollt, instand setzen."

Draußen in dem Flusse wuchsen viele Seerosen mit den breiten, grünen Blättern, die aussehen, als schwämmen sie oben auf dem Wasser. Das am weitesten hinausliegende Blatt war auch das allergrößte; dahin schwamm die alte Kröte und setzte die Walnußschale mit Däumelinchen darauf.

Das kleine Wesen erwachte frühmorgens, und da es sah, wo es war, fing es recht bitterlich an zu weinen; denn es war Wasser zu allen Seiten des großen, grünen Blattes, und es konnte gar nicht an Land kommen.

Die alte Kröte saß unten im Morast und putzte ihre Stube mit Schilf und gelben Blumen aus – es sollte da recht hübsch für die neue Schwiegertochter werden. Dann schwamm sie mit dem häßlichen Sohne zu dem Blatte, wo Däumelinchen stand. Sie wollten ihr hübsches Bett holen, das sollte in das Brautgemach gestellt werden, bevor sie es selbst betrat. Die alte Kröte verneigte sich tief im Wasser vor ihr und sagte: „Hier siehst du meinen Sohn; er wird dein Mann sein, und ihr werdet recht prächtig unten im Morast wohnen!"

„Koax, koax, brekkerekekex!" war alles, was der Sohn sagen konnte.

Dann nahmen sie das niedliche, kleine Bett und schwammen damit fort; aber

Däumelinchen saß ganz allein und weinte auf dem grünen Blatte, denn sie mochte nicht bei der garstigen Kröte wohnen oder ihren häßlichen Sohn zum Manne haben. Die kleinen Fische, die unten im Wasser schwammen, hatten die Kröte wohl gesehen, und sie hatten auch gehört, was sie gesagt hatte; deshalb streckten sie die Köpfe hervor, sie wollten doch das kleine Mädchen sehen. Sie fanden es sehr niedlich und bedauerten, daß es zur häßlichen Kröte hinunter sollte. Nein, das durfte nie geschehen! Sie versammelten sich unten im Wasser rings um den grünen Stengel, der das Blatt hielt, nagten mit den Zähnen den Stiel ab, und da schwamm das Blatt den Fluß hinab mit Däumelinchen davon, weit weg, wo die Kröte sie nicht erreichen konnte.

Däumelinchen segelte an vielen Städten vorbei, und die kleinen Vögel saßen in den Büschen, sahen sie und sangen: „Welch liebliches, kleines Mädchen!" Das Blatt schwamm mit ihr immer weiter und weiter fort; so reiste Däumelinchen außer Landes.

Ein niedlicher, weißer Schmetterling umflatterte sie stets und ließ sich zuletzt auf das Blatt nieder, denn Däumelinchen gefiel ihm. Sie war sehr erfreut; denn nun konnte die Kröte sie nicht erreichen, und es war so schön, wo sie fuhr; die Sonne schien aufs Wasser, das wie lauteres Gold glänzte. Sie nahm ihren Gürtel, band das eine Ende um den Schmetterling, das andere Ende des Bandes befestigte sie am Blatte; das glitt nun viel schneller davon und sie mit, denn sie stand ja darauf.

Da kam ein großer Maikäfer angeflogen, der erblickte sie, schlug augenblicklich seine Klauen um ihren schlanken Leib und flog mit ihr auf einen Baum. Das grüne Blatt schwamm den Fluß hinab und der Schmetterling mit, denn er war an das Blatt gebunden und konnte nicht loskommen.

Wie war das arme Däumelinchen erschrocken, als der Maikäfer mit ihr auf den Baum flog! Aber hauptsächlich war sie des schönen, weißen Schmetterlings wegen betrübt, den sie an das Blatt festgebunden hatte. Wenn er sich nicht befreien konnte, mußte er ja verhungern! Darum kümmerte sich der Maikäfer nicht. Er setzte sich mit ihr auf das größte grüne Blatt des Baumes, gab ihr das Süße der Blumen zu essen und sagte, daß sie niedlich sei, obgleich sie einem Maikäfer durchaus nicht gleiche. Später kamen alle die anderen Maikäfer, die im Baume wohnten, und besuchten sie; sie betrachteten Däumelinchen, und die Maikäferfräulein rümpften die Fühlhörner und sagten: „Sie hat doch nicht mehr als zwei Beine; das sieht erbärmlich aus." – „Sie hat keine Fühlhörner!" sagte eine andere. „Sie ist so schlank in der Mitte; pfui, sie sieht wie ein Mensch aus! Wie häßlich sie ist!" sagten alle Maikäferinnen, und doch war Däume-

linchen so niedlich. Das erkannte auch der Maikäfer, der sie geraubt hatte,
aber als alle anderen sagten, sie sei häßlich, so glaubte er es zuletzt auch und
wollte sie gar nicht haben; sie konnte gehen, wohin sie wollte. Sie flogen mit
ihr den Baum hinab und setzten sie auf ein Gänseblümchen; da weinte sie, weil
sie so häßlich sei, daß die Maikäfer sie nicht haben wollten, und doch war sie
das Lieblichste, das man sich denken konnte, so fein und klar wie das schönste
Rosenblatt.

Den ganzen Sommer über lebte das arme Däumelinchen ganz allein in dem
großen Walde. Sie flocht sich ein Bett aus Grashalmen und hing es unter einem
Klettenblatte auf, so war sie vor dem Regen geschützt, sie pflückte das Süße
der Blumen zur Speise und trank vom Tau, der jeden Morgen auf den Blättern
lag. So vergingen Sommer und Herbst. Aber nun kam der Winter, der kalte,
lange Winter. Alle Vögel, die so schön vor ihr gesungen hatten, flogen davon,
Bäume und Blumen verdorrten; das große Klettenblatt, unter dem sie gewohnt

hatte, schrumpfte zusammen, und es blieb nichts als ein gelber, verwelkter Stengel zurück. Däumelinchen fror schrecklich, denn ihre Kleider waren entzwei, und sie war selbst so fein und klein, sie mußte erfrieren. Es fing an zu schneien, und jede Schneeflocke, die auf sie fiel, war, als wenn man auf uns eine ganze Schaufel voll wirft, denn wir sind groß, und sie war nur einen halben Finger lang. Da hüllte sie sich in ein verdorrtes Blatt ein, aber das wollte nicht wärmen; sie zitterte vor Kälte.

Dicht vor dem Walde, wohin sie nun gekommen war, lag ein großes Kornfeld. Das Korn war schon lange abgeschnitten, nur die nackten, trockenen Stoppeln standen aus der gefrorenen Erde hervor. Sie waren gerade wie ein ganzer Wald für sie zu durchwandern, und sie zitterte vor Kälte! Da gelangte sie vor die Tür der Feldmaus, die ein kleines Loch unter den Kornstoppeln hatte. Da wohnte die Feldmaus warm und gut, hatte die ganze Stube voll Korn, eine herrliche Küche und Speisekammer. Das arme Däumelinchen stellte sich in die Tür, gerade wie jedes andere arme Bettelmädchen, und bat um ein kleines Stück von einem Gerstenkorn, denn sie hatte seit zwei Tagen nicht das mindeste zu essen gehabt.

„Du kleines Wesen!" sagte die Feldmaus, denn im Grunde war es eine gute alte Feldmaus, „komm herein in meine warme Stube und iß mit mir!"

Da ihr nun Däumelinchen gefiel, sagte sie: „Du kannst den Winter über bei mir bleiben, aber du mußt meine Stube sauber und rein halten und mir Geschichten erzählen, denn die liebe ich sehr." Däumelinchen tat, was die gute alte Feldmaus verlangte, und hatte es über die lange Winterzeit hinweg außerordentlich gut.

„Nun werden wir bald Besuch erhalten!" sagte die Feldmaus. „Mein Nachbar pflegt mich wöchentlich einmal zu besuchen. Er steht sich noch besser als ich, hat große Säle und trägt einen schönen, schwarzen Samtpelz! Wenn du den zum Manne bekommen könntest, so wärest du gut versorgt; aber er kann nicht sehen.

Du mußt ihm, wenn er unser Gast ist, die niedlichsten Geschichten erzählen, die du weißt!"

Aber darum kümmerte sich Däumelinchen nicht, sie mochte den Nachbar gar nicht haben, denn er war ein Maulwurf.

Er kam und stattete den Besuch in seinem schwarzen Samtpelz ab. Er sei reich und gelehrt, sagte die Feldmaus; seine Wohnung war auch zwanzigmal größer als die der Feldmaus. Gelehrsamkeit besaß er, aber die Sonne und die schönen Blumen mochte er gar nicht leiden, von beiden sprach er schlecht, denn er hatte sie noch nie gesehen.

Däumelinchen mußte singen, und sie sang:

> „Maikäfer flieg!"
> und: „Wer will unter die Soldaten".

Da wurde der Maulwurf der schönen Stimme wegen in sie verliebt, aber er sagte nichts, er war ein besonnener Mann.

Er hatte sich vor kurzem einen langen Gang durch die Erde von seinem bis zu ihrem Hause gegraben; in diesem erhielten die Feldmaus und Däumelinchen die Erlaubnis, zu spazieren, soviel sie wollten. Aber er bat sie, sich nicht vor dem toten Vogel zu fürchten, der in dem Gange liege. Es war ein ganzer Vogel mit Federn und Schnabel, der sicher erst kürzlich gestorben und nun begraben war, gerade da, wo er seinen Gang gemacht hatte.

Der Maulwurf nahm nun ein Stück faules Holz ins Maul, denn das schimmert ja wie Feuer im Dunkeln, ging voran und leuchtete ihnen in dem langen, dunklen Gange. Als sie dahin kamen, wo der tote Vogel lag, stemmte der Maulwurf seine breite Nase gegen die Decke und stieß die Erde auf, so daß es ein großes Loch gab und das Licht hindurchscheinen konnte. Mitten auf dem Fußboden lag eine tote Schwalbe, die schönen Flügel fest an die Seite gedrückt, die Füße und den Kopf unter die Federn gezogen; der arme Vogel war sicher vor Kälte gestorben. Das tat Däumelinchen leid, sie hielt viel von allen kleinen Vögeln, sie hatten ja den ganzen Sommer so schön vor ihr gesungen und gezwitschert. Aber der Maulwurf stieß ihn mit seinen kurzen Beinen und sagte: „Nun pfeift er nicht mehr! Es muß doch erbärmlich sein, als kleiner Vogel geboren zu werden! Gott sei Dank, daß keins von meinen Kindern das wird; ein solcher Vogel hat ja außer seinem Quivit nichts und muß im Winter verhungern!"

„Ja, das mögt Ihr als vernünftiger Mann wohl sagen", erwiderte die Feldmaus. „Was hat der Vogel für all sein Quivit, wenn der Winter kommt? Er muß hungern und frieren; doch das soll wohl ganz besonders vornehm sein!"

Däumelinchen sagte gar nichts; aber als die beiden andern dem Vogel den Rücken wandten, neigte sie sich herab, schob die Federn beiseite, die den Kopf bedeckten, und küßte ihn auf die geschlossenen Augen.

‚Vielleicht war er es, der so hübsch vor mir im Sommer sang‘, dachte sie. ‚Wieviel Freude hat er mir nicht gemacht, der liebe, schöne Vogel!‘

Der Maulwurf stopfte nun das Loch zu, durch das der Tag hereinschien, und begleitete dann die Damen nach Hause. Aber nachts konnte Däumelinchen gar nicht schlafen. Da stand sie von ihrem Bette auf und flocht von Heu einen großen, schönen Teppich. Den trug sie zu dem Vogel, breitete ihn über ihn und legte weiche Baumwolle, die sie in der Stube der Feldmaus gefunden hatte, an seine Seiten, damit er in der kalten Erde warm liegen möge.

„Lebe wohl, du schöner, kleiner Vogel!“ sagte sie. „Lebe wohl und habe Dank für deinen herrlichen Gesang im Sommer, als alle Bäume grün waren und die Sonne warm auf uns herabschien!“ Dann legte sie ihr Haupt an des Vogels Brust, erschrak aber zugleich, denn es war gerade, als ob drinnen etwas klopfte. Das war des Vogels Herz. Der Vogel war nicht tot, er lag nur betäubt da, war nun erwärmt worden und bekam wieder Leben.

Im Herbst fliegen alle Schwalben nach den warmen Ländern fort; aber ist da eine, die sich verspätet, so friert sie so, daß sie wie tot niederfällt und liegen bleibt, wo sie hinfällt. Und der kalte Schnee bedeckt sie.

Däumelinchen zitterte heftig, so war sie erschrocken, denn der Vogel war ja groß, sehr groß gegen sie; aber sie faßte doch Mut, legte die Baumwolle dichter um die arme Schwalbe und holte ein Krauseminzeblatt, das sie selbst zum Deckblatt gehabt hatte, und legte es ganz behutsam über den Kopf des Vogels.

In der nächsten Nacht schlich sie sich wieder zu ihm, und da war er nun lebendig, aber ganz matt. Er konnte nur einen Augenblick seine Augen öffnen und Däumelinchen ansehen, die mit einem Stück faulen Holzes in der Hand, denn eine andere Laterne hatte sie nicht, vor ihm stand.

„Ich danke dir, du niedliches, kleines Kind!“ sagte die kranke Schwalbe zu ihr. „Ich bin herrlich erwärmt worden; bald erhalte ich meine Kräfte zurück und kann dann wieder draußen in dem warmen Sonnenschein herumfliegen!“

„Oh“, sagte Däumelinchen, „es ist kalt draußen, es schneit und friert! Bleib in deinem warmen Bette, ich werde dich schon pflegen!“

Dann brachte sie der Schwalbe Wasser in einem Blumenblatt, und diese trank und erzählte ihr, wie sie ihren einen Flügel an einem Dornbusch gerissen und deshalb nicht so schnell habe fliegen können wie die andern Schwalben, die fortgeflogen seien, weit fort nach den warmen Ländern. So sei sie zuletzt

zur Erde gefallen. Mehr wußte sie nicht, und auch nicht, wie sie hierhergekommen war.

Den ganzen Winter blieb sie nun da unten, Däumelinchen pflegte sie und
hatte sie lieb, weder der Maulwurf noch die Feldmaus erfuhren etwas davon,
denn sie mochten die arme Schwalbe nicht leiden.

Sobald das Frühjahr kam und die Sonne die Erde erwärmte, sagte die
Schwalbe Däumelinchen, die das Loch öffnete, das der Maulwurf oben gemacht hatte, Lebewohl. Die Sonne schien herrlich zu ihnen herein, und die
Schwalbe fragte, ob sie mitkommen wolle, sie könnte auf ihrem Rücken sitzen,
sie wollten weit in den grünen Wald hineinfliegen. Aber Däumelinchen wußte,
daß es die alte Feldmaus betrüben würde, wenn sie sie verließ.

„Nein, ich kann nicht!" sagte Däumelinchen.

„Lebe wohl, lebe wohl, du gutes, niedliches Mädchen!" sagte die Schwalbe
und flog hinaus in den Sonnenschein. Däumelinchen sah ihr nach, und das Wasser trat ihr in die Augen, denn sie war der armen Schwalbe von Herzen gut.

„Quivit, quivit!" sang der Vogel und flog in den grünen Wald. Däumelinchen war recht betrübt. Sie erhielt gar keine Erlaubnis, in den warmen Sonnenschein hinauszugehen. Das Korn, das auf dem Felde über dem Hause der
Feldmaus gesät war, wuchs auch hoch in die Luft empor; das war ein ganz
dichter Wald für das arme, kleine Mädchen.

„Nun sollst du im Sommer deine Aussteuer nähen!" sagte die Feldmaus zu
ihr; denn der Nachbar, der langweilige Maulwurf in dem schwarzen Samtpelze, hatte um sie gefreit. „Du mußt sowohl Wollen- wie Leinenzeug haben,
denn es darf dir an nichts fehlen, wenn du des Maulwurfs Frau wirst!"

Däumelinchen mußte auf der Spindel spinnen, und die Feldmaus mietete
vier Raupen, die Tag und Nacht für sie webten. Jeden Abend besuchte sie der
Maulwurf und sprach dann immer davon, daß, wenn der Sommer zu Ende
gehe, die Sonne lange nicht so warm scheinen werde, sie brenne da jetzt die
Erde fest wie einen Stein; ja, wenn der Sommer vorbei sei, dann wolle er mit
Däumelinchen Hochzeit halten. Aber sie war gar nicht erfreut darüber, denn
sie mochte den langweiligen Maulwurf nicht leiden. Jeden Morgen, wenn die
Sonne aufging, und jeden Abend, wenn sie unterging, stahl sie sich zur Tür
hinaus, und wenn dann der Wind die Kornähren trennte, so daß sie den blauen
Himmel erblicken konnte, dachte sie daran, wie hell und schön es hier draußen
sei, und wünschte sehnlichst, die liebe Schwalbe wiederzusehen.

Aber die kam nicht wieder; sie war gewiß weit weg in den schönen grünen
Wald gezogen.

Als es nun Herbst wurde, hatte Däumelinchen ihre ganze Aussteuer fertig.

„In vier Wochen sollst du Hochzeit halten!" sagte die Feldmaus. Aber Däumelinchen weinte und sagte, sie wolle den langweiligen Maulwurf nicht haben.

„Schnickschnack!" sagte die Feldmaus. „Werde nicht widerspenstig, denn sonst werde ich dich mit meinen weißen Zähnen beißen! Es ist ja ein schöner Mann, den du bekommst, und das darfst du nicht vergessen. Die Königin selbst hat keinen solchen schwarzen Samtpelz! Er hat Küche und Keller voll. Danke du Gott für ihn!"

Nun sollten sie Hochzeit haben. Der Maulwurf war schon gekommen, Däumelinchen zu holen; sie sollte bei ihm wohnen, tief unter der Erde, nie an die warme Sonne herauskommen, denn die mochte er nicht leiden. Das arme Kind war sehr betrübt; sie sollte nun der schönen Sonne Lebewohl sagen, die sie doch bei der Feldmaus hatte von der Türe aus sehen dürfen.

„Lebe wohl, du helle Sonne!" sagte sie, streckte die Arme hoch empor und ging auch eine kleine Strecke weiter vor dem Hause der Feldmaus; denn nun war das Korn geerntet, und hier standen nur die trockenen Stoppeln. „Lebe wohl, lebe wohl!" sagte sie und schlang ihre Arme um eine kleine rote Blume, die da stand. „Grüße die kleine Schwalbe von mir, wenn du sie zu sehen bekommst!"

„Quivit, quivit!" ertönte es plötzlich über ihrem Kopfe, sie sah empor, es war die kleine Schwalbe, die gerade vorbeikam. Sobald sie Däumelinchen erblickte, wurde sie sehr erfreut; diese erzählte ihr, wie ungern sie den häßlichen Maulwurf zum Manne haben wolle und daß sie dann tief unter der Erde wohnen solle, wo nie die Sonne scheine. Sie konnte sich nicht enthalten, dabei zu weinen.

„Nun kommt der kalte Winter", sagte die kleine Schwalbe; „ich fliege weit fort nach den warmen Ländern, willst du mit mir kommen? Du kannst auf meinem Rücken sitzen! Binde dich nur mit deinem Gürtel fest, dann fliegen wir von dem häßlichen Maulwurf und seiner dunkeln Stube fort, weit über die Berge, nach den warmen Ländern, wo die Sonne schöner scheint als hier, wo es immer Sommer ist und herrliche Blumen gibt. Fliege nur mit, du liebes, kleines Däumelinchen, die mein Leben gerettet hat, als ich wie tot in dem dunkeln Erdkeller lag!"

· „Ja, ich werde mit dir kommen!" sagte Däumelinchen und setzte sich auf des Vogels Rücken, mit den Füßen auf seinen entfalteten Schwingen. Sie band ihren Gürtel an einer der stärksten Federn fest, und da flog die Schwalbe hoch in die Luft hinauf, über Wald und über See, hoch über die großen Berge, wo immer Schnee liegt. Däumelinchen fror in der kalten Luft, aber dann verkroch sie sich unter des Vogels warme Federn und streckte nur den kleinen Kopf hervor, um all die Schönheiten unter sich zu bewundern.

Da kamen sie denn nach den warmen Ländern. Dort schien die Sonne weit klarer als hier, der Himmel war zweimal so hoch, und an Gräben und Hecken wuchsen die schönsten grünen und blauen Weintrauben. In den Wäldern hingen Zitronen und Apfelsinen, hier duftete es von Myrten und Krauseminze, auf den Landstraßen liefen die niedlichsten Kinder und spielten mit großen, bunten Schmetterlingen. Aber die Schwalbe flog noch weiter fort, und es wurde schöner und schöner. Unter den herrlichsten grünen Bäumen an dem blauen See stand ein blendend weißes Marmorschloß aus alten Zeiten. Weinreben rankten sich um die hohen Säulen empor; ganz oben waren viele Schwalbennester, und in einem wohnte die Schwalbe, die Däumelinchen trug.

„Hier ist mein Haus!" sagte die Schwalbe. „Aber willst du dir nun selbst eine der prächtigsten Blumen, die da unten wachsen, aussuchen, dann will ich dich hineinsetzen, und du sollst es so gut und schön haben, wie du es nur wünschest!"

„Das ist herrlich!" sagte Däumelinchen und klatschte erfreut in die kleinen Hände.

Da lag eine große, weiße Marmorsäule, die zu Boden gefallen und in drei Stücke gesprungen war, aber zwischen diesen wuchsen die schönsten großen, weißen Blumen. Die Schwalbe flog mit Däumelinchen hinunter und setzte sie auf eins der breiten Blätter. Aber wie erstaunte diese! Da saß ein kleiner Mann mitten in der Blume, so weiß und durchsichtig, als wäre er von Glas; die niedlichste Goldkrone trug er auf dem Kopfe und die herrlichsten, klaren Flügel an den Schultern, er selbst war nicht größer als Däumelinchen. Es war der Blumenelf. In jeder Blume wohnte so ein kleiner Mann oder eine Frau, aber dieser war der König – über alle.

„Gott, wie ist er schön!" flüsterte Däumelinchen der Schwalbe zu. Der kleine Prinz erschrak sehr über die Schwalbe, denn sie war gegen ihn, der so klein und fein war, ein Riesenvogel; aber als er Däumelinchen erblickte, wurde er hocherfreut; sie war das schönste Mädchen, das er je gesehen hatte. Deswegen nahm er seine Goldkrone vom Haupte und setzte sie ihr auf, fragte, wie sie heiße und ob sie seine Frau werden wolle, dann solle sie Königin über alle Blumen werden! Ja, das war wahrlich ein anderer Mann als der Sohn der Kröte und der Maulwurf mit dem schwarzen Samtpelze. Sie sagte deshalb ja zu dem herrlichen Prinzen, und von jeder Blume kam eine Dame oder ein

Herr, so niedlich, daß es eine Lust war; jeder brachte Däumelinchen ein Geschenk, aber das beste von allen waren ein Paar schöne Flügel von einer großen, weißen Fliege; sie wurden Däumelinchen am Rücken befestigt, und nun konnte sie auch von Blume zu Blume fliegen. Da gab es viel Freude, und die Schwalbe saß oben in ihrem Neste und sang ihnen vor, so gut sie konnte; aber im Herzen war sie doch betrübt, denn sie war Däumelinchen gut und wäre gerne immer mit ihr zusammen geblieben. Am liebsten hätte sie sich daher nie von ihr trennen mögen.

„Du sollst nicht Däumelinchen heißen!" sagte der Blumenelf zu ihr. „Das ist ein häßlicher Name, und du bist schön. Wir wollen dich von nun an Maja nennen."

„Lebe wohl, lebe wohl!" sagte die kleine Schwalbe und flog wieder fort von den warmen Ländern, weit weg, nach Deutschland zurück; dort hatte sie ein kleines Nest über dem Fenster, wo der Mann wohnt, der Märchen erzählen kann, vor ihm sang sie „Quivit, quivit!" Daher wissen wir die ganze Geschichte.

DER BUCHWEIZEN

Häufig, wenn man nach einem Gewitter an einem Acker vorübergeht, auf dem Buchweizen wächst, sieht man, daß er ganz schwarz geworden und abgesengt ist; es ist gerade, als ob eine Feuerflamme über ihn hingefahren wäre, und der Landmann sagt dann: „Das hat er vom Blitze bekommen!" Aber warum bekam er das? Ich will erzählen, was der Sperling mir gesagt hat, und der Sperling hat es von einem alten Weidenbaume gehört, der bei einem Buchweizenfelde steht. Es ist ein ehrwürdiger, großer Weidenbaum, aber verkrüppelt und alt, er ist in der Mitte geborsten, und es wachsen Gras und Brombeerranken aus der Spalte hervor; der Baum neigt sich vornüber, und die Zweige hängen ganz auf die Erde hinunter, gerade als ob sie langes, grünes Haar wären.

Auf allen Feldern ringsumher wuchsen Korn, Roggen, Gerste und Hafer, ja der herrliche Hafer, der, wenn er reif ist, gerade wie eine Menge kleiner, gelber Kanarienvögel an einem Zweige aussieht. Das Korn stand gesegnet, und je schwerer es war, desto tiefer neigte es sich in frommer Demut.

Aber da war auch ein Feld mit Buchweizen, und dieses Feld war dem alten Weidenbaume gerade gegenüber. Der Buchweizen neigte sich durchaus nicht wie das übrige Korn, sondern prangte stolz und steif.

„Ich bin wohl so reich wie die Ähre", sagte er; „überdies bin ich weit hübscher; meine Blumen sind schön wie die Blüten des Apfelbaumes; es ist eine Freude, auf mich und die Meinigen zu blicken! Kennst du etwas Prächtigeres als uns, du alter Weidenbaum?"

Der Weidenbaum nickte mit dem Kopfe, gerade als ob er damit sagen wollte: „Ja, freilich!" Aber der Buchweizen spreizte sich aus lauter Hochmut und sagte: „Der dumme Baum, er ist so alt, daß ihm Gras im Leibe wächst!"

Nun zog ein schrecklich böses Gewitter auf; alle Feldblumen falteten ihre Blätter zusammen oder neigten ihre kleinen Köpfe herab, während der Sturm über sie dahinfuhr.

Aber der Buchweizen prangte in seinem Stolze.

„Neige dein Haupt wie wir!" sagten die Blumen.

„Das ist durchaus nicht nötig", erwiderte der Buchweizen.

„Senke dein Haupt wie wir!" rief das Korn. „Nun kommt der Engel des Sturmes geflogen! Er hat Schwingen, die oben von den Wolken bis gerade herunter zur Erde reichen, und er schlägt dich mittendurch, bevor du bitten kannst, er möge dir gnädig sein!"

„Aber ich will mich nicht beugen!“ sagte der Buchweizen.

„Schließe deine Blumen und neige deine Blätter!“ sagte der alte Weidenbaum. „Sieh nicht zum Blitze empor, wenn die Wolke birst; selbst die Menschen dürfen das nicht, denn im Blitze kann man in Gottes Himmel hineinsehen; aber dieser Anblick kann selbst die Menschen blenden. Was würde erst uns, den Gewächsen der Erde, geschehen, wenn wir es wagten, wir, die doch weit geringer sind!“

„Weit geringer?“ sagte der Buchweizen. „Nun will ich gerade in Gottes Himmel hineinsehen!“ Und er tat es in seinem Übermut und Stolz. Es war, als ob die ganze Welt in Flammen stände, so blitzte es.

Als das böse Wetter vorbei war, standen die Blumen und das Korn in der stillen, reinen Luft erfrischt vom Regen, aber der Buchweizen war vom Blitz kohlschwarz gebrannt; er war nun ein totes Unkraut auf dem Felde.

Der alte Weidenbaum bewegte seine Zweige im Winde, und es fielen große Wassertropfen von den grünen Blättern, gerade als ob der Baum weine, und die Sperlinge fragten: „Weshalb weinst du? Hier ist es ja so gesegnet! Sieh, wie die Sonne scheint, sieh, wie die Wolken ziehen! Kannst du den Duft von Blumen und Büschen bemerken: Warum weinst du, alter Weidenbaum?“

Und der Weidenbaum erzählte vom Stolze des Buchweizens, von seinem Übermute und der Strafe, die immer darauf folgt. Ich, der die Geschichte erzähle, habe sie von den Sperlingen gehört. Sie erzählten sie mir eines Abends, als ich sie um ein Märchen bat.

DIE STÖRCHE

Auf dem letzten Hause in einem kleinen Dorfe stand ein Storchennest. Die Storchmutter saß im Neste bei ihren vier kleinen Jungen, die den Kopf mit dem kleinen, schwarzen Schnabel, denn der war noch nicht rot geworden, hervorstreckten. Ein kleines Stück davon entfernt stand auf dem Dachrücken ganz stramm und steif der Storchvater; er hatte das eine Bein unter sich aufgezogen, um doch einige Mühe zu haben, während er Schildwache stand. Fast hätte man glauben mögen, daß er aus Holz geschnitzt sei, so still stand er. ‚Es sieht gewiß recht vornehm aus, daß meine Frau eine Schildwache beim Neste hat!‘ dachte er. ‚Sie können ja nicht wissen, daß ich ihr Mann bin, sie glauben sicher, daß mir befohlen worden ist, hier zu stehen. Das sieht recht vornehm aus!‘

Und er fuhr fort, auf einem Beine zu stehen.

Unten auf der Straße spielte eine Schar Kinder, und da sie die Störche gewahr wurden, sang einer der mutigsten Knaben und später alle zusammen den alten Vers von den Störchen:

> „Storch, Storch, fliege heim,
> Stehe nicht auf einem Bein,
> Deine Frau im Neste liegt,
> Wo sie ihre Jungen wiegt.
> Das eine wird gehängt,
> Das andre wird versengt,
> Das dritte man erschießt,
> Wenn man das vierte spießt!"

„Höre nur, was die Kinder singen!" sagten die kleinen Storchkinder. „Sie singen, wir sollen gehängt und versengt werden!"

„Darum sollt ihr euch nicht kümmern!" sagte die Storchmutter. „Hört nur nicht darauf, so schadet es gar nichts!"

Aber die Knaben fuhren fort zu singen, und sie zischten den Storch mit den Fingern aus; nur ein Knabe, der Peter hieß, sagte, daß es unrecht sei, die Tiere zum besten zu haben, und wollte auch gar nicht mit dabei sein. Die Storchmutter tröstete ihre Jungen. „Kümmert euch nicht darum", sagte sie; „seht nur, wie ruhig euer Vater steht, und zwar auf einem Beine!"

„Wir fürchten uns sehr!" sagten die Jungen und zogen die Köpfe tief in das Nest zurück.

Am nächsten Tage, als die Kinder wieder zum Spielen zusammenkamen und die Störche erblickten, sangen sie ihr Lied:

> „Das eine wird gehängt, das andre wird versengt–"

„Werden wir wohl gehängt und versengt werden?" fragten die jungen Störche.

„Nein, sicher nicht!" sagte die Mutter, „ihr sollt fliegen lernen, ich werde euch schon einüben; dann fliegen wir hinaus auf die Wiese und statten den Fröschen Besuch ab; die verneigen sich vor uns im Wasser und singen: ,Koax, koax', und dann essen wir sie auf. Das wird ein rechtes Vergnügen geben!"

„Und was dann?" fragten die Storchjungen.

„Dann versammeln sich alle Störche, die hier im ganzen Lande sind, und die Herbstübung beginnt. Da muß man gut fliegen, das ist von großer Wichtigkeit; denn wer dann nicht ordentlich fliegen kann, wird vom Obersten mit dem Schnabel totgestochen. Deshalb gebt wohl acht, etwas zu lernen, wenn das Üben anfängt!"

„So werden wir ja doch gespießt, wie die Knaben sagten, und hört nur, jetzt singen sie es wieder!"

„Hört nur auf mich und nicht auf sie", sagte die Storchmutter. „Nach der großen Herbstübung fliegen wir in die warmen Länder, weit, weit von hier, über Berge und Wälder. Nach Ägypten fliegen wir, wo es dreieckige Steinhäuser gibt, die in eine Spitze auslaufen und bis über die Wolken ragen, sie werden Pyramiden genannt und sind älter, als ein Storch sich denken kann. Da ist auch ein Fluß, der aus seinem Bette tritt, dann wird das ganze Land zu Schlamm. Man geht im Schlamm und ißt Frösche."

„Oh!" sagten alle Jungen.

„Ja, da ist es herrlich! Man tut den ganzen Tag nichts anderes als essen, und während wir es so gut haben, ist in diesem Lande nicht ein grünes Blatt auf den Bäumen. Hier ist es indessen so kalt, daß die Wolken in Stücke frieren und in kleinen weißen Lappen herunterfallen!" Sie meinte den Schnee, aber sie konnte es nicht deutlicher erklären.

„Frieren denn auch die unartigen Knaben in Stücke?" fragten die jungen Störche.

„Nein, in Stücke frieren sie nicht, aber sie sind nahe daran und müssen in der dunklen Stube sitzen und duckmäusern. Ihr hingegen könnt in fremden Ländern umherfliegen, wo es Blumen und warmen Sonnenschein gibt!"

Nun war schon einige Zeit verstrichen, und die Jungen waren so groß geworden, daß sie im Neste aufrecht stehen und weit umhersehen konnten, und der Storchvater kam jeden Tag mit schönen Fröschen, kleinen Schlangen und all den Storchleckereien, die er finden konnte, geflogen. Oh, das sah lustig aus, wie er ihnen Kunststücke vormachte! Den Kopf legte er gerade herum auf den Schwanz, mit dem Schnabel klapperte er, als wäre er eine kleine Knarre, und dann erzählte er ihnen Geschichten vom Sumpfe.

„Hört, nun müßt ihr fliegen lernen!" sagte eines Tages die Storchmutter, und nun mußten alle vier Jungen hinaus auf den Dachrücken. Oh, wie sie schwankten, wie sie mit den Flügeln sich im Gleichgewicht hielten und doch nahe daran waren, hinunterzufallen!

„Seht nun auf mich!" sagte die Mutter. „So müßt ihr den Kopf halten, so müßt ihr die Füße stellen! Eins, zwei! Eins, zwei! Das ist es, was euch in der Welt forthelfen soll!"

Dann flog sie ein kleines Stück, und die Jungen machten einen kleinen, unbeholfenen Sprung.

Bums, da lagen sie, denn ihr Körper war zu schwerfällig.

„Ich will nicht fliegen!" sagte das eine Junge und kroch wieder in das Nest hinauf. „Mir ist nichts daran gelegen, nach den warmen Ländern zu kommen!"

„Willst du denn hier erfrieren, wenn es Winter wird? Sollen die Knaben kommen, dich zu hängen, zu sengen und zu braten? Nun, ich werde sie rufen!"

„O nein!" sagte der junge Storch und hüpfte wieder auf das Dach wie die andern.

Den dritten Tag konnten sie schon ein bißchen fliegen, und da glaubten sie, daß sie auch schweben und auf der Luft ruhen könnten; das wollten sie, aber – bums! – da purzelten sie, darum mußten sie schnell die Flügel wieder rühren. Nun kamen die Knaben unten auf der Straße und sangen ihr Lied:

„Storch, Storch, fliege heim!"

„Wollen wir nicht hinunterfliegen und sie vertreiben?" fragten die Jungen.

„Nein, laßt das!" sagte die Mutter. „Hört nun auf mich, das ist weit wichtiger! Eins, zwei, drei! Nun fliegen wir rechts herum. Eins, zwei, drei! Nun links um den Schornstein! Seht, das war sehr gut; der letzte Schlag mit den Flügeln war so geschickt und richtig, daß ihr die Erlaubnis erhalten sollt, morgen mit mir in den Sumpf zu fliegen. Da werden mehrere hübsche Storchfamilien mit ihren Kindern sein; zeigt mir nun, daß die meinen die klügsten sind und daß ihr recht einherstolziert; das sieht gut aus und verschafft Ansehen!"

„Aber sollen wir denn die unartigen Buben nicht strafen?" fragten die jungen Störche.

„Laßt sie schreien, soviel sie wollen! Ihr fliegt doch zu den Wolken auf und kommt nach dem Lande der Pyramiden, wenn sie frieren müssen und kein grünes Blatt und keinen süßen Apfel haben!"

„Ja, wir wollen sie aber strafen!" zischelten sie einander zu, und dann wurde wieder geübt.

Von allen Knaben auf der Straße war keiner ärger, das Spottlied zu singen, als ein ganz kleiner, er war wohl nicht mehr als sechs Jahre alt. Die jungen Störche glaubten freilich, daß er hundert Jahre zähle, denn er war ja größer als ihre Mutter und ihr Vater, und was wußten sie davon, wie alt Kinder und große Menschen sein können!

Ihre Strafe sollte diesen Knaben treffen, er hatte ja zuerst begonnen, und er blieb auch immer dabei. Die jungen Störche waren sehr aufgebracht, und wie sie größer wurden, wollten sie es noch weniger dulden. Die Mutter mußte ihnen zuletzt versprechen, daß er schon bestraft werden sollte, aber nicht eher als am letzten Tage, den sie hier im Lande seien.

„Wir müssen ja erst sehen, wie ihr euch bei der großen Übung benehmen werdet; besteht ihr schlecht, so daß der Oberst euch den Schnabel durch die Brust rennt, dann haben ja die Knaben recht, wenigstens in einer Hinsicht. Nun laßt uns sehen!"

„Ja, das sollst du!" sagten die Jungen, und so gaben sie sich alle Mühe; sie übten jeden Tag und flogen so niedlich und leicht, daß es eine Lust war, zuzusehen.

Nun kam der Herbst; alle Störche begannen sich zu sammeln, um fort nach den warmen Ländern zu ziehen, während wir Winter haben. Das war ein Leben! Über Wälder und Dörfer mußten sie, nur um zu sehen, wie sie fliegen könnten, denn es war ja eine große Reise, die ihnen bevorstand. Die jungen Störche machten ihre Sache so brav, daß sie ‚Ausgezeichnet gut mit Frosch und Schlange' erhielten. Das war das allerbeste Zeugnis, das überhaupt ausgestellt werden konnte, und den Frosch und die Schlange durften sie essen; das taten sie auch.

„Nun wollen wir ihn aber strafen!" sagten sie.

„Ja, gewiß", sagte die Storchmutter. „Was ich mir ausgedacht, ist gerade das richtige! Ich weiß, wo der Teich ist, in dem alle die kleinen Menschenkinder liegen, bis der Storch kommt und sie den Eltern bringt. Die niedlichsten kleinen Kinder schlafen und träumen so lieblich, wie sie später nie mehr träumen. Alle Eltern wollen gern solch ein kleines Kind haben, und alle Kinder wollen eine Schwester oder einen Bruder haben. Nun wollen wir nach dem Teiche hinfliegen, eins für jedes der Kinder zu holen, das uns nicht geärgert und auch nicht das böse Lied gesungen und die Störche zum besten gehabt hat!"

„Aber der zu singen angefangen, der schlimme, häßliche Knabe", schrien die jungen Störche, „was machen wir mit ihm?"

„Für den holen wir weder Brüderchen noch Schwesterchen aus dem Teiche, und dann muß er weinen, weil er als einziger allein bleibt! Aber dem guten Knaben – ihn habt ihr doch nicht vergessen, ihn, der da sagte, es sei Sünde, die Tiere zum besten zu haben? – ihm wollen wir sowohl einen Bruder als eine Schwester bringen, und da der Knabe Peter hieß, so sollt ihr allesamt Peter heißen!"

Und es geschah, wie sie sagte, und so hießen alle Störche Peter, und so werden sie noch genannt.

DER KLEINE KLAUS UND DER GROSSE KLAUS

In einem Dorfe wohnten zwei Leute, die beide denselben Namen hatten. Beide hießen Klaus, aber der eine besaß vier Pferde und der andere nur ein einziges. Um sie nun voneinander unterscheiden zu können, nannte man den, der vier Pferde besaß, den großen Klaus, und den, der nur ein einziges hatte, den kleinen Klaus.

Nun wollen wir hören, wie es den beiden erging, denn es ist eine wahre Geschichte.

Die ganze Woche hindurch mußte der kleine Klaus für den großen Klaus pflügen und ihm sein einziges Pferd leihen, dann half der große Klaus ihm wieder mit allen seinen vieren, aber nur einmal wöchentlich, und das war des Sonntags. Hussa, wie klatschte der kleine Klaus mit seiner Peitsche über alle fünf Pferde! Sie waren ja nun so gut wie sein an dem einen Tage. Die Sonne schien herrlich, und alle Glocken im Kirchturm läuteten zur Kirche, die Leute waren alle geputzt und gingen mit dem Gesangbuch unter dem Arme, den Prediger zu hören, und sie sahen den kleinen Klaus, der mit fünf Pferden pflügte, und er war so vergnügt, daß er wieder mit der Peitsche klatschte und rief: „Hü, alle meine Pferde!"

„So mußt du nicht sprechen", sagte der große Klaus, „das eine Pferd ist ja nur dein!"

Aber als wieder jemand vorbeiging, vergaß der kleine Klaus, daß er es nicht sagen sollte, und da rief er: „Hü, alle meine Pferde!"

„Nun ersuche ich dich amtlich, dies zu unterlassen", sagte der große Klaus; „denn sagst du es noch einmal, so schlage ich dein Pferd vor den Kopf, daß es auf der Stelle tot ist."

„Ich will es wahrlich nicht mehr sagen!" sagte der kleine Klaus. Aber als da Leute vorbeikamen und ihm guten Tag zunickten, wurde er sehr erfreut und dachte, es sehe doch recht gut aus, daß er fünf Pferde habe, sein Feld zu pflügen, und da klatschte er mit der Peitsche und rief: „Hü, alle meine Pferde!"

„Ich werde deine Pferde hüen!" sagte der große Klaus, nahm einen Hammer und schlug des kleinen Klaus einziges Pferd vor den Kopf, daß es umfiel und tot war.

„Ach nun habe ich gar kein Pferd mehr!" sagte der kleine Klaus und fing an zu weinen. Später zog er dem Pferde die Haut ab und ließ sie gut im Winde trocknen, steckte sie dann in einen Sack, den er auf die Schulter warf, und machte sich nach der Stadt auf den Weg, um seine Pferdehaut zu verkaufen.

Er hatte einen sehr weiten Weg zu gehen, mußte durch einen großen, dunklen Wald, und nun wurde es gewaltig schlechtes Wetter. Er verirrte sich gänzlich, und ehe er wieder auf den rechten Weg kam, war es Abend und allzu weit, um zur Stadt oder wieder nach Hause zu gelangen, bevor es Nacht wurde.

Dicht am Wege lag ein großer Bauernhof; die Fensterladen waren draußen vor den Fenstern geschlossen, aber das Licht konnte doch darüber hinausscheinen. ‚Da werde ich wohl Erlaubnis erhalten können, die Nacht über zu bleiben', dachte der kleine Klaus und klopfte an.

Die Bauersfrau machte auf; als sie aber hörte, was er wollte, sagte sie, er solle weitergehen, ihr Mann sei nicht zu Hause, und sie nehme keine Fremden herein.

„Nun, so muß ich draußen liegenbleiben", sagte der kleine Klaus, und die Bauersfrau schlug ihm die Tür vor der Nase zu.

Dicht daneben stand ein großer Heuschober, und zwischen diesem und dem Wohnhaus war ein kleiner Geräteschuppen mit einem flachen Strohdache gebaut.

„Da oben kann ich liegen", sagte der kleine Klaus, als er das Dach erblickte;

„das ist ja ein herrliches Bett. Der Storch fliegt wohl nicht herunter und beißt mich in die Beine." Denn ein Storch hatte sein Nest auf dem Dache.

Nun kroch der kleine Klaus auf den Schuppen hinauf, streckte sich hin und drehte sich, um recht gut zu liegen. Die hölzernen Laden vor den Fenstern schlossen oben nicht zu, und so konnte er gerade in die Stube hineinblicken.

Da war ein großer Tisch gedeckt, mit Wein und Braten und einem herrlichen Fisch darauf; die Bauersfrau und der Küster saßen bei Tische und sonst niemand anders, sie schenkte ihm ein, und er gabelte in den Fisch, denn das war sein Leibgericht.

,Wer doch etwas davon abbekommen könnte!' dachte der kleine Klaus und streckte den Kopf gerade gegen das Fenster.

Einen herrlichen Kuchen sah er auch im Zimmer stehen! Ja, das war ein Fest!

Nun hörte er jemand von der Landstraße her gegen das Haus reiten; das war der Mann der Bauersfrau, der nach Hause kam.

Das war ein ganz guter Mann, aber er hatte die wunderliche Eigenheit, daß er es nie ertragen konnte, einen Küster zu sehen; kam ihm ein Küster vor die Augen, so wurde er ganz rasend. Deshalb war es auch, daß der Küster zu seiner Frau hineingegangen war, um ihr guten Tag zu sagen, weil er wußte, daß der Mann nicht zu Hause sei, und die gute Frau setzte ihm dafür das herrlichste Essen vor. Als sie nun den Mann kommen hörten, erschraken sie sehr, und die Frau bat den Küster, in eine große, leere Kiste hineinzukriechen, denn er wußte ja, daß der arme Mann es nicht ertragen konnte, einen Küster zu sehen.

Die Frau versteckte geschwind all das herrliche Essen und den Wein in ihrem Backofen, denn hätte der Mann das zu sehen bekommen, so hätte er sicher gefragt, was es zu bedeuten habe.

„Ach ja!" seufzte der kleine Klaus oben auf seinem Schuppen, als er all das Essen verschwinden sah.

„Ist jemand dort oben?" fragte der Bauer und sah nach dem kleinen Klaus hinauf. „Warum liegst du dort? Komm lieber mit in die Stube."

Nun erzählte der kleine Klaus, wie er sich verirrt habe, und bat, daß er die Nacht über bleiben dürfe.

„Ja freilich", sagte der Bauer, „aber wir müssen zuerst etwas zu leben haben!"

Die Frau empfing beide sehr freundlich, deckte einen langen Tisch und gab ihnen eine große Schüssel voll Grütze. Der Bauer war hungrig und aß mit rechtem Appetit, aber der kleine Klaus konnte nicht unterlassen, an den herrlichen Braten, Fisch und Kuchen, die er im Ofen wußte, zu denken.

Unter den Tisch zu seinen Füßen hatte er den Sack mit der Pferdehaut gelegt, die er in der Stadt hatte verkaufen wollen. Die Grütze wollte ihm nicht schmecken, da trat er auf seinen Sack, und die trockene Haut im Sacke knarrte laut.

„St!" sagte der kleine Klaus zu seinem Sacke, trat aber zu gleicher Zeit wieder darauf; da knarrte es weit lauter als zuvor.

„Ei, was hast du in deinem Sacke?" fragte der Bauer darauf.

„Oh, es ist ein Zauberer", sagte der kleine Klaus; „er sagt, wir sollen doch keine Grütze essen, er habe den ganzen Ofen voll Braten, Fische und Kuchen gehext."

„Ei der tausend!" sagte der Bauer und machte schnell den Ofen auf, wo er all die prächtigen, leckeren Speisen erblickte, die nach seiner Meinung der Zauberer im Sack für sie gehext hatte. Die Frau durfte nichts sagen, sondern setzte sogleich die Speisen auf den Tisch, und so aßen beide vom Fische, vom Braten und von dem Kuchen. Nun trat der kleine Klaus wieder auf seinen Sack, daß die Haut knarrte.

„Was sagt er jetzt?" fragte der Bauer.

„Er sagt", erwiderte der kleine Klaus, „daß er auch drei Flaschen Wein für uns gehext hat; sie stehen dort in der Ecke beim Ofen!" Nun mußte die Frau den Wein hervorholen, den sie verborgen hatte, und der Bauer trank und wurde lustig. Einen solchen Zauberer, wie der kleine Klaus im Sacke hatte, hätte er gar zu gern gehabt.

„Kann er auch den Teufel hervorhexen?" fragte der Bauer. „Ich möchte ihn wohl sehen, denn nun bin ich lustig!"

„Ja", sagte der kleine Klaus, „mein Zauberer kann alles, was ich verlange. Nicht wahr, du?" fragte er und trat auf den Sack, daß es knarrte. „Hörst du? Er sagt ja! Aber der Teufel sieht häßlich aus, wir wollen ihn lieber nicht sehen!"

„Oh, mir ist gar nicht bange; wie mag er wohl aussehen?"

„Ja, er wird sich ganz leibhaftig als ein Küster zeigen!"

„Hu!" sagte der Bauer, „das ist häßlich! Ihr müßt wissen, ich kann nicht ertragen, einen Küster zu sehen! Aber es macht nichts, ich weiß ja, daß es der Teufel ist, so werde ich mich wohl leichter darein finden! Nun habe ich Mut, aber er darf mir nicht zu nahe kommen."

„Ich werde meinen Zauberer fragen", sagte der kleine Klaus, trat auf den Sack und hielt sein Ohr hin.

„Was sagt er?"

„Er sagt, Ihr könnt hingehen und die Kiste aufmachen, die dort in der Ecke steht, so werdet Ihr den Teufel sehen, wie er darin kauert; aber Ihr müßt den Deckel halten, daß er nicht entwischt."

„Wollt Ihr mir helfen, ihn zu halten?" bat der Bauer und ging zu der Kiste hin, wo die Frau den Küster verborgen hatte, der darin saß und sich sehr fürchtete.

Der Bauer öffnete den Deckel ein wenig und sah unter ihn hinein. „Hu!" schrie er und sprang zurück. „Ja, nun habe ich ihn gesehen, er sah ganz aus wie unser Küster! Das war schrecklich!"

Darauf mußte getrunken werden, und so tranken sie denn noch lange in die Nacht hinein.

„Den Zauberer mußt du mir verkaufen", sagte der Bauer; „verlange dafür, was du willst! Ja, ich gebe dir gleich einen ganzen Scheffel Geld!"

„Nein, das kann ich nicht!" sagte der kleine Klaus. „Bedenke doch, wieviel Nutzen ich von diesem Zauberer haben kann."

„Ach, ich möchte ihn sehr gern haben", sagte der Bauer und fuhr fort zu bitten.

„Ja", sagte der kleine Klaus zuletzt, „da du so gut gewesen bist, mir diese Nacht Obdach zu gewähren, so mag es sein. Du sollst den Zauberer für einen Scheffel Geld haben, aber ich will den Scheffel gehäuft voll haben."

„Das sollst du bekommen", sagte der Bauer, „aber die Kiste dort mußt du mit dir nehmen; ich will sie nicht eine Stunde länger im Hause behalten; man kann nicht wissen, vielleicht sitzt er noch darin."

Der kleine Klaus gab dem Bauer seinen Sack mit der trocknen Haut darin und bekam einen ganzen Scheffel Geld, gehäuft gemessen, dafür. Der Bauer schenkte ihm sogar noch einen großen Karren, um das Geld und die Kiste darauf fortzufahren.

„Lebe wohl!" sagte der kleine Klaus.

Dann fuhr er mit seinem Gelde und der großen Kiste, worin noch der Küster saß, davon.

Auf der andern Seite des Waldes war ein großer, tiefer Fluß; das Wasser floß so reißend darin, daß man kaum gegen den Strom anschwimmen konnte; man hatte eine große, neue Brücke darüber geschlagen; der kleine Klaus hielt mitten auf ihr an und sagte ganz laut, damit der Küster in der Kiste es hören könne:

„Was soll ich doch mit der dummen Kiste machen? Sie ist so schwer, als ob Steine drin wären! Ich werde nur müde davon, sie weiterzufahren; ich will sie in den Fluß werfen; schwimmt sie zu mir nach Hause, so ist es gut, wo nicht, so hat es auch nichts zu sagen."

Darauf faßte er die Kiste mit der einen Hand an und hob sie ein wenig auf, gerade als ob er sie in das Wasser werfen wollte.

„Nein, laß das sein!" rief der Küster innerhalb der Kiste. „Laß mich erst heraus!"

„Hu!" sagte der kleine Klaus und tat, als fürchte er sich. „Er sitzt noch darin! Da muß ich ihn geschwind in den Fluß werfen, damit er ertrinkt!"

„O nein, o nein!" sagte der Küster; „ich will dir einen ganzen Scheffel Geld geben, wenn du mich gehen läßt!"

„Ja, das ist etwas anderes!" sagte der kleine Klaus und machte die Kiste auf. Der Küster kroch schnell heraus, stieß die leere Kiste in das Wasser hinaus und ging nach seinem Hause, wo der kleine Klaus einen ganzen Scheffel Geld bekam; einen hatte er von dem Bauer erhalten, nun hatte er also seinen ganzen Karren voll Geld.

„Sieh, das Pferd erhielt ich ganz gut bezahlt!" sagte er zu sich selbst, als er zu Hause in seiner eigenen Stube war und alles Geld auf einen Berg mitten in der Stube ausschüttete. „Das wird den großen Klaus ärgern, wenn er erfährt, wie reich ich durch ein einziges Pferd geworden bin; aber ich will es ihm doch nicht geradeheraus sagen!"

Nun sandte er einen Knaben zum großen Klaus hin, um sich ein Scheffelmaß zu leihen.

‚Was mag er wohl damit machen wollen?' dachte der große Klaus und schmierte Teer auf den Boden, damit von dem, was gemessen wurde, etwas daran hängen bleiben könnte. Und so kam es auch; denn als er das Scheffelmaß zurückerhielt, hingen drei Taler daran.

„Was ist das?" sagte der große Klaus und lief sogleich zu dem kleinen. „Wo hast du all das Geld bekommen?"

„Oh, das ist für meine Pferdehaut! Ich verkaufte sie gestern abend."

„Das war wahrlich gut bezahlt!" sagte der große Klaus, lief geschwind nach Hause, nahm eine Axt und schlug alle seine vier Pferde vor den Kopf, zog ihnen die Haut ab und fuhr mit diesen Häuten zur Stadt.

„Häute! Häute! Wer will Häute kaufen?" rief er durch die Straßen.

Alle Schuhmacher und Gerber kamen gelaufen und fragten, was er dafür haben wolle.

„Einen Scheffel Geld für jede", sagte der große Klaus.

„Bist du toll?" riefen alle. „Glaubst du, wir haben das Geld scheffelweise?"

„Häute! Häute! Wer will Häute kaufen?" rief er wieder, aber allen denen, die ihn fragten, was die Häute kosten sollten erwiderte er: „Einen Scheffel Geld."

„Er will uns foppen", sagten alle, und da nahmen die Schuhmacher ihre Spannriemen und die Gerber ihre Schurzfelle und fingen an, auf den großen Klaus loszuprügeln.

„Häute! Häute!" riefen sie ihm nach; „ja, wir wollen dir die Haut gerben! Hinaus aus der Stadt mit ihm!" riefen sie, und der große Klaus mußte laufen, was er nur konnte.

So war er noch nie durchgeprügelt worden.

„Na", sagte er, als er nach Hause kam, „dafür soll der kleine Klaus bestraft werden! Ich will ihn totschlagen!"

Zu Hause beim kleinen Klaus war die alte Großmutter gestorben; sie war freilich recht böse und schlimm gegen ihn gewesen, aber er war doch betrübt, nahm die tote Frau und legte sie in sein warmes Bett, um zu sehen, ob sie nicht zum Leben zurückkehren werde. Da sollte sie die ganze Nacht liegen, er selbst wollte im Winkel sitzen und auf einem

Stuhle schlafen; das hatte er schon früher getan. Als er nun da in der Nacht saß, ging die Tür auf, und der große Klaus kam mit einer Axt herein; er wußte wohl, wo des kleinen Klaus Bett stand, ging gerade darauf los und schlug nun die alte Großmutter vor den Kopf, denn er glaubte, daß der kleine Klaus dort in seinem Bett liege.

„Sieh", sagte er, „nun sollst du mich nicht mehr zum besten haben!" Und dann ging er wieder nach Hause.

„Das ist doch ein recht böser Mann!" sagte der kleine Klaus; „da wollte er mich totschlagen! Es war doch gut für die alte Mutter, daß sie schon tot war, sonst hätte er ihr das Leben genommen!"

Nun legte er der alten Großmutter Sonntagskleider an, lieh sich von dem Nachbar ein Pferd, spannte es vor den Wagen und setzte die alte Großmutter auf den hintersten Sitz, so daß sie nicht hinausfallen konnte, wenn er fuhr, und so rollten sie von dannen durch den Wald. Als die Sonne aufging, waren sie vor einem großen Wirtshause, da hielt der kleine Klaus an und ging hinein, um etwas zu genießen.

Der Wirt hatte sehr viel Geld, er war auch ein recht guter, aber hitziger Mann, als wären Pfeffer und Tabak in ihm.

„Guten Morgen!" sagte er zum kleinen Klaus. „Du bist heute früh ins Zeug gekommen!"

„Ja", sagte der kleine Klaus, „ich will mit meiner Großmutter zur Stadt; sie sitzt draußen auf dem Wagen, ich kann sie nicht in die Stube hereinbringen. Wollt Ihr der Alten nicht ein Glas Kümmel geben? Aber Ihr müßt recht laut sprechen, denn sie hört nicht gut."

„Ja, das will ich tun!" sagte der Wirt und schenkte ein großes Glas Kümmel ein, mit dem er zur toten Großmutter hinausging, die in dem Wagen aufrecht gesetzt war.

„Hier ist ein Glas Kümmel von Ihrem Sohne!" sagte der Wirt, aber die tote Frau erwiderte kein Wort, sondern saß ganz still und teilnahmslos, als ob sie alles nichts anginge.

„Hört Ihr nicht?" rief der Wirt, so laut er konnte. „Hier ist ein Glas Kümmel von Ihrem Sohne!"

Noch einmal rief er und dann noch einmal, aber da sie sich durchaus nicht rührte, wurde er ärgerlich und warf ihr das Glas in das Gesicht, so daß ihr der Kümmel gerade über die Nase lief und sie hintenüber fiel, denn sie war nur aufgesetzt und nicht festgebunden.

„Heda!" rief der kleine Klaus, sprang zur Tür heraus und packte den Wirt an der Brust, „da hast du meine Großmutter erschlagen! Siehst du, da ist ein großes Loch in ihrer Stirn!"

„Oh, das ist ein Unglück!" rief der Wirt und schlug die Hände über dem Kopfe zusammen; „das kommt alles von meiner Heftigkeit! Lieber, kleiner Klaus, ich will dir einen Scheffel Geld geben und deine Großmutter begraben lassen, als wäre es meine eigene, aber schweige nur still, sonst wird mir der Kopf abgeschlagen, und das wäre mir unangenehm."

So bekam der kleine Klaus einen ganzen Scheffel Geld, und der Wirt begrub die alte Großmutter so, als ob es seine eigene gewesen wäre.

Als nun der kleine Klaus wieder mit dem vielen Gelde nach Hause kam, schickte er gleich seinen Knaben hinüber zum großen Klaus, um ihn bitten zu lassen, ihm ein Scheffelmaß zu leihen.

„Was ist das?" sagte der große Klaus. „Habe ich ihn nicht totgeschlagen? Da muß ich selbst nachsehen!" Und so ging er selbst mit dem Scheffelmaß zum kleinen Klaus.

„Wo hast du doch all das Geld bekommen?" fragte er und riß die Augen auf, als er alles das erblickte, was noch hinzugekommen war.

„Du hast meine Großmutter, aber nicht mich erschlagen!" sagte der kleine Klaus. „Die habe ich nun verkauft und einen Scheffel Geld dafür bekommen!"

„Das ist wahrlich gut bezahlt!" sagte der große Klaus, eilte nach Hause, nahm eine Axt und schlug seine alte Großmutter tot, legte sie auf den Wagen, fuhr mit ihr zur Stadt, wo der Apotheker wohnte, und fragte, ob er einen toten Menschen kaufen wollte.

„Wer ist es, und woher habt Ihr ihn?" fragte der Apotheker.

„Es ist meine Großmutter!" sagte der große Klaus. „Ich habe sie totgeschlagen, um einen Scheffel Geld dafür zu bekommen!"

„Gott bewahre uns!" sagte der Apotheker. „Ihr redet irre! Sagt doch nicht dergleichen, sonst könnt Ihr den Kopf verlieren!" Und nun sagte er ihm gehörig, was das für eine böse Tat sei, die er begangen habe und was für ein schlechter Mensch er sei und daß er bestraft werden müsse. Da erschrak der große Klaus so sehr, daß er von der Apotheke gerade in den Wagen sprang und auf die Pferde schlug und nach Hause fuhr; aber der Apotheker und alle Leute glaubten, er sei verrückt, und deshalb ließen sie ihn fahren, wohin er wollte.

„Das sollst du mir bezahlen!" sagte der große Klaus, als er draußen auf der Landstraße war, ja, ich will dich bestrafen, kleiner Klaus!" Sobald er nach Hause kam, nahm er den größten Sack, den er finden konnte, ging hinüber zum kleinen Klaus und sagte: „Nun hast du mich wieder gefoppt; erst schlug ich meine Pferde tot, dann meine alte Großmutter; das ist alles deine Schuld; aber du sollst mich nie mehr foppen!" Da packte er den kleinen Klaus um den Leib und steckte ihn in seinen Sack, nahm ihn so auf seinen Rücken und rief ihm zu: „Nun gehe ich und ertränke dich!"

Es war ein weiter Weg, den er zu gehen hatte, bevor er zu dem Flusse kam, und der kleine Klaus war nicht leicht zu tragen. Der Weg ging dicht bei der Kirche vorbei; die Orgel ertönte, und die Leute sangen schön darinnen. Da setzte der große Klaus seinen Sack mit dem kleinen Klaus darin dicht bei der Kirchtür nieder und dachte, es könne wohl ganz gut sein, hineinzugehen und einen Psalm zu hören, ehe er weitergehe; der kleine Klaus konnte ja nicht herauskommen, und alle Leute waren in der Kirche. So ging er denn hinein.

„Ach Gott, ach Gott!" seufzte der kleine Klaus im Sack und drehte und wandte sich, aber es war ihm nicht möglich, das Band aufzulösen. Da kam ein alter, alter Viehtreiber daher, mit schneeweißem Haar und einem großen Stab in der Hand; er trieb eine ganze Herde Kühe und Stiere vor sich her, die liefen an den Sack, in dem der kleine Klaus saß, so daß er umgeworfen wurde.

„Ach Gott!" seufzte der kleine Klaus, „ich bin noch so jung und soll schon ins Himmelreich!"

„Und ich Armer", sagte der Viehtreiber, „ich bin schon so alt und kann noch immer nicht dahin kommen!"

„Mache den Sack auf!" rief der kleine Klaus. „Krieche statt meiner hinein, so kommst du sogleich ins Himmelreich!"

„Ja, das will ich herzlich gern", sagte der Viehtreiber und band den Sack auf, aus dem der kleine Klaus sogleich heraussprang.

„Willst du nun auf das Vieh achtgeben?" fragte der alte Mann. Dann kroch er in den Sack hinein, der kleine Klaus band den Sack wieder zu und zog dann mit allen Kühen und Stieren seines Weges.

Bald darauf kam der große Klaus aus der Kirche. Er nahm seinen Sack wieder auf den Rücken, obgleich es ihm schien, als sei der leichter geworden, denn der alte Viehtreiber war nur halb so schwer wie der kleine Klaus. „Wie leicht ist er doch zu tragen geworden! Ja, das kommt daher, daß ich einen Psalm gehört habe!" So ging er nach dem Flusse, der tief und groß war, warf den Sack mit dem alten Viehtreiber ins Wasser und rief hinterdrein, denn er glaubte ja, daß es der kleine Klaus sei: „Sieh, nun sollst du mich nicht mehr foppen!"

Darauf ging er nach Hause; aber als er an die Stelle kam, wo die Wege sich kreuzten, begegnete er ganz unerwartet dem kleinen Klaus, der all sein Vieh dahertrieb.

„Was ist das?" fragte der große Klaus. „Habe ich dich nicht vor kurzer Zeit ertränkt?"

„Ja", sagte der kleine Klaus, „du warfst mich ja vor einer halben Stunde in den Fluß hinunter!"

„Aber wo hast du all das herrliche Vieh bekommen?" fragte der große Klaus.

„Das ist Seevieh!" sagte der kleine Klaus. „Ich will dir die Geschichte erzählen und dir Dank sagen, daß du mich ertränktest, denn nun bin ich reich! Mir war bange, als ich im Sacke steckte, und der Wind pfiff mir um die Ohren, als du mich von der Brücke hinunter in das kalte Wasser warfst. Ich sank sogleich zu Boden, aber ich stieß mich nicht, denn da unten wächst das schönste, weiche Gras. Darauf fiel ich, und sogleich wurde der Sack geöffnet, und das lieblichste Mädchen, in schneeweißen Kleidern und mit einem grünen Kranz um das Haar, nahm mich bei der Hand und sagte: ,Bist du da, kleiner Klaus? Da hast du zuerst einiges Vieh; eine Meile weiter auf dem Wege steht noch eine ganze Herde, die ich dir schenken will!' Nun sah ich, daß der Fluß eine große Landstraße für das Meervolk bildete. Unten auf dem Grunde gingen und fuhren sie gerade von der See her und ganz hinein in das Land, bis wo der Fluß endet. Da waren die schönsten Blumen und das frischeste Gras; die Fische schossen mir an den Ohren vorüber, geradeso wie hier die Vögel in der Luft. Was gab es da für hübsche Leute, und was war da für Vieh, das an den Gräben und Wällen weidete!"

„Aber warum bist du gleich wieder zu uns heraufgekommen?" fragte der große Klaus. „Das hätte ich bestimmt nicht getan, wenn es so schön dort unten ist."

„Ja", sagte der kleine Klaus, „das ist gerade klug von mir gehandelt. Du hörst ja wohl, daß ich dir erzähle: Die Seejungfrau sagte mir, eine Meile weiter auf dem Wege – und mit dem Wege meinte sie ja den Fluß, denn sie kann nirgends anders hinkommen – stehe noch eine ganze Herde Vieh für mich. Aber ich weiß, was der Fluß für Krümmungen macht, bald hier, bald dort, das ist ein weiter Umweg. Nein, so macht man es kürzer ab, wenn man hier auf das Land kommt und treibt querüber wieder zum Flusse; dabei spare ich eine halbe Meile und komme schneller zu meinem Vieh!"

„Oh, du bist ein glücklicher Mann!" sagte der große Klaus. „Glaubst du, daß ich auch Seevieh erhielte, wenn ich einmal tief bis auf den Grund des Flusses käme?"

„Ja, das denke ich wohl", sagte der kleine Klaus, „aber ich kann dich nicht im Sacke zum Flusse tragen, du bist mir zu schwer! Willst du selbst dahingehen und dann in den Sack kriechen, so werde ich dich mit dem größten Vergnügen hineinwerfen."

„Ich danke dir", sagte der große Klaus. „Aber erhalte ich kein Seevieh, wenn ich hinunterkomme, so glaube mir, werde ich dich so prügeln, wie du noch nie geprügelt worden bist."

„Oh nein, mache es nicht so schlimm!" Und da gingen sie zum Flusse hin. Als das Vieh Wasser erblickte, lief es, so schnell es nur konnte, durstig hinunter zum Trinken.

„Sieh, wie es sich sputet!" sagte der kleine Klaus. „Es verlangt danach, wieder auf den Grund zu kommen!"

„Ja, hilf mir nur erst", sagte der große Klaus, „sonst bekommst du Prügel!" Und so kroch er in den großen Sack, der quer über dem Rücken eines der Stiere gelegen hatte. „Lege einen Stein hinein, ich fürchte, daß ich sonst nicht untersinke", sagte der große Klaus.

„Es geht schon!" sagte der kleine Klaus, legte aber doch einen großen Stein in den Sack, knüpfte das Band fest zu, und dann stieß er daran. Plumps! Da lag der große Klaus in dem Flusse und sank sogleich hinunter auf den Grund.

„Ich fürchte, er wird das Vieh nicht finden! Aber er zwang mich ja dazu!" sagte der kleine Klaus und trieb dann heim mit dem, was er hatte.

DIE HIRTIN UND DER SCHORNSTEINFEGER

Hast du wohl je einen recht alten Holzschrank, ganz schwarz vom Alter und mit ausgeschnitzten Schnörkeln und Laubwerk daran, gesehen? Gerade ein solcher stand in einer Wohnstube; er war von der Urgroßmutter geerbt und mit ausgeschnitzten Rosen und Tulpen von oben bis unten bedeckt. Da waren die sonderbarsten Schnörkel, und aus ihnen ragten kleine Hirschköpfe mit Geweihen hervor. Aber mitten auf dem Schranke stand ein ganzer Mann geschnitzt; er war freilich lächerlich anzusehen, und er grinste auch, man konnte es nicht lachen nennen. Er hatte Ziegenbocksbeine, kleine Hörner am Kopfe und einen langen Bart. Die Kinder nannten ihn immer den Ziegenbocksbein-Ober- und Unterkriegsbefehlshaber; das war ein langes Wort, und es gibt nicht viele, die den Titel bekommen.

Da war er nun! Immer sah er nach dem Tische unter dem Spiegel, denn da stand eine liebliche, kleine Hirtin von Porzellan; die Schuhe waren vergoldet, das Kleid mit einer roten Rose niedlich aufgeheftet, und dann hatte sie einen Goldhut und einen Hirtenstab; sie war wunderschön. Dicht neben ihr stand ein kleiner Schornsteinfeger, so schwarz wie Kohle, aber auch aus Porzellan; er war ebenso rein und fein wie irgendein anderer. Der Porzellanfabrikant hätte ebensogut einen Prinzen oder einen König aus ihm machen können, denn das war einerlei.

Da stand er mit seiner Leiter und mit einem Antlitz, so weiß und rot wie ein Mädchen, und das war eigentlich ein Fehler, denn etwas schwarz hätte es doch wohl sein können. Er hatte seinen Platz ganz nahe bei der Hirtin; und da sie nun so hingestellt waren, hatten sie sich verlobt – sie paßten ja zueinander, sie waren von demselben Porzellan und beide gleich zerbrechlich.

Dicht bei ihnen stand noch eine Figur, die war dreimal größer. Es war ein alter Chinese, der nicken konnte. Er war auch aus Porzellan und sagte, er sei der Großvater der kleinen Hirtin, aber das konnte er freilich nicht beweisen; er behauptete, daß er Gewalt über sie habe, und deswegen hatte er dem Ziegenbocksbein-Ober- und Unterkriegsbefehlshaber, der um die kleine Hirtin freite, zugenickt.

„Da erhältst du einen Mann", sagte der alte Chinese, „einen Mann, der, wie ich fast glaube, von Mahagoniholz ist. Der kann dich zur Ziegenbocksbein-Ober- und Unterkriegsbefehlshaberin machen; er hat den ganzen Schrank voll Silberzeug, ungerechnet, was er in den geheimen Fächern hat."

„Ich will nicht in den dunklen Schrank!" sagte die kleine Hirtin. „Ich habe sagen hören, daß er elf Porzellanfrauen darin hat."

„Dann kannst du die zwölfte sein!" sagte der Chinese. „Diese Nacht, sobald es in dem alten Schrank knackt, sollt ihr Hochzeit halten, so wahr ich ein Chinese bin!" Und dann nickte er mit dem Kopf und fiel in Schlaf.

Aber die kleine Hirtin weinte und blickte ihren Herzallerliebsten, den Porzellanschornsteinfeger, an.

„Ich möchte dich bitten", sagte sie, „mit mir in die weite Welt hinauszugehen, denn hier können wir nicht bleiben!"

„Ich will alles, was du willst!" sagte der kleine Schornsteinfeger. „Laß uns gleich gehen; ich denke wohl, daß ich dich mit meinem Handwerk ernähren kann!"

„Wenn wir nur erst glücklich von dem Tische herunter wären!" sagte sie. „Ich werde erst froh, wenn wir in der weiten Welt draußen sind."

Er tröstete sie und zeigte, wie sie ihren kleinen Fuß auf die ausgeschnittenen Ecken und das vergoldete Laubwerk am Tischfuße hinabsetzen sollte; seine Leiter nahm er auch zu Hilfe, und da waren sie auf dem Fußboden. Aber als sie nach dem alten Schranke hinsahen, war große Unruhe darin. Alle die ausgeschnittenen Hirsche steckten die Köpfe weit hervor, erhoben die Geweihe und drehten die Hälse; der Ziegenbocksbein-Ober- und Unterkriegsbefehlshaber sprang in die Höhe und rief zum alten Chinesen hinüber: „Nun laufen sie fort! Nun laufen sie fort!"

Da erschraken sie und sprangen geschwind in den Schubkasten.

Hier lagen drei bis vier Spiele Karten, die nicht vollständig waren, und ein kleines Puppentheater, das, so gut es sich tun ließ, aufgebaut war. Da wurde Komödie gespielt, und alle Damen saßen in der ersten Reihe und fächelten sich mit ihren Tulpen, und hinter ihnen standen alle Buben und zeigten, daß sie Kopf hatten, sowohl oben wie unten, wie die Spielkarten es haben. Die Komödie handelte von zwei Personen, die einander nicht bekommen sollten, und die Hirtin weinte darüber, denn es war gerade wie ihre eigene Geschichte.

„Das kann ich nicht aushalten!" sagte sie. „Ich muß aus dem Schubkasten heraus!" Als sie aber auf dem Fußboden anlangten und nach dem Tische hinaufblickten, da war der alte Chinese erwacht und schüttelte mit dem ganzen Körper; unten war er ja ein Klumpen.

„Nun kommt der alte Chinese!" schrie die kleine Hirtin und fiel auf ihre Knie nieder, so betrübt war sie.

„Es fällt mir etwas ein", sagte der Schornsteinfeger. „Wollen wir in das große Gefäß, das in der Ecke steht, hinabkriechen? Da könnten wir auf Rosen und Lavendel liegen und ihm Salz in die Augen werfen, wenn er kommt."

„Das kann nichts nützen!" sagte sie. „Überdies weiß ich, daß der alte Chinese und das Gefäß miteinander verlobt gewesen sind, und es bleibt immer etwas Wohlwollen zurück, wenn man in solchen Verhältnissen gestanden hat. Nein, es bleibt uns nichts übrig, als in die weite Welt hinauszugehen."

„Hast du wirklich Mut, mit mir in die weite Welt hinauszugehen?" fragte der Schornsteinfeger. „Hast du auch bedacht, wie groß die ist und daß wir nicht mehr an diesen Ort zurückkommen können?"

„Ja", sagte sie.

Der Schornsteinfeger sah sie fest an, und dann sagte er: „Mein Weg geht durch den Schornstein; hast du wirklich Mut, mit mir durch den Ofen, sowohl durch den Kasten als durch die Röhre zu kriechen? Dann kommen wir hinaus in den Schornstein, und da verstehe ich mich zu tummeln. Wir steigen so hoch, daß sie uns nicht erreichen können, und ganz oben geht ein Loch in die weite Welt hinaus."

Und er führte sie zu der Ofentür hin.

„Da sieht es schwarz aus!" sagte sie, aber sie ging doch mutig mit ihm sowohl durch den Kasten als durch die Röhre, wo eine pechfinstere Nacht herrschte.

„Nun sind wir im Schornstein!" sagte er. „Und sieh, sieh, dort oben scheint der herrlichste Stern."

Es war ein Stern am Himmel, der zu ihnen herabschien, gerade als wollte er ihnen den Weg zeigen. Und sie kletterten und krochen; ein greulicher Weg war es, sehr hoch, aber er hob und hielt sie und zeigte die besten Stellen, wo sie ihre kleinen Porzellanfüße hinsetzen konnte; so erreichten sie den Schornsteinrand, und auf den setzten sie sich, denn sie waren tüchtig ermüdet, und das konnten sie auch wohl sein.

Der Himmel mit all seinen Sternen war oben über ihnen und alle Dächer der Stadt tief unten; sie sahen weit umher, weit hinaus in die Welt; die arme Hirtin hatte es sich nie so gedacht, sie legte sich mit ihrem kleinen Haupte gegen ihren Schornsteinfeger, und dann weinte sie, daß das Gold von ihrem Leibgürtel absprang.

„Das ist allzuviel!" sagte sie. „Das kann ich nicht ertragen, die Welt ist allzu groß! Wäre ich doch wieder auf dem Tische unter dem Spiegel; ich werde nie froh, ehe ich wieder dort bin! Nun bin ich dir in die weite Welt hinaus gefolgt, nun kannst du mich auch wieder zurückbringen, wenn du etwas von mir hältst!"

Der Schornsteinfeger sprach vernünftig mit ihr von dem alten Chinesen und vom Ziegenbocksbein-Ober- und Unterkriegsbefehlshaber, aber sie schluchzte gewaltig und küßte ihren kleinen Schornsteinfeger, daß er nicht anders konnte als sich ihr zu fügen, obgleich es töricht war.

So kletterten sie wieder mit vielen Beschwerden den Schornstein hinunter und krochen durch den Kasten und die Röhre. Das war gar nichts Schönes. Und dann standen sie in dem dunklen Ofen; da horchten sie hinter der Tür, um zu erfahren, wie es in der Stube stehe. Dort war es ganz still; sie sahen hinein – ach, der alte Chinese lag mitten auf dem Fußboden; er war vom Tische heruntergefallen, als er hinter ihnen her wollte, und lag in drei Stücke zerschlagen. Der ganze Rücken war in einem Stücke abgegangen, und der Kopf war in eine Ecke gerollt; der Ziegenbocksbein-Ober- und Unterkriegsbefehlshaber stand, wo er immer gestanden hatte, und dachte nach.

„Das ist gräßlich!" sagte die kleine Hirtin. „Der alte Großvater in Stücke zerschlagen, und wir sind schuld daran! Das werde ich nicht überleben!" Und dann rang sie ihre kleinen Hände.

„Er kann noch gekittet werden!" sagte der Schornsteinfeger. „Er kann sehr gut gekittet werden! Sei nur nicht heftig; wenn sie ihn im Rücken kitten und ihm eine gute Niete im Nacken geben, so wird er so gut wie neu sein und kann uns noch manches Unangenehme sagen."

„Glaubst du?" sagte sie. Und dann krochen sie wieder auf den Tisch hinauf.

„Sieh, soweit kamen wir", sagte der Schornsteinfeger. „Da hätten wir uns alle die Mühe ersparen können."

„Hätten wir nur den alten Großvater wieder gekittet!" sagte die Hirtin. „Wird das sehr teuer sein?"

Und genietet wurde er; die Familie ließ ihn im Rücken kitten, er bekam eine gute Niete am Halse, und er war so gut wie neu, aber nicken konnte er nicht mehr.

„Sie sind wohl hochmütig geworden, seitdem Sie in Stücke geschlagen sind!" fragte der Ziegenbocksbein-Ober- und Unterkriegsbefehlshaber. „Mich dünkt, daß Sie nicht Ursache haben, so wichtig zu tun. Soll ich nun die kleine Hirtin haben, oder soll ich sie nicht haben?"

Der Schornsteinfeger und die kleine Hirtin sahen den alten Chinesen rührend an, sie fürchteten sehr, er möchte nicken; aber er konnte nicht; und das war ihm unbehaglich, einem Fremden zu erzählen, daß er beständig eine Niete im Nacken habe. Und so blieben die Porzellanleute zusammen, und sie segneten des Großvaters Niete und liebten sich, bis sie in Stücke gingen.

DAS LIEBESPAAR

Ein Kreisel und ein Ball lagen im Kasten beisammen unter anderem Spielzeug, und da sagte der Kreisel zum Ball: „Wollen wir nicht Brautleute sein, da wir doch in dem Kasten zusammenliegen?" Aber der Ball, der von Saffian genäht war und der sich ebensoviel einbildete wie ein feines Fräulein, wollte auf dergleichen nicht antworten.

Am nächsten Tage kam der kleine Knabe, dem das Spielzeug gehörte; er bemalte den Kreisel rot und gelb und schlug einen Messingnagel mitten hinein; dies sah gerade recht prächtig aus, wenn der Kreisel sich herumdrehte.

„Sehen Sie mich an!" sagte er zum Ball. „Was sagen Sie nun? Wollen wir nun nicht Brautleute sein, wir passen gut zueinander. Sie springen, und ich tanze! Glücklicher als wir beide würde niemand werden!"

„So glauben Sie das?" sagte der Ball. „Sie wissen wohl nicht, daß mein Vater und meine Mutter Saffianpantoffeln gewesen sind und daß ich einen Kork im Leibe habe?"

„Ja, aber ich bin von Mahagoniholz", sagte der Kreisel, „und der Stadtrichter hat mich selbst gedrechselt, er hat seine eigene Drechselbank, und es hat ihm viel Vergnügen gemacht."

„Kann ich mich darauf verlassen?" fragte der Ball.

„Möge ich niemals die Peitsche bekommen, wenn ich lüge!" erwiderte der Kreisel.

„Sie wissen gut für sich zu sprechen", sagte der Ball; „aber ich kann doch nicht, ich bin mit einer Schwalbe so gut wie versprochen! Jedesmal, wenn ich in die Luft fliege, steckt sie den Kopf zum Nest heraus und fragt: ,Wollen Sie?' und nun habe ich innerlich ,ja' gesagt, und das ist so gut wie eine halbe Verlobung. Aber ich verspreche Ihnen, Sie nie zu vergessen!"

„Ja, das wird viel helfen!" sagte der Kreisel, und so sprachen sie nicht mehr miteinander.

Am nächsten Tage wurde der Ball von dem Knaben vorgenommen. Der Kreisel sah, wie er hoch in die Luft flog gleich einem Vogel, zuletzt konnte man ihn gar nicht mehr erblicken; jedesmal kam er wieder zurück, machte aber immer einen hohen Sprung, wenn er die Erde berührte, und das geschah immer aus Sehnsucht oder weil er einen Kork im Leibe hatte. Das neunte Mal aber blieb der Ball fort und kam nicht wieder, der Knabe suchte und suchte, aber weg war er.

„Ich weiß wohl, wo er ist", seufzte der Kreisel; „er ist im Schwalbenneste und hat sich mit der Schwalbe verheiratet!"

Je mehr der Kreisel daran dachte, um so mehr wurde er für den Ball eingenommen. Gerade weil er ihn nicht bekommen konnte, darum nahm die Liebe zu; daß er einen andern genommen hatte, das war das Eigentümliche dabei. Und der Kreisel tanzte herum und schnurrte, dachte aber immer an den Ball, der in seinen Gedanken immer schöner und schöner wurde. So verstrich manches Jahr – und da war es eine alte Liebe.

Der Kreisel war nicht mehr jung! – Aber da wurde er eines Tages ganz und gar vergoldet, nie hatte er so schön ausgesehen; er war nun ein Goldkreisel und sprang, daß es schnurrte. Ja, das war doch noch etwas, aber auf einmal sprang er zu hoch, und – weg war er!

Man suchte und suchte, selbst unten im Keller, doch er war nicht zu finden. – Wo war er?

Er war in eine Tonne gesprungen, wo allerlei Gerümpel, Kohlstrünke, Kehricht und Schutt lagen, was alles im Laufe der Zeit von der Dachrinne heruntergefallen war.

„Nun liege ich freilich gut! Hier wird die Vergoldung bald von mir verschwinden; ach, unter welchen Unrat bin ich hier geraten!" Dann schielte er nach einem langen Kohlstrunk und nach einem sonderbaren runden Dinge, das wie ein alter Apfel aussah; – aber es war kein Apfel, es war ein alter Ball, der viele Jahre in der Dachrinne gelegen und den das Wasser durchdrungen hatte.

„Gott sei Dank, da kommt doch einer unseresgleichen, mit dem man sprechen kann!" sagte der Ball und betrachtete den vergoldeten Kreisel. „Ich bin eigentlich von Saffian, von Jungfrauenhänden genäht, und habe einen Kork im Leibe, aber das wird mir wohl niemand ansehen! Ich war nahe daran, mich mit einer Schwalbe zu verheiraten, aber da fiel ich in die Dachrinne, dort habe ich wohl fünf Jahre gelegen und bin ausgequollen! Glauben Sie mir, das ist eine lange Zeit für ein junges Mädchen!"

Aber der Kreisel sagte nichts, er dachte an sein altes Liebchen, und je mehr er hörte, desto klarer wurde es ihm, daß sie es war.

Da kam das Dienstmädchen und wollte den Kasten umwenden. „Heißa, da ist der Goldkreisel!" sagte sie.

Der Kreisel kam wieder zu großen Ansehen und Ehren, aber vom Ball hörte man nichts, und der Kreisel sprach nie mehr von seiner alten Liebe – – die vergeht, wenn die Geliebte fünf Jahre lang in einer Wasserrinne gelegen hat und ausgequollen ist, ja, man erkennt sie nie wieder, wenn man ihr in einer Kehrichttonne begegnet.

DIE NACHTIGALL

In China, weißt du ja wohl, ist der Kaiser ein Chinese, und alle, die er um sich hat, sind Chinesen. Es sind nun viele Jahre her, aber gerade deshalb ist es wert, die Geschichte zu hören, ehe sie vergessen wird. Des Kaisers Schloß war das prächtigste der Welt, ganz und gar von feinem Porzellan, so kostbar, aber so spröde, so mißlich daran zu rühren, daß man sich ordentlich in acht nehmen mußte. Im Garten sah man die wunderbarsten Blumen, und an die allerprächtigsten waren Silberglocken gebunden, die erklangen, damit man nicht vorbeigehen möchte, ohne die Blumen zu bemerken. Ja, alles war in des Kaisers Garten fein ausgedacht, und er erstreckte sich so weit, daß der Gärtner selbst das Ende nicht kannte; ging man immer weiter, so kam man in den herrlichsten Wald mit hohen Bäumen und tiefen Seen. Der Wald ging gerade hinunter bis zum Meere, das blau und tief war. Große Schiffe konnten unter den Zweigen hinsegeln, und in diesen wohnte eine Nachtigall, die so herrlich sang, daß selbst der arme Fischer, der soviel anderes zu tun hatte, stillhielt und horchte, wenn

er nachts ausgefahren war, um das Fischnetz aufzuziehen. „Ach Gott, wie ist das schön!" sagte er, aber dann
mußte er auf sein Netz achtgeben und vergaß den Vogel;
doch wenn dieser in der nächsten Nacht wieder sang und
der Fischer dorthin kam, sagte er wieder: „Ach Gott, wie
ist das doch schön!"

Von allen Ländern kamen Reisende nach der Stadt
des Kaisers und bewunderten sie, das Schloß und den
Garten; doch wenn sie die Nachtigall zu hören bekamen,
sagten sie alle:

„Das ist doch das Beste!"

Die Reisenden erzählten davon, wenn sie nach Hause
kamen, und die Gelehrten schrieben viele Bücher über
die Stadt, das Schloß und den Garten, aber die Nachtigall vergaßen sie nicht, sie wurde am höchsten gestellt,
und die, welche dichten konnten, schrieben die herrlichsten Gedichte über die Nachtigall im Walde bei dem
tiefen See.

Die Bücher durchliefen die Welt, und einige kamen dann auch einmal zum Kaiser. Er saß in seinem goldenen Stuhl, las und las, jeden Augenblick nickte er mit dem Kopfe, denn er freute sich über die prächtigen Beschreibungen der Stadt, des Schlosses und des Gartens. „Aber die Nachtigall ist doch das Allerbeste!" stand da geschrieben.

„Was ist das?" fragte der Kaiser. „Die Nachtigall kenne ich ja gar nicht! Ist ein solcher Vogel hier in meinem Kaiserreiche und sogar in meinem Garten? Das habe ich nie gehört; so etwas soll man erst aus Büchern erfahren?"

Da rief er seinen Haushofmeister. Der war so vornehm, daß, wenn jemand, der geringer war als er, mit ihm zu sprechen oder ihn um etwas zu fragen wagte, er weiter nichts erwiderte als: „P!" Und das hat nichts zu bedeuten.

„Hier soll ja ein höchst merkwürdiger Vogel sein, der Nachtigall genannt wird!" sagte der Kaiser. „Man spricht, dies sei das Allerbeste in meinem großen Reiche; weshalb hat man mir nie etwas davon gesagt?"

„Ich habe ihn früher nie nennen hören", sagte der Haushofmeister. „Er ist nie bei Hofe vorgestellt worden!"

„Ich will, daß er heute abend herkomme und vor mir singe!" sagte der Kaiser. „Die ganze Welt weiß, was ich habe, und ich weiß es nicht!"

„Ich habe ihn früher nie nennen hören!" sagte der Haushofmeister. „Ich werde ihn suchen, ich werde ihn finden!"

Aber wo war er zu finden? Der Haushofmeister lief alle Treppen auf und nieder, durch Säle und Gänge, keiner von allen denen, auf die er traf, hatte von der Nachtigall sprechen hören. Und der Haushofmeister lief wieder zum Kaiser und sagte, daß es sicher eine Fabel von denen sei, die da Bücher schreiben. „Dero Kaiserliche Majestät können gar nicht glauben, was da alles geschrieben wird; das sind Erdichtungen und etwas, was man die schwarze Kunst nennt!"

„Aber das Buch, in dem ich dieses gelesen habe", sagte der Kaiser, „ist mir von dem großmächtigen Kaiser von Japan gesandt, also kann es keine Unwahrheit sein. Ich will die Nachtigall hören; sie muß heute abend hier sein! Sie hat meine höchste Gnade! Und kommt sie nicht, so soll dem ganzen Hof auf den Leib getrampelt werden, wenn er Abendbrot gegessen hat!"

„Tsing-pe!" sagte der Haushofmeister und lief wieder alle Treppen auf und nieder, durch alle Säle und Gänge; und der halbe Hof lief mit, denn sie wollten nicht gern auf den Leib getrampelt werden. Da gab es ein Fragen nach der merkwürdigen Nachtigall, die von aller Welt gekannt war, nur von niemand bei Hofe.

Endlich trafen sie ein kleines, armes Mädchen in der Küche. Sie sagte: „O Gott, die Nachtigall, die kenne ich gut, ja, wie kann die singen! Jeden Abend habe ich die Erlaubnis, meiner armen, kranken Mutter einige Überbleibsel vom Tische mit nach Hause zu bringen. Sie wohnt unten am Strande, und wenn ich dann zurückgehe, müde bin und im Walde ausruhe, höre ich die Nachtigall singen. Es kommt mir dabei das Wasser in die Augen, und es ist gerade, als ob meine Mutter mich küßte!"

„Kleine Köchin", sagte der Haushofmeister, „ich werde die eine feste Anstellung in der Küche und die Erlaubnis, den Kaiser speisen zu sehen, verschaffen, wenn du uns zur Nachtigall führen kannst; denn sie ist zu heute abend angesagt."

So zogen sie allesamt hinaus in den Wald, wo die Nachtigall zu singen pflegte; der halbe Hof war mit. Als sie im besten Zuge waren, fing eine Kuh zu brüllen an.

„Oh!" sagten die Hofjunker, „nun haben wir sie; das ist doch eine merkwürdige Kraft in einem so kleinen Tiere! Die habe ich sicher schon früher gehört!"

„Nein, das sind Kühe, die brüllen!" sagte die kleine Köchin. „Wir sind noch weit von dem Orte entfernt!"

Nun quakten die Frösche im Sumpfe.

„Herrlich!" sagte der chinesische Schloßpropst. „Nun höre ich sie, es klingt gerade wie kleine Tempelglocken."

„Nein, das sind Frösche!" sagte die kleine Köchin. „Aber nun, denke ich, werden wir sie bald hören!"

Da begann die Nachtigall zu singen.

„Das ist sie", sagte das kleine Mädchen. „Hört, hört! Und da sitzt sie!" Sie zeigte nach einem kleinen, grauen Vogel oben in den Zweigen.

„Ist es möglich?" sagte der Haushofmeister. „So hätte ich sie mir nimmer gedacht; wie einfach sie aussieht! Sie hat sicher ihre Farbe darüber verloren, daß sie so viele vornehme Menschen um sich erblickt!"

„Kleine Nachtigall", rief die kleine Köchin ganz laut, „unser gnädigster Kaiser will, daß Sie vor ihm singen möchten!"

„Mit dem größten Vergnügen", sagte die Nachtigall und sang dann, daß es eine Lust war.

„Es ist gerade wie Glasglocken!" sagte der Haushofmeister. „Und seht die kleine Kehle, wie sie arbeitet! Es ist merkwürdig, daß wir sie früher nie gesehen haben; sie wird großes Aufsehen bei Hofe machen!"

„Soll ich noch einmal vor dem Kaiser singen?" fragte die Nachtigall, die glaubte, der Kaiser sei auch da.

„Meine vortreffliche, kleine Nachtigall", sagte der Haushofmeister, „ich habe die große Freude, Sie zu einem Hoffeste heute abend einzuladen, wo Sie Dero hohe Kaiserliche Gnaden mit Ihrem prächtigen Gesange bezaubern werden!"

„Der nimmt sich am besten im Grünen aus!" sagte die Nachtigall, aber sie kam doch gern mit, als sie hörte, daß der Kaiser es wünschte.

Auf dem Schlosse war alles aufgeputzt. Wände und Fußboden, die von Porzellan waren, glänzten im Strahle vieler tausend goldener Lampen, und die prächtigsten Blumen, die recht klingeln konnten, waren in den Gängen aufgestellt. Da war ein Laufen und ein Zugwind, aber alle Glocken klingelten so, daß man sein eigenes Wort nicht hören konnte.

Mitten in dem großen Saal, wo der Kaiser saß, war ein goldener Stab hingestellt, auf dem sollte die Nachtigall sitzen. Der ganze Hof war da, und die kleine Köchin hatte die Erlaubnis erhalten, hinter der Tür zu stehen, da sie nun den Titel einer wirklichen Hofköchin bekommen hatte. Alle waren in ihrem größten Staate, und alle sahen nach dem kleinen, grauen Vogel, dem der Kaiser zunickte.

Die Nachtigall sang so herrlich, daß dem Kaiser die Tränen in die Augen traten, die Tränen liefen ihm über die Wangen hernieder, und da sang die Nachtigall noch schöner; das ging recht zu Herzen. Der Kaiser war sehr erfreut und sagte, daß die Nachtigall einen goldenen Pantoffel um den Hals tragen solle. Aber die Nachtigall dankte, sie habe schon Belohnung genug erhalten.

„Ich habe Tränen in des Kaisers Augen gesehen, das ist mir der reichste Schatz! Gott weiß es, ich bin genug belohnt!" Und darauf sang sie wieder mit ihrer süßen, herrlichen Stimme.

„Das ist die liebenswürdigste Stimme, die wir kennen!" sagten die Damen ringsherum, und dann nahmen sie Wasser in den Mund, um zu klucken, wenn jemand mit ihnen spräche; sie glaubten, dann auch Nachtigallen zu sein. Ja, die Diener und Kammermädchen ließen melden, daß auch sie zufrieden seien, und das will viel sagen, denn sie sind am schwierigsten zu befriedigen. Ja, die Nachtigall machte wahrlich Glück.

Sie sollte nun bei Hofe bleiben, ihren eigenen Käfig haben, samt der Freiheit, zweimal des Tages und einmal des Nachts herauszuspazieren. Sie bekam zwölf Diener mit, die ihr ein Seidenband um das Bein geschlungen hatten, woran sie sie festhielten. Es war durchaus kein Vergnügen bei solchem Ausflug.

Die ganze Stadt sprach von dem merkwürdigen Vogel, und begegneten sich zwei, dann seufzten sie und verstanden einander: Ja, elf Hökerkinder wurden nach ihr benannt, aber nicht eins von ihnen hatte einen Ton in der Kehle.

Eines Tages erhielt der Kaiser eine Kiste, auf der geschrieben stand: „Die Nachtigall."

„Da haben wir nun ein neues Buch über unseren berühmten Vogel!" sagte der Kaiser; aber es war kein Buch, es war ein Kunststück, das in einer Schachtel lag, eine künstliche Nachtigall, die der lebenden gleichen sollte, aber überall mit Diamanten, Rubinen und Saphiren besetzt war. Sobald man den künstlichen Vogel aufzog, konnte er eins der Stücke, die der wirkliche sang, singen, und dann bewegte sich der Schweif auf und nieder und glänzte von Silber und Gold. Um den Hals hing ein kleines Band, und darauf stand geschrieben: „Des Kaisers von Japan Nachtigall ist arm gegen die des Kaisers von China."

„Das ist herrlich!" sagten alle, und der Mann, der den künstlichen Vogel gebracht hatte, erhielt sogleich den Titel: Kaiserlicher Oberhofnachtigallbringer.

„Nun müssen sie zusammen singen! Was wird das für ein Genuß werden!"

Sie mußten zusammen singen, aber es wollte nicht recht gehen, denn die wirkliche Nachtigall sang auf ihre Weise, und der Kunstvogel ging auf Walzen. „Der hat keine Schuld", sagte der Spielmeister; „der ist besonders taktfest und ganz nach meiner Schule!" Nun sollte der Kunstvogel allein singen. Er machte ebenso viel Glück wie der wirkliche, und dann war er viel niedlicher anzusehen; er glänzte wie Armbänder und Brustnadeln.

Dreiunddreißigmal sang er ein und dasselbe Stück und war doch nicht müde; die Leute hätten ihn gern wieder von vorn gehört, aber der Kaiser meinte, daß nun auch die lebendige Nachtigall etwas singen solle. Aber wo war die? Niemand hatte bemerkt, daß sie aus dem offenen Fenster fort zu ihren grünen Wäldern geflogen war.

„Aber was ist denn das?" fragte der Kaiser; und alle Hofleute schalten und meinten, daß die Nachtigall ein höchst undankbares Tier sei. „Den besten Vogel haben wir doch!" sagten sie, und so mußte der Kunstvogel wieder singen, und das war das vierunddreißigste Mal, daß sie dasselbe Stück zu hören bekamen, aber sie konnten es noch nicht ganz auswendig, denn es war sehr schwer. Der Spielmeister lobte den Vogel außerordentlich, ja, er versicherte, daß er besser als die wirkliche Nachtigall sei, nicht nur was die Kleider und die vielen herrlichen Diamanten betreffe, sondern auch innerlich.

„Denn sehen Sie, meine Herrschaften, der Kaiser vor allen! Bei der wirklichen Nachtigall kann man nie berechnen, was da kommen wird, aber bei dem Kunstvogel ist alles bestimmt; man kann es erklären, man kann ihn aufmachen und das menschliche Denken zeigen, wie die Walzen liegen, wie sie gehen und wie das eine aus dem andern folgt!"

„Das sind ganz unsere Gedanken!" sagten sie alle, und der Spielmeister erhielt die Erlaubnis, am nächsten Sonntag den Vogel dem Volke vorzuzeigen. Es sollte ihn auch singen hören, befahl der Kaiser, und es hörte ihn, und es wurde so vergnügt, als ob es sich im Tee berauscht hätte, denn das ist ganz chinesisch; und da sagten alle: „Oh!" und hielten den Zeigefinger in die Höhe und nickten dazu. Aber die armen Fischer, welche die wirkliche Nachtigall gehört hatten, sagten: „Es klingt hübsch, die Melodien gleichen sich auch, aber es fehlt etwas, wir wissen nicht was!"

Die wirkliche Nachtigall ward aus dem Lande und Reiche verwiesen.

Der Kunstvogel hatte seinen Platz auf einem seidenen Kissen dicht bei des Kaisers Bett; alle Geschenke, die er erhalten, Gold und Edelsteine, lagen rings um ihn her, und im Titel war er zu einem ,Hochkaiserlichen Nachttischsänger' gestiegen, im Range Numero eins zur linken Seite, denn der Kaiser rechnete die Seite für die vornehmste, auf der das Herz saß, und das Herz sitzt auch bei einem Kaiser links. Und der Spielmeister schrieb ein Werk von fünfundzwanzig Bänden über den Kunstvogel; das war so gelehrt und lang, voll von den allerschwersten chinesischen Wörtern, daß alle Leute sagten, sie haben es gelesen und verstanden, denn sonst wären sie ja dumm gewesen und auf den Leib getrampelt worden.

So ging es ein ganzes Jahr; der Kaiser, der Hof und alle die übrigen Chinesen konnten jeden kleinen Kluck in des Kunstvogels Gesang auswendig, aber gerade deshalb gefiel er ihnen jetzt am allerbesten; sie konnten selbst mitsingen, und das taten sie. Die Straßenbuben sangen. „Ziziiz! Kluckkluckkluck!" und der Kaiser sang es. Ja, das war gewiß prächtig!

Aber eines Abends, als der Kunstvogel am besten sang und der Kaiser im Bette lag und darauf hörte, sagte es „Schwupp" inwendig im Vogel; da sprang etwas. „Schnurrrr!" Alle Räder liefen herum, und dann stand die Musik still.

Der Kaiser sprang gleich aus dem Bette und ließ seinen Leibarzt rufen. Aber was konnte der helfen? Dann ließen sie den Uhrmacher holen, und nach vielem Sprechen und Nachsehen brachte er den Vogel etwas in Ordnung, aber er sagte, daß er sehr geschont werden müsse, denn die Zapfen seien abgenutzt, und es sei unmöglich, neue so einzusetzen, daß die Musik sicher gehe. Das war nun eine große Trauer! Nur einmal des Jahres durfte man den Kunstvogel singen lassen, und das war fast schon zuviel, aber dann hielt der Spielmeister

eine kleine Rede mit schweren Worten und sagte, daß es ebensogut wie früher sei, und dann war es ebensogut wie früher.

Nun waren fünf Jahre vergangen, und das ganze Land bekam eine wirkliche, große Trauer. Die Chinesen hielten im Grunde allesamt große Stücke auf ihren Kaiser, und jetzt war er krank und konnte nicht länger leben. Schon war ein neuer Kaiser gewählt, und das Volk stand draußen auf der Straße und fragte den Haushofmeister, wie es seinem alten Kaiser gehe.

„P!" sagte er und schüttelte mit dem Kopfe.

Kalt und bleich lag der Kaiser in seinem großen, prächtigen Bett. Der ganze Hof glaubte ihn tot, und ein jeder lief, den neuen Kaiser zu begrüßen, die Kammerdiener liefen hinaus, um darüber zu sprechen, und die Kammermädchen hatten große Kaffeegesellschaft. Ringsumher in allen Sälen und Gängen war Tuch gelegt, damit man niemand gehen höre, und deshalb war es sehr still. Aber der Kaiser war noch nicht tot; steif und bleich lag er in dem prächtigen Bette mit den langen Samtvorhängen und den schweren Goldquasten, hoch oben stand ein Fenster auf, und der Mond schien herein auf den Kaiser und den Kunstvogel.

Der arme Kaiser konnte kaum atmen, es war gerade, als ob etwas auf seiner Brust säße. Er schlug die Augen auf, und da sah er, daß es der Tod war. Er hatte sich eine goldene Krone aufgesetzt und hielt in der einen Hand des Kaisers goldenen Säbel, in der andern seine prächtige Fahne. Ringsumher aus den Falten der großen Samtbettvorhänge sahen allerlei wunderliche Köpfe hervor, einige ganz häßlich, andere lieblich und mild; das waren des Kaisers gute und böse Taten, die ihn anblickten, jetzt, da der Tod ihm auf dem Herzen saß.

„Entsinnst du dich dessen?" Und dann erzählten sie ihm so viel, daß ihm der Schweiß von der Stirne rann.

„Das habe ich nie gewußt!" sagte der Kaiser. „Musik, Musik, die große chinesische Trommel", rief er, „damit ich nicht alles zu hören brauche, was sie sagen!"

Aber sie fuhren fort, und der Tod nickte wie ein Chinese zu allem, was gesagt wurde.

„Musik, Musik!" schrie der Kaiser. „Du kleiner herrlicher Goldvogel, singe doch, singe! Ich habe dir Gold und Kostbarkeiten gegeben, ich habe dir selbst meinen goldenen Pantoffel um den Hals gehängt, singe doch, singe!"

Aber der Vogel stand still, es war niemand da, um ihn aufzuziehen, sonst sang er nicht, und der Tod fuhr fort, den Kaiser mit seinen großen, leeren Augenhöhlen anzustarren, und es war still, erschrecklich still.

Da klang auf einmal vom Fenster her der herrlichste Gesang. Es war die kleine, lebendige Nachtigall, die auf einem Zweige draußen saß. Sie hatte von der Not ihres Kaisers gehört und war deshalb gekommen, ihm Trost und Hoffnung zu singen; und so wie sie sang, wurden die Gespenster bleicher und bleicher, das Blut kam immer rascher und rascher in des Kaisers schwachen Gliedern in Bewegung, und selbst der Tod horchte und sagte: „Fahre fort, kleine Nachtigall! Fahre fort!"

„Ja, willst du mir den prächtigen, goldenen Säbel geben? Willst du mir die reiche Fahne geben? Willst du mir des Kaisers Krone geben?"

Der Tod gab jedes Kleinod für einen Gesang, und die Nachtigall fuhr fort zu singen. Sie sang von dem stillen Gottesacker, wo die weißen Rosen wachsen, wo der Flieder duftet und wo das frische Gras von den Tränen der Überlebenden befeuchtet wird. Da bekam der Tod Sehnsucht nach seinem Garten und schwebte wie ein kalter, weißer Nebel aus dem Fenster.

„Dank, Dank!" sagte der Kaiser, „du himmlischer, kleiner Vogel, ich kenne dich wohl! Dich habe ich aus meinem Lande und Reich gejagt, und doch hast du die bösen Geister von meinem Bette weggesungen, den Tod von meinem Herzen weggeschafft! Wie kann ich dir lohnen?"

„Du hast mich belohnt!" sagte die Nachtigall. „Ich habe deinen Augen Tränen entlockt, als ich das erstemal sang, das vergesse ich nie; das sind die Juwelen, die ein Sängerherz erfreuen. Aber schlafe nun und werde stark, ich werde dir vorsingen!"

Sie sang, und der Kaiser fiel in süßen Schlummer; mild und wohltuend war der Schlaf!

Die Sonne schien durch das Fenster herein, als er gestärkt und gesund erwachte. Keiner von seinen Dienern war noch zurückgekehrt; denn sie glaubten, er sei tot; aber die Nachtigall saß noch und sang.

„Immer mußt du bei mir bleiben!" sagte der Kaiser. „Du sollst nur singen, wenn du selbst willst, und den Kunstvogel schlage ich in tausend Stücke."

„Tue das nicht", sagte die Nachtigall, „der hat ja das Gute getan, solange er konnte, behalte ihn wie bisher. Ich kann nicht nisten und wohnen im Schlosse, aber laß mich kommen, wenn ich selbst Lust habe, da will ich des Abends dort beim Fenster sitzen und dir vorsingen, damit du froh werden kannst und gedankenvoll zugleich. Ich werde von den Glücklichen singen und von denen, die da leiden; ich werde vom Bösen und Guten singen, was rings um dich her dir verborgen bleibt. Der kleine Singvogel fliegt weit herum zu dem armen Fischer, zu des Landmanns Dach, zu jedem, der weit von dir und deinem Hofe entfernt ist. Ich liebe dein Herz mehr als deine Krone, und doch hat die Krone einen Duft von etwas Heiligem um sich. Ich komme und singe dir vor! Aber eins mußt du mir versprechen!"

„Alles!" sagte der Kaiser und stand da in seiner kaiserlichen Tracht, die er angelegt hatte, und drückte den Säbel, der schwer von Gold war, an sein Herz.

„Um eins bitte ich dich; erzähle niemand, daß du einen kleinen Vogel hast, der dir alles sagt, dann wird es noch besser gehen!"

So flog die Nachtigall fort.

Die Diener kamen herein, um nach ihrem toten Kaiser zu sehen; ja, da standen sie, und der Kaiser sagte: „Guten Morgen!"

EIN UNTERSCHIED IST DA

Es war im Maimonat, der Wind blies noch kalt; aber „Der Frühling ist da", sagten Büsche und Bäume, Feld und Flur; es wimmelte von Blumen bis in die lebendigen Hecken hinauf. Dort führte der Frühling selbst seine Sache, er predigte von einem kleinen Apfelbaume herab, dort hing ein einziger Zweig, frisch und blühend, mit feinen, rosenroten Knospen überstreut, die im Begriff waren, sich zu öffnen. Er wußte recht wohl, wie schön er sei, denn es liegt im Blatte sowohl wie im Blute; deshalb überraschte es ihn auch nicht, als ein herrschaftlicher Wagen vor ihm anhielt und die junge Gräfin sagte, daß ein Apfelzweig das Lieblichste sei, das man sehen könne; er sei der Frühling selbst in seiner herrlichsten Offenbarung. Der Zweig wurde abgebrochen, sie nahm ihn in ihre feine Hand und beschattete ihn mit ihrem seidenen Sonnenschirme – dann fuhren sie nach dem Schlosse mit seinen hohen Sälen und prächtigen Zimmern. Klare, weiße Gardinen flatterten vor den offenen Fenstern, herrliche Blumen standen in glänzenden, durchsichtigen Vasen, und in eine, die wie aus frischgefallenem Schnee geschnitten war, wurde der Apfelzweig zwischen frische, lichte Buchenzweige gesteckt; es war eine Lust, ihn zu sehen.

Da wurde der Zweig stolz.

Es kamen verschiedenartige Leute durch die Zimmer, und je nachdem sie etwas galten, durften sie ihre Bewunderung aussprechen. Einige sagten nichts, andere wiederum zu viel, und der Apfelzweig verstand es, daß ein Unterschied zwischen den Gewächsen sei.

„Einige sind zum Staate und einige zum Ernähren da; es gibt auch solche, die man ganz entbehren könnte", meinte der Apfelzweig, und da er gerade vor dem offenen Fenster stand, von wo aus er in den Garten und auf das Feld sehen konnte, so hatte er Blumen und Gewächse genug, um sie zu betrachten und darüber nachzudenken; dort standen reiche und arme, einige gar zu ärmliche.

„Arme verstoßene Kräuter!" sagte der Apfelzweig, „ein Unterschied ist freilich da! Wie unglücklich müssen sie sich fühlen, wenn die Art so fühlen kann wie ich und meinesgleichen; freilich ist ein Unterschied da, aber der muß auch gemacht werden, sonst wären sie ja alle gleich!"

Und der Apfelzweig sah mit gewissem Mitleid besonders auf eine Art von Blumen, die sich in Menge auf Feldern und in Gräben vorfanden. Keiner band sie zum Strauße; sie waren gar zu gewöhnlich, ja, man konnte sie selbst zwischen dem Steinpflaster finden. Sie schossen wie das ärgste Unkraut hervor und hatten den häßlichsten Namen, den man sich denken kann: Hundsblumen.

„Armes, verachtetes Gewächs!" sagte der Apfelzweig, „du kannst nichts dafür, daß du den häßlichen Namen erhieltest. Aber mit den Gewächsen ist es wie mit den Menschen, ein Unterschied muß sein!"

„Unterschied!" sagte der Sonnenstrahl und küßte den blühenden Apfelzweig, küßte aber auch die gelben Hundsblumen draußen auf dem Felde, alle Brüder des Sonnenstrahls küßten sie, die armen Blumen wie die reichen.

Der Apfelzweig hatte niemals über Gottes unendliche Liebe gegen alles, was da lebt und sich bewegt, nachgedacht, nie auch darüber, wie viel Schönes und Gutes verborgen, aber nicht vergessen daliegen kann.

Der Sonnenstrahl, der Strahl des Lichtes, wußte es besser: „Du siehst nicht weit, du siehst nicht klar! – Welches ist das verachtete Kraut, das du namentlich beklagst?"

„Die Hundsblume!" sagte der Apfelzweig. „Niemals wird sie zum Strauß gebunden, sie wird mit Füßen getreten; es sind ihrer zu viele, und wenn sie in Samen schießen, so fliegen sie wie kleingeschnittene Wolle über den Weg und hängen sich an die Kleider der Leute. Unkraut ist's; aber auch das soll ja sein! – Ich bin wirklich dankbar, daß ich keine jener Blumen geworden bin!"

Und über das Feld kam eine Schar Kinder. Das jüngste war noch so klein, daß es von den andern getragen wurde. Als es zwischen die gelben Blumen in das Gras gesetzt wurde, lachte es laut vor Freude, zappelte mit den Beinchen, wälzte sich umher, pflückte nur die gelben Blumen und küßte sie in süßer Unschuld. Die etwas größeren Kinder brachen die Blumen von den hohen Stielen, bogen diese rund in sich selbst zusammen, Glied an Glied, so daß eine Kette daraus entstand; erst eine für den Hals, dann eine, um sie über die Schultern und um den Leib zu hängen, und dann noch eine, um sie auf der Brust und auf dem Kopf zu befestigen; das war eine Pracht von grünen Gliedern und Ketten! Aber die größeren Kinder faßten vorsichtig die abgeblühte Blume beim Stengel, der die gefiederte, zusammengesetzte Samenkrone trug; diese lose, lustige Wollblume, die ein rechtes Kunstwerk ist, wie aus den feinsten Federn, Flocken oder Daunen, hielten sie an den Mund, um sie mit einem Male rein abzublasen, und wer das konnte, bekam, wie die Großmutter sagte, neue Kleider, bevor das Jahr zu Ende ging.

Die verachtete Blume war bei dieser Gelegenheit ein Prophet.

„Siehst du!" sagte der Sonnenstrahl. „Siehst du ihre Schönheit, siehst du ihre Macht?"

„Ja, für Kinder!" antwortete der Apfelzweig.

Und eine alte Frau kam auf das Feld und grub mit ihrem stumpfen, schaftlosen Messer um die Wurzel des Krautes und zog diese heraus; von einigen der Wurzeln wollte sie sich Kaffee kochen, für andere wollte sie Geld lösen in der Apotheke.

„Schönheit ist doch etwas Höheres!" sagte der Apfelzweig. „Nur die Auserwählten kommen in das Reich des Schönen! Es gibt einen Unterschied zwischen den Gewächsen, wie es einen Unterschied zwischen den Menschen gibt!"

Der Sonnenstrahl sprach von der unendlichen Liebe Gottes, die sich im Erschaffenen offenbart, und von allem, was Leben hat, und von der gleichen Verteilung aller Dinge in Zeit und Ewigkeit!

„Ja, das ist nun Ihre Meinung!" sagte der Apfelzweig.

Es kamen Leute in das Zimmer, und die schöne, junge Gräfin erschien, sie, die den Apfelzweig in die durchsichtige Vase gestellt hatte, wo das Sonnenlicht strahlte; sie brachte eine Blume oder was es sonst sein mochte. Der Gegenstand wurde von drei bis vier großen Blättern verborgen gehalten, die wie eine Tüte um ihn gehalten wurden, damit weder Zug noch Windstoß ihm Schaden tun solle, und er wurde so vorsichtig getragen, wie es mit einem Apfelzweige niemals geschehen war. Vorsichtig wurden nun die großen Blätter entfernt, und man sah die feine, gefiederte Samenkrone der gelben, verachteten Hundsblume. Die hatte sie so vorsichtig gepflückt, so sorgfältig, damit nicht einer der feinen Federpfeile, die ihre Nebelgestalten bilden und lose sitzen, fortwehen solle. Unversehrt trug die Gräfin dieses kleine Naturwunder, diese sonst so verachtete Hundsblume durch das Zimmer und bewunderte ihre schöne

Form, ihre luftige Klarheit, ihre ganz eigentümliche Zusammensetzung, ihre Schönheit, die so im Winde verwehen sollte.

„Sieh doch, wie wunderbar lieblich Gott sie gemacht hat", sagte sie. „Ich will sie mit dem Apfelzweig zusammen malen, den finden alle so unendlich schön, aber auch diese alte Blume hat auf eine andere Weise ebensoviel vom lieben Gott erhalten; so verschieden sie auch sind, sind sie doch beide Kinder im Reiche der Schönheit." – Der Sonnenstrahl küßte die ärmliche Blume und den blühenden Apfelzweig, dessen Blätter dabei zu erröten schienen.

DIE ALTE STRASSENLATERNE

Hast du die Geschichte von der alten Straßenlaterne gehört? Sie ist gar nicht sehr belustigend, doch einmal kann man sie wohl hören. Es war eine gute, alte Straßenlaterne, die viele, viele Jahre gedient hatte, aber jetzt entfernt werden sollte. Es war der letzte Abend, an dem sie auf dem Pfahle saß und in der Straße leuchtete, und es war ihr zumute wie einer alten Tänzerin, die den letzten Abend tanzt und weiß, daß sie morgen vergessen in der Bodenkammer sitzt. Die Laterne hatte Furcht vor dem morgigen Tage, denn sie wußte, daß sie dann zum erstenmal auf das Rathaus kommen und von dem ‚hochlöblichen Rat‘ beurteilt werden sollte, ob sie noch tauglich oder unbrauchbar sei. Da sollte bestimmt werden, ob sie nach einer der Brücken hinausgeschickt werden könne, um dort zu leuchten, oder auf das Land in eine Fabrik; vielleicht sollte sie geradezu in eine Eisengießerei kommen und umgeschmolzen werden. Dann konnte freilich alles aus ihr werden, aber es peinigte sie, daß sie nicht wußte, ob sie dann die Erinnerung daran behalten würde, daß sie eine Straßenlaterne gewesen war. – Wie es nun auch werden mochte, so werde sie doch vom Wächter und seiner Frau getrennt werden, die sie ganz wie ihre Familie betrachteten. Sie wurde zur Laterne, als er Wächter wurde. Damals war die Frau sehr vornehm, und wenn sie des Abends an der Laterne vorüberging, blickte sie diese an, am Tage aber nie. Dagegen in den letzten Jahren, als sie alle drei, der Wächter, seine Frau und die Laterne, alt geworden waren, hatte die Frau sie auch gepflegt, die Lampe abgeputzt und Öl eingegossen. Es war ein ehrliches Ehepaar, sie hatten die Lampe um keinen Tropfen betrogen. Es war der letzte Abend auf der Straße, und morgen sollte sie auf das Rathaus; das waren zwei finstere Gedanken für die Laterne, und so kann man wohl denken, wie sie brannte. Aber es kamen ihr noch andere Gedanken; sie hatte vieles gesehen, vieles beleuchtet, vielleicht ebensoviel wie der ‚hochlöbliche Rat‘, aber das sagte sie nicht, denn sie war eine alte, ehrliche Laterne, sie wollte niemand erzürnen, am wenigsten ihre Obrigkeit. Es fiel ihr vieles ein, und mitunter flackerte die Flamme in ihr auf, es war, als ob ein Gefühl ihr sagte: „Ja, man wird sich auch meiner erinnern!“ „So war da der hübsche, junge Mann – ja, das ist viele Jahre her; er kam mit einem Briefe, der war auf rosenrotem Papier, fein und mit goldenem Schnitt, er war niedlich geschrieben, es war eine Damenhand. – Er las ihn zweimal und küßte ihn und blickte mit seinen beiden Augen zu mir empor und sagte: ‚Ich bin der glücklichste Mensch!‘ – Nur er und ich wußten, was im ersten Brief von der Geliebten stand. – Ich entsinne mich auch zweier anderer Augen; es ist merkwürdig, wie man mit den Gedanken springen kann! – Hier in der Straße fand ein prächtiges Begräbnis statt, die junge, hübsche Frau lag im Sarge auf dem mit Samt überzogenen Leichenwagen. Da prangten so viele Blumen und Kränze, da leuchteten so viele Fackeln, daß ich dabei ganz verschwand. – Der ganze Bürgersteig war mit Menschen angefüllt, sie folgten alle dem Leichenzug, als aber die Fackeln verschwunden waren und ich mich umsah, stand hier noch einer am Pfahl und weinte, ich vergesse nie die beiden Augen voll Trauer, die gegen mich aufblickten!“ – Viele Gedanken durchkreuzten so die alte Straßenlaterne, die an diesem Abend zum letztenmal leuchtete. Die Schildwache, die abgelöst wird, kennt doch ihren Nachfolger und kann ihm ein paar Worte sagen, aber die Laterne kannte den ihrigen nicht, und doch hätte sie ihm einen oder den andern Wink über Regen und Schnee, wie weit der Mondschein auf dem Bürgersteig gehe und von welcher Seite der Wind blies, geben können.

Auf dem Rinnsteinbrette standen drei, die sich der Laterne vorgestellt hatten, indem sie glaubten, daß diese es sei, die das Amt zu vergeben habe. Der eine davon war ein Heringskopf, denn auch ein solcher leuchtet im Dunkeln, und daher meinte er, es würde eine große Ölersparnis sein, wenn er auf den Laternenpfahl käme. Der zweite war ein Stück faulen Holzes, das auch leuchtete, und überdies war es das letzte Stück von einem Baume, der einst die Zierde des Waldes gewesen war. Der dritte war ein Johanniswurm. Woher der gekommen, begriff die Laterne nicht, aber der Wurm war da und leuchtete auch. Aber das faule Holz und der Heringskopf beschworen, daß er nur zu gewissen Zeiten leuchte und daß er deshalb nie berücksichtigt werden könne.

Die alte Laterne sagte, daß keiner von ihnen genug leuchte, um Straßenlaterne zu sein, aber das glaubte nun keiner von ihnen, und als sie hörten, daß die Laterne selbst die Anstellung nicht zu vergeben habe, so sagten sie, daß das höchst erfreulich sei, denn sie sei schon gar zu hinfällig, um noch wählen zu können.

Gleichzeitig kam der Wind von der Straßenecke, er sauste durch den Schornstein der alten Laterne. „Was höre ich!" sagte er zu ihr, „du willst morgen fort? Ist dieses der letzte Abend, an dem ich dich hier treffe? Ja, dann mache ich dir ein Geschenk; nun erfrische ich deinen Verstandeskasten, so daß du klar und deutlich dich nicht allein dessen entsinnen kannst, was du gehört und gesehen hast, sondern wenn etwas in deiner Gegenwart erzählt oder gelesen wird, so sollst du so hellsehend sein, daß du alles auch siehst!"

„Das ist viel!" sagte die alte Straßenlaterne, „meinen besten Dank! Wenn ich nur nicht umgegossen werde!"

„Das geschieht noch nicht!" sagte der Wind, „und nun erfrische ich dir dein Gedächtnis. Kannst du mehr derartige Geschenke erhalten, so wirst du ein recht frohes Alter haben!"

„Wenn ich nur nicht umgeschmolzen werde!" sagte die Laterne, „oder kannst du mir dann auch das Gedächtnis sichern?"

„Alte Laterne, sei vernünftig!" sagte der Wind, und dann wehte er. – Gleichzeitig kam der Mond hervor.

„Was geben Sie?" fragte der Wind.

„Ich gebe gar nichts!" sagte dieser, „ich bin ja am Abnehmen, und die Laternen haben mir nie, sondern ich habe den Laternen geleuchtet." Darauf ging der Mond wieder hinter die Wolken, denn er mochte sich nicht quälen lassen. Da fiel ein Wassertropfen wie von einer Dachtraufe gerade auf den Schornstein, aber der Tropfen sagte, er komme aus den grauen Wolken und sei auch ein Geschenk, vielleicht das allerbeste. „Ich durchdringe dich so, daß du die Fähigkeit erhältst, in einer Nacht, wenn du es wünschest, dich in Rost zu verwandeln, so daß du ganz zusammenfällst und zu Staub wirst." Aber der Laterne schien das ein schlechtes Geschenk zu sein, und der Wind meinte es auch. „Gibt es nichts Besseres, gibt es nichts Besseres?" blies er, so laut er konnte; da fiel eine glänzende Sternschnuppe, sie leuchtete in einem langen Streifen.

„Was war das?" rief der Heringskopf. „Fiel da nicht ein Stein gerade herab? Ich glaube, er fuhr in die Laterne! – Nun, wird das Amt auch von so Hochstehenden gesucht, dann können wir uns zur Ruhe begeben!" Und das tat er und die andern mit. Aber die alte Laterne leuchtete auf einmal wunderbar stark. „Das war ein herrliches Geschenk!" sagte sie. „Die klaren Sterne, über die ich mich immer so sehr gefreut habe und die so herrlich scheinen, wie ich

eigentlich nie habe leuchten können, obgleich es mein ganzes Streben und Trachten
war, haben mich arme Laterne beachtet!
Sie schickten mir einen davon mit einem
Geschenk herab, das in der Fähigkeit
besteht, daß alles, dessen ich mich entsinne und das ich recht deutlich erblicke,
auch von denjenigen gesehen werden kann,
die ich liebe. Das ist erst das wahre Vergnügen, denn wenn man es nicht mit andern teilen kann, so ist es nur eine halbe
Freude!"

„Das ist recht ehrenwert gedacht!" sagte
der Wind, „aber du weißt noch nicht,
daß dazu Wachslichter gehören. Wenn nicht
ein Wachslicht in dir angezündet wird,
kann keiner der andern etwas bei dir erblicken. Das haben die Sterne nicht gedacht, sie glauben, daß alles, was leuchtet,
wenigstens ein Wachslicht in sich hat. Aber
jetzt bin ich müde", sagte der Wind, „nun
will ich mich legen!"

Und dann legte er sich.

Am folgenden Tage – – ja, den folgenden Tag können wir überspringen – am
folgenden Abend lag die Laterne im Lehnstuhl, und wo? – Bei dem
alten Wächter. Vom ‚hoch-
löblichen Rat' hatte er
sich für seine langen,
treuen Dienste erbeten, die
alte Laterne behalten zu
dürfen. Sie lachten über
ihn, und dann ließen sie
ihm den Willen, und dann
lag die Laterne im Lehn-
stuhl dicht bei dem warmen

Ofen. Es war, als ob sie dadurch größer geworden wäre, sie füllte fast den ganzen Stuhl aus. Die alten Leute saßen schon beim Abendbrot und warfen der alten Laterne, der sie gern einen Platz am Tische eingeräumt hätten, freundliche Blicke zu. Sie wohnten zwar in einem Keller, zwei Ellen tief unter der Erde, man mußte über einen gepflasterten Flur, um zur Stube zu gelangen, aber warm war es darin, denn sie hatten Tuchleisten um die Tür genagelt. Rein und niedlich sah es hier aus, Vorhänge um die Bettstellen und über den kleinen Fenstern, wo da oben auf dem Fensterbrette zwei sonderbare Blumentöpfe standen. Der Matrose Christian hatte sie von Ost- und Westindien mit nach Hause gebracht; es waren zwei Elefanten von Ton, denen der Rücken fehlte, aber an dessen Stelle wuchsen aus der Erde, die hineingelegt war, in dem einen der schönste Schnittlauch, das war der Küchengarten der alten Leute, und in dem anderen ein großes, blühendes Geranium, das war ihr Blumengarten. An der Wand hing ein großes, buntes Bild, ‚Die Fürstenversammlung zu Wien‘, da besaßen sie alle Kaiser und Könige auf einmal! – Eine Schwarzwälder Uhr mit den schweren Bleigewichten ‚tick-tack!‘ ging immer zu schnell; aber das sei besser, als wenn sie zu langsam ginge, meinten die alten Leute. Sie verzehrten ihr Abendbrot, und die alte Straßenlaterne lag, wie gesagt, im Lehnstuhl dicht bei dem warmen Ofen. Der Laterne kam es vor, als wäre die ganze Welt umgekehrt. – Als aber der Wächter sie anblickte und davon sprach, was sie beide miteinander erlebt hatten in Regen und Schneegestöber, in den hellen, kurzen Sommernächten und wenn der Schnee trieb, so daß es ihm wohltat, wieder in den Keller zu gelangen, da war für die alte Laterne wieder alles in Ordnung, denn wovon er sprach, das erblickte sie, als ob es noch immer da wäre. Ja, der Wind hatte sie inwendig wahrlich gut erleuchtet.

Sie waren fleißig und flink, die alten Leute, keine Stunde waren sie untätig. Am Sonntagnachmittag kam das eine oder andere Buch zum Vorschein, gewöhnlich eine Reisebeschreibung, und der alte Mann las laut von Afrika, von den großen Wäldern und Elefanten, die da wild umherliefen, und die alte Frau horchte auf und blickte dann verstohlen nach den Tonelefanten hin, die Blumentöpfe waren! – „Ich kann es mir beinahe denken!" sagte sie. Die Laterne wünschte dann sehnlichst, daß ein Wachslicht da wäre, damit es angezündet werde und in ihr brenne, dann sollte die Frau alles genau so sehen, wie die Laterne es erblickte, die hohen Bäume, die dicht ineinander verschlungenen Zweige, die schwarzen Menschen zu Pferde und ganze Scharen von Elefanten, die mit ihren breiten Füßen Rohr und Büsche zermalmten.

„Was helfen mir alle meine Fähigkeiten, wenn kein Wachslicht da ist!"
seufzte die Laterne, „sie haben nur Öl und Talglichte, und das ist nicht genug!"
Eines Tages kam ein ganzer Bund Wachslichtstückchen in den Keller, die
größten Stücke wurden gebrannt, und die kleineren brauchte die alte Frau, um
ihren Zwirn damit zu wachsen, wenn sie nähte. Wachslicht war nun da, aber
es fiel den beiden Alten nicht ein, davon ein Stück in die Laterne zu setzen.

„Hier stehe ich mit meinen seltenen Fähigkeiten!" sagte die Laterne; „ich
habe alles in mir, aber ich kann es nicht mit ihnen teilen. Sie wissen nicht, daß
ich die weißen Wände in die schönsten Tapeten, in reiche Wälder, in alles, was
sie sich wünschen wollen, verwandeln kann! – Sie wissen es nicht!"

Die Laterne stand übrigens gescheuert und sauber in einem Winkel, wo sie
jederzeit in die Augen fiel; die Leute sagten zwar, daß es nur ein altes Gerümpel sei, aber daran kehrten sich die Alten nicht, sie liebten die Laterne.

Eines Tages, es war des alten Wächters Geburtstag, kam die alte Frau zur
Laterne hin, lächelte und sagte: „Ich will die Stube heute für ihn glänzend
beleuchten!" Und die Laterne knarrte im Schornstein, denn sie dachte: ‚Jetzt
wird ihnen ein Licht aufgehen!' Aber da kam Öl und kein Wachslicht, sie
brannte den ganzen Abend, wußte aber nun, daß die Gabe der Sterne, die
beste Gabe von allen, für dieses Leben ein toter Schatz bleiben werde. Da
träumte sie – und wenn man solche Fähigkeiten hat, kann man wohl träumen –,
daß sie selbst zum Eisengießer gekommen und umgeschmolzen werden sollte.
Sie war ebenso in Furcht, als da sie auf das Rathaus kommen und von dem
‚hochlöblichen Rat' beurteilt werden sollte; aber obgleich sie die Fähigkeit
besaß, in Rost und Staub zu zerfallen, sobald sie es wünschte, so tat sie das
doch nicht, und dann kam sie in den Schmelzofen und wurde zum schönsten
eisernen Leuchter, in den man ein Wachslicht stellt; er hatte die Form eines
Engels, der einen Blumenstrauß trug. Mitten in den Strauß wurde das Wachslicht gestellt, und der Leuchter erhielt seinen Platz auf einem grünen Schreib-
tisch. Das Zimmer war behaglich, da standen viele Bücher, da hingen herrliche
Bilder, es war die Wohnung eines Dichters, und alles, was er sagte und schrieb,
zeigte sich ringsherum. Das Zimmer wurde zu tiefen, dunklen Wäldern, zu
sonnenbeleuchteten Wiesen, wo der Storch umherstolzierte, und zum Schiffs-
verdeck hoch auf dem wogenden Meere! –

„Welche Fähigkeiten besitze ich!" sagte die alte Laterne, indem sie erwachte.
„Fast möchte ich mich danach sehnen, umgeschmolzen zu werden! – Doch nein,
das darf nicht geschehen, solange die alten Leute leben! Sie lieben mich meiner
Person wegen! Ich bin ihnen ja an Kindes Statt, sie haben mich gescheuert

und haben mir Öl gegeben; und ich habe es ebenso gut wie das Bild, das doch so etwas Vornehmes ist!"

Von dieser Zeit an hatte sie mehr innere Ruhe, und das verdiente die ehrliche, alte Straßenlaterne.

TÖLPEL-HANS

Tief im Innern des Landes lag ein alter Herrenhof; dort war ein Gutsherr, der zwei Söhne hatte, die sich so witzig und gewitzigt dünkten, daß die Hälfte genügt hätte. Sie wollten sich nun um die Königstochter bewerben, denn die hatte öffentlich anzeigen lassen, sie wolle den zum Ehegemahl wählen, der seine Worte am besten zu stellen wisse.

Die beiden bereiteten sich nun volle acht Tage auf die Bewerbung vor, die längste, aber allerdings auch genügende Zeit, die ihnen vergönnt war, denn sie hatten Vorkenntnisse, und wie nützlich die sind, weiß jedermann. Der eine wußte das ganze lateinische Wörterbuch und nebenbei auch drei Jahrgänge vom Tageblatte des Städtchens auswendig, und zwar so, daß er alles von vorne und hinten, je nach Belieben, hersagen konnte. Der andere hatte sich in die Innungsgesetze hineingearbeitet und wußte auswendig, was jeder Innungsvorstand wissen muß, weshalb er auch meinte, er könne bei Staatsangelegenheiten mitreden und seinen Senf dazugeben; ferner verstand er noch eins: Er konnte Hosenträger mit Rosen und anderen Blümchen und Schnörkeleien besticken, denn er war auch fein und fingerfertig.

„Ich bekomme die Königstochter!" riefen sie alle beide, und so schenkte der alte Papa einem jeden von ihnen ein prächtiges Pferd. Derjenige, welcher das Wörterbuch und das Tageblatt auswendig wußte, bekam einen Rappen, der Innungskluge erhielt ein milchweißes Pferd, und dann schmierten sie sich die Mundwinkel mit Fischtran ein, damit sie recht geschmeidig würden. – Das ganze Gesinde stand unten im Hofraume und war Zeuge, wie sie die Pferde bestiegen, und wie von ungefähr kam auch der dritte Bruder hinzu, denn der alte Gutsherr hatte drei Söhne, aber niemand zählte diesen dritten mit zu den anderen Brüdern, weil er nicht so gelehrt wie diese war, und man nannte ihn auch gemeinhin Tölpel-Hans.

„Ei!" sagte Tölpel-Hans, „wo wollt ihr hin? Ihr habt euch ja in den Sonntagsstaat geworfen!"

„Zum Hofe des Königs, uns die Königstochter zu erschwatzen! Weißt du denn nicht, was dem ganzen Lande bekanntgemacht ist?" Und nun erzählten sie ihm den Zusammenhang.

„Ei, der tausend! Da bin ich auch dabei!" rief Tölpel-Hans, und die Brüder lachten ihn aus und ritten davon.

„Väterchen!" schrie Tölpel-Hans, „ich muß auch ein Pferd haben. Was ich für eine Lust zum Heiraten kriege! Nimmt sie mich, so nimmt sie mich, und nimmt sie mich nicht, so nehm' ich sie – kriegen tu' ich sie!"

„Laß das Gewäsch!" sagte der Alte, „dir gebe ich kein Pferd. Du kannst ja nicht reden, du weißt ja deine Worte nicht zu stellen; nein, deine Brüder, ah, das sind ganz andere Kerle."

„Nun", sagte Tölpel-Hans, „wenn ich kein Pferd haben kann, so nehme ich den Ziegenbock, der gehört mir sowieso, und tragen kann er mich auch!" – Und gesagt, getan. Er setzte sich rittlings auf den Ziegenbock, preßte die Hacken in dessen Weichen ein und sprengte davon, die große Hauptstraße wie ein Sturmwind dahin. Hei, hopp! Das war eine Fahrt! „Hier komm' ich!" schrie Tölpel-Hans und sang, daß es weit und breit widerhallte.

Aber die Brüder ritten ihm langsam voraus; sie sprachen kein Wort, sie muß- ten sich alle die guten Einfälle überlegen, die sie vorbringen wollten, denn das sollte alles recht fein ausspekuliert sein!

„Hei!" schrie Tölpel-Hans, „hier bin ich! Seht mal, was ich auf der Landstraße fand!" – Und er zeigte ihnen eine tote Krähe, die er aufgehoben hatte.

„Tölpel!" sprachen die Brüder, „was willst du mit der machen?"

„Mit der Krähe? – Die will ich der Königstochter schenken!"

„Ja, das tu nur!" lachten sie.

„Hei – hopp! Hier bin ich! Seht, was ich jetzt habe, das findet man nicht alle Tage auf der Landstraße!"

Und die Brüder kehrten um, damit sie sähen, was er wohl noch haben könnte. „Tölpel!" sagten sie, „das ist ja ein alter Holzschuh, dem noch dazu das Oberteil fehlt; wirst du auch den der Königstochter schenken?"

„Wohl werde ich das!" erwiderte Tölpel-Hans; und die Brüder lachten und ritten davon; sie gewannen einen großen Vorsprung.

„Hei hoppsassa! Hier bin ich!" rief Tölpel-Hans; „nein, es wird immer besser! Heißa! Nein! Es ist ganz famos!"

„Was hast du denn jetzt?" fragten die Brüder.

„Oh", sagte Tölpel-Hans, „das ist gar nicht zu sagen! Wie wird sie erfreut sein, die Königstochter."

„Pfui!" sagten die Brüder, „das ist ja reiner Schlamm, unmittelbar aus dem Graben."

„Ja, freilich ist es das!" sprach Tölpel-Hans, „und zwar von der feinsten Sorte, seht, er läuft einem gar durch die Finger durch!" und dabei füllte er seine Tasche mit dem Schlamm.

Allein, die Brüder sprengten dahin, daß Kies und Funken stoben, deshalb gelangten sie auch eine ganze Stunde früher als Tölpel-Hans an das Stadttor. An diesem bekamen alle Freier sofort nach ihrer Ankunft Nummern und wurden in Reih und Glied geordnet, sechs in jede Reihe, und so eng zusammengedrängt, daß sie die Arme nicht bewegen konnten; das war sehr weise so eingerichtet, denn sie hätten einander wohl sonst das Fell über die Ohren gezogen, bloß weil der eine vor dem andern stand.

Die ganze Volksmenge des Landes stand rings um das königliche Schloß in dichten Massen zusammengedrängt, bis an die Fenster hinauf, um die Königstochter die Freier empfangen zu sehen; je nachdem einer von diesen in den Saal trat, ging ihm die Rede aus wie ein Licht.

„Der taugt nichts!" sprach die Königstochter. „Fort, hinaus mit ihm!"

Endlich kam die Reihe an denjenigen der Brüder, der das Wörterbuch auswendig wußte, aber er wußte es nicht mehr; er hatte es ganz vergessen in Reih und Glied; und die Fußdielen knarrten, und die Zimmerdecke war von lauter Spiegelglas, daß er sich selber auf dem Kopfe stehen sah, und an jedem Fenster standen drei Schreiber und ein Oberschreiber, und jeder schrieb alles nieder, was gesprochen wurde, damit es sofort in die Zeitung käme und für einen Silbergroschen an der Straßenecke verkauft werde. Es war entsetzlich, und dabei hatten sie dermaßen in den Ofen eingeheizt, daß er glühend war.

„Hier ist eine entsetzliche Hitze, hier!" sprach der Freier.

„Jawohl! mein Vater bratet aber auch heute junge Hähne!" sagte die Königstochter.

„Mäh!" Da stand er wie ein Mähäh; auf solche Rede war er nicht gefaßt gewesen; kein Wort wußte er zu sagen, obgleich er etwas Witziges hatte sagen wollen. „Mäh!"

„Taugt nichts!" sprach die Königstochter. „Fort, hinaus mit ihm!" Und hinaus mußte er.

Nun trat der andere Bruder ein.

„Hier ist eine entsetzliche Hitze!" sagte er.

„Jawohl, wir braten heute junge Hähne!" bemerkte die Königstochter.

„Wie be – wie?" sagte er, und die Schreiber schrieben: ‚Wie be – wie?'

„Taugt nichts!" sagte die Königstochter. „Fort, hinaus mit ihm!"

Nun kam Tölpel-Hans dran; er ritt auf dem Ziegenbocke geradeswegs in den Saal hinein. „Na, das ist doch eine Mordshitze hier!" sagte er.

„Jawohl, ich brate aber auch junge Hähne!" sagte die Königstochter.

„Ei, das ist schön!" erwiderte Tölpel-Hans, „dann kann ich wohl eine Krähe mitbraten?"

„Mit dem größten Vergnügen!" sprach die Königstochter; „aber haben Sie etwas, worin Sie braten können? Denn ich habe weder Topf noch Tiegel."

„Oh, das hab' ich!" sagte Tölpel-Hans. „Hier ist Kochgeschirr mit zinnernem Bügel", und er zog den alten Holzschuh hervor und legte die Krähe hinein.

„Das ist ja ein ganze Mahlzeit", sagte die Königstochter, „aber wo nehmen wir die Brühe her?"

„Die habe ich in der Tasche!" sprach Tölpel-Hans. „Ich habe so viel, daß ich sogar etwas davon wegwerfen kann!" Und nun goß er etwas Schlamm aus der Tasche heraus.

„Das gefällt mir!" sagte die Königstochter, „du kannst doch antworten, und du kannst reden, und ich will dich zum Manne haben! – Aber weißt du auch, daß jedes Wort, das wir sprechen und gesprochen haben, niedergeschrieben wird und morgen in die Zeitung kommt? An jedem Fenster, siehst du, stehen drei Schreiber und ein alter Oberschreiber, und dieser alte Oberschreiber ist noch der schlimmste, denn er kann nichts begreifen!" Und das sagte sie nur, um Tölpel-Hans zu ängstigen. Und die Schreiber wieherten und spritzten dabei jeder einen Tintenklecks auf den Fußboden.

„Ah, das ist also die Herrschaft!" sagte Tölpel-Hans; „nun, so werde ich dem

Oberschreiber das Beste geben!" Und damit kehrte er seine Taschen um und warf ihm den Schlamm gerade ins Gesicht.

„Das war fein gemacht!" sagte die Königstochter, „das hätte ich nicht tun können, aber ich werde es schon lernen!" –

Tölpel-Hans wurde König, bekam eine Frau und eine Krone und saß auf einem Throne, und das haben wir ganz naß aus der Zeitung des Oberschreibers und Schreiberinnungsmeisters – und auf die ist zu bauen.

DIE STOPFNADEL

Es war einmal eine Stopfnadel, die sich so fein dünkte, daß sie sich einbildete, eine Nähnadel zu sein.

„Seht nur darauf, daß ihr mich haltet!" sagte die Stopfnadel zu den Fingern, die sie hervornahmen. „Verliert mich nicht! Falle ich hinunter, so ist es sehr die Frage, ob ich wieder gefunden werde, so fein bin ich!"

„Das geht noch an!" sagten die Finger und faßten sie um den Leib.

„Seht ihr, ich komme mit Gefolge!" sagte die Stopfnadel, und dann zog sie einen langen Faden nach sich, der aber keinen Knoten hatte.

Die Finger richteten die Stopfnadel gerade gegen den Pantoffel der Köchin, an dem das Oberleder abgeplatzt war und jetzt wieder zusammengenäht werden sollte.

„Das ist eine gemeine Arbeit!" sagte die Stopfnadel, „ich komme nie hindurch, ich breche, ich breche!" – und da brach sie. „Habe ich es nicht gesagt?" seufzte die Stopfnadel, „ich bin zu fein!"

„Nun taugt sie nichts mehr", meinten die Finger, aber sie mußten sie festhalten; die Köchin beträufelte sie mit Siegellack und steckte sie dann vorn in ihr Tuch.

„Sieh, jetzt bin ich eine Busennadel!" sagte die Stopfnadel. „Ich wußte wohl, daß ich zu Ehren kommen werde; wenn man etwas wert ist, so wird man auch anerkannt." Dann lachte sie innerlich, denn von außen kann man es einer Stopfnadel niemals ansehen, daß sie lacht; da saß sie nun so stolz, als ob sie in einer Kutsche führe, und sah sich nach allen Seiten um.

„Sind Sie von Gold?" fragte die Stecknadel, die ihre Nachbarin war. „Sie haben ein herrliches Äußeres und Ihren eigenen Kopf, aber klein ist er! Sie müssen danach trachten, daß er wächst!" Und darauf hob sich die Stopfnadel so stolz in die Höhe, daß sie aus dem Tuch in die Gosse fiel, gerade als die Köchin spülte.

„Nun gehen wir auf Reisen", sagte die Stopfnadel; „wenn ich nur nicht dabei verlorengehe!" Aber sie ging verloren.

„Ich bin zu fein für diese Welt!" sagte sie, als sie im Rinnstein saß. „Ich habe ein gutes Bewußtsein, und das ist immer ein kleines Vermögen!" Die Stopfnadel behielt Haltung und verlor ihre gute Laune nicht.

Es schwamm allerlei über sie hin, Späne, Stroh und Stücke von Zeitungen. „Sieh, wie sie

segeln!" sagte die Stopfnadel. „Sie wissen nicht, was unter ihnen steckt. Ich stecke, ich sitze hier. Sieh, da geht nun ein Span, der denkt an nichts in der Welt, ausgenommen an einen ‚Span‘, und das ist er selbst; da schwimmt ein Strohhalm, sieh, wie der sich schwenkt, wie der sich dreht! Denke nicht soviel an dich selbst, du könntest dich an einem Stein stoßen. Da schwimmt eine Zeitung! – Vergessen ist, was darin steht, und doch macht sie sich breit! Ich sitze geduldig und still; ich weiß, was ich bin, und das bleibe ich!" –

Eines Tages lag etwas dicht neben ihr, was herrlich glänzte, und da glaubte die Stopfnadel, daß es ein Diamant sei, aber es war ein Glasscherben, und weil er glänzte, so redete die Stopfnadel ihn an und gab sich als Busennadel zu erkennen. „Sie sind wohl ein Diamant?" – „Ja, ich bin etwas der Art!" Und so glaubte eins vom andern, daß sie recht kostbar seien, und dann sprachen sie darüber, wie hochmütig die Welt sei.

„Ja, ich habe in einer Schachtel bei einer Jungfrau gewohnt", sagte die Stopfnadel, „und die Jungfrau war Köchin; sie hatte an jeder Hand fünf Finger, aber etwas so Eingebildetes wie diese fünf Finger habe ich noch nicht gekannt, und doch waren sie nur da, um mich zu halten, mich aus der Schachtel zu nehmen und mich in die Schachtel zu legen."

„Glänzten sie denn?" fragte der Glasscherben.

„Glänzen!" sagte die Stopfnadel, „nein, aber hochmütig waren sie! Es waren fünf Brüder, alle geborene ‚Finger', sie hielten sich stolz nebeneinander, obgleich sie von verschiedener Länge waren. Der äußerste, der Däumling, war kurz und dick, er ging außen vor dem Gliede her, und dann hatte er nur ein Gelenk im Rücken, er konnte nur eine Verbeugung machen, aber er sagte, daß, wenn er von einem Menschen abgehauen würde, der dann zum Kriegsdienste untauglich sei. Der Topflecker kam in Süßes und Saures, zeigte nach Sonne und Mond, und er verursachte den Druck, wenn sie schrieben; der Langemann sah den andern über den Kopf; der Goldrand ging mit einem Goldreif um den Leib, und der kleine Peter Spielmann tat gar nichts, und darauf war er stolz. Prahlerei war es, und Prahlerei blieb es! Und deshalb ging ich in die Gosse."

„Nun sitzen wir hier und glänzen!" sagte der Glasscherben. Gleichzeitig kam mehr Wasser in den Rinnstein, es strömte über die Grenzen und riß den Glasscherben mit sich fort.

„Sieh, nun wurde der befördert!" sagte die Stopfnadel. ‚Ich bleibe sitzen, ich bin zu fein, aber das ist mein Stolz, und der ist achtungswert!' So saß sie stolz da und hatte viele Gedanken.

„Ich möchte fast glauben, daß ich von einem Sonnenstrahl geboren bin, so fein bin ich! Kommt es mir doch auch vor, als ob die Sonne mich immer unter dem Wasser aufsuche. Ach, ich bin so fein, daß meine Mutter mich nicht auffinden kann. Hätte ich mein altes Auge, das leider abbrach, so glaube ich, ich könnte weinen; – aber ich würde es nicht tun – es ist nicht fein, zu weinen!"

Eines Tages kamen einige Straßenjungen und wühlten im Rinnstein, wo sie alte Nägel, Pfennige und dergleichen fanden. Das war kein schönes Geschäft, und doch machte es ihnen Vergnügen.

„Au!" sagte der eine, er stach sich an der Stopfnadel. „Das ist auch ein Kerl!"

„Ich bin kein Kerl, ich bin ein Fräulein!" sagte die Stopfnadel, aber niemand hörte es; der Siegellack war von ihr abgegangen, und sie war schwarz und dünn geworden, darum glaubte sie, daß sie noch feiner sei, als sie früher war.

„Da kommt eine Eierschale angesegelt!" sagten die Jungen und steckten die Stopfnadel in die Schale.

„Weiße Wände und selbst schwarz", sagte die Stopfnadel, „das kleidet gut! Nun kann man mich doch sehen! – Wenn ich nur nicht seekrank werde!" – Aber sie wurde nicht seekrank.

„Es ist gut gegen die Seekrankheit, einen Stahlmagen zu haben und immer daran zu denken, daß man etwas mehr als ein Mensch ist! Nun ist es bei mir vorbei. Je feiner man ist, desto mehr kann man aushalten."

„Krach!" Da lag die Eierschale, es ging ein Lastwagen über sie hin. „Au, wie das drückt!" sagte die Stopfnadel. „Jetzt werde ich doch seekrank!" Aber sie wurde es nicht, obgleich ein Lastwagen über sie wegfuhr, sie lag der Länge nach – und da mag sie liegenbleiben.

DES KAISERS NEUE KLEIDER

Vor vielen Jahren lebte ein Kaiser, der so ungeheuer viel auf neue Kleider hielt, daß er all sein Geld dafür ausgab, um recht geputzt zu sein. Er kümmerte sich nicht um seine Soldaten, kümmerte sich nicht um Theater und liebte es nicht, in den Wald zu fahren, außer um seine neuen Kleider zu zeigen. Er hatte einen Rock für jede Stunde des Tages, und ebenso wie man von einem König sagte, er ist im Rat, so sagte man hier immer: „Der Kaiser ist in der Garderobe!"

In der großen Stadt, in der er wohnte, ging es sehr munter her. An jedem Tag kamen viele Fremde an, und eines Tages kamen auch zwei Betrüger, die gaben sich für Weber aus und sagten, daß sie das schönste Zeug, was man sich denken könne, zu weben verständen. Die Farben und das Muster seien nicht allein ungewöhnlich schön, sondern die Kleider, die von dem Zeuge genäht würden, sollten die wunderbare Eigenschaft besitzen, daß sie für jeden Menschen unsichtbar seien, der nicht für sein Amt tauge oder der unverzeihlich dumm sei.

‚Das wären ja prächtige Kleider‘, dachte der Kaiser; ‚wenn ich solche hätte, könnte ich ja dahinterkommen, welche Männer in meinem Reiche zu dem Amte, das sie haben, nicht taugen, ich könnte die Klugen von den Dummen unterscheiden! Ja, das Zeug muß sogleich für mich gewebt werden!‘ Er gab den beiden Betrügern viel Handgeld, damit sie ihre Arbeit beginnen sollten.

Sie stellten auch zwei Webstühle auf, taten, als ob sie arbeiteten, aber sie hatten nicht das geringste auf dem Stuhle. Trotzdem verlangten sie die feinste Seide und das prächtigste Gold, das steckten sie aber in ihre eigene Tasche und arbeiteten an den leeren Stühlen bis spät in die Nacht hinein.

‚Nun möchte ich doch wissen, wie weit sie mit dem Zeuge sind!‘ dachte der Kaiser, aber es war ihm beklommen zumute, wenn er daran dachte, daß keiner, der dumm sei oder schlecht zu seinem Amte tauge, es sehen könne. Er glaubte zwar, daß er für sich selbst nichts zu fürchten brauche, aber er wollte doch erst einen andern senden, um zu sehen, wie es damit stehe. Alle Menschen in der ganzen Stadt wußten, welche besondere Kraft das Zeug habe, und alle waren begierig zu sehen, wie schlecht oder dumm ihr Nachbar sei.

‚Ich will meinen alten, ehrlichen Minister zu den Webern senden‘, dachte der Kaiser, ‚er kann am besten beurteilen, wie der Stoff sich ausnimmt, denn er hat Verstand, und keiner versieht sein Amt besser als er!‘

Nun ging der alte, gute Minister in den Saal hinein, wo die zwei Betrüger saßen und an den leeren Webstühlen arbeiteten. ‚Gott behüte uns!‘ dachte der alte Minister und riß die Augen auf. ‚Ich kann ja nichts erblicken!‘ Aber das sagte er nicht.

Beide Betrüger baten ihn näher zu treten und fragten, ob es nicht ein hübsches Muster und schöne Farben seien. Dann zeigten sie auf den leeren Stuhl, und der arme, alte Minister fuhr fort, die Augen aufzureißen, aber er konnte nichts sehen, denn es war nichts da. ‚Herr Gott‘, dachte er, ‚sollte ich dumm sein? Das habe ich nie geglaubt, und das darf kein Mensch wissen! Sollte ich nicht zu meinem Amte taugen? Nein, es geht nicht an, daß ich erzähle, ich könne das Zeug nicht sehen!‘

„Nun, Sie sagen nichts dazu?“ fragte der eine von den Webern.

„Oh, es ist niedlich, ganz allerliebst!“ antwortete der alte Minister und sah durch seine Brille. „Dieses Muster und diese Farben! – Ja, ich werde dem Kaiser sagen, daß es mir sehr gefällt!“

„Nun, das freut uns!“ sagten beide Weber, und darauf benannten sie die Farben mit Namen und erklärten das seltsame Muster. Der alte Minister merkte gut auf, damit er dasselbe sagen könne, wenn er zum Kaiser zurückkomme, und das tat er auch.

Nun verlangten die Betrüger mehr Geld, mehr Seide und mehr Gold zum Weben. Sie steckten alles in ihre eigenen Taschen, auf den Webstuhl kam kein Faden, aber sie fuhren fort, wie bisher an den leeren Stühlen zu arbeiten.

Der Kaiser sandte bald wieder einen anderen tüchtigen Staatsmann hin, um zu sehen, wie es mit dem Weben stehe und ob das Zeug bald fertig sei; es ging ihm aber gerade wie dem ersten, er guckte und guckte; weil aber außer dem Webstuhl nichts da war, so konnte er nichts sehen.

„Ist das nicht ein ganz besonders prächtiges und hübsches Stück Zeug?“ fragten die beiden Betrüger und zeigten und erklärten das prächtige Muster, das gar nicht da war.

‚Dumm bin ich nicht‘, dachte der Mann; ‚es ist also mein gutes Amt, zu dem ich nicht tauge! Das wäre seltsam genug, aber das muß man sich nicht merken lassen!‘ Daher lobte er das Zeug, das er nicht sah, und versicherte ihnen seine Freude über die schönen Farben und das herrliche Muster. „Ja, es ist ganz allerliebst!" sagte er zum Kaiser.

Alle Menschen in der Stadt sprachen von dem prächtigen Zeuge. Nun wollte der Kaiser es selbst sehen, während es noch auf dem Webstuhl sei. Mit einer ganzen Schar auserwählter Männer, unter denen auch die beiden ehrlichen Staatsmänner waren, die schon früher dagewesen, ging er zu den beiden listigen Betrügern hin, die nun aus allen Kräften webten, aber ohne Faser oder Faden.

„Ja, ist das nicht prächtig?" sagten die beiden ehrlichen Staatsmänner. „Wollen Eure Majestät sehen, welches Muster, welche Farben?" und dann zeigten sie auf den leeren Webstuhl, denn sie glaubten, daß die andern das Zeug wohl sehen könnten.

‚Was!‘ dachte der Kaiser; ‚ich sehe gar nichts! Das ist ja erschrecklich! Bin ich dumm? Tauge ich nicht dazu, Kaiser zu sein? Das wäre das Schrecklichste, was mir begegnen könnte.‘ „Oh, es ist sehr hübsch", sagte er; „es hat meinen allerhöchsten Beifall!" und er nickte zufrieden und betrachtete den leeren Webstuhl; er wollte nicht sagen, daß er nichts sehen könne. Das ganze Gefolge, was er mit sich hatte, sah und sah, aber es bekam nicht mehr heraus als alle die andern, aber sie sagten gleich wie der Kaiser: „Oh, das ist hübsch!" und sie rieten ihm, diese neuen prächtigen Kleider das erste Mal bei dem großen Feste, das bevorstand, zu tragen. „Es ist herrlich, niedlich, ausgezeichnet!" ging es von Mund zu Mund, und man schien allerseits innig erfreut darüber. Der Kaiser verlieh jedem der Betrüger ein Ritterkreuz, um es in das Knopfloch zu hängen, und den Titel Hofweber.

Die ganze Nacht vor dem Morgen, an dem das Fest stattfinden sollte, waren die Betrüger auf und hatten sechzehn Lichte angezündet, damit man sie auch recht gut bei ihrer Arbeit beobachten konnte. Die Leute konnten sehen, daß sie stark beschäftigt waren, des Kaisers neue Kleider fertigzumachen. Sie taten, als ob sie das Zeug aus dem Webstuhl nähmen, sie schnitten in die Luft mit großen Scheren, sie nähten mit Nähnadeln ohne Faden und sagten zuletzt: „Sieh, nun sind die Kleider fertig!"

Der Kaiser mit seinen vornehmsten Beamten kam selbst, und beide Betrüger hoben den einen Arm in die Höhe, gerade, als ob sie etwas hielten, und sagten: „Seht, hier sind die Beinkleider, hier ist das Kleid, hier ist der

Mantel!" und so weiter. „Es ist so leicht wie Spinnwebe; man sollte glauben, man habe nichts auf dem Körper, aber das ist gerade die Schönheit dabei!"

„Ja!" sagten alle Beamten, aber sie konnten nichts sehen, denn es war nichts da.

„Belieben Eure Kaiserliche Majestät Ihre Kleider abzulegen", sagten die Betrüger, „so wollen wir Ihnen die neuen hier vor dem großen Spiegel anziehen!"

Der Kaiser legte seine Kleider ab, und die Betrüger stellten sich, als ob sie ihm ein jedes Stück der neuen Kleider anzögen, die fertig genäht sein sollten, und der Kaiser wendete und drehte sich vor dem Spiegel.

„Ei, wie gut sie kleiden, wie herrlich sie sitzen!" sagten alle. „Welches Muster, welche Farben! Das ist ein kostbarer Anzug!" –

„Draußen stehen sie mit dem Thronhimmel, der über Eurer Majestät getragen werden soll!" meldete der Oberzeremonienmeister.

„Seht, ich bin ja fertig!" sagte der Kaiser. „Sitzt es nicht gut?" und dann wendete er sich nochmals zu dem Spiegel; denn es sollte scheinen, als ob er seine Kleider recht betrachte.

Die Kammerherren, die das Recht hatten, die Schleppe zu tragen, griffen mit den Händen gegen den Fußboden, als ob sie die Schleppe aufhöben, sie gingen und taten, als hielten sie etwas in der Luft; sie wagten es nicht, es sich merken zu lassen, daß sie nichts sehen konnten.

So ging der Kaiser unter dem prächtigen Thronhimmel, und alle Menschen auf der Straße und in den Fenstern sprachen: „Wie sind des Kaisers neue Kleider unvergleichlich! Welche Schleppe er am Kleide hat! Wie schön sie sitzt!" Keiner wollte es sich merken lassen, daß er nichts sah; denn dann hätte er ja nicht zu seinem Amte getaugt oder wäre sehr dumm gewesen. Keine Kleider des Kaisers hatten solches Glück gemacht wie diese.

„Aber er hat ja gar nichts an!" sagte endlich ein kleines Kind. „Hört die Stimme der Unschuld!" sagte der Vater; und der eine zischelte dem andern zu, was das Kind gesagt hatte.

„Aber er hat ja gar nichts an!" rief zuletzt das ganze Volk. Das ergriff den Kaiser, denn das Volk schien ihm recht zu haben, aber er dachte bei sich: ‚Nun muß ich aushalten.' Und die Kammerherren gingen und trugen die Schleppe, die gar nicht da war.

DER SANDMANN

Es gibt niemand in der ganzen Welt, der so viele Geschichten weiß wie der Sandmann! Er kann ordentlich erzählen.

Gegen Abend, wenn die Kinder noch am Tische oder auf ihrem Schemel sitzen, kommt der Sandmann, er kommt die Treppe sachte herauf, denn er geht auf Socken; er macht ganz leise die Türen auf und, husch, da streut er den Kindern Sand in die Augen hinein, und das so fein, so fein, aber immer genug, daß sie die Augen nicht offenhalten und ihn deshalb auch nicht sehen können. Er schleicht sich gerade hinter sie, bläst ihnen sachte in den Nacken, und dann werden sie schwer im Kopf. Aber es tut nicht weh, denn der Sandmann meint es gut mit den Kindern; er will nur, daß sie ruhig sein sollen, und das sind sie am schnellsten, wenn man sie zu Bette gebracht hat; sie sollen still sein, damit er ihnen Geschichten erzählen kann.

Wenn die Kinder nun schlafen, setzt sich der Sandmann auf ihr Bett. Er ist gut gekleidet; sein Rock ist von Seidenzeug, aber es ist unmöglich zu sagen, von welcher Farbe, denn er glänzt grün, rot und blau, je nachdem er sich wendet. Unter jedem Arm hält er einen Regenschirm.

Den einen, mit Bildern darauf, spannt er über die guten Kinder aus, und dann träumen sie die ganze Nacht die herrlichsten Geschichten; auf dem andern ist durchaus nichts, den stellt er über die unartigen Kinder. Dann schlafen die und haben am Morgen, wenn sie erwachen, nicht das allergeringste geträumt.

Nun werden wir hören, wie der Sandmann an jedem Abend in einer Woche zu einem kleinen Knaben, der Friedrich hieß, kam, und was er ihm erzählte. Es sind sieben Geschichten, denn es sind sieben Tage in der Woche.

Montag

„Höre einmal", sagte der Sandmann am Abend, als er Friedrich zu Bett gebracht hatte, „nun werde ich aufputzen!" Da wurden alle Blumen in den Blumentöpfen zu großen Bäumen, die ihre langen Zweige unter der Decke und längs der Wände ausstreckten, so daß die ganze Stube wie ein prächtiges Lusthaus aussah; alle Zweige waren voll Blüten, und jede Blüte war noch schöner als eine Rose, duftete lieblich, und wollte man sie essen, so war sie noch süßer als Eingemachtes! Die Früchte glänzten gerade wie Gold, und Kuchen waren da, die vor lauter Rosinen platzten – es war unvergleichlich schön! Aber zu gleicher Zeit ertönte ein erschreckliches Jammern aus dem Tischkasten, wo Friedrichs Schulbücher lagen.

„Was ist das?" fragte der Sandmann, ging zum Tisch und zog den Kasten auf. Es war die Tafel, in der es riß und wühlte, denn es war eine falsche Zahl in die Rechenaufgabe gekommen, so daß sie nahe daran war, auseinanderzufallen. Der Griffel hüpfte und sprang an seinem Bande, gerade als ob er ein kleiner Hund wäre, der helfen möchte; aber er konnte es nicht. Und dann war es Friedrichs Schreibebuch, in dem es auch jammerte; oh, es war häßlich mit anzuhören! Auf jedem Blatt standen der Länge nach herunter die großen Buchstaben, ein jeder mit einem kleinen zur Seite, das war eine Vorschrift; neben diesen standen wieder einige Buchstaben, die glaubten ebenso auszusehen, und die hatte Friedrich geschrieben. Sie lagen fast so, als ob sie über die Bleifederstriche gefallen wären, auf denen sie stehen sollten.

„Seht, so solltet ihr euch halten", sagte die Vorschrift. „Seht, so zur Seite, mit einem kräftigen Schwung!"

„Oh, wir möchten gern", sagten Friedrichs Buchstaben, „aber wir können nicht, wir sind so jämmerlich!"

„Dann müßt ihr Lebertran und Kinderpulver haben!" sagte der Sandmann.

„O nein!" riefen sie, und da standen sie alle schlank und rank, daß es eine wahre Lust war.

„Jetzt wird keine Geschichte erzählt", sagte der Sandmann, „nun muß ich sie exerzieren. Eins, zwei; eins, zwei!" Und so exerzierte er die Buchstaben, und sie standen so schlank und schön, wie nur eine Vorschrift stehen kann. Aber als der Sandmann ging und Friedrich sie am Morgen besah, da waren sie ebenso elend wie früher.

Dienstag

Sobald Friedrich zu Bette war, berührte der Sandmann mit seinem kleinen Zauberstab alle Möbel in der Stube, und sogleich fingen sie an zu plaudern. Allesamt sprachen sie von sich selbst, mit Ausnahme des Spucknapfes, der stumm dastand und sich darüber ärgerte, daß sie so eitel sein konnten, nur von sich selbst zu reden, nur an sich selbst zu denken und durchaus keine Rücksicht auf den zu nehmen, der doch so bescheiden in der Ecke stand und sich bespucken ließ.

Über der Kommode hing ein großes Gemälde in einem vergoldeten Rahmen, das war eine Landschaft. Man sah darauf große, alte Bäume, Blumen im Grase und einen großen Fluß, der um den Wald herum floß, an vielen Schlössern vorbei, und weit hinausströmte in das wilde Meer.

Der Sandmann berührte mit seinem Zauberstabe das Gemälde, und da begannen die Vögel darauf zu singen, die Baumzweige bewegten sich, und die Wolken zogen weiter, man konnte ihren Schatten über die Landschaft hin erblicken.

Nun hob der Sandmann den kleinen Friedrich gegen den Rahmen empor und stellte seine Füße in das Gemälde, gerade in das hohe Gras, und da stand er, die Sonne beschien ihn durch die Zweige der Bäume. Er lief hin zum Wasser und setzte sich in ein kleines Boot, das dort lag. Es war rot und weiß angestrichen, das Segel glänzte wie Silber, und sechs Schwäne, alle mit Goldkronen um den Hals und einem strahlenden, blauen Stern auf dem Kopf, zogen das Boot an dem grünen Walde vorbei, wo die Bäume von Räubern und Hexen und die Blumen von niedlichen, kleinen Elfen und von dem, was die Schmetterlinge ihnen gesagt hatten, erzählten.

Die herrlichen Fische mit Schuppen wie Silber und Gold schwammen dem Boote nach; mitunter machten sie einen Sprung, daß es im Wasser plätscherte, und Vögel, rot und blau, klein und groß, flogen in langen Reihen hinterher, die Mücken tanzten, und die Maikäfer sagten: „Bum, bum!" Sie wollten Friedrich alle folgen, und alle hatten sie eine Geschichte zu erzählen.

Das war eine Lustfahrt! Bald waren die Wälder ganz dicht und dunkel, bald waren sie wie der herrlichste Garten mit Sonnenschein und Blumen. Da lagen große Schlösser von Glas und von Marmor; auf den Altanen standen Prinzessinnen, und alle waren es kleine Mädchen, die Friedrich gut kannte; er hatte früher mit ihnen gespielt. Sie streckten jede die Hand aus und hielten das niedlichste Zuckerherz hin, das je eine Kuchenfrau verkaufen konnte, und Friedrich faßte die eine Seite des Zuckerherzens an, während er vorbeifuhr, und die Prinzessin hielt recht fest, und so bekam jedes sein Stück, sie das kleinere, Friedrich das größere. Bei jedem Schlosse standen kleine Prinzen Schildwache, sie schulterten die Säbel und ließen Rosinen und Zinnsoldaten regnen. Das waren echte Prinzen!

Bald segelte Friedrich durch Wälder, bald durch große Säle oder mitten durch eine Stadt; er kam auch durch die, in der sein Kindermädchen wohnte. Es hatte ihn getragen, da er noch ein ganz kleiner Knabe war, und war ihm immer gut geblieben. Sie nickte und winkte und sang den niedlichen, kleinen Vers, den sie selbst mit vieler Anstrengung gedichtet und Friedrich gesandt hatte:

> „Ich denke deiner so manches Mal,
> Mein Friedrich, immer wieder!
> Ich gab dir Küsse ja ohne Zahl
> Auf Stirne, Mund und Augenlider.
> Ich hörte dich lallen das erste Wort,
> Doch mußt' ich dir Lebewohl sagen.
> Es segne der Herr dich an jedem Ort,
> Du Engel, den ich getragen!"

Alle Vögel sangen mit, die Blumen tanzten auf den Stielen, und die alten Bäume nickten, gerade als ob der Sandmann ihnen auch Geschichten erzählte.

Mittwoch

Draußen strömte der Regen hernieder! Friedrich konnte es im Schlaf hören, und als der Sandmann ein Fenster öffnete, stand das Wasser gerade herauf bis an das Fensterbrett, es war ein ganzer See da draußen, aber das pächtigste Schiff lag dicht am Hause.

„Willst du mitsegeln, kleiner Friedrich", sagte der Sandmann, „so kannst du diese Nacht in fremde Länder gelangen und morgen wieder hier sein!"

Da stand Friedrich plötzlich in seinen Sonntagskleidern mitten auf dem prächtigen Schiffe. Sogleich wurde die Witterung schön, und sie segelten durch die Straßen, kreuzten um die Kirche, und nun war alles eine große, wilde See. Sie segelten so lange, bis kein Land mehr zu erblicken war, und sie sahen einen Flug Störche, die kamen auch von der Heimat und wollten nach den warmen Ländern; ein Storch flog immer hinter dem andern, und sie waren schon weit, weit geflogen! Einer von ihnen war so ermüdet, daß seine Flügel ihn kaum noch zu tragen vermochten; er war der allerletzte in der Reihe, und bald blieb er ein großes Stück zurück. Zuletzt sank er mit ausgebreiteten Flügeln tiefer und tiefer, er machte noch ein paar Schläge mit den Schwingen, aber es half nichts; nun berührte er mit seinen Füßen das Tauwerk des Schiffes, glitt vom Segel herab, und bums, da stand er auf dem Verdeck.

Da nahm ihn der Schiffsjunge und setzte ihn in das Hühnerhaus zu den Hühnern, Enten und Truthähnen; der arme Storch stand ganz befangen mitten unter ihnen.

„Sieh den!" sagten alle Hühner.

Der kalekutische Hahn, der Truthahn, blies sich so dick auf, wie er konnte, und fragte ihn, wer er sei. Die Enten gingen rückwärts und stießen einander: „Rapple dich, rapple dich!"

Der Storch erzählte vom warmen Afrika, von den Pyramiden und vom Strauße, der einem wilden Pferde gleich die Wüste durchlaufe, von den Antilopen, die er gesehen habe; aber die Enten verstanden ihn nicht, und dann stießen sie einander: „Wir sind doch darüber einverstanden, daß er dumm ist?"

„Ja, sicher ist er dumm!" sagte der Truthahn, und dann kollerte er. Da schwieg der Storch ganz still und dachte an sein Afrika und an all das Schöne, das es dort zu sehen gab.

„Das sind ja herrlich dünne Beine, die Ihr habt!" sagte der Kalekute. „Was kostet die Elle davon?"

„Skrat, skrat, skrat!" grinsten alle Enten, aber der Storch tat, als ob er es gar nicht höre.

„Ihr könnt immer mitlachen", sagte der Truthahn zu ihm, „denn es war sehr witzig gesagt, oder war es Euch vielleicht zu hoch? Ach, er ist nicht vielseitig, wir wollen für uns selbst bleiben!" Und dann gluckte er, und die Enten schnatterten: „Gikgak! Gikgak!" Es war erschrecklich, wie sie sich selbst belustigten.

Aber Friedrich ging zum Hüh-
nerhause, öffnete die Tür, rief den
Storch, und er hüpfte zu ihm hinaus auf das Deck. Nun hatte er ja
ausgeruht, und es war, als ob er
Friedrich zunickte, um ihm zu danken. Darauf entfaltete er seine
Schwingen und flog nach den warmen Ländern, aber die Hühner
gluckten, die Enten schnatterten,
und der kalekutische Hahn wurde
ganz feuerrot am Kopfe.

„Morgen werden wir Suppe von
euch kochen!" sagte Friedrich, und
dann erwachte er und lag in seinem
kleinen Bette.

Es war doch eine sonderbare
Reise, die der Sandmann ihn diese
Nacht hatte machen lassen.

Donnerstag

„Weißt du was?" sagte der Sandmann. „Sei nur nicht furchtsam,
hier wirst du eine kleine Maus sehen!" Da hielt er ihm seine Hand
mit dem leichten, niedlichen Tiere
entgegen. „Sie ist gekommen, um
dich zur Hochzeit einzuladen. Hier
sind diese Nacht zwei kleine Mäuse,
die in den Stand der Ehe treten

wollen. Sie wohnen unter deiner Mutter Speisekammerfußboden; das soll eine schöne Wohnung sein!"

„Aber wie kann ich durch das kleine Mauseloch im Fußboden kommen?" fragte Friedrich.

„Laß mich nur machen", sagte der Sandmann, „ich werde dich schon klein bekommen!" Und er berührte Friedrich mit seinem Zauberstab, und da wurde der sogleich kleiner und kleiner – zuletzt war er keinen Finger mehr lang. „Nun kannst du dir die Kleider des Zinnsoldaten leihen; ich denke, sie werden dir passen, und es sieht gut aus, wenn man Uniform in einer so außerordentlichen Gesellschaft hat!"

„Ja freilich!" sagte Friedrich, und da war er im Augenblick wie der niedlichste Zinnsoldat angekleidet.

„Wollen Sie nicht so gut sein und sich in Ihrer Mutter Fingerhut setzen?" fragte die kleine Maus. „Dann werde ich die Ehre haben, Sie zu ziehen!"

„Will sich das Fräulein selbst bemühen?" sagte Friedrich, und so fuhren sie zur Mäusehochzeit.

Zuerst kamen sie unter dem Fußboden in einen langen Gang, der nicht höher war, als daß sie gerade mit dem Fingerhut dort fahren konnten; und der ganze Gang war mit faulem Holze erleuchtet.

„Riecht es hier nicht herrlich?" sagte die Maus, die ihn zog. „Der ganze Gang ist mit Speckschwarten geschmiert worden! Es kann nichts Schöneres geben!"

Nun kamen sie in den Brautsaal. Hier standen zur Rechten alle die kleinen Mäusedamen, die wisperten und zischelten, als ob sie einander zum besten hielten; zur Linken standen alle Mäuseherren und strichen sich mit der Pfote den Schnauzbart. Aber mitten im Saal sah man das Brautpaar; sie standen in einer ausgehöhlten Käserinde und küßten sich gar erschrecklich viel und ganz ungeniert vor aller Augen, denn sie waren ja Verlobte und sollten nun auch gleich Hochzeit halten.

Es kamen immer mehr und mehr Fremde. Eine Maus war nahe daran, die andere totzutreten, und das Brautpaar hatte sich mitten in die Tür gestellt, so daß man weder hinaus- noch hineingelangen konnte. Die ganze Stube war ebenso wie der Gang mit Speckschwarten eingeschmiert, das war die ganze Bewirtung, aber zum Nachtisch wurde eine Erbse vorgezeigt, in die eine Maus aus der Familie den Namen des Brautpaares eingebissen hatte, das heißt die ersten Buchstaben. Das war etwas ganz Außerordentliches.

Alle Mäuse sagten, daß es eine schöne Hochzeit gewesen sei.

Dann fuhr Friedrich wieder nach Hause; er war wahrlich in vornehmer Gesellschaft gewesen, aber er hatte auch ordentlich zusammenkriechen, sich klein machen und Zinnsoldatenuniform anziehen müssen.

Freitag

„Es ist unglaublich, wieviel ältere Leute es gibt, die mich gar zu gern haben möchten!" sagte der Sandmann; „es sind besonders alle, die etwas Böses verübt haben. ,Guter, kleiner Sandmann', sagen sie zu mir, ,wir können die Augen nicht schließen, und so liegen wir die ganze Nacht und sehen alle unsere bösen Taten, die wie häßliche, kleine Kobolde auf der Bettstelle sitzen; möchtest du doch kommen und sie fortjagen, damit wir einen guten Schlaf bekämen.' Und dann seufzten sie tief: ,Wir möchten es gern bezahlen. Gute Nacht, Sandmann! Das Geld liegt im Fenster.' Aber ich tue es nicht für Geld", sagte der Sandmann.

„Was wollen wir nun diese Nacht vornehmen?" fragte Friedrich.

„Ja, ich weiß nicht, ob du diese Nacht wieder Lust hast, zur Hochzeit zu kommen; es ist eine andere Art, als die gestrige war. Deiner Schwester große Puppe, die wie ein Mann aussieht und Hermann genannt wird, will sich mit der Puppe Berta verheiraten; es ist obendrein der Puppe Geburtstag, und deshalb werden da sehr viele Geschenke kommen!"

„Ja, das kenne ich schon", sagte Friedrich. „Immer wenn die Puppen neue Kleider gebrauchen, läßt meine Schwester sie ihren Geburtstag feiern oder Hochzeit halten; das ist sicher schon hundertmal geschehen!"

„Ja, aber in dieser Nacht ist es die hundertunderste Hochzeit, und wenn hundertundeins aus ist, dann ist alles vorbei! Deswegen wird auch diese so ausgezeichnet. Sieh nur einmal!"

Friedrich sah nach dem Tische. Da stand das kleine Papphaus mit Licht in den Fenstern, und draußen davor präsentierten alle Zinnsoldaten das Gewehr. Das Brautpaar saß ganz gedankenvoll, wozu es wohl Ursache hatte, auf dem Fußboden und lehnte sich gegen den Tischfuß. Aber der Sandmann, in den schwarzen Rock der Großmutter gekleidet, traute sie. Als die Trauung vorbei war, stimmten alle Möbel in der Stube folgenden Gesang an, der vom Bleistift geschrieben war; er ging nach der Melodie des Zapfenstreichs.

„Das Lied ertöne wie der Wind:
Dem Brautpaar Hoch! das sich verbind't;

Sie prangen beide steif und blind,
Da sie von Handschuhleder sind,
Hurra! Hurra, ob taub und blind,
Wir singen es in Wetter und Wind!"

Und nun bekamen sie Geschenke; aber sie hatten sich alle Eßwaren verbeten, denn sie hatten an ihrer Liebe genug.

„Wollen wir nun eine Sommerwohnung beziehen oder auf Reisen gehen?" fragte der Bräutigam. Die Schwalbe, die viel gereist war, und die Hofhenne, die fünfmal Küchlein ausgebrütet hatte, wurden zu Rate gezogen. Und die Schwalbe erzählte von den herrlichen, warmen Ländern, wo die Weintrauben groß und schwer hängen, wo die Luft so mild ist und die Berge Farbe haben, wie man sie hier gar nicht an ihnen kennt.

„Sie haben doch nicht unsern Grünkohl!" sagte die Henne. „Ich war einen Sommer mit allen meinen Küchlein auf dem Lande, da war eine Sandgrube, in der wir gehen und kratzen konnten, und dann hatten wir Zutritt zu einem Garten mit Grünkohl! Oh, wie war der grün! Ich kann mir nichts Schöneres denken!"

„Aber ein Kohlstrunk sieht geradeso aus wie der andere", sagte die Schwalbe, „und dann ist hier oft schlechtes Wetter!"

„Ja, daran ist man gewöhnt!"

„Aber hier ist es kalt, es friert!"

„Das ist gut für den Kohl!" sagte die Henne. „Übrigens können wir es auch warm haben. Hatten wir nicht vor Jahren einen Sommer, so heiß, daß man kaum atmen konnte? Dann haben wir nicht alle die giftigen Tiere, die sie dort haben, und wir sind von Räubern befreit! Der ist ein Bösewicht, der nicht findet, daß unser Land das schönste ist; er verdiente wahrlich nicht hier zu sein!" Und dann weinte die Henne und fuhr fort: „Ich bin auch gereist! Ich bin einmal über zwölf Meilen gefahren! Es ist durchaus kein Vergnügen!"

„Ja, die Henne ist eine vernünftige Frau!" sagte die Puppe Berta. „Ich halte nichts davon, Berge zu bereisen, denn das geht nur hinauf und dann wieder herunter! Nein, wir wollen zur Sandgrube hinausziehen und im Kohlgarten spazieren!" Und dabei blieb es.

Sonnabend

„Bekomme ich nun Geschichten zu hören?" fragte der kleine Friedrich, sobald der Sandmann ihn in den Schlaf gebracht hatte.

„Diesen Abend haben wir keine Zeit dazu", sagte der Sandmann und spannte seinen schönsten Regenschirm über ihn auf. „Betrachte nur die Chinesen!" Der ganze Regenschirm sah aus wie eine große chinesische Schale mit blauen Bäumen und spitzen Brücken und mit kleinen Chinesen darauf, die dastanden und mit dem Kopfe nickten. „Wir müssen die ganze Welt zu morgen schön ausgeputzt haben", sagte der Sandmann; „es ist ja morgen Sonntag. Ich will die Kirchtürme besuchen, um zu sehen, ob die kleinen Kirchkobolde die Glocken putzen, damit sie hübsch klingen; ich will hinaus auf das Feld gehen und sehen, ob die Winde den Staub von Gras und Blättern blasen, und, was die größte Arbeit ist, ich will alle Sterne herunterholen, um sie zu polieren.

Ich nehme sie in meine Schürze; aber erst muß ein jeder numeriert werden, und die Löcher, worin sie da oben sitzen, müssen auch numeriert werden, damit sie wieder auf den rechten Fleck kommen, sonst würden sie nicht festsitzen und wir würden zu viele Sternschnuppen bekommen, weil der eine nach dem andern herunterpurzeln würde!"

„Hören Sie, wissen Sie was, Herr Sandmann?" sagte ein altes Bild, das an der Wand hing, wo Friedrich schlief. „Ich bin Friedrichs Urgroßvater; ich danke Ihnen, daß Sie dem Knaben solche Geschichten erzählen, aber Sie müssen seine Begriffe nicht verdrehen. Die Sterne können nicht heruntergenommen und poliert werden! Die Sterne sind Kugeln, ebenso wie unsere Erde, und das ist gerade das Gute an ihnen."

„Ich' danke dir, du alter Urgroßvater", sagte der Sandmann, „ich danke dir! Du bist ja das Haupt der Familie, du bist das Urhaupt, aber ich bin doch älter als du! Ich bin ein alter Heide; Römer und Griechen nannten mich den Traumgott! Ich bin in die vornehmsten Häuser gekommen und komme noch dahin; ich weiß sowohl mit Geringen wie mit Großen umzugehen! Nun kannst du erzählen!" Und da ging der Sandmann und nahm seinen Regenschirm mit.

„Nun darf man wohl seine Meinung gar nicht mehr sagen!" brummte das Bild. Da erwachte Friedrich.

„Guten Abend!" sagte der Sandmann, Friedrich nickte und wandte das Bild des Urgroßvaters gegen die Wand, damit es nicht, wie gestern, mitspreche.

„Nun mußt du mir Geschichten erzählen: von den fünf grünen Erbsen, die in einer Schote wohnten, und von dem Hahnenfuß, der dem Hühnerfuße den Hof machte, und von der Stopfnadel, die so vornehm tat, daß sie sich einbildete, eine Nähnadel zu sein!"

„Man kann auch des Guten zuviel bekommen!" sagte der Sandmann. „Du weißt wohl, daß ich dir am liebsten etwas zeige! Ich will dir meinen Bruder zeigen. Er heißt auch Sandmann, aber er kommt zu niemand öfter als einmal, und zu wem er kommt, den nimmt er mit auf sein Pferd und erzählt ihm Geschichten. Er kennt nur zwei; die eine ist so außerordentlich schön, daß niemand in der Welt sie sich denken kann, und die andere ist so häßlich und greulich – es ist gar nicht zu beschreiben!" Und dann hob der Sandmann den kleinen Friedrich zum Fenster hinauf und sagte: „Da wirst du meinen Bruder sehen, sie nennen ihn auch den Tod! Siehst du, er sieht gar nicht so schlimm aus wie in den Bilderbüchern, wo er nur ein Knochengerippe ist! Nein, das ist Silberstickerei, die er auf dem Kleide hat, die schönste Husarenuniform, ein Mantel von schwarzem Samt fliegt hinten über das Pferd. Sieh, wie er im Galopp reitet!"

Friedrich sah, wie der andere Sandmann davonritt und junge wie alte Leute auf sein Pferd nahm. Einige setzte er vorn, andere hinten auf, aber immer fragte er erst: „Wie steht es mit dem Zeugnisbuch?" – „Gut!" sagten sie allesamt. „Ja, laßt mich selbst sehen!" sagte er; und sie mußten ihm das Buch zeigen; alle die, welche ‚Sehr gut' und ‚Ausgezeichnet' hatten, kamen vorn auf das Pferd und bekamen die herrliche Geschichte zu hören; die nur ‚Ziemlich gut' und ‚Mittelmäßig' hatten, mußten hinten auf und bekamen die greuliche Geschichte. Sie zitterten und weinten, sie wollten vom Pferde springen und konnten es doch nicht, denn sie waren sogleich daran festgewachsen.

„Aber der Tod ist ja der prächtigste Sandmann!" sagte Friedrich. „Vor ihm ist mir nicht bange!" „Das soll auch nicht sein!" sagte der Sandmann. „Sieh nur zu, daß du ein gutes Zeugnis hast!" „Ja, das ist lehrreich!" murmelte des Urgroßvaters Bild. „Es hilft doch, wenn man seine Meinung sagt!" Und nun war es zufrieden.

Sieh, das ist die Geschichte vom Sandmann! Nun mag er dir selbst diesen Abend mehr erzählen!

DAS ALTE HAUS

Da stand in einer Nebenstraße ein altes, altes Haus, fast dreihundert Jahre alt; denn das konnte man an dem Balken lesen, wo die Jahreszahl zugleich mit Tulpen und Hopfenranken ausgeschnitten war. Da standen ganze Verse in der Schreibart der alten Zeit, und über jedem Fenster war im Balkon ein bis zur Fratze verzogenes Gesicht ausgeschnitzt. Das eine Stockwerk reichte weit über das andere hervor, und unter dem Dache war eine bleierne Rinne mit einem Drachenkopf angebracht; das Regenwasser sollte aus dem Rachen herauslaufen, aber es lief aus dem Bauch, denn es war ein Loch in der Rinne.

Alle die anderen Häuser in der Straße waren neu und hübsch, mit großen Fensterscheiben und glatten Wänden; man konnte sehen, daß sie mit dem alten Hause nichts zu tun haben wollten, sie dachten wohl: ‚Wie lange soll dieses alte Gerümpel hier noch zum allgemeinen Ärgernis in der Straße stehen? Auch springt der Erker so weit hervor, daß niemand aus unsern Fenstern sehen kann, was auf jener Seite vorgeht! Die Treppe ist so breit wie zu einem Schlosse und so hoch wie zu einem Kirchturm. Das eiserne Geländer sieht aus wie die Tür zu einem Erbbegräbnisse, und dann hat es messingne Knöpfe. Es ist recht abgeschmackt!‘

Gerade gegenüber in der Straße standen auch neue Häuser, sie dachten wie die andern, aber am Fenster saß hier ein kleiner Knabe mit frischen, roten Wangen, mit hellen, strahlenden Augen; ihm gefiel das alte Haus noch am meisten, und das sowohl im Sonnenschein als im Mondenschein. Und sah er hinüber nach der Mauer, wo der Kalk abgefallen war, dann konnte er sitzen und die sonderbarsten Bilder herausfinden, gerade wie die Straße früher ausgesehen haben mochte, mit Treppen, Erkern und spitzen Giebeln, er konnte Soldaten mit Hellebarden sehen und Dachrinnen, die wie Drachen und Lindwürmer herumliefen. – Das war so recht ein Haus zum Anschauen; und da drüben wohnte ein alter Mann, der trug Kniehosen, hatte einen Rock mit großen, messingnen Knöpfen und eine Perücke, der man es ansehen konnte, daß es eine wirkliche Perücke war. Jeden Morgen kam ein alter Aufwärter zu ihm, der reinemachte und Gänge besorgte, sonst war der alte Mann in den Kniehosen ganz allein in dem alten Hause. Manchmal kam er an das Fenster und sah hinaus, und der kleine Knabe nickte ihm zu, und der alte Mann nickte wieder; so wurden sie miteinander bekannt und waren Freunde, obgleich sie nie miteinander gesprochen hatten, aber das war auch gar nicht nötig.

Der kleine Knabe hörte seine Eltern sagen: „Der alte Mann da drüben hat es recht gut, aber er lebt erschrecklich einsam; es muß doch furchtbar sein, gar keine Gesellschaft zu haben!"

Am nächsten Sonntag nahm der kleine Knabe etwas und wickelte es in ein Stück Papier, ging vor die Haustür, und als der Aufwärter, der die Gänge besorgte, vorbeikam, sagte er zu ihm: „Höre, willst du dem alten Manne da drüben das von mir bringen? Ich habe zwei Zinnsoldaten, dies ist der eine, er soll ihn haben; denn ich weiß, er ist schrecklich einsam."

Der alte Aufwärter sah ganz vergnügt aus, nickte und trug den Zinnsoldaten hinüber in das alte Haus. Darauf wurde angefragt, ob der kleine Knabe nicht Lust habe, selbst hinüberzukommen und einen Besuch abzustatten, und dazu erhielt er von seinen Eltern die Erlaubnis, und so kam er in das alte Haus.

Die Messingknöpfe auf dem Treppengeländer glänzten weit stärker als sonst; man hätte glauben können, daß sie des Besuches wegen poliert worden seien, und es war, als ob die ausge-

schnitzten Trompeter – denn in der Tür waren Trompeter ausgeschnitzt, die in Tulpen standen – aus allen Kräften bliesen, die Backen sahen weit dicker aus als zuvor. Ja, sie bliesen: „Tratteratra! Der kleine Knabe kommt! Tratteratra!" – und dann ging die Tür auf. Der ganze Flur war mit alten Bildern, Rittern in Harnischen und Frauen in seidenen Kleidern, verziert; und die Harnische rasselten, und die seidenen Kleider rauschten! – Dann kam da eine Treppe, die ging ein großes Stück hinauf und ein kleines Stück hinunter, und dann gelangte man auf einen Altan, der freilich sehr gebrechlich, mit großen Löchern und langen Spalten versehen war, aber aus allen wuchsen Gras und Blätter. Der ganze Altan, der Hof und die Mauern waren mit so vielem Grün bewachsen, daß es wie ein Garten aussah, aber es war nur ein Altan. Hier standen alte Blumentöpfe, die Gesichter und Eselsohren hatten, die Blumen wuchsen aber geradeso wie wilde Pflanzen. In dem einen Topfe wuchsen nach allen Seiten Nelken über, das heißt das Grüne davon, Schößling auf Schößling, die sprachen ganz deutlich: „Die Luft hat mich gestreichelt, die Sonne hat mich geküßt und mir zum Sonntag eine kleine Blume versprochen, eine kleine Blume zum Sonntag!"

Dann gelangte er in ein Zimmer, wo die Wände einen Überzug von Schweinsleder hatten, und darauf waren goldene Blumen gedruckt.

„Vergoldung vergeht,
Aber Schweinsleder besteht –"

sagten die Wände. Da standen Lehnstühle mit hohen Rücken, ganz bunt ausgeschnitzt und mit Armen an beiden Seiten. „Setzen Sie sich! Nehmen Sie Platz!" sagten die. „Au, wie es in mir knackt! Nun bekomme ich wohl auch die Gicht wie der alte Schrank! Gicht im Rücken, au!"

Und dann kam der kleine Knabe in das Zimmer, wo der Erker war und wo der alte Mann saß.

„Vielen Dank für den Zinnsoldaten, mein kleiner Freund!" sagte der alte Mann. „Und herzlichen Dank dafür, daß du zu mir herüberkommst."

„Dank! Dank!" oder „Knack! Knack!" sagte es in allen Möbeln; es waren ihrer so viele, daß sie einander fast im Wege standen, um den kleinen Knaben zu sehen.

Mitten an der Wand hing das Gemälde einer schönen Dame, die jung und fröhlich aussah, aber ganz so gekleidet war wie vor alten Zeiten; mit Puder im Haar und steifstehenden Kleidern; sie sagte weder ‚Dank‘ noch ‚Knack‘, sah aber mit ihren milden Augen den kleinen Knaben an, der sogleich den alten Mann fragte: „Woher hast du sie bekommen?"

„Vom Trödler drüben!" sagte der alte Mann. „Dort hängen viele Bilder!

Niemand kennt sie oder bekümmert sich darum, denn sie sind alle begraben, aber vor Zeiten habe ich diese hier gekannt, und nun ist sie seit einem halben Jahrhundert tot!"

Unter dem Gemälde hing unter Glas und Rahmen ein Strauß verwelkter Blumen, die waren gewiß auch vor einem halben Jahrhundert gepflückt, so alt sahen sie aus. Der Perpendikel an der großen Uhr ging hin und her, und die Zeiger drehten sich, und alles im Zimmer wurde noch älter, aber das merkten sie nicht.

„Sie sagen zu Hause", sagte der kleine Knabe, „daß du schrecklich einsam bist!"

„Oh", sagte er, „die alten Gedanken mit dem, was sie mit sich führen können, kommen und besuchen mich, und jetzt kommst du ja auch! Ich bin ganz zufrieden!"

Dann nahm er von dem Schrank ein Buch mit Bildern, darin waren lange Aufzüge, die sonderbarsten Kutschen, wie man sie heutzutage nicht sieht, Soldaten und Bürger mit wehenden Fahnen; die Schneider hatten eine mit einer Schere, die von zwei Löwen gehalten wurde, und die der Schuhmacher war ohne Stiefel, aber mit einem Adler, der zwei Köpfe hatte; denn die Schuhmacher müssen alles so haben, daß sie sagen können: Das ist ein Paar. Ja, das war ein Bilderbuch!

Der alte Mann ging in das andere Zimmer, um Eingemachtes, Äpfel und Nüsse zu holen; es war wirklich ganz herrlich in dem alten Hause.

„Ich kann es nicht aushalten!" sagte der Zinnsoldat, der auf dem Tische stand; „hier ist es einsam und traurig; nein, wenn man das Familienleben kennengelernt hat, so kann man sich an die Einsamkeit hier nicht gewöhnen! Ich kann es nicht aushalten! Der ganze Tag ist schrecklich lang, und der Abend noch länger! Hier ist es gar nicht wie drüben bei dir, wo dein Vater und deine Mutter fröhlich sprechen und wo du und ihr lieben Kinder alle einen herrlichen Lärm macht. Nein, wie lebt der alte Mann doch so einsam! Glaubst du wohl, daß er freundliche Blicke oder einen Weihnachtsbaum erhält? Außer einem Begräbnisse bekommt er gar nichts. Ich kann es nicht aushalten!"

„Du mußt es nicht so traurig auffassen!" sagte der kleine Knabe. „Mir kommt es hier ganz herrlich vor, und alle die alten Gedanken mit dem, was sie mit sich führen können, kommen und statten Besuch ab!"

„Ja, die sehe ich aber nicht und kenne ich auch nicht!" sagte der Zinnsoldat. „Ich kann es nicht aushalten!"

„Das mußt du aber!" sagte der kleine Knabe.

Der alte Mann kam mit dem fröhlichsten Antlitz, dem schönsten Eingemachten, Äpfeln und Nüssen, und da dachte der kleine Knabe nicht mehr an den Zinnsoldaten.

Glücklich und vergnügt kam der kleine Knabe nach Hause, Tage und Wochen wurde nach dem alten Hause hin- und von dem alten Hause hergenickt, und dann kam der kleine Knabe wieder hinüber.

Die ausgeschnitzten Trompeter bliesen: „Tratteratra! Da ist der kleine Knabe! Tratteratra!" Schwert und Rüstung auf den alten Ritterbildern rasselten, und die seidenen Kleider rauschten, das Schweinsleder erzählte, und die alten Stühle hatten die Gicht im Rücken. „Au!" Es war geradeso wie das erstemal, denn da drüben war der eine Tag wie der andere Tag und die eine Stunde wie die andere.

„Ich kann es nicht aushalten!" sagte der Zinnsoldat; „ich habe Zinn geweint! Hier ist es gar zu traurig! Laß mich lieber in den Krieg gehen und Arme und Beine verlieren! Das ist doch eine Veränderung! Jetzt weiß ich, was das heißt, Besuch von seinen alten Gedanken zu haben und von dem, was sie mit sich führen können. Ich habe den Besuch der meinigen gehabt, und glaube mir, das ist auf die Länge der Zeit kein Vergnügen; ich war am Ende nahe daran, von dem Tische herabzuspringen. Ich sah euch alle da drüben im Hause so deutlich, als ob ihr hier wäret; es war wieder der Sonntagmorgen, dessen du dich wohl entsinnst! Ihr Kinder standet alle vor dem Tisch und sangt euer Lied, das ihr jeden Morgen singt; ihr standet andächtig mit gefalteten Händen, Vater und Mutter waren ebenso feierlich, und da ging die Tür auf, und die kleine Schwester Maria, die noch nicht zwei Jahre alt ist und immer tanzt, wenn sie Musik oder Gesang hört, welcher Art es auch sein mag, wurde hereingebracht. Sie sollte nun zwar nicht, aber sie fing an zu tanzen, doch konnte sie nicht in den Takt kommen, denn die Töne waren so lang, da stand sie erst auf dem einen Bein und neigte den Kopf ganz vornüber und dann auf dem andern Bein und bog den Kopf wieder ganz vornüber, aber das wollte nicht passen. Ihr standet alle sehr ernsthaft da, was euch freilich schwer fiel, aber ich lachte inwendig, und deshalb fiel ich vom Tisch herab und bekam eine Beule, die ich noch trage, denn es war nicht recht von mir, daß ich lachte. Aber das Ganze erfüllt mich jetzt wieder, so wie alles, was ich jetzt erlebt habe, und das sind wohl die alten Gedanken, mit dem, was sie mit sich führen können! – Sage mir, ob ihr noch des Sonntags singt! Erzähle mir etwas von der kleinen Maria; und wie ergeht es meinem Kameraden, dem andern Zinnsoldaten? Ja, der ist wahrlich glücklich! – Ich kann es nicht aushalten!"

„Du bist weggeschenkt!" sagte der kleine Knabe. „Du mußt bleiben. Kannst du das nicht einsehen?"

Der alte Mann kam mit einem Kasten, worin vieles zu bewundern war, Kostbarkeiten und Balsambüchsen und alte Karten, so groß und so vergoldet, wie man sie jetzt nie mehr sieht. Es wurden mehrere Kasten sowie auch das Klavier geöffnet; dieses hatte eine Landschaft inwendig auf dem Deckel, und es war heiser, als der alte Mann darauf spielte; dann sang er leise ein Lied.

„Ja, das konnte sie singen!" sagte er, und dann nickte er dem Bilde zu, das er bei dem Trödler gekauft hatte, und seine Augen glänzten dabei.

„Ich will in den Krieg! Ich will in den Krieg!" rief der Zinnsoldat so laut, wie er nur konnte, und stürzte sich gerade auf den Fußboden hinab.

Ja, wo war er geblieben? Der alte Mann suchte, der kleine Knabe suchte, fort war er und fort blieb er. „Ich werde ihn wohl finden!" sagte der Alte, aber er fand ihn nie wieder, der Fußboden war allzu durchlöchert – der Zinnsoldat war durch eine Spalte gefallen und lag im offenen Grabe.

Der Tag verstrich, und der kleine Knabe kam nach Hause. Die Woche verging, und es vergingen mehrere Wochen. Die Fenster waren fest zugefroren; der kleine Knabe mußte darauf hauchen, um ein Guckloch nach dem andern Hause hinüber zu erhalten, da war der Schnee in alle Schnörkel und Inschriften hineingetrieben und lag hoch über der Treppe, gerade als ob da niemand zu Hause wäre, und es war auch niemand zu Hause, der alte Mann war gestorben.

Am Abend hielt ein Wagen an der Tür, und auf den trug man ihn in seinem Sarge, er sollte auf dem Lande in seinem Begräbnisplatz bei seinen Angehörigen ruhen. Da fuhr er nun, aber niemand folgte, alle seine Freunde waren ja tot. Der kleine Knabe warf dem Sarge, als er wegfuhr, Kußfinger nach.

Einige Tage darauf wurden das Haus und die Gerätschaften verkauft, der kleine Knabe sah von seinem Fenster aus, wie man alles forttrug; die alten Ritter und die alten Damen, die Blumentöpfe mit langen Ohren, die alten Stühle und die alten Schränke; einiges kam dahin und anderes dorthin; das Bild, das beim Trödler gefunden war, kam wieder zum Trödler zurück, und da hing es lange, denn niemand kannte die Frau mehr, niemand kümmerte sich um das alte Bild.

Im Frühjahr riß man das alte Haus selbst nieder, denn es war ein Gerümpel, sagten die Leute. Von der Straße aus konnte man gerade in das Zimmer mit dem Schweinslederüberzug hineinsehen, der zerfetzt und zerrissen wurde; und das Grüne am Altan hing ganz verwildert um die fallenden Balken. Dann wurde aufgeräumt.

„Das half!" sagten die Nachbarhäuser.

An die Stelle des alten Hauses wurde ein schönes Haus mit großen Fenstern und weißen, glatten Mauern gebaut, aber vorn, wo eigentlich das alte Haus gestanden hatte, wurde ein kleiner Garten angelegt, und gegen des Nachbars Mauern wuchsen wilde Weinranken empor; vor den Garten kam ein großes, eisernes Gitter mit eiserner Tür, es sah ganz stattlich aus, die Leute standen still und guckten da hinein. Die Sperlinge setzten sich dutzendweise auf die Weinranken und plauderten miteinander, so laut wie sie konnten, aber nicht von dem alten Hause, denn dessen konnten sie sich nicht erinnern. Viele Jahre verstrichen, der kleine Knabe war zu einem großen Manne herangewachsen, und zwar zu einem tüchtigen Manne, dessen sich die Eltern erfreuten. Er hatte sich eben verheiratet und war mit seiner jungen Frau in das neue Haus, das den Garten hatte, eingezogen. Da stand er neben ihr, während sie eine Feldblume pflanzte, die sie niedlich fand. Sie pflanzte mit ihrer kleinen Hand und drückte die Erde mit den Fingern fest. – „Au!" Was war das? Sie hatte sich gestochen. Da ragte etwas Spitziges aus der weichen Erde hervor.

Das war – ja, denke! – es war der Zinnsoldat, derselbe, der oben bei dem alten Manne verlorengegangen war und der zwischen Zimmerholz und Schutt sich herumgetrieben und dann viele Jahre in der Erde gelegen hatte.

Die junge Frau wischte den Zinnsoldaten zuerst mit einem grünen Blatt und dann mit ihrem feinen Taschentuch ab, das einen herrlichen Duft hatte, und es war dem Zinnsoldaten gerade, als ob er aus einer Ohnmacht erwache.

„Laß mich ihn sehen!" sagte der junge Mann, lachte und schüttelte dann den Kopf. „Ja, derselbe kann es nun wohl nicht sein, aber er erinnert mich an eine Geschichte, die ich mit einem Zinnsoldaten hatte, als ich noch ein kleiner Knabe war!" Dann erzählte er seiner Frau von dem alten Haus und von dem alten Manne und von dem Zinnsoldaten, den er ihm hinübergeschickt hatte, weil er so erschrecklich einsam lebte, und er erzählte alles so natürlich, wie es wirklich gewesen, so daß der jungen Frau über das alte Haus und den alten Mann die Tränen in die Augen traten.

„Es ist doch möglich, daß es derselbe Zinnsoldat ist!" sagte sie. „Ich will ihn aufbewahren und alles dessen gedenken, was du mir erzählt hast. Aber des alten Mannes Grab mußt du mir zeigen!"

„Ja, das kenne ich nicht", sagte er, „und niemand kennt es! Alle seine Freunde waren tot, niemand bekümmerte sich weiter darum, und ich war ja ein kleiner Knabe!"

„Wie muß er doch erschrecklich einsam gewesen sein!" sagte sie.

„Erschrecklich einsam!" sagte der Zinnsoldat; „aber schön ist es, nicht vergessen zu werden!"

„Herrlich!" rief etwas dicht daneben, aber außer dem Zinnsoldaten sah niemand, daß es ein Fetzen der schweinsledernen Tapete war. Er war ohne alle Vergoldung und sah aus wie feuchte Erde, aber eine Ansicht hatte er und sprach sie aus:

„Vergoldung vergeht,
Aber Schweinsleder besteht!"

Doch das glaubte der Zinnsoldat nicht.

WIE'S DER ALTE MACHT, IST'S IMMER RECHT

Eine Geschichte werde ich dir erzählen, die ich hörte, als ich noch ein kleiner Knabe war; jedesmal, wenn ich an die Geschichte dachte, kam es mir vor, als werde sie immer schöner; denn es geht mit Geschichten wie mit vielen Menschen – sie werden mit zunehmendem Alter schöner.

Auf dem Lande bist du doch gewiß schon gewesen, du wirst wohl auch so ein recht altes Bauernhaus mit Strohdach gesehen haben. Moos und Kräuter wachsen von selbst auf dem Dache; ein Storchennest ist auf dem First – der Storch ist unvermeidlich! Die Wände des Hauses sind schief, die Fenster niedrig, und nur ein einziges Fenster ist so eingerichtet, daß es geöffnet werden kann; der Backofen springt aus der Wand hervor, gerade wie ein kleiner dicker Bauch; der Fliederbaum hängt über den Zaun hinaus, und unter seinen Zweigen, am Fuße des Zaunes, ist eine Wasserlache, in der einige Enten liegen. Ein Kettenhund, der alle und jeden anbellt, ist auch da.

Gerade so ein Bauernhaus stand draußen auf dem Lande, und in diesem Hause wohnten ein paar alte Leute, ein Bauer und seine Frau. Wie wenig sie auch hatten, ein Stück war doch darunter, das entbehrlich war – ein Pferd, das sich von dem Grase nährte, das es an den Einzäunungen der Landstraße vorfand. Der alte Bauer ritt zur Stadt auf diesem Pferde, oft liehen es auch seine Nachbarn von ihm und erwiesen den alten Leuten manchen andern Dienst dafür. Allein am geratensten würde es doch wohl sein, wenn sie das Pferd verkauften oder es gegen irgend etwas anderes, was ihnen mehr nützen könnte, weggäben. Aber was könnte dies wohl sein?

„Das wirst du, Alter, am besten wissen!" sagte ihm die Frau. „Heute ist gerade Jahrmarkt, reite zur Stadt, gib das Pferd für Geld hin oder mache einen guten Tausch; wie du es auch machst, mir ist's immer recht."

Sie knüpfte ihm sein Halstuch um, denn das verstand sie besser als er; sie knüpfte es ihm mit einer Doppelschleife um, das machte sich sehr hübsch! Sie strich seinen Hut glatt mit ihrer flachen Hand und küßte ihn dann auf seinen warmen Mund. Darauf ritt er fort auf dem Pferde, das verkauft oder in Tausch gegeben werden sollte. Ja, der Alte versteht dies schon!

Die Sonne brannte heiß, keine Wolke war am Himmel zu sehen. Auf dem Wege staubte es sehr, viele Leute, die den Jahrmarkt besuchen wollten, fuhren, ritten oder legten den Weg zu Fuß zurück. Nirgendwo gab es Schatten gegen den Sonnenbrand.

Unter andern ging auch einer des Weges dahin, der eine Kuh zu Markte trieb. Die Kuh war so schön, wie eine Kuh nur sein kann. ‚Die gibt gewiß auch schöne Milch!' dachte der Bauer, ‚das wäre ein ganz guter Tausch: die Kuh für das Pferd!'

„Heda, du da mit der Kuh!" sagte er, „weißt du was? Ein Pferd, sollte ich meinen, kostet mehr als eine Kuh; aber mir ist das gleichgültig, ich habe mehr Nutzen von der Kuh; hast du Lust, so tauschen wir!"

„Freilich will ich das", sagte der Mann mit der Kuh – und nun tauschten sie.

Das war also abgemacht, und der Bauer hätte nun füglich wieder umkehren können, denn er hatte ja das nun erledigt, um was es ihm zu tun war; allein da er sich einmal auf den Jahrmarkt gespitzt hatte, so wollte er auch hin, bloß um sich ihn anzusehen, und deshalb ging er mit seiner Kuh zur Stadt.

Die Kuh führend, schritt er mit ihr rasch zu, und nach kurzer Zeit waren sie einem Manne zur Seite, der ein Schaf trieb. Es war ein gutes Schaf, fett, und hatte gute Wolle.

‚Das möchte ich haben', dachte unser Bauersmann, ‚es würde an unserm Zaune vollauf Gras finden, und während des Winters könnten wir es bei uns in der Stube haben. Eigentlich wäre es angemessener, ein Schaf statt einer Kuh zu besitzen.

„Wollen wir tauschen?"

Dazu war der Mann mit dem Schafe sogleich bereit, und der Tausch fand statt. Unser Bauer ging nun mit seinem Schafe auf der Landstraße weiter.

Bald gewahrte er abermals einen Mann, der vom Felde her die Landstraße betrat und eine große Gans unter dem Arme trug.

„Das ist ein schweres Ding, das du da hast; es hat Federn und Fett, daß es eine Lust ist; die würde sich erst gut ausmachen, wenn sie bei uns daheim an einer Leine am Wasser ginge. Das wäre etwas für meine Alte, für die könnte sie allerlei Abfall sammeln. Wie oft hat sie nicht gesagt: ‚Wenn wir nur eine Gans hätten.' Jetzt kann sie vielleicht eine bekommen – und geht's, soll sie sie haben! – Wollen wir tauschen? Ich gebe dir das Schaf für die Gans und schönen Dank dazu."

Dagegen hatte der andere nichts einzuwenden, und so tauschten sie denn. Unser Bauer bekam die Gans.

Jetzt war er schon nahe bei der Stadt; das Gedränge auf der Landstraße nahm immer mehr zu; Menschen und Vieh drängten sich; sie gingen auf der Straße und längs den Zäunen, ja am Schlagbaume gingen sie sogar in des Einnehmers Kartoffelfeld hinein, wo sein einziges Huhn an einer Schnur einherspazierte, damit es über das Gedränge nicht erschrecken, sich nicht verirren und verlaufen sollte. Das Huhn hatte kurze Schwanzfedern, es blinzelte mit einem Auge und sah sehr klug aus. „Kluck, kluck!" sagte das Huhn. Was es sich dabei dachte, weiß ich nicht zu sagen, aber als unser Bauersmann es zu Gesicht bekam, dachte er sogleich: ‚Das ist das schönste Huhn, das ich je gesehen habe, es ist sogar schöner als des Pfarrers Bruthenne. Potztausend, das Huhn möcht' ich haben! Ein Huhn findet immer ein Körnchen, es kann sich fast selbst ernähren, ich glaube, es würde ein guter Tausch sein, wenn ich es für die Gans kriegen könnte.' – „Wollen wir tauschen?" fragte er den Einnehmer. „Tauschen?" fragte dieser, „ja, das wäre gar nicht übel!"

Und so tauschten sie. Der Einnehmer am Schlagbaume bekam die Gans, der Bauer das Huhn.

Das war viel, was er auf der Reise zur Stadt abgemacht hatte; heiß war es auch, und er war müde. Ein Schnaps und ein Imbiß taten ihm not; bald befand er sich im Wirtshause. Er wollte eben hineingehen, als der Hausknecht heraustrat, sie begegneten sich daher in der Tür. Der Knecht trug einen gefüllten Sack.

„Was hast du denn in dem Sacke?" fragte der Bauer.

„Verkrüppelte Äpfel!" antwortete der Knecht, „einen ganzen Sack voll, genug für die Schweine."

„Das ist doch eine zu große Verschwendung. Den Anblick gönnte ich meiner Alten daheim. Voriges Jahr trug der alte Baum am Torfstall nur einen einzigen Apfel; der wurde aufgehoben und stand auf dem Schranke, bis er ganz verdarb und zerfiel. ‚Das ist doch immerhin Wohlstand', sagte meine Alte, hier könnte sie aber erst Wohlstand sehen, einen ganzen Sack voll! Ja, den Anblick gönnte ich ihr!"

„Was würdet Ihr für den Sack voll geben?" fragte der Knecht.

„Was ich gebe? Ich gebe mein Huhn in den Tausch", und er gab das Huhn in den Tausch, bekam die Äpfel und trat mit diesen in die Gaststube. Den Sack lehnte er behutsam an den Ofen, er selbst trat an den Schenktisch. Aber im Ofen war eingeheizt, das bedachte er nicht. – Es waren viele Gäste anwesend: Pferdehändler, Ochsentreiber und zwei Engländer, und die Engländer waren so reich, daß ihre Taschen von Goldstücken strotzten und fast platzten – und wetten tun sie, das sollst du erfahren.

„Susss! Susss!" – „Was war denn das am Ofen?" – Die Äpfel begannen zu braten.

„Was ist denn das?"

„Ja, wissen Sie", sagte unser Bauersmann; – und nun erzählte er die ganze

Geschichte von dem Pferde, das er gegen eine Kuh vertauschte und so weiter herunter bis zu den Äpfeln.

„Na, da wird dich deine Alte derb knuffen, wenn du nach Hause kommst, da setzt es was!" sagten die Engländer.

„Was? Knuffen?" sagte der Alte, „küssen wird sie mich und sagen: Wie's der Alte macht, ist's immer recht."

„Wollen wir wetten?" sagten die Engländer, „gemünztes Gold tonnenweise? Hundert Pfund macht ein Schiffspfund!"

„Ein Scheffel genügt schon", entgegnete der Bauer, „ich kann nur den Scheffel mit Äpfeln dagegen setzen und mich selbst und meine alte Frau dazu, das, dächte ich, wäre doch auch gehäuftes Maß!"

„Topp! Angenommen!" und die Wette war gemacht. —

Der Wagen des Wirts fuhr vor, die Engländer und der Bauersmann stiegen ein; vorwärts ging es, und bald hielten sie vor dem Häuschen des Bauern an.

„Guten Abend, Alte!"

„Guten Abend, Alter!"

„Der Tausch wäre gemacht!"

„Ja, du verstehst schon deine Sache!" sagte die Frau, ihn herzlich umarmend, und beachtete vor lauter innerer Aufregung weder den Sack noch die fremden Gäste.

„Ich habe eine Kuh für das Pferd ertauscht."

„Gott sei Lob! Die schöne Milch, die wir nun haben werden, und Butter und Käse auf dem Tische! Das war ein herrlicher Tausch!"

„Ja! aber die Kuh tauschte ich wieder gegen ein Schaf um."

„Ach, das ist um so besser!" erwiderte die Frau, „du denkst immer an alles; für ein Schaf haben wir Grasweide genug; Schafmilch und Schafkäse und wollene Strümpfe und wollene Jacken! Das gibt die Kuh nicht, sie verliert ja die Haare! Wie du doch alles bedenkst!"

„Aber das Schaf habe ich wieder gegen eine Gans vertauscht!"

„Also dieses Jahr werden wir wirklich Gänsebraten haben, mein lieber Alter? Du denkst immer daran, mir eine Freude zu machen. Wie herrlich ist das! Die Gans kann man an eine Leine geben und sie noch fetter werden lassen, bevor wir sie braten!"

„Aber die Gans habe ich gegen ein Huhn vertauscht!" sagte der Mann.

„Ein Huhn! Das war ein guter Tausch!" entgegnete die Frau. „Das Huhn legt Eier, die brütet es aus, wir kriegen Küchlein, wir kriegen nun einen ganzen Hühnerhof! Ei, den habe ich mir erst recht gewünscht!"

„Ja! Aber das Huhn gab ich wieder für einen Sack voll verkrüppelter Äpfel hin!"

„Was? Nein, jetzt muß ich dich erst recht küssen!" versetzte die Frau. „Mein liebes, gutes Männchen! Ich werde dir etwas erzählen. Siehst du, als du kaum fort warst heute morgen, dachte ich darüber nach, wie ich dir heut abend einen recht guten Bissen machen könnte. Speckeierkuchen mit Schnittlauch, dachte ich dann. Die Eier hatte ich, den Speck auch, der Schnittlauch fehlte mir nur. So ging ich denn hinüber zu Schulmeisters, die haben Schnittlauch, das weiß ich, aber die Schulmeistersfrau ist geizig, so süß sie auch tut. Ich bat sie, mir eine Handvoll Schnittlauch zu leihen. ,Leihen?' gab sie zur Antwort. ,Nichts, gar nichts wächst in unserm Garten, nicht einmal ein verkrüppelter Apfel, nicht einmal einen solchen kann ich Ihr leihen, liebe Frau!' Jetzt kann ich aber ihr zehn, ja einen ganzen Sack voll leihen. Das freut mich zu sehr, das ist zum Totlachen!" Und dabei küßte sie ihn, daß es schmatzte.

„Das gefällt mir!" riefen die Engländer wie aus einem Munde. „Immer bergabwärts und immer lustig. Das ist schon das Geld wert!"

Und nun zahlten sie ein Schiffspfund Goldmünzen an den Bauersmann, der nicht geknufft, sondern geküßt wurde.

Ja, das lohnt sich immer, wenn die Frau es einsieht und es auch immer sagt, daß der Mann der klügste und sein Tun das richtige ist.

Seht, das ist meine Geschichte. Ich habe sie schon als Kind gehört, und jetzt hast du sie auch gehört und weißt jetzt: „Wie's der Alte macht, ist's immer recht!"

FLIEDERMÜTTERCHEN

Es war einmal ein kleiner Knabe, der hatte sich erkältet; er war ausgegangen und hatte nasse Füße bekommen, niemand konnte begreifen, woher, denn es war ganz trockenes Wetter. Nun entkleidete ihn seine Mutter, brachte ihn zu Bette und ließ die Teemaschine hereinbringen, um ihm eine gute Tasse Fliedertee zu bereiten, denn der Tee erwärmt. Zu gleicher Zeit kam auch der alte, freundliche Mann zur Tür herein, der ganz oben im Hause wohnte und allein lebte; denn er hatte weder Frau noch Kinder, liebte aber die Kinder und wußte so viel Märchen und Geschichten zu erzählen, daß es nur so eine Lust war.

„Nun trinkst du deinen Tee", sagte die Mutter, „vielleicht bekommst du dann ein Märchen zu hören."

„Ja, wenn ich nur ein neues wüßte!" sagte der alte Mann und nickte freundlich. „Wo hat der Kleine die nassen Füße bekommen?" fragte er.

„Ja, wie das geschehen ist", sagte die Mutter, „das kann niemand begreifen."

„Erzählen Sie ein Märchen?" fragte der Knabe.

„Kannst du mir genau sagen, denn das muß ich zuerst wissen, wie tief der Rinnstein in der kleinen Straße ist, wo du in die Schule gehst?"

„Gerade bis mitten auf die Schäfte", sagte der Knabe, „aber dann muß ich in das tiefe Loch gehen!"

„So, nun wissen wir, woher du die nassen Füße hast!" sagte der Alte. „Nun soll ich freilich ein Märchen erzählen, aber ich weiß keines mehr!"

„Sie können ein neues machen!" sagte der kleine Knabe. „Die Mutter sagt, daß Sie aus allem, was Sie auch nur kurz betrachten, ein Märchen machen können; und von allem, was sie berühren, können Sie sofort eine Geschichte erzählen!"

„Ja, aber die Märchen und Geschichten taugen nichts! Die ordentlichen kommen von selbst, die klopfen mir gegen die Stirn und sagen: Hier bin ich!"

„Klopft es nicht bald?" fragte der kleine Knabe; die Mutter lachte, tat Fliedertee in die Kanne und goß kochendes Wasser darüber.

„Erzählen Sie etwas!"

„Ja, wenn ein Märchen von selbst käme, aber sie sind vornehm, sie kommen nur, wenn sie Lust haben! – Warte!" sagte er auf einmal. „Da haben wir eines! Gib acht, nun ist eins in der Teekanne!"

Der kleine Knabe sah nach der Teekanne hin, der Deckel hob sich mehr und mehr, und die Fliederblumen kamen frisch und weiß daraus hervor, sie schossen große, lange Zweige nach allen Seiten und wurden größer und größer.

Es war der herrlichste Fliederbusch, ein ganzer Baum, er ragte in das Bett hinein und schob die Vorhänge zur Seite. Wie das blühte und duftete! Mitten im Baume saß eine alte, freundliche Frau mit einem sonderbaren Kleide, es war ganz grün gleich den Blättern des Fliederbaumes und mit großen, weißen Fliederblumen besetzt. Man konnte nicht sogleich erkennen, ob es Zeug oder lebendiges Grün und Blumen waren.

„Wie heißt die Frau?" fragte der kleine Knabe.

„Ja, die Römer und Griechen", sagte der alte Mann, „die nannten sie eine Dryade, aber das verstehen wir nicht. Draußen in der Vorstadt haben wir einen besseren Namen für sie, da wird sie ‚Fliedermütterchen' genannt, und sie ist es, auf die du achtgeben mußt. Horch nur und betrachte den herrlichen Fliederbaum! Gerade so ein großer, blühender Baum steht da draußen; er wuchs in einem Winkel eines kleinen, ärmlichen Hofes. Unter diesem Baum saßen eines Mittags im schönsten Sonnenschein zwei alte Leute. Es waren ein alter, alter Seemann und seine alte, alte Frau; sie waren Urgroßeltern und sollten bald ihre goldene Hochzeit halten, aber sie konnten sich des Hochzeitstages nicht recht entsinnen. Die Fliedermutter saß im Baum und sah ebenso vergnügt aus wie hier. ‚Ich weiß wohl, wann eure goldene Hochzeit ist!' sagte sie, aber die beiden Alten hörten es nicht, sie sprachen von vergangenen Zeiten.

‚Ja, entsinnst du dich?' sagte der alte Seemann, ‚damals, als wir noch klein waren und herumliefen und spielten, es war im gleichen Hofe, in dem wir nun sitzen, und wir pflanzten kleine Stecken in den Hof und machten uns einen Garten.'

‚Ja', sagte die alte Frau, ‚dessen erinnere ich mich recht gut, und wir begossen die Stecken, und einer von ihnen war ein Fliederzweig, der schlug Wurzeln, schoß grüne Zweige und ist ein großer, stattlicher Baum geworden, unter dem wir alten Leute nun sitzen.'

‚Ja, richtig', sagte er; ‚und dort in der Ecke stand ein Wasserkübel, dort schwamm mein Fahrzeug, ich hatte es selbst geschnitzt, wie das segeln konnte! Aber ich mußte freilich bald anderswohin segeln.'

,Ja, aber zuerst gingen wir in die Schule und lernten etwas', sagte sie, ,und dann wurden wir eingesegnet. Und nachmittags gingen wir Hand in Hand auf den runden Turm und sahen über das Wasser und die Menschen in ihren prächtigen Booten.'

,Aber ich mußte bald anderswo herumfahren und viele Jahre lang reisen!'

,Ja, ich weinte oft deinetwegen!' sagte sie. ,Ich glaubte, du seiest tot und lägest dort unten im Wasser. Manche Nacht stand ich auf und sah, ob der Wetterhahn sich drehte, ja, er drehte sich wohl, aber du kamst nicht! Ich erinnere mich deutlich, wie es eines Tages in Strömen vom Himmel goß, der Kehrichtwagen hielt vor der Tür, wo ich diente, ich ging mit dem Kehrichteimer hinunter und blieb vor der Tür stehen; – was war das für ein abscheuliches Wetter! Und als ich dastand, war der Briefträger mir zur Seite und gab mir einen Brief, der war von dir! Ja, wie der herumgereist war! Ich riß ihn auf und las; ich lachte und weinte, ich war so froh! Da stand, daß du in den warmen Ländern seiest, wo die Kaffeebohnen wachsen. Was muß das für ein wunderbares, herrliches Land sein! Du erzähltest viel in deinem Brief, und ich sah das alles, während der Regen herniedergoß und ich mit dem Kehrichteimer dastand. Plötzlich nahm mich einer um den Leib – –.'

,Ja, aber du gabst ihm einen tüchtigen Schlag auf das Ohr, daß es klatschte.'

,Ich wußte auch nicht, daß du es warst. Du warst ebenso geschwind wie dein Brief gekommen, und du warst so schön – das bist du noch. Du hattest ein langes, gelbes, seidenes Tuch in der Tasche und einen neuen Hut auf, du warst so fein. Gott, was war das für ein abscheuliches Wetter, und wie sah die Straße aus!'

,Dann heirateten wir uns', sagte er, ,entsinnst du dich? Und dann, als wir den ersten kleinen Knaben und dann Marie und Jakob und Peter und Hans und Christian bekamen!'

,Ja, und wie die alle herangewachsen und ordentliche Menschen geworden sind, die ein jeder gern hat.'

,Und ihre Kinder haben wieder Kleine bekommen', sagte der alte Matrose, ,ja, das sind Kindeskinder, da ist Kern darin! – War es nicht gerade um diese Zeit des Jahres, daß wir Hochzeit hielten?'

,Ja, eben heute ist der goldene Hochzeitstag!' sagte die Fliedermutter und steckte den Kopf gerade zwischen die beiden Alten hindurch, und sie glaubten, es sei die Nachbarin, die da nickte. Sie sahen einander an und hielten sich an

den Händen. Bald darauf kamen die Kinder und Kindeskinder, denn sie wußten wohl, daß es der goldene Hochzeitstag sei, sie hatten schon des Morgens Glück gewünscht, aber die Alten hatten es vergessen, während sie sich gut an alles erinnerten, was vor vielen Jahren geschehen war. Der Fliederbaum duftete stark, und die Sonne, die im Untergehen begriffen war, schien den beiden Alten gerade ins Gesicht, sie sahen beide rotwangig aus. Das kleinste der Kindeskinder tanzte um sie herum und rief ganz glücklich, daß es diesen Abend ein großes Fest geben werde, sie sollten warme Kartoffeln haben. Und die Fliedermutter nickte im Baum und rief mit all den andern: ‚Hurra!‘"

„Aber das war ja kein Märchen!" sagte der kleine Knabe, der es erzählen hörte.

„Ja, das mußt du verstehen", sagte der Alte, der erzählte; „aber laß uns Fliedermütterchen danach fragen!" – „Das war kein Märchen", sagte die Fliedermutter, „aber nun kommt es! Aus der Wirklichkeit wächst eben das sonderbarste Märchen heraus, sonst könnte ja mein schöner Fliederbusch nicht aus der Teekanne hervorgesproßt sein!" Und dann nahm sie den kleinen Knaben aus dem Bette, legte ihn an ihre Brust, und die Fliederzweige voller Blumen schlugen um sie zusammen, sie saßen wie in der dichtesten Laube, und die flog mit ihnen durch die Luft, es war unaussprechlich schön!

Fliedermütterchen war auf einmal ein niedliches, junges Mädchen geworden, aber das Kleid war noch vom gleichen grünen weißgeblümten Zeuge, wie es Fliedermütterchen getragen hatte. Am Busen hatte sie eine wirkliche Fliederblume und um ihr gelbes, gelocktes Haar einen ganzen Kranz von Fliederblumen; ihre Augen waren blau, oh, sie war herrlich anzuschauen! Sie und der Knabe küßten sich, und dann waren sie im gleichen Alter und fühlten gleiche Freuden.

Sie gingen nun Hand in Hand aus der Laube und standen auf einmal im schönsten Blumengarten der Heimat; bei dem frischen Grasplatz war des Vaters Stock an einen Pflock angebunden. Für die Kleinen war Leben im Stock; sobald sie sich quer über ihn setzten, verwandelte sich der blanke Knopf zu einem prächtig wiehernden Kopf, die lange, schwarze Mähne flatterte, vier schlanke, starke Beine schossen hervor; das Tier war stark und mutig. Im Galopp fuhren sie um den Grasplatz herum, hussa! – „Nun reiten wir viele Meilen weit fort", sagte der Knabe; „wir reiten nach dem Gut, wo wir im vorigen Jahre waren!" Und sie ritten und ritten um den Rasenplatz herum, und immer rief das kleine Mädchen, das, wie wir wissen, keine andere als das Fliedermütterchen war: ‚Nun sind wir auf dem Lande, siehst du das Bauernhaus mit dem großen Backofen, der wie ein riesengroßes Ei aus der Mauer nach dem Weg heraus erscheint? Der Fliederbaum breitet seine Zweige darüber hin, und der Hahn geht und kratzt für die Hühner. Sieh, wie er sich brüstet! – Nun sind wir bei der Kirche, die liegt hoch auf dem Hügel unter den großen Eichbäumen, wovon der eine halb abgestorben ist! – Nun kommen wir zu der Schmiede, wo das Feuer brennt und die Männer mit den Hämmern schlagen, daß die Funken weit umhersprühen. Fort, fort nach dem prächtigen Gut!' Und alles, was das kleine Mädchen, das hinten auf dem Stock saß, sagte, das flog auch vorbei, der Knabe sah es, und doch kamen sie nur um den Grasplatz herum. Dann spielten sie im Seitengange und ritzten in der Erde einen kleinen Garten, und sie nahm Fliederblumen aus ihrem Haar, pflanzte sie, und sie wuchsen so wie bei den Alten damals, als sie noch klein waren und wie früher erzählt worden ist. Sie gingen Hand in Hand, wie die alten Leute es als Kinder gemacht hatten, aber nicht auf den Turm hinauf, nein, das kleine Mädchen faßte den Knaben um den Leib, und dann flogen sie weit herum im ganzen Lande, und es war Frühjahr, und es wurde Sommer, und es war Erntezeit, und es wurde Winter, und

Tausende von Bildern spiegelten sich in des Knaben Augen und Herzen ab, und immer sang das kleine Mädchen ihm vor: ‚Das wirst du nie vergessen!'

Auf dem ganzen Fluge duftete der Fliederbaum süß und herrlich. Der Knabe bemerkte wohl die Rosen und die frischen Buchen, aber der Fliederbaum duftete noch stärker, denn seine Blumen hingen an des kleinen Mädchens Herzen, und daran lehnte er oft im Fluge sein Haupt.

‚Hier ist es schön im Frühjahr!' sagte das junge Mädchen, und sie standen in dem Buchenwalde, wo der Klee zu ihren Füßen duftete, und in dem Grünen sahen die blaßroten Anemonen lieblich aus. ‚Oh, wäre es immer Frühling in dem duftenden Buchenwalde!'

‚Hier ist es herrlich im Sommer!' sagte sie, und sie fuhren an alten Schlössern aus der Ritterzeit vorbei, wo sich die roten Mauern und gezackten Giebel in den Seen spiegelten, wo die Schwäne schwammen und in die alten kühlen Alleen hinaufsahen. Auf dem Felde wogte das Korn, in den Gräben standen rote und gelbe Blumen und auf den Gehegen wilder Hopfen und blühende Winden. Am Abend stieg der Mond rund und groß empor, die Heuhaufen auf den Wiesen dufteten süß. ‚Das vergißt sich nie!'

‚Hier ist es herrlich im Herbst!' sagte das kleine Mädchen, und die Luft war doppelt so hoch und blau, der Wald bekam die schönsten Farben von Rot, Gelb und Grün. Jagdhunde jagten davon, ganze Scharen Vogelwild flogen schreiend über die Hünengräber hin, auf denen Brombeerranken sich um die alten Steine schlangen. Das Meer war schwarzblau, mit weißen Seglern bedeckt, und in der Tenne saßen alte Frauen, Mädchen und Kinder und pflückten Hopfen in ein großes Gefäß; die Jungen sangen Lieder, aber die Alten erzählten Märchen von Kobolden und bösen Zauberern. Besser konnte es nirgends sein.

‚Hier ist es schön im Winter!' sagte das kleine Mädchen, und alle Bäume waren mit Reif bedeckt, so daß sie wie weiße Korallen aussahen, der Schnee knarrte unter den Füßen, als hätte man immer neue Stiefel an, und vom Himmel fiel eine Sternschnuppe nach der andern. Im Zimmer wurde der Weihnachtsbaum angezündet, da gab es Geschenke und gute Laune; auf dem Lande ertönte in der Bauernstube die Violine, um Äpfelschnitzel wurde gespielt; selbst das ärmste Kind sagte: ‚Es ist doch schön im Winter!'

Ja, es war schön; und das kleine Mädchen zeigte dem Knaben alles, und immer duftete der Fliederbaum, und immer wehte die bunte Flagge, unter der der alte Seemann gesegelt hatte.

Der Knabe wurde zum Jüngling und sollte in die weite Welt hinaus, weit fort nach den warmen Ländern, wo der Kaffee wächst; aber beim Abschied nahm das kleine Mädchen eine Fliederblume von ihrer Brust und gab sie ihm. Sie wurde sorgfältig in das Gesangbuch gelegt, und im fremden Lande, wenn er das Buch öffnete, geschah es immer an der Stelle, wo die Erinnerungsblume lag, und je mehr er sie betrachtete, desto frischer wurde sie, so daß er gleichsam einen Duft von den heimatlichen Wäldern einatmete, und deutlich erblickte er das kleine Mädchen, wie es mit ihren klaren und blauen Augen zwischen den Blumenblättern hervorsah und dann flüsterte: ‚Hier ist es schön im Frühling, im Sommer, im Herbst und im Winter!' und Hunderte von Bildern glitten durch seine Gedanken.

So verstrichen viele Jahre, und er war nun ein alter Mann und saß mit seiner alten Frau unter einem blühenden Fliederbaume. Sie hielten einander an den Händen, wie der Urgroßvater und die Urgroßmutter es draußen getan hatten, und sie sprachen ebenso wie diese von den alten Zeiten und von der goldenen Hochzeit. Das kleine Mädchen mit den blauen Augen und mit den Fliederblumen im Haar saß oben im Baum, nickte beiden zu und sagte: ‚Heute ist der goldene Hochzeitstag!' Dann nahm sie zwei Blumen aus ihrem Kranze, küßte sie, und sie glänzten zuerst wie Silber, dann wie Gold, und als sie diese auf die Häupter der Alten legte, wurde jede Blume zu einer Goldkrone. So saßen die beiden, einem König und einer Königin gleich, unter dem duftenden Baume, der ganz und gar wie ein Fliederbaum aussah, und er erzählte seiner alten Frau die Geschichte von dem Fliedermütterchen, so wie sie ihm erzählt worden war, als er noch ein kleiner Knabe gewesen, und sie meinten beide, daß die Geschichte vieles enthalte, was ihrer eigenen gleiche; und das, was ähnlich war, gefiel ihnen am besten.

‚Ja, so ist es!' sagte das kleine Mädchen im Baum. ‚Einige nennen mich Fliedermütterchen, andere nennen mich Dryade, aber eigentlich heiße ich Erinnerung; ich bin es, die im Baume sitzt, der wächst und wächst, ich kann zurückdenken, ich kann erzählen! Laß sehen, ob du deine Blume noch hast.'

Und der alte Mann öffnete sein Gesangbuch, da lag die Fliederblume, so frisch, als wäre sie erst kürzlich hineingelegt, und die Erinnerung nickte, und die beiden Alten mit den Goldkronen auf dem Haupte saßen in der roten Abendsonne. Sie schlossen glücklich und zufrieden die Augen und – und – ja, da war das Märchen aus!"

Der kleine Knabe lag in seinem Bette, er wußte nicht, ob er es geträumt oder ob er es erzählen gehört habe. Die Teekanne stand auf dem Tisch, aber es wuchs kein Fliederbaum daraus hervor; und der alte Mann, der erzählt hatte, wollte eben zur Tür hinausgehen, und das tat er auch.

„Wie schön war das!" sagte der kleine Knabe. „Mutter, ich bin in den warmen Ländern gewesen!"

„Ja, das glaube ich wohl", sagte die Mutter, „wenn man zwei volle Tassen Fliedertee zu sich nimmt, dann kommt man wohl nach den warmen Ländern!" – Und sie deckte ihn zu, damit er sich nicht wieder erkälte. „Du hast wohl geschlafen, während ich mich mit dem alten Manne darüber stritt, ob es eine Geschichte oder ein Märchen sei!"

„Und wo ist das Fliedermütterchen?" fragte der Knabe.

„Sie ist in der Teekanne", sagte die Mutter, „und dort kann sie auch bleiben!"

DER FLACHS

Der Flachs blühte. Er hat schöne, blaue Blumen, die so zart wie die Flügel einer Motte und noch viel feiner sind! – Die Sonne beschien den Flachs, und die Regenwolken begossen ihn, und das tut ihm ebenso wohl, wie es kleinen Kindern tut, wenn sie gewaschen werden und dann einen Kuß von der Mutter bekommen, sie werden ja viel schöner davon, und das wurde der Flachs auch.

„Die Leute sagen, daß ich ausgezeichnet gut stehe", sagte der Flachs, „und daß ich schön lang werde, es wird ein prächtiges Stück Leinwand aus mir werden! Wie glücklich bin ich doch! Ich bin gewiß der glücklichste von allen! Ich habe es gut, und es wird etwas aus mir werden! Wie der Sonnenschein belebt, und wie der Regen schmeckt und erfrischt! Ich bin ganz überglücklich, ich bin der allerglücklichste!"

„Ja, ja, ja!" sagten die Zaunpfähle, „Ihr kennt die Welt nicht, aber wir, wir haben Knorren in uns"; und dann knarrten sie ganz jämmerlich: „Schnipp-Schnapp-Schnurre, Baselurre, aus ist das Lied!"

„Nein, das ist es nicht!" sagte der Flachs. „Die Sonne scheint am Morgen, der Regen tut wohl, ich kann hören, wie ich wachse, ich kann fühlen, daß ich blühe! Ich bin der allerglücklichste."

Aber eines Tages kamen Leute, die den Flachs beim Schopfe faßten und mit der Wurzel herausrissen, das tat weh; er wurde in Wasser gelegt, als ob er ersäuft werden sollte, und dann kam er über Feuer, als ob er gebraten werden sollte, das war greulich!

„Es kann einem nicht immer gut gehen!" sagte der Flachs. „Man muß etwas durchmachen, dann weiß man etwas!"

Aber es wurde sehr schlimm. Der Flachs wurde gerissen und gebrochen, gedörrt und gehechelt, ja, das wußte er, wie das alles hieß; er kam auf den Rocken: schnurre surr! Da war es nicht möglich, die Gedanken beisammenzuhalten.

‚Ich bin sehr, sehr glücklich gewesen!' dachte er bei all seiner Pein.

„Man muß froh sein über das Gute, was man genossen hat. Froh, froh, oh!" und das sagte er noch, als er auf den Webstuhl kam, und so wurde er zu einem herrlichen, großen Stück Leinwand. Aller Flachs, jeder einzelne Stengel kam in das eine Stück

„Aber das ist ja ganz außerordentlich! Das hätte ich nie geglaubt! Nein, wie das Glück mir doch wohlwill! Ja, die Zaunpfähle wußten wahrlich gut Bescheid mit ihrem: ‚Schnipp-Schnapp-Schnurre, Baselurre!'

Das Lied ist keineswegs aus! Nun fängt es erst recht an! Es ist herrlich! Ja, ich habe gelitten, aber jetzt ist dafür auch etwas aus mir geworden; ich bin der glücklichste von allen! – Ich bin so stark und so weich, so weiß und so lang! Das ist etwas ganz anderes als nur Pflanze zu sein, selbst wenn man Blumen trägt! Man wird nicht gepflegt und bekommt nur Wasser, wenn es regnet! Jetzt habe ich Aufwartung! Das Mädchen wendet mich jeden Morgen, und mit der Gießkanne erhalte ich jeden Abend ein Regenbad. Ja, die Frau Pastorin hat selbst eine Rede über mich gehalten und gesagt, daß ich das beste Stück im ganzen Kirchspiel sei. Glücklicher kann ich gar nicht werden!"

Nun kam die Leinwand ins Haus, dann kam sie unter die Schere. Wie man schnitt, wie man mit der Nähnadel hineinstach! Das war wahrlich kein Vergnügen. Aber aus der Leinwand wurden zwölf Stück Wäsche von der Art, die man nicht gern nennt, die aber alle Menschen haben müssen; es waren zwölf Stück davon.

„Ei sieh, jetzt ist erst etwas aus mir geworden! Das war also meine Bestimmung! Das ist ja herrlich; nun schaffe ich Nutzen in der Welt, und das ist es, was man soll, das ist das wahre Vergnügen. Wir sind zwölfe geworden, aber wir sind doch alle eins und dasselbe, wir sind ein Dutzend! Was ist das für ein erstaunliches Glück!"

Jahre verstrichen – dann konnten sie nicht länger halten.

„Einmal muß es ja doch vorbei sein!" sagte jedes Stück. „Ich hätte gern noch länger halten mögen, aber man darf nichts Unmögliches verlangen!" Dann wurden sie in Stücke und Fetzen zerrissen, so daß sie glaubten, nun sei es ganz vorbei, denn sie wurden zerhackt und zerquetscht und zerkocht, ja sie wußten selbst nicht, wie ihnen geschah – und dann wurden sie schönes, feines, weißes Papier!

„Nein, das ist eine Überraschung! Und eine herrliche Überraschung!" sagte das Papier. „Nun bin ich feiner als zuvor, und nun werde ich beschrieben werden! Was kann nicht alles geschrieben werden! Das ist doch ein außerordentliches Glück!" Es wurden die allerschönsten Geschichten darauf geschrieben, und die Leute hörten, was darauf stand, und es war richtig und gut, es machte die Menschen weit klüger und besser, als sie bisher waren, es war ein wahrer Segen, der dem Papier in den Worten gegeben war.

„Das ist mehr als ich mir träumen ließ, als ich noch eine kleine, blaue Blume auf dem Felde war! Wie konnte es mir einfallen, daß ich dazu gelangen würde, Freude und Kenntnisse unter die Menschen zu bringen! Ich kann es selbst noch nicht begreifen! Aber es ist nun einmal wirklich so! Der liebe Gott weiß, daß ich selbst durchaus nichts dazu getan habe, als was ich nach schwachem Vermögen für mein Dasein tun mußte! Und doch gewährt er mir eine Freude nach der andern; jedesmal, wenn ich denke: ‚Aus ist das Lied!‘ dann geht es gerade zu etwas Höherem und Besserem über. Nun werde ich gewiß auf Reisen in der ganzen Welt herumgesandt werden, damit alle Menschen mich lesen können! Das ist das wahrscheinlichste! Früher trug ich blaue Blumen, jetzt habe ich für jede Blume die schönsten Gedanken! Ich bin der allerglücklichste!"

Aber das Papier kam nicht auf Reisen, ein anderer Teil kam zum Buchdrucker, und da wurde alles, was auf dem ersten Teil geschrieben stand, zum

Druck für ein Buch gesetzt, ja zu vielen Büchern, denn so konnten unendlich viel Leute mehr Nutzen und Freude davon haben, als wenn das einzige Papier, auf dem das Geschriebene stand, die ganze Welt durchlaufen hätte und auf dem halben Wege schon abgenutzt worden wäre.

‚Ja, das ist freilich das allervernünftigste!' dachte das beschriebene Papier. ‚Das fiel mir gar nicht ein! Ich bleibe zu Hause und werde in Ehren gehalten wie ein alter Großvater! Ich bin es, der beschrieben worden ist, die Worte flossen aus der Feder gerade in mich hinein. Ich bleibe, und die Bücher laufen herum! Nun kann ordentlich was ausgerichtet werden! Nein, wie bin ich froh, wie bin ich glücklich!'

Dann wurde das Papier in ein Päckchen gesammelt und in ein Fach gelegt. „Nach vollbrachter Tat ist gut ruhen!" sagte das Papier. „Es ist ganz in Ordnung, daß man sich sammelt und über das nachdenkt, was in einem wohnt. Jetzt weiß ich erst recht, was in mir enthalten ist! Und sich selbst kennen, das ist erst der wahre Fortschritt. Was nun wohl kommen wird? Irgendein Fortschritt geschieht, es geht immer vorwärts!" –

Eines Tages wurde alles Papier auf den Feuerherd gelegt, denn es sollte verbrannt und nicht an Höker verkauft werden, die Butter und Zucker darin einwickeln. Alle Kinder im Hause standen ringsherum, sie wollten es auflodern sehen, sie wollten die vielen roten Feuerfunken in der Asche sehen, die gleichsam davonlaufen und erlöschen, einer immer nach dem andern, ganz geschwind – das sind die Kinder, die aus der Schule kommen, und der allerletzte Funke ist der Schulmeister; oft glaubt man, daß er schon fort ist, aber dann kommt er auf einmal noch hinterher.

Und alles Papier lag in einem Bündel auf dem Feuer. Uh, wie flammte es empor! „Uh!" sagte es, und gleichzeitig war da alles eine Flamme; die ging höher, als der Flachs je seine kleine, blaue Blume hatte erheben können, und glänzte, wie die weiße Leinwand nie hatte glänzen können. Alle die geschriebenen Buchstaben wurden augenblicklich ganz rot, und alle Worte und Gedanken gingen in Flammen auf.

„Nun gehe ich gerade zur Sonne hinauf!" sprach es in der Flamme, und es war, als ob tausend Stimmen das mit einem Munde sagten, und die Flamme schlug durch den Schornstein oben hinaus. – – Feiner als die Flammen, dem menschlichen Auge ganz unsichtbar, schwebten ganz kleine Wesen, an Zahl den Blumen, die der Flachs getragen hatte, gleich. Sie waren noch leichter als die Flamme, die sie führte, und als diese erlosch und von dem Papier nur noch die schwarze Asche übrig war, tanzten sie noch einmal darüber hin, und wo sie die berührten, erblickte man ihre Fußtapfen, das waren die roten Funken. – Die Kinder kamen aus der Schule, und der Schulmeister war der allerletzte! Das war ein Freude mit anzusehen, die Kinder des Hauses standen und sangen bei der toten Asche:

„Schnipp-Schnapp-Schnurre, Baselurre, aus ist das Lied!"

Aber die kleinen, unsichtbaren Wesen sagten alle: „Das Lied ist nie aus, das ist das schönste von allem! Ich weiß es, und deswegen bin ich der allerglücklichste!"

Aber das konnten die Kinder weder hören noch verstehen, und das sollten sie auch nicht, denn Kinder brauchen nicht alles zu wissen.

DER REISEKAMERAD

Der arme Johannes war tief betrübt, denn sein Vater war sehr krank und konnte nicht genesen. Außer den beiden war niemand in dem kleinen Zimmer; die Lampe auf dem Tische war dem Erlöschen nahe, und es war spätabends.

„Du warst ein guter Sohn, Johannes!" sagte der kranke Vater, „der liebe Gott wird dir schon in der Welt forthelfen!" Er sah ihn mit ernsten, milden Augen an, holte tief Atem und starb; es war gerade, als ob er schliefe. Aber Johannes weinte, nun hatte er gar niemand in der ganzen Welt, weder Vater noch Mutter, Schwester oder Bruder. Der arme Johannes! Er lag vor dem Bette auf seinen Knien und küßte des toten Vaters Hand und weinte viele bittere Tränen; aber zuletzt schlossen sich seine Augen, und er schlief ein mit dem Haupte auf dem harten Bettpfosten.

Da träumte ihm ein sonderbarer Traum; er sah, wie Sonne und Mond sich vor ihm neigten, und er erblickte seinen Vater frisch und gesund und hörte ihn lachen, wie er immer gelacht hatte, wenn er recht froh war. Ein schönes Mädchen mit einer goldenen Krone auf ihrem langen, glänzenden Haar reichte Johannes die Hand, und sein Vater sagte: „Siehst du, was für eine Braut du erhalten hast? Sie ist die schönste in der ganzen Welt!" Da erwachte er, und alle Herrlichkeit war vorbei, sein Vater lag tot und kalt im Bette, es war niemand bei ihm. Der arme Johannes!

In der folgenden Woche wurde der Tote begraben; Johannes ging dicht hinter dem Sarge und konnte nun den guten Vater nicht mehr zu sehen bekommen, der ihn so geliebt hatte; er hörte, wie man die Erde auf den Sarg hinunterwarf, sah noch die letzte Ecke des Sarges, aber bei der nächsten

Schaufel Erde, die hinabgeworfen wurde, war auch sie verschwunden. Da war es gerade, als wollte sein Herz in Stücke zerspringen, so betrübt war er. Man sang noch am Grabe einen Psalm, was sehr schön klang, und die Tränen traten unserm Johannes in die Augen, er weinte, und das tat seiner Trauer wohl. Die Sonne schien herrlich auf die grünen Bäume, gerade als wollte sie sagen: ‚Du mußt nicht so betrübt sein, Johannes! Siehst du, wie schön blau der Himmel ist? Dort oben ist nun dein Vater und bittet den lieben Gott, daß es dir allezeit wohl ergehen möge!‘

„Ich will auch immer gut sein!" sagte Johannes. „Dann komme ich zu meinem Vater, und was wird das für eine Freude werden, wenn wir uns wiedersehen! Wieviel werde ich ihm dann erzählen können, und er wird mir viele Sachen zeigen, mich über die Herrlichkeit im Himmel belehren, gerade wie er mich auf Erden unterrichtete. Oh, was wird das für eine Freude werden!"

Johannes dachte sich das so deutlich, daß er dabei lächelte, während die Tränen ihm noch über die Wangen liefen. Die kleinen Vögel saßen oben in den Kastanienbäumen und zwitscherten: „Quivit, quivit!" Sie waren munter und vergnügt. Johannes sah, wie sie von den grünen Bäumen weit in die Welt hinausflogen, und da bekam er Lust mitzufliegen. Aber zuerst machte er ein großes Kreuz von Holz, um es auf seines Vaters Grab zu setzen, und als er es am Abend dahin brachte, war das Grab mit Sand und Blumen geschmückt; das hatten fremde Leute getan, denn sie hielten alle viel von dem lieben Vater, der nun tot war.

Früh am nächsten Morgen packte Johannes sein kleines Bündel zusammen und verwahrte in seinem Gürtel sein ganzes Erbteil, das fünfzig Taler und ein paar Pfennige betrug; damit wollte er in die Welt hinauswandern. Aber zuerst

ging er nach dem Kirchhofe zu seines Vaters Grab, betete ein Vaterunser und sagte: „Lebewohl, du lieber Vater! Ich will immer ein guter Mensch sein, darum bitte ich den lieben Gott, daß es mir wohl ergehe!"

Draußen auf dem Felde, wo Johannes ging, standen alle Blumen frisch und schön im warmen Sonnenschein, und sie nickten im Winde, gerade als wollten sie sagen: ‚Willkommen im Grünen! Ist es hier nicht schön?' Aber Johannes wendete sich noch einmal zurück, um die alte Kirche zu betrachten, wo er als kleines Kind getauft worden, wo er jeden Sonntag mit seinem Vater zum Gottesdienst gewesen war und die schönen Lieder gesungen hatte. Da sah er hoch oben in einer Öffnung des Turmes den Kirchenkobold mit seiner kleinen, roten Mütze stehen, das Antlitz mit dem gebogenen Arm beschattend, da ihm sonst die Sonne in die Augen stach. Johannes nickte ihm Lebewohl zu, und der kleine Kobold schwenkte seine rote Mütze, legte die Hand auf das Herz und warf ihm viele Kußhände zu, um zu zeigen, wie er ihm Gutes und namentlich eine recht glückliche Reise wünsche.

Johannes dachte daran, wieviel Schönes er nun in der großen Welt zu sehen bekommen werde, und ging weiter, so weit, als er früher nie gewesen war; er kannte die Orte gar nicht, durch die er kam, oder die Menschen, denen er begegnete; er war in der Fremde.

Die erste Nacht mußte er sich auf einen Heuschober auf dem Felde schlafen legen, ein anderes Bett hatte er nicht. Aber das war gerade hübsch, meinte er, der König könnte es nicht besser haben. Das ganze Feld mit dem Flusse, der Heuschober und der blaue Himmel darüber, das war gerade eine schöne Schlafkammer. Das grüne Gras mit den kleinen roten und weißen Blumen war die Fußdecke, die Fliederbüsche und die wilden Rosenhecken waren Blumensträuße, zum Waschbecken diente ihm der ganze Fluß mit dem klaren, frischen Wasser, wo das Schilf sich neigte und ihm guten Abend wie guten Morgen bot, und der Mond war eine große Nachtlampe hoch oben unter der Decke, der zündete die Vorhänge nicht an mit seinem Feuer; Johannes konnte ganz ruhig schlafen, er tat es auch und erwachte erst wieder, als die Sonne aufging und alle die kleinen Vögel ringsumher sangen: „Guten Morgen! Guten Morgen! Bist du noch nicht auf?"

Draußen auf dem Kirchhofe waren viele Gräber, und auf einigen wuchs hohes Gras. Da dachte Johannes an seines Vaters Grab, das am Ende auch so aussehen werde wie diese, da er es nicht reinhalten und schmücken konnte. Er setzte sich also nieder und riß das Gras ab, richtete die umgefallenen Holzkreuze auf und legte die Kränze, die der Wind vom Grabe fortgerissen hatte, wieder auf ihre Stelle, indem er dachte: ‚Vielleicht tut jemand dasselbe an meines Vaters Grab, nun ich es nicht tun kann!'

Draußen vor der Kirchhofstür stand ein alter Bettler und stützte sich auf seine Krücke; Johannes gab ihm die Pfennige, die er hatte, und ging dann glücklich und vergnügt weiter fort, in die weite Welt hinaus.

Gegen Abend wurde es ein erschrecklich böses Wetter. Johannes sputete sich, unter Dach zu gelangen, aber es wurde bald finstere Nacht; da erreichte er endlich eine kleine Kirche, die ganz einsam auf einem kleinen Hügel lag; die Tür stand zum Glück nur angelehnt, und er schlüpfte hinein; hier wollte er bleiben, bis das böse Wetter sich gelegt hatte.

„Hier will ich mich in einen Winkel setzen", sagte er; „ich bin ganz ermüdet und bedarf wohl der Ruhe." Dann setzte er sich nieder, faltete seine Hände und betete sein Abendgebet, und bevor er es wußte, schlief und träumte er, während es draußen blitzte und donnerte.

Als er wieder erwachte, war es mitten in der Nacht, aber das böse Wetter war vorübergezogen, und der Mond schien durch die Fenster zu ihm herein. Mitten in der Kirche stand ein offener Sarg mit einem toten Mann darin, denn er war noch nicht begraben. Johannes war durchaus nicht furchtsam, denn er hatte ein gutes Gewissen und wußte wohl, daß die Toten niemand etwas zuleide tun; es sind lebende böse Menschen, die Übles tun. Solche zwei lebende, schlimme Leute standen dicht bei dem toten Mann, der hier in die Kirche hineingesetzt worden war, bevor er beerdigt wurde; dem wollten sie Übles erweisen, ihn nicht in seinem Sarge liegenlassen, sondern ihn draußen vor die Kirchtür werfen, den armen, toten Mann.

„Weshalb wollt ihr das tun?" fragte Johannes. „Das ist böse und schlimm; laßt ihn doch ruhen!"

„Oh, Schnickschnack!" sagten die beiden häßlichen Menschen. „Er hat uns angeführt! Er schuldet uns Geld, das konnte er nicht bezahlen, und nun, da er tot ist, bekommen wir keinen Pfennig; deshalb wollen wir uns rächen, er soll wie ein Hund draußen vor der Kirchtür liegen!"

„Ich habe nicht mehr als fünfzig Taler", sagte Johannes, „das ist mein ganzes Erbteil, aber das will ich euch gern geben, wenn ihr mir ehrlich versprechen wollt, den armen, toten Mann in Ruhe zu lassen. Ich werde schon durchkommen ohne das Geld; ich habe starke, gesunde Gliedmaßen, und der liebe Gott wird mir allezeit helfen."

„Ja", sagten die häßlichen Menschen, „wenn du seine Schuld bezahlen willst, wollen wir beide ihm nichts tun, darauf kannst du dich verlassen!" Sie nahmen das Geld, das ihnen Johannes gab, lachten laut auf über seine Gutmütigkeit und gingen ihres Weges; Johannes aber legte die Leiche wieder im Sarge zurecht, faltete ihre Hände, nahm Abschied von ihr und ging dann durch den großen Wald zufrieden weiter.

Ringsumher, wo der Mond durch die Bäume hereinscheinen konnte, sah er die niedlichen kleinen Elfen lustig spielen; sie ließen sich nicht stören, sie wußten wohl, daß er ein guter, unschuldiger Mensch war, und nur die bösen Leute bekommen die Elfen nicht zu sehen. Einige von ihnen waren nicht größer, als ein Finger breit ist, und hatten ihre langen, gelben Haare mit goldenen Kämmen aufgesteckt; zwei und zwei schaukelten sie sich auf den großen Tautropfen, die auf den Blättern und dem hohen Grase lagen; zuweilen rollte ein Tropfen herab und fiel nieder zwischen den langen Grashalmen, und das verursachte ein Gelächter und Lärmen unter den andern Kleinen. Es war allerliebst! Sie sangen, und Johannes erkannte ganz deutlich alle die hübschen Lieder, die er als kleiner Knabe gelernt hatte. Große, bunte Spinnen mit silbernen Kronen auf dem Kopfe mußten von der einen Hecke zur andern lange Hängebrücken und Paläste spinnen, die, als der feine Tau darauf fiel, wie glänzendes Glas im klaren Mondscheine aussahen. So währte es fort, bis die Sonne aufging. Die kleinen Elfen krochen dann in die Blumenknospen, und der Wind erfaßte ihre Brücken und Schlösser, die als Spinnweben durch die Luft dahinflogen.

Johannes war nun aus dem Walde gekommen, als eine starke Mannsstimme hinter ihm rief: „Heda, Kamerad, wohin geht die Reise?"

„In die weite Welt hinaus!" sagte Johannes. „Ich habe weder Vater noch Mutter, bin ein armer Bursche, aber der Herr hilft mir wohl!"

„Ich will auch in die weite Welt hinaus!" sagte der fremde Mann. „Wollen wir beide einander Gesellschaft leisten?"

„Jawohl!" sagte Johannes, und sie gingen miteinander. Bald wurden sie sich recht gut, denn sie waren beide gute Menschen.

Aber Johannes merkte wohl, daß der Fremde viel klüger war als er; er hatte fast die ganze Welt durchreist und wußte von allem möglichen zu erzählen.

Die Sonne war schon hoch herauf, als sie sich unter einen großen Baum setzten, um ihr Frühstück zu genießen. Zur selben Zeit kam eine alte Frau daher, sie ging ganz krumm, stützte sich auf einen Krückstock und hatte auf ihrem Rücken ein Bündel Brennholz, das sie sich im Walde gesammelt hatte. Ihre Schürze war aufgebunden, und Johannes sah, daß drei große Ruten von Farnkraut und Weidenreisern daraus hervorsahen. Als sie ihnen ganz nahe war,

glitt ihr ein Fuß aus, sie fiel und schrie gewaltig, denn sie hatte ein Bein gebrochen, die arme, alte Frau.

Johannes meinte sogleich, daß sie die Frau nach Hause tragen wollten, wo sie wohnte; aber der Fremde machte sein Ränzel auf und sagte, daß er hier eine Salbe habe, die ihr Bein sogleich wieder ganz und kräftig machen werde, so daß sie selbst nach Hause gehen könne, als ob sie nie das Bein gebrochen hätte. Aber dafür wollte er auch, daß sie ihm die drei Ruten schenke, die sie in ihrer Schürze habe. „Das wäre gut bezahlt!" sagte die Alte und nickte ganz eigen mit dem Kopfe; sie wollte die Ruten eben nicht gern hergeben, aber es war auch nicht angenehm, mit gebrochenem Beine dazuliegen. So gab sie ihm denn die Ruten, und sowie er nur die Salbe auf das Bein gerieben hatte, erhob sich auch die alte Mutter und ging viel besser als zuvor. Das hatte die Salbe bewirkt, aber die war auch nicht in der Apotheke zu haben.

„Was willst du mit den Ruten?" fragte Johannes nun seinen Reisekameraden.

„Das sind drei schöne Kräuterbesen!" sagte er. „Die liebe ich sehr, denn ich bin ein sonderbarer Mann!"

Dann gingen sie noch ein gutes Stück.

„Wie der Himmel sich umzieht!" sagte Johannes und zeigte geradeaus. „Das sind erschrecklich dicke Wolken!"

„Nein", sagte der Reisekamerad, „das sind keine Wolken, das sind Berge, die herrlichen, großen Berge, wo man ganz hinauf über die Wolken in die frische Luft gelangt! Glaube mir, das ist herrlich! Bis morgen sind wir sicher schon dort!"

Das war nicht so nahe, wie es aussah; sie hatten einen ganzen Tag zu gehen, bevor sie die Berge erreichten, wo die schwarzen Wälder gerade gegen den Himmel aufwuchsen und wo es Steine gab, gerade so groß wie eine ganze Stadt. Das mochte wahrlich eine schwere Anstrengung werden, da hinüberzukommen, aber darum gingen auch Johannes und der Reisekamerad in ein Wirtshaus, um auszuruhen und Kräfte zum morgigen Marsche zu sammeln.

Unten in der großen Schenkstube im Wirtshause waren viele Menschen versammelt, denn da war ein Mann, der gab ein Puppenspiel. Er hatte gerade seine kleine Bühne aufgestellt, und die Leute saßen ringsumher, um die Komödie zu sehen. Ganz vorn hatte ein dicker Schlächter Platz genommen, und zwar den allerbesten; sein großer Bullenbeißer, der recht grimmig aussah, saß an seiner Seite und machte große Augen, gerade wie die anderen Zuschauer.

Nun begann ein niedliches Stück mit einem König und einer Königin; die saßen auf dem schönsten Thron, hatten goldene Kronen auf dem Haupte und lange Schleppen an den Kleidern, denn das konnten sie haben. Die niedlichsten Holzpuppen mit Glasaugen und großen Schnurrbärten standen an den Türen und machten auf und zu, damit frische Luft in das Zimmer kommen konnte. Es war gerade ein recht hübsches Stück und gar nicht traurig; aber wie die Königin aufstand und über den Fußboden hinging, da – Gott mag wissen, was der große Bullenbeißer sich dachte – machte er, da der dicke Schlächter ihn nicht hielt, einen Sprung in das Theater, nahm die Königin mitten um den Leib, so daß es ‚knick, knack‘ ging. Es war ganz schrecklich!

Der arme Mann, der das Stück aufführte, war sehr erschrocken und betrübt über seine Königin, denn es war die allerniedlichste Puppe, die er hatte, und nun hatte ihr der häßliche Bullenbeißer den Kopf abgebissen; aber als die Leute später fortgingen, sagte der Fremde, der mit Johannes gekommen war, daß er sie wieder zurechtmachen werde, und dann nahm er seine Flasche hervor und schmierte die Puppe mit der Salbe, womit er der alten Frau geholfen, als sie ihr Bein gebrochen hatte. Sowie die Puppe geschmiert war, wurde sie wieder ganz, ja, sie konnte sogar alle ihre Glieder bewegen, man brauchte gar nicht mehr an der Schnur zu ziehen, die Puppe war wie ein lebendiger Mensch, nur daß sie nicht sprechen konnte. Der Mann, der das kleine Puppentheater hatte, wurde sehr froh. Nun brauchte er diese Puppe gar nicht mehr zu halten, die konnte ja von selbst tanzen. Das konnte keine der andern.

Als es Nacht geworden und alle Leute im Wirtshause zu Bett gegangen waren, da war jemand, der erschrecklich tief seufzte und so lange damit fortfuhr, bis alle aufstanden, um zu sehen, wer es sein könnte. Der Mann, der das Stück gegeben hatte, ging nach seinem kleinen Theater hin, denn dort war es, wo jemand seufzte. Alle Holzpuppen lagen untereinander, der König und alle Trabanten, und die waren es, die so jämmerlich seufzten und mit ihren Glasaugen stierten, denn sie wollten so gern gleich der Königin ein wenig geschmiert werden, damit sie sich auch von selbst ein wenig bewegen könnten. Die Königin legte sich gerade auf die Knie und streckte ihre prächtige Krone in die Höhe, während sie bat: „Nimm mir diese, aber schmiere meinen Gemahl und meine Hofleute!" Da konnte der arme Mann, der die Komödie und alle Puppen besaß, nicht unterlassen, zu weinen, denn es tat ihm wirklich ihretwegen leid. Er versprach sogleich dem Reisekameraden, ihm alles Geld zu geben, was er am nächsten Abend für sein Spiel erhalten werde, wenn er nur vier bis fünf von seinen niedlichsten Puppen schmieren wollte. Aber der Reisekamerad sagte, daß er durchaus nichts anderes verlange als den großen Säbel, den jener an seiner Seite habe, und als er den erhielt, beschmierte er sechs Puppen, die sogleich so niedlich tanzten, daß alle Mädchen, die lebendigen Menschenmädchen, die es sahen, sogleich mittanzten. Der Kutscher und die Köchin tanzten, der Diener und das Stubenmädchen, alle Fremden und die Feuerschaufel und die Feuerzange, aber diese fielen um, als sie die ersten Sprünge machten. Ja, das war eine lustige Nacht.

Am nächsten Morgen ging Johannes mit seinem Reisekameraden fort, auf die Berge und durch die dichten Tannenwälder. Sie kamen so hoch hinauf, daß die Kirchtürme tief unter ihnen zuletzt wie kleine, rote Beeren unten in all dem Grünen aussahen, und sie konnten weithin schauen, viele, viele Meilen weit, wo sie nie gewesen waren! Soviel Schönes der prächtigen Welt hatte Johannes früher nie gesehen, und die Sonne schien warm in der frischen Luft. Er hörte auch zwischen den Bergen die Jäger das Waldhorn so schön und lieblich blasen, daß ihm vor Freude das Wasser in die Augen trat und er nicht unterlassen konnte auszurufen: „Du guter, lieber Gott, wie bist du so gut gegen uns alle, und was für Herrlichkeiten hast du uns gegeben!"

Der Reisekamerad stand auch mit gefalteten Händen da und sah über den Wald und die Städte in den warmen Sonnenschein hinaus. Zu gleicher Zeit ertönte es wunderbar lieblich über ihren Häuptern, sie blickten in die Höhe. Ein großer, weißer Schwan schwebte in der Luft und sang, wie sie früher nie einen Vogel hatten singen hören. Aber der Gesang wurde schwächer und schwächer, der schöne Vogel neigte seinen Kopf und sank ganz langsam zu ihren Füßen nieder, wo er tot liegenblieb.

„Zwei so herrliche Flügel", sagte der Reisekamerad, „so weiß und groß wie diese, sind Geldes wert, die will ich mitnehmen! Siehst du nun wohl, daß es gut war, daß ich einen Säbel bekam?" Und so hieb er beide Flügel des toten Schwanes ab, die wollte er behalten.

Sie reisten nun viele, viele Meilen weit fort über die Berge, bis sie zuletzt eine große Stadt vor sich sahen mit hundert Türmen, die wie Silber in der Sonne erglänzten; mitten in der Stadt war ein prächtiges Marmorschloß, mit Gold gedeckt, und hier wohnte der König.

Johannes und der Reisekamerad wollten nicht sogleich in die Stadt gehen, sondern sie blieben im Wirtshause draußen vor der Stadt, damit sie sich putzen konnten, denn sie wollten gut aussehen, wenn sie in die Stadt kamen. Der Wirt erzählte ihnen, daß der König ein ganz guter Mann sei, der nie einem Menschen das geringste zuleide tue, aber seine Tochter, ja, das sei eine schlimme Prinzessin. Schönheit besaß sie genug, keine war so hübsch und so niedlich wie sie, aber was half das! Sie war eine Hexe und schuld daran, daß viele herrliche

Prinzen ihr Leben verloren hatten. Allen Menschen hatte sie die Erlaubnis erteilt, um sie freien zu dürfen – ein jeder konnte kommen, er mochte Prinz oder Bettler sein, das war ihr ganz gleichgültig; er sollte nur drei Sachen raten, an die sie gedacht hatte und um die sie ihn befragte. Könne er das, so wollte sie sich mit ihm verbinden, und er sollte König über das ganze Land sein, wenn ihr Vater sterbe; konnte er aber die drei Sachen nicht raten, so ließ sie ihn aufhängen oder ihm den Kopf abhauen. Ihr Vater, der alte König, war sehr betrübt darüber, aber er konnte ihr nicht verbieten, so böse zu sein, denn er hatte einmal gesagt, er wolle nie etwas mit ihren Liebhabern zu tun haben, sie könne selbst tun, was sie wolle. Jedesmal, wenn ein Prinz kam und raten sollte, um die Prinzessin zu erhalten, so konnte er es nicht, und dann wurde er gehängt oder geköpft; er war ja beizeiten gewarnt worden, er hätte das Freien unterlassen können. Der alte König war so betrübt über all die Trauer und das Elend, daß er einen ganzen Tag des Jahres mit all seinen Soldaten auf den Knien lag und betete, die Prinzessin möge gut werden, aber das wollte sie durchaus nicht. Die alten Frauen, die Branntwein tranken, färbten ihn ganz schwarz, bevor sie ihn tranken; so trauerten sie, und mehr konnten sie doch nicht tun.

„Die häßliche Prinzessin!" sagte Johannes. „Sie sollte wirklich die Rute haben, das würde ihr guttun. Wäre ich der alte König, so würde sie bald anders werden."

Da hörten sie das Volk draußen hurra rufen. Die Prinzessin kam vorbei, und sie war wirklich so schön, daß alle Leute vergaßen, wie böse sie war, deshalb riefen sie hurra. Zwölf schöne Jungfrauen, allesamt in weißen Seidenkleidern und eine goldene Tulpe in der Hand, ritten auf kohlschwarzen Pferden ihr zur Seite; die Prinzessin selbst hatte ein kreideweißes Pferd, mit Diamanten und Rubinen geschmückt, ihr Reitkleid war von reinem Golde, und die Peitsche, die sie in der Hand hatte, sah aus, als wäre sie ein Sonnenstrahl; die goldene Krone auf dem Haupte war gerade wie aus kleinen Sternen oben vom Himmel, und der Mantel war von mehr als tausend schönen Schmetterlingsflügeln zusammengenäht; dessenungeachtet war sie viel schöner als alle ihre Kleider.

Als Johannes sie zu sehen bekam, wurde er so rot in seinem Antlitz wie ein Blutstropfen, und er konnte kaum ein einziges Wort sagen, denn die Prinzessin sah ganz so aus wie das schöne Mädchen mit der goldenen Krone, von dem er in der Nacht geträumt hatte, in der sein Vater gestorben war. Er fand sie außerordentlich schön und konnte nicht unterlassen, sie recht zu lieben. Das sei gewiß nicht wahr, sagte er, daß sie eine böse Hexe sei und die Leute hängen oder köpfen lasse, wenn sie nicht raten könnten, was sie von ihnen verlangte. „Ein jeder hat ja die Erlaubnis, um sie zu freien, sogar der ärmste Bettler; ich will nach dem Schlosse gehen, denn ich kann es nicht unterlassen!" Jedermann sagte ihm, er möge das nicht tun, es werde ihm sonst bestimmt wie allen andern ergehen. Der Reisekamerad riet ihm auch davon ab, aber Johannes meinte, es werde schon gutgehen, bürstete seine Schuhe und seinen Rock, wusch sein Gesicht und seine Hände, kämmte sein hübsches, blondes Haar und ging dann ganz allein in die Stadt hinein und nach dem Schlosse.

„Herein!" sagte der alte König, als Johannes an der Tür pochte. Johannes öffnete, und der alte König, im Schlafrock und in gestickten Pantoffeln, kam ihm entgegen; die goldene Krone hatte er auf dem Haupte, das Zepter in der einen Hand und den Reichsapfel in der andern. „Warte ein bißchen!" sagte er und nahm den Apfel unter den Arm, um Johannes die Hand reichen zu können. Aber sowie er erfuhr, er sei ein Freier, fing er so zu weinen an, daß das Zepter sowohl wie der Apfel auf den Fußboden fielen und er die Augen mit seinem Schlafrock trocknen mußte. Der arme, alte König!

„Laß es sein", sagte er, „es geht dir schlecht wie allen andern. Nun, du sollst es sehen." Dann führte er Johannes hinaus nach dem Lustgarten der Prinzessin. Da sah es erschrecklich aus! Oben an jedem Baum hingen drei, vier Königssöhne, die um die Prinzessin gefreit hatten, die Sachen aber nicht hatten raten können, die sie ihnen aufgegeben hatte. Das war wahrlich ein sonderbarer Garten für eine Prinzessin!

„Hier kannst du es sehen!" sagte der König. „Es wird dir ebenso wie all den andern ergehen, die du hier siehst. Unterlasse es deshalb lieber; du machst mich wirklich unglücklich, denn ich nehme mir das alles so sehr zu Herzen!"

Johannes küßte dem guten König die Hand und sagte, es werde schon gutgehen, denn er sei ganz entzückt von der schönen Prinzessin.

Da kam die Prinzessin selbst mit allen ihren Damen in den Schloßhof geritten; sie gingen deshalb zu ihr hinaus und sagten ihr guten Tag. Sie war wunderschön anzuschauen und reichte Johannes die Hand, und er hielt noch viel mehr von ihr als früher, sie konnte keine böse Hexe sein, wie alle Leute es ihr nachsagten. Dann gingen sie hinauf in den Saal, und die Diener boten ihnen Eingemachtes und Pfeffernüsse, aber der alte König war betrübt, er konnte gar nichts essen, und die Pfeffernüsse waren ihm auch zu hart.

Es wurde bestimmt, daß Johannes am nächsten Morgen wieder nach dem Schlosse kommen sollte, dann würden die Richter und der ganze Rat versam-

melt sein und hören, wie es ihm beim Raten
ergehe. Wenn er gut dabei fahre, so solle
er dann noch zweimal kommen, aber es
war noch nie jemand dagewesen, der das
erstemal geraten hatte, sie hatten alle das
Leben verloren.

Johannes war gar nicht darum bekümmert, wie es ihm ergehen werde, er war
vielmehr vergnügt, gedachte nur der schönen
Prinzessin und glaubte ganz sicher, der liebe
Gott werde ihm schon helfen; aber wie, das
wußte er nicht und wollte lieber nicht daran
denken. Er tanzte auf der Landstraße dahin,
als er nach dem Wirtshause zurückkehrte,
wo der Reisekamerad auf ihn wartete.

Johannes konnte nicht fertig damit werden, zu erzählen, wie artig die Prinzessin
gegen ihn gewesen und wie schön sie sei; er
sehnte sich schon nach dem nächsten Tage,
wo er in das Schloß sollte, um sein Glück mit
Raten zu versuchen.

Aber der Reisekamerad
schüttelte den Kopf und
war ganz betrübt. „Ich bin
dir gut!" sagte er. „Wir
hätten noch lange zusam-
men sein können, und nun
soll ich dich schon verlieren!
Du armer, lieber Johannes,
ich könnte weinen, aber ich
will am letzten Abend, den
wir vielleicht zusammen
sind, deine Freude nicht
stören. Wir wollen lustig
sein, recht lustig; morgen,
wenn du fort bist, kann
ich ungestört weinen."

Alle Leute in der Stadt hatten erfahren, daß ein neuer Freier der Prinzessin angekommen war, und deshalb herrschte große Betrübnis. Das Schauspielhaus blieb geschlossen, alle Kuchenfrauen banden Flor um ihre Zuckerherzen, der König und die Priester lagen auf den Knien in den Kirchen, es war allgemeine Betrübnis, denn man dachte, es könne Johannes nicht besser ergehen, als es allen den übrigen Freiern ergangen war.

Gegen Abend bereitete der Reisekamerad Punsch und sagte zu Johannes: „Nun wollen wir recht lustig sein und auf der Prinzessin Gesundheit trinken." Als aber Johannes zwei Glas getrunken hatte, wurde er so schläfrig, daß es ihm unmöglich war, die Augen offenzuhalten, er versank in tiefen Schlummer. Der Reisekamerad hob ihn ganz sachte vom Stuhle auf und legte ihn in das Bett, und als es dann dunkle Nacht wurde, nahm er die beiden großen Flügel, die er dem Schwan abgehauen hatte, und band sie sich an den Schultern fest. Die größte Rute, die er von der alten Frau erhalten hatte, die gefallen war und das Bein gebrochen hatte, steckte er in seine Tasche öffnete das Fenster und flog so über die Stadt, gerade nach dem Schlosse hin, wo er sich in einen Winkel unter das Fenster setzte, das in die Schlafstube der Prinzessin hineinging.

Es war ganz still in der großen Stadt. Nun schlug die Uhr drei Viertel auf zwölf – da ging das Fenster auf, und die Prinzessin flog in einem langen, weißen Mantel und mit schwarzen Flügeln über die Stadt weg, hinaus zu einem großen Berge. Aber der Reisekamerad machte sich unsichtbar, so daß sie ihn nicht sehen konnte, flog hinterher und peitschte die Prinzessin mit seiner Rute, daß das Blut floß, wohin er schlug. Ah, das war eine Fahrt durch die Luft! Der Wind erfaßte ihren Mantel, der sich nach allen Seiten ausbreitete gleich einem großen Schiffssegel, und der Mond schien hindurch.

„Wie es hagelt! Wie es hagelt!" sagte die Prinzessin bei jedem Schlage, den sie von der Rute bekam, und das geschah ihr schon recht. Endlich kam sie hinaus zum Berge und klopfte an. Es rollte gleich dem Donner, und dann öffnete sich der Berg, und die Prinzessin ging hinein. Der Reisekamerad folgte ihr, denn niemand konnte ihn sehen, er war unsichtbar. Sie gingen durch einen großen, langen Gang, dessen Wände ganz besonders glänzten; es waren über tausend glühende Spinnen, die an der Mauer auf und ab liefen und wie Feuer leuchteten. Dann kamen sie in einen großen Saal, von Silber und Gold erbaut. Rote und blaue Blumen, so groß wie Sonnenblumen, glänzten von den Wänden, aber niemand konnte die Blumen pflücken, denn die Stengel waren häßliche, giftige Schlangen, und die Blumen waren Feuer, das ihnen aus dem Maule herausbrannte. Die ganze Decke war mit Johanniswürmern und himmelblauen

Fledermäusen bedeckt, die mit den dünnen Flügeln schlugen; es sah ganz schauerlich aus! Mitten auf dem Fußboden war ein Thron, der von vier Pferdegerippen, die Zaumzeug von den roten Feuerspinnen hatten, getragen wurde; der Thron selbst war von milchweißem Glase, und die Kissen darauf waren kleine schwarze Mäuse, die einander in den Schwanz bissen. Über ihm war ein Dach von rosenroten Spinngeweben, mit den niedlichsten, grünen, kleinen Fliegen besetzt, die wie Edelsteine glänzten. Auf dem Throne saß ein alter Zauberer mit einer Krone auf dem häßlichen Kopf und einem Zepter in der Hand. Er küßte die Prinzessin auf die Stirn, ließ sie sich zu seiner Seite auf den Thron setzen, und nun begann die Musik. Große, schwarze Heuschrecken spielten die Mundharmonika, und die Eule schlug sich auf den Leib, denn sie hatte keine Trommel. Das war ein seltsames Konzert. Kleine, schwarze Kobolde mit einem Irrlicht auf der Mütze tanzten im Saale herum. Niemand aber konnte den Reisekameraden erblicken; er hatte sich gerade hinter den Thron gestellt und hörte und sah alles.

Die Hofleute, die nun hereinkamen, waren fein und vornehm, aber wer ordentlich sehen konnte, merkte wohl, wie es damit zusammenhing. Sie waren nichts weiter als Besenstiele mit Kohlköpfen darauf, in die der Zauberer Leben gehext und denen er Kleider gegeben hatte. Aber das war ja auch gleichgültig, sie wurden doch nur zum Staate gebraucht.

Nachdem nun etwas getanzt worden war, erzählte die Prinzessin dem Zauberer, daß sie einen neuen Freier erhalten habe, und fragte, woran sie denken solle, um ihn am nächsten Morgen danach zu fragen, wenn er nach dem Schlosse komme.

„Höre", sagte der Zauberer, „das will ich dir sagen! Du sollst etwas recht Leichtes wählen, denn so fällt er gar nicht darauf. Denke an deinen Schuh. Das rät er nicht, dann aber laß ihm den Kopf abhauen!"

Die Prinzessin verneigte sich tief, der Zauberer öffnete nun den Berg, und sie flog wieder zurück. Aber der Reisekamerad folgte ihr und prügelte sie so sehr mit der Rute, daß sie tief seufzte über das starke Hagelwetter und sich, sosehr sie konnte, beeilte, durch das Fenster in die Schlafstube zu gelangen. Der Reisekamerad flog zum Wirtshause zurück, wo Johannes noch schlief, löste sich die Flügel ab und legte sich dann auch auf das Bett, denn er konnte wohl ermüdet sein.

Es war ganz früh am Morgen, als Johannes erwachte. Der Reisekamerad stand auch auf und erzählte, daß er diese Nacht einen ganz sonderbaren Traum von der Prinzessin und ihrem Schuh gehabt habe, und bat ihn deshalb, doch

zu fragen, ob die Prinzessin nicht an ihren Schuh gedacht haben sollte, denn das
war es ja, was er von dem Zauberer im Berge gehört hatte.

„Ich kann ebenso danach als nach etwas anderem fragen", sagte Johannes;
„vielleicht ist das ganz richtig, was du geträumt hast, denn ich vertraue auf den
lieben Gott, der mir schon helfen wird! Aber ich will dir doch Lebewohl sagen,
denn wenn ich falsch rate, so bekomme ich dich nie mehr zu sehen!"

Dann küßten sie sich, und Johannes ging in die Stadt zum Schlosse. Der
ganze Saal war mit Menschen angefüllt, die Richter saßen in ihren Lehnstühlen
und hatten Eiderdaunenkissen hinter dem Kopfe, denn sie hatten so viel zu
denken. Der alte König stand auf und trocknete seine Augen mit einem weißen
Taschentuche. Nun trat die Prinzessin herein; sie war noch viel schöner als
gestern und grüßte alle lieblich, aber dem Johannes gab sie die Hand und sagte:
„Guten Morgen, du!"

Nun sollte Johannes raten, woran sie gedacht habe. Wie sah sie ihn so
freundlich an, aber sowie sie ihn das Wort „Schuh" aussprechen hörte, wurde
sie kreideweiß im Gesicht und zitterte am ganzen Körper. Das konnte ihr nun
nichts helfen, denn er hatte richtig geraten!

Wie wurde der alte König vergnügt! Er schoß einen Purzelbaum, daß es eine Lust war, und alle Leute klatschten in die Hände für ihn und für Johannes, der das erstemal richtig geraten hatte.

Der Reisekamerad war auch erfreut, als er erfuhr, wie gut es abgelaufen war; aber Johannes faltete seine Hände und dankte Gott, der ihm sicher die beiden andern Male wieder helfen werde. Am nächsten Tage sollte schon wieder geraten werden.

Der Abend verging ebenso wie der gestrige. Als Johannes schlief, flog der Reisekamerad hinter der Prinzessin her zum Berge hinaus und prügelte noch stärker als das vorige Mal, denn nun hatte er zwei Ruten genommen; niemand bekam ihn zu sehen, und er hörte alles. Die Prinzessin wollte an ihren Handschuh denken, und das erzählte er wieder dem Johannes, gerade als ob es ein Traum sei; so konnte er richtig raten, und es verursachte eine große Freude auf dem Schlosse. Der ganze Hof schoß Purzelbäume, geradeso wie er es den König das erstemal hatte machen sehen; aber die Prinzessin lag auf dem Sofa und wollte nicht ein einziges Wort sagen. Nun kam es darauf an, ob Johannes das drittemal richtig raten konnte. Glückte es, so sollte er ja die schöne Prinzessin haben und nach dem Tode des alten Königs das ganze Königreich erben; riet er falsch, so sollte er sein Leben verlieren.

Den Abend vorher ging Johannes zeitig zu Bette, betete sein Abendgebet und schlief dann ruhig, aber der Reisekamerad band seine Flügel an den Rücken, schnallte den Säbel an seine Seite, nahm alle drei Ruten mit sich, und so flog er nach dem Schlosse.

Es war ganz finstere Nacht; es stürmte so, daß die Dachsteine von den Häusern flogen und die Bäume im Garten sich gleich dem Schilfe vom Sturmwind bogen; es blitzte jeden Augenblick, und der Donner rollte gerade, als ob es nur ein einziger Schlag sei, der die ganze Nacht währte. Nun ging das Fenster auf, und die Prinzessin flog heraus; sie war bleich wie der Tod, aber sie lachte über das böse Wetter und meinte, es sei noch nicht stark genug, und ihr weißer Mantel wirbelte in der Luft herum gleich einem großen Schiffssegel. Der Reisekamerad peitschte sie mit drei Ruten, daß das Blut auf die Erde tröpfelte und sie zuletzt kaum weiterfliegen konnte. Endlich kam sie doch zum Berge.

„Es hagelt und stürmt", sagte sie; „nie bin ich in solchem Wetter aus gewesen."

„Man kann auch des Guten zuviel haben", sagte der Zauberer. Nun erzählte sie ihm, daß Johannes auch das zweitemal richtig geraten habe; wenn er auch morgen richtig rate, so habe er gewonnen, und sie könne nie mehr nach dem

Berge hinauskommen, werde nie mehr solche Zauberkünste wie früher machen können; deshalb war sie ganz betrübt.

„Er soll es nicht raten können!" sagte der Zauberer. „Ich werde schon etwas erdenken, was er sich nie gedacht hat, oder er müßte ein größerer Zauberer sein als ich. Aber nun wollen wir lustig sein!" Und damit faßte er die Prinzessin bei beiden Händen, und sie tanzten mit allen den kleinen Kobolden und Irrlichtern herum, die im Zimmer waren, die roten Spinnen sprangen an den Wänden ebenso lustig auf und nieder; es sah aus, als ob Feuerblumen sprühten. Die Eulen schlugen sich auf den Leib, die Heimchen pfiffen, und die schwarzen Heuschrecken bliesen die Mundharmonika. Es war ein lustiger Ball!

Als sie nun lange genug getanzt hatten, mußte die Prinzessin nach Hause, sonst wäre sie im Schlosse vermißt worden; der Zauberer sagte, daß er sie begleiten wolle, dann seien sie doch unterwegs beisammen und könnten sich dabei ein wenig unterhalten.

Dann flogen sie im bösen Wetter davon, und der Reisekamerad schlug seine drei Ruten auf beider Rücken entzwei; nie war der Zauberer in solchem Hagelwetter aus gewesen. Draußen vor dem Schlosse sagte er der Prinzessin Lebewohl und flüsterte ihr zugleich zu: „Denke an meinen Kopf!" Aber der Reisekamerad hörte es wohl, und gerade in dem Augenblicke, als die Prinzessin durch das Fenster in ihr Zimmer schlüpfen und der Zauberer wieder umkehren wollte, ergriff er ihn an seinem langen, schwarzen Barte und hieb mit seinem Säbel seinen häßlichen Zauberkopf gerade bei den Schultern ab. Den Körper warf er hinaus in den See zu den Fischen, doch den Kopf tauchte er nur in das Wasser und band ihn dann in sein Taschentuch, nahm ihn mit nach dem Wirtshause und legte sich schlafen.

Am nächsten Morgen gab er Johannes das Taschentuch und sagte ihm dabei, daß er es nicht eher aufbinden dürfe, als bis die Prinzessin frage, woran sie gedacht habe.

Es waren so viele Menschen in dem großen Saale auf dem Schlosse, daß sie so dicht standen wie Radieschen, die zu einem Bündel zusammengeknüpft sind. Der Rat saß in seinen Stühlen mit den weichen Kopfkissen, und der alte König hatte neue prachtvolle Kleider an, die goldene Krone auf seinem Haupte und das Zepter waren poliert, es sah ganz feierlich aus; aber die Prinzessin war ganz bleich und hatte ein kohlschwarzes Kleid an, als gehe sie zum Begräbnis.

„Woran habe ich gedacht?" fragte sie Johannes, und sogleich band er das Taschentuch auf und erschrak selbst ganz gewaltig, als er das häßliche Zauberhaupt erblickte. Es schauderte allen Menschen, denn es war erschrecklich anzusehen, aber die Prinzessin saß gerade wie ein Steinbild und konnte nicht ein einziges Wort sagen; zuletzt erhob sie sich und reichte Johannes die Hand, denn er hatte ja richtig geraten; sie sah ihn nicht an, sondern seufzte ganz laut: „Nun bist du mein Herr! Diesen Abend wollen wir Hochzeit halten!"

„Das gefällt mir!" sagte der alte König; „so wollen wir es haben!" Alle Leute riefen hurra, die Wache machte Musik in den Straßen, die Glocken wurden geläutet, und die Kuchenfrauen nahmen den schwarzen Flor von ihren Zuckerherzen, denn nun herrschte Freude. Drei ganze gebratene Ochsen, mit Enten und Hühnern gefüllt, wurden mitten auf den Markt gesetzt, jeder konnte sich ein Stück abschneiden, in den Wasserkünsten sprudelte der schönste Wein, und kaufte man eine Brezel beim Bäcker, so bekam man sechs große Zwiebacke als Zugabe und den Zwieback mit Rosinen darin.

Am Abend war die ganze Stadt erleuchtet, und die Soldaten schossen mit Kanonen und die Knaben mit Knallerbsen. Es wurde gegessen und getrunken, angestoßen und gesprungen oben im Schlosse, alle vornehmen Herren und schönen Fräulein tanzten miteinander; man konnte in weiter Ferne hören, wie sie sangen:

„Hier sind viele hübsche Mädchen,   Hübsches Mädchen dreh dich um.
Die gerne tanzen rundherum,   Tanzt und springet immerzu,
Drehn sich wie Spinnrädchen;   Bis die Sohle fällt vom Schuh."

Aber die Prinzessin war ja noch eine Hexe und mochte Johannes gar nicht leiden. Das fiel dem Reisekamerad ein, und deshalb gab er Johannes drei Federn aus den Schwanenflügeln und eine kleine Flasche mit einigen Tropfen darin, sagte ihm dann, daß er ein großes Faß, mit Wasser gefüllt, vor das Bett der Prinzessin setzen lassen solle, und wenn die Prinzessin hineinsteigen wolle, solle er ihr einen kleinen Stoß geben, so daß sie in das Wasser hinunterfalle, wo er sie dreimal untertauchen müsse, nachdem er vorher die Federn und die Tropfen hineingeschüttet habe. Dann werde sie ihre Zauberei verlieren und ihn recht liebhaben.

Johannes tat alles, was der Reisekamerad ihm geraten hatte. Die Prinzessin schrie laut auf, als er sie unter das Wasser tauchte, und zappelte ihm unter den Händen als ein großer, schwarzer Schwan mit funkelnden Augen; als sie das zweitemal wieder über das Wasser heraufkam, war der Schwan weiß bis auf einen schwarzen Ring um den Hals. Johannes betete fromm zu Gott und ließ das Wasser das drittemal über dem Vogel zusammenschlagen, und im selben Augenblicke wurde er in die schönste Prinzessin verwandelt. Sie war noch

schöner als zuvor und dankte ihm mit Tränen in ihren herrlichen Augen, daß er ihre Verzauberung behoben habe.

Am nächsten Morgen kam der alte König mit seinem ganzen Hofstaat, und da gab es ein Glückwünschen bis spät in den Tag hinein. Zuallerletzt kam der Reisekamerad; er hatte seinen Stock in der Hand und das Ränzel auf dem Rücken. Johannes küßte ihn vielmal und sagte, er dürfe nicht fortreisen, er solle bei ihm bleiben, denn er sei ja die Ursache seines ganzen Glückes. Aber der Reisekamerad sagte mild und freundlich: „Nein, nun ist meine Zeit um. Ich habe nur meine Schuld bezahlt. Erinnerst du dich des toten Mannes, dem die bösen Menschen Übles tun wollten? Du gabst alles, was du besaßest, damit er Ruhe in seinem Grabe habe. Der Tote bin ich!" Zu gleicher Zeit war er verschwunden.

Die Hochzeit währte einen ganzen Monat. Johannes und die Prinzessin liebten einander innig, und der alte König erlebte manche frohen Tage und ließ ihre kleinen Kinderchen auf seinen Knien reiten und mit seinem Zepter spielen; aber Johannes wurde König über das ganze Land.

Es war eine schneidende Kälte, sternenheller Himmel, kein Lüftchen regte sich.

,Bums!' Da wurde ein alter Topf an die Haustüre des Nachbars geworfen.

,Puff, paff!' Dort knallte die Büchse; man begrüßte das neue Jahr. Es war Neujahrsnacht! Jetzt schlug die Turmuhr zwölf!

,Trateratra!' Die Post kam angefahren. Der große Postwagen hielt vor dem Stadttore an. Er brachte zwölf Personen mit, alle Plätze waren besetzt.

„Hurra! Hurra! Hoch!" sangen die Leute in den Häusern der Stadt, wo die Neujahrsnacht gefeiert wurde und man sich beim zwölften Schlage mit dem gefüllten Glase erhob, um das neue Jahr leben zu lassen.

„Prost Neujahr!" hieß es, „ein schönes Weib! Viel Geld! Keinen Ärger und Verdruß!"

Das wünschte man sich gegenseitig, und darauf stieß man mit den Gläsern an, daß es klang und sang – und vor dem Stadttore hielt der Postwagen mit den fremden Gästen, den zwölf Reisenden.

Und wer waren diese Fremden? Jeder von ihnen führte seinen Reisepaß und sein Gepäck bei sich; ja, sie brachten sogar Geschenke für mich und dich und alle Menschen des Städtchens mit. Wer waren sie, was wollten sie, und was brachten sie?

„Guten Morgen!" riefen sie der Schildwache am Eingange des Stadttores zu.

„Guten Morgen!" antwortete diese, denn die Uhr hatte ja zwölf geschlagen.

„Ihr Name? Ihr Stand?" fragte die Schildwache den von ihnen, der zuerst aus dem Wagen stieg.

„Sehen Sie selbst im Passe nach", antwortete der Mann. „Ich bin ich!" Und es war auch ein ganzer Kerl, angetan mit Bärenpelz und Pelzstiefeln. „Ich bin der Mann, in den sehr viele Leute ihre Hoffnung setzen. Komm morgen zu mir; ich gebe dir ein Neujahrsgeschenk! Ich werfe Groschen und Taler unter die Leute, ja ich gebe auch Bälle, volle einunddreißig Bälle, mehr Nächte kann ich aber nicht daraufgehen lassen. Meine Schiffe sind eingefroren, aber in meinem Arbeitsraum ist es warm und gemütlich. Ich bin Kaufmann, heiße Januar und führe nur Rechnungen bei mir."

Nun stieg der zweite aus, der war ein Bruder Lustig; er war Schauspieldirektor, Direktor der Maskenbälle und aller Vergnügungen, die man sich nur denken kann. Sein Gepäck bestand aus einer großen Tonne.

„Aus der Tonne", sagte er, „wollen wir zur Fastnachtszeit die Katze herausjagen. Ich werde euch schon Vergnügen bereiten und mir auch; alle Tage lustig! Ich habe nicht gerade lange zu leben; von der ganzen Familie die kürzeste Zeit; ich werde nämlich nur achtundzwanzig Tage alt. Bisweilen schalten sie mir zwar auch noch einen Tag ein – aber das kümmert mich wenig, hurra!"

„Sie dürfen nicht so schreien!" sagte die Schildwache.

„Ei was, freilich darf ich schreien", rief der Mann, „ich bin Prinz Karneval und reise unter dem Namen Februarius."

Jetzt stieg der dritte aus; er sah wie das leibhaftige Fasten aus, aber er trug die Nase hoch, denn er war verwandt mit den ‚vierzig Rittern' und war Wetterprophet. Allein das ist kein fettes Amt, und deshalb pries er auch die Fasten. In einem Knopfloche trug er auch ein Sträußchen Veilchen, auch diese waren sehr klein.

„März! März!" rief der vierte ihm nach und schlug ihn auf die Schulter; „riechst du nichts? Geschwind in die Wachstube hinein, dort trinken sie Punsch, deinen Leib- und Labetrunk; ich rieche es schon hier außen. Marsch, Herr Martius!" – Aber es war nicht wahr, der wollte ihn nur den Einfluß seines Namens fühlen lassen, ihn in den April schicken; denn damit begann der vierte seinen Lebenslauf in der Stadt. Er sah überhaupt sehr flott aus; arbeiten tat er nur sehr wenig; desto mehr aber machte er Feiertage. „Wenn es nur etwas beständiger in der Welt wäre", sagte er; „aber bald ist man gut, bald schlecht gelaunt, je nach Verhältnissen; bald Regen, bald Sonnenschein; ein- und ausziehen! Ich bin auch so eine Art Wohnungsvermietunternehmer, ich kann lachen und weinen, je nach Umständen! Im Koffer hier habe ich Sommergarderobe, aber es würde sehr töricht sein, sie anzuziehen. Hier bin ich nun! Sonntags geh' ich in Schuhen und weißseidenen Strümpfen und mit Muff spazieren."

Nach ihm stieg eine Dame aus dem Wagen. Fräulein Mai nannte sie sich. Sie trug einen Sommermantel und Überschuhe, ein lindenblattartiges Kleid, Anemonen im Haare, und dazu duftete sie dermaßen nach Waldmeister, daß die Schildwache niesen mußte. „Zur Gesundheit und Gottes Segen!" sagte sie, das war ihr Gruß. Wie sie niedlich war! Und Sängerin war sie, nicht Theatersängerin, auch nicht Bänkelsängerin, nein, Sängerin des Waldes; – den frischen, grünen Wald durchstreifte sie und sang dort zu ihrem eigenen Vergnügen.

„Jetzt kommt die junge Frau!" riefen die drinnen im Wagen, und aus stieg die junge Frau, fein, stolz und niedlich. Man sah es ihr an, daß sie, Frau Juni, von faulen Siebenschläfern bedient zu werden gewohnt war. Am längsten Tage des Jahres gab sie große Gesellschaft, damit die Gäste Zeit haben möchten, die vielen Gerichte der Tafel zu verzehren. Sie hatte zwar ihren eigenen

Wagen; allein sie reiste dennoch mit der Post wie die andern, weil sie zeigen wollte, daß sie nicht hochmütig sei. Aber ohne Begleitung war sie nicht; ihr jüngerer Bruder Julius war bei ihr.

Er war ein wohlgenährter Bursche, sommerlich angekleidet und mit Panamahut. Er führte nur wenig Gepäck bei sich, weil dies bei großer Hitze zu beschwerlich sei; deshalb hatte er sich nur mit einer Schwimmhose versehen, und dies ist nicht viel.

Darauf kam die Mutter selbst, Madame August, Obsthändlerin en gros, Besitzerin einer Menge Fischteiche, sie war dick und heiß, faßte selbst überall an, trug eigenhändig den Arbeitern Bier auf das Feld hinaus. „Im Schweiße deines Angesichtes sollst du dein Brot essen!" sagte sie, „das steht in der Bibel. Hinterdrein kommen die Spazierfahrten, Tanz und Spiel und die Erntefeste!" Sie war eine tüchtige Hausfrau.

Nach ihr stieg wieder ein Mann aus der Kutsche, ein Maler, Herr Koloriermeister September; der mußte den Wald bekommen; die Blätter mußten Farbe wechseln, aber wie schön; wenn er es wollte, schillerte der Wald bald in Rot, Gelb oder Braun. Der Meister pfiff wie der schwarze Star, war ein flinker Arbeiter und wand die blaugrüne Hopfenranke um seinen Bierkrug. Das putzte den Krug, und für Ausputz hatte er gerade Sinn. Da stand er nun mit seinem Farbentopfe, der war sein ganzes Gepäck!

Ihm folgte der Gutsbesitzer, der an den Saatmonat, an das Pflügen und Beackern des Bodens, auch an die Jagdvergnügungen dachte; Herr Oktober führte Hund und Büchse mit sich, hatte Nüsse in seiner Jagdtasche – ‚knick, knack!‘ Er hatte viel Reisegut bei sich, sogar einen englischen Pflug; er sprach von der Landwirtschaft; aber vor lauter Husten und Stöhnen seines Nachbars vernahm man nicht viel davon. –

Der November war es, der so hustete, während er ausstieg. Er war sehr mit Schnupfen behaftet; er putzte sich fortwährend die Nase, und doch, sagte er, müsse er die Dienstmädchen begleiten und sie in ihre neuen Winterdienste einführen; die Erkältung, meinte er, verliere sich schon wieder, wenn er ans Holzmachen ginge, und Holz müsse er sägen und spalten; denn er sei Sägemeister der Holzmacherinnung.

Endlich kam der letzte Reisende zum Vorschein, das alte Mütterchen Dezember mit der Feuerkiepe; die Alte fror, aber ihre Augen strahlten wie zwei helle Sterne. Sie trug einen Blumentopf auf dem Arme, in dem ein kleiner Tannenbaum eingepflanzt war. „Den Baum will ich hegen und pflegen, damit er gedeihe und groß werde bis zum Weihnachtsabend, vom Fußboden bis an die

Decke reiche und emporschieße mit flammenden Lichtern, goldenen Äpfeln und ausgeschnittenen Figürchen. Die Feuerkiepe wärmt wie ein Ofen; ich hole das Märchenbuch aus der Tasche und lese laut aus ihm vor, daß alle Kinder im Zimmer still, die Figürchen an dem Baume aber lebendig werden und der kleine Engel von Wachs auf der äußersten Spitze die Flittergoldflügel ausbreitet, herabfliegt vom grünen Sitze und klein und groß im Zimmer küßt, ja, auch die armen Kinder küßt, die draußen auf dem Flure und auf der Straße stehen und das Weihnachtslied von dem Bethlehemsgestirne singen."

„So! Jetzt kann die Kutsche abfahren", sagte die Schildwache, „wir haben sie alle zwölf. Der Beiwagen mag vorfahren!"

„Laß doch erst die zwölf zu mir herein!" sprach der Wachhabende, „einen nach dem andern! Die Pässe behalte ich hier; sie gelten jeder einen Monat; wenn der verstrichen ist, werde ich das Verhalten auf dem Passe bescheinigen. Herr Januar, belieben Sie näher zu treten."

Und Herr Januar trat näher.

Wenn ein Jahr verstrichen ist, werde ich dir sagen, was die zwölf uns allen gebracht haben. Jetzt weiß ich es noch nicht, und sie wissen es wohl selbst nicht – denn es ist eine seltsam unruhige Zeit, in der wir leben.

DER HALSKRAGEN

Es war einmal ein feiner Herr, dessen sämtliches Hausgerät aus einem Stiefelknecht und einer Haarbürste bestand, aber er hatte den schönsten Halskragen von der Welt, und dieser Halskragen ist es, dessen Geschichte wir hören werden. – Er war nun so alt geworden, daß er daran dachte, sich zu verheiraten, und da traf es sich, daß er mit einem Strumpfband in die Wäsche kam.

Da meinte der Halskragen: „Habe ich doch nie jemand so schlank und so fein und so niedlich gesehen. Darf ich um Ihren Namen bitten?"

„Den nenne ich nicht!" sagte das Strumpfband.

„Wo sind Sie denn zu Hause?" fragte der Halskragen.

Aber das Strumpfband war verschämt und meinte, es sei doch etwas sonderbar, darauf zu antworten.

„Sie sind wohl ein Gürtel?" sagte der Halskragen, „ein Gürtel ist immer zu tragen. Ich sehe, Sie sind zum Nutzen und auch zum Staat!"

„Sie dürfen nicht mit mir sprechen!" sagte das Strumpfband, „mich dünkt, ich habe Ihnen durchaus keine Veranlassung dazu gegeben!"

„Ja, wenn man so schön wie Sie ist", sagte der Halskragen, „so ist das Veranlassung genug!"

„Kommen Sie mir nicht so nahe!" sagte das Strumpfband, „Sie sehen so männlich aus!"

„Ich bin auch ein feiner Herr!" sagte der Halskragen, „ich besitze einen Stiefelknecht und eine Haarbürste!" Das war nun nicht wahr, denn sein Herr hatte diese, aber er prahlte.

„Kommen Sie mir nicht so nahe!" sagte das Strumpfband, „ich bin das nicht gewohnt!"

„Zierliese!" sagte der Halskragen, und dann wurden sie aus der Wäsche genommen; sie wurden gestärkt, hingen auf dem Stuhl im Sonnenschein und wurden dann aufs Plättbrett gelegt; da kam das warme Eisen.

„Liebe Frau!" sagte der Halskragen, „liebe Frau Witwe. Mir wird ganz warm! Ich werde ein ganz anderer, ich komme ganz aus den Falten, Sie brennen mir ein Loch! Uh! – Ich halte um Sie an!"

„Laps!" sagte das Plätteisen und ging stolz über den Halskragen hin, denn das bildete sich ein, daß es ein Dampfkessel sei, der in eine Maschine kommen und Wagen ziehen sollte.

„Laps!" sagte es.

Der Halskragen faserte an den Kanten ein wenig aus, deshalb kam die Papierschere und sollte die Fasern wegschneiden.

„Oh!" sagte der Halskragen, „Sie sind wohl erste Tänzerin? Wie Sie die Beine ausstrecken können! Das ist das reizendste, was ich je gesehen habe, das kann Ihnen kein Mensch nachmachen!"

„Das weiß ich!" sagte die Schere.

„Sie verdienen, eine Gräfin zu sein!" sagte der Halskragen. „Alles, was ich besitze, ist ein feiner Herr, ein Stiefelknecht und eine Haarbürste! – Wenn ich nur eine Grafschaft hätte!"

„Er freit wohl gar!" sagte die Schere, sie wurde böse und gab ihm einen tüchtigen Schnitt.

‚Ich muß am Ende wohl um die Haarbürste freien!' dachte der Halskragen. – „Was Sie für schönes Haar haben, liebes Fräulein!" sagte er. „Haben Sie nie daran gedacht, sich zu verloben?"

„Ja, das können Sie sich wohl denken!" sagte die Bürste. „Ich bin ja mit dem Stiefelknecht verlobt!"

„Verlobt!" sagte der Halskragen; nun gab es niemand mehr, um die er hätte freien können, und darum verachtete er es.

Es verging eine lange Zeit, und dann kam der Halskragen in den Kasten beim Papiermüller. Da gab es große Lumpengesellschaft, die feinen für sich, die groben für sich, so wie sich das gehört. Sie hatten alle viel zu erzählen, aber der Halskragen am meisten, das war ein gewaltiger Prahlhans.

„Ich habe ungeheuer viele Geliebte gehabt!" sagte der Halskragen, „man ließ mir gar keine Ruhe! Ich war aber auch ein feiner Herr mit Stärke! Ich besaß sowohl einen Stiefelknecht wie eine Haarbürste, die ich nie gebrauchte! – Damals hätten Sie mich nur sehen sollen, wenn ich auf der Seite lag. Nie vergesse ich meine erste Geliebte, sie war ein Gürtel, fein, zart und niedlich, sie stürzte sich meinetwegen in eine Waschwanne. – Da war auch eine Witwe, die für mich erglühte, aber ich ließ sie stehen und schwarz werden. Da war die erste Tänzerin, sie versetzte mir die Wunde, mit der ich gehe, sie war schrecklich bissig! Meine eigene Bürste war in mich verliebt, sie verlor alle Haare aus Liebesgram. Ja, ich habe viel dergleichen erlebt; aber am meisten tut es mir leid um das Strumpfband – ich meine den Gürtel, der sich in die Waschwanne stürzte. Ich habe sehr viel auf meinem Gewissen; es wird mir wohltun, weißes Papier zu werden!"

Und das wurde er, alle Lumpen wurden weißes Papier, aber der Halskragen wurde gerade das Stück Papier, was wir hier sehen, worauf die Geschichte gedruckt ist, und das geschah, weil er so gewaltig mit Dingen prahlte, die gar nicht wahr gewesen waren. Daran sollen wir denken, damit wir uns nicht ebenso betragen, denn wir können wahrlich nicht wissen, ob wir nicht auch einmal in den Lumpenkasten kommen und zu weißem Papier umgearbeitet werden und dann unsere ganze Geschichte, selbst die allergeheimste, aufgedruckt bekommen, womit wir dann selbst herumlaufen und sie erzählen müssen wie der Halskragen.

DIE WILDEN SCHWÄNE

Weit von hier, da, wohin die Schwalben fliegen, wenn wir Winter haben, wohnte ein König, der elf Söhne und eine Tochter, Elisa, hatte. Die elf Brüder waren Prinzen, sie gingen mit dem Stern auf der Brust und dem Säbel an der Seite in die Schule; sie schrieben mit Diamantgriffeln auf Goldtafeln und lernten ebensogut auswendig, wie sie lasen; man konnte sogleich hören, daß sie Prinzen waren. Die Schwester Elisa saß auf einem kleinen Schemel von Spiegelglas und hatte ein Bilderbuch, das unmenschlich viel Geld gekostet hatte.

Oh, die Kinder hatten es gut, aber so sollte es nicht immer bleiben!

Ihr Vater, der König über das ganze Land war, verheiratete sich mit einer bösen Königin, die den Kindern gar nicht gut war. Schon am ersten Tage konnten sie es merken; in dem ganzen Schlosse war große Pracht, und da spielten die Kinder ‚Besuch‘; aber anstatt sie sonst all den Kuchen und die gebratenen Äpfel erhielten, die nur zu haben waren, gab die neue Königin ihnen nur Sand in eine Teetasse und sagte, sie könnten tun, als ob es etwas wäre.

Die Woche darauf brachte sie die kleine Elisa auf das Land zu einem Bauernpaar, und lange währte es nicht, da redete sie dem König so viel von den Prinzen vor, daß er sich schließlich gar nicht mehr um sie bekümmerte.

„Fliegt hinaus in die Welt und helft euch selbst!" sagte die böse Königin; „fliegt als große Vögel ohne Stimme!" Aber sie konnte es doch nicht so schlimm machen, wie sie gern wollte; sie wurden elf herrliche Schwäne. Mit einem sonderbaren Schrei flogen sie aus den Schloßfenstern hinaus über den Park und den Wald dahin.

Es war noch ganz früh am Morgen, als sie da vorbeikamen, wo die Schwester Elisa in der Stube des Landmanns lag und schlief; hier schwebten sie über dem Dache, drehten ihre langen Hälse und schlugen mit den Flügeln, aber niemand hörte oder sah es. Sie mußten wieder weiter, hoch gegen die Wolken

empor, hinaus in die weite Welt; da flogen sie nach einem großen Wald, der sich gerade bis an den Strand des Meeres erstreckte.

Die kleine Elisa stand in der Stube des Landmanns und spielte mit einem grünen Blatte, anderes Spielzeug hatte sie nicht; sie stach ein Loch in das grüne Blatt, sah da hindurch gegen die Sonne empor, und da war es gerade, als sähe sie ihrer Brüder klare Augen, und jedesmal, wenn die warmen Sonnenstrahlen auf ihre Wangen schienen, gedachte sie aller ihrer Küsse.

Der eine Tag verging ebenso wie der andere. Strich der Wind durch die großen Rosenhecken draußen vor dem Hause, so flüsterte er den Rosen zu: „Wer kann schöner sein als ihr?" Aber die Rosen schüttelten das Haupt und sagten: „Elisa ist es!" Wenn die alte Frau am Sonntag an der Tür saß und in ihrem Gesangbuch las, so wendete der Wind die Blätter um und sagte zum Buch: „Wer kann frömmer sein als du?"

„Elisa ist es!" sagte das Gesangbuch, und das war die reine Wahrheit, was die Rosen und das Gesangbuch sagten.

Als sie fünfzehn Jahre alt war, sollte sie nach Hause kommen; da aber die Königin sah, wie schön sie war, wurde sie ihr gram und voll Haß und hätte gern auch sie in einen wilden Schwan verwandelt wie die Brüder, aber das wagte sie nicht sogleich, weil ja der König seine Tochter sehen wollte.

Früh des Morgens ging die Königin in das Bad, das von Marmor erbaut und mit weichen Kissen und den prächtigsten Decken geschmückt war, nahm drei Kröten, küßte sie und sagte zu der einen: „Setze dich auf Elisas Kopf, wenn sie in das Bad kommt, damit sie dumm wird wie du! – Setze dich auf ihre Stirn", sagte sie zur andern, „damit sie häßlich wird wie du, so daß ihr Vater sie nicht kennt! – Ruhe an ihrem Herzen", flüsterte sie der dritten zu, „laß sie einen bösen Sinn erhalten, damit sie Schmerzen davon habe!" Dann setzte sie die Kröten in das klare Wasser, das sogleich eine grüne Farbe erhielt, rief Elisa, zog sie aus und ließ sie in das Wasser hinabsteigen. Indem sie untertauchte, setzte sich eine Kröte ihr in das Haar, die andere auf ihre Stirn und die dritte auf die Brust; aber Elisa schien es gar nicht zu merken; sobald sie sich empor-richtete, da schwammen drei rote Mohnblumen auf dem Wasser. Wären die Tiere nicht giftig gewesen und von der Hexe geküßt worden, so wären sie in rote Rosen verwandelt worden, aber Blumen wurden sie doch, weil sie auf ihrem Haupte und an ihrem Herzen geruht hatten; sie war zu fromm und un-schuldig, als daß die Zauberei Macht über sie haben konnte.

So rieb sie das Mädchen mit Walnußsaft, so daß sie ganz schwarzbraun wurde, bestrich das hübsche Antlitz mit einer stinkenden Salbe und ließ das herrliche Haar sich verwirren; es war unmöglich, die schöne Elisa wiederzu-erkennen.

Daher erschrak ihr Vater sehr, als er sie erblickte, und sagte, es sei nicht seine Tochter; niemand wollte sie wiedererkennen außer dem Kettenhund und den Schwalben, aber das waren arme Tiere, die nichts zu sagen hatten.

Da weinte die arme Elisa und dachte an ihre elf Brüder, die alle weg waren. Betrübt verließ sie das Schloß und ging den ganzen Tag über Feld und Moor bis in den großen Wald hinein. Sie wußte gar nicht, wohin sie wollte, aber sie fühlte sich sehr betrübt und sehnte sich nach ihren Brüdern, die sicher auch gleich ihr in die Welt hinausgejagt waren, diese wollte sie suchen und finden.

Nur kurze Zeit war sie im Walde gewesen, als die Nacht einbrach; sie war ganz von Weg und Steg abgekommen. Da legte sie sich auf das weiche Moos nieder, betete ihr Abendgebet und lehnte ihr Haupt an einen Baumstumpf. Es war da ganz still, die Luft war mild, und ringsumher im Grase und im Moose leuchteten, einem grünen Feuer gleich, viele Hunderte Johanniswürmchen; als sie einen der Zweige mit der Hand berührte, fielen die leuchtenden Insekten wie Sternschnuppen zu ihr nieder.

Die ganze Nacht träumte sie von ihren Brüdern; sie spielten wieder als Kinder, schrieben mit dem Diamantgriffel auf die Goldtafel und betrachteten das herrliche Bilderbuch, das soviel Geld gekostet hatte, aber auf die Tafel schrieben sie nicht wie früher Nullen und Striche, sondern die mutigen Taten, die sie vollführt, alles, was sie erlebt und gesehen hatten; und im Bilderbuch war alles lebendig, die Vögel sangen, und die Menschen gingen aus dem Buch heraus und sprachen mit Elisa und ihren Brüdern, aber wenn sie das Blatt umwandte, sprangen sie sogleich wieder hinein, damit keine Verwirrung in den Bildern entstehen möchte.

Als sie erwachte, stand die Sonne schon hoch; Elisa konnte sie freilich nicht sehen, die hohen Bäume breiteten ihre Zweige dicht und fest aus, aber die Strahlen spielten dort oben gerade wie ein wehender Goldflor. Da war ein Duft von dem Grünen, und die Vögel setzten sich fast auf ihre Schultern. Sie hörte das Wasser plätschern, das waren Quellen, die alle in einen See fielen, in dem der herrlichste Sandboden war; freilich wuchsen hier dichte Büsche ringsherum, aber an einer Stelle hatten die Hirsche eine große Öffnung gemacht, und hier ging Elisa zum Wasser hin. Das war so klar, daß, hätte der Wind nicht die Zweige und die Büsche berührt, so daß sie sich bewegten, sie hätte glauben müssen, daß sie auf dem Boden abgemalt seien, so deutlich spiegelte sich jedes Blatt, sowohl das von der Sonne beschienene als das im Schatten.

Sobald sie ihr eigenes Antlitz erblickte, erschrak sie gewaltig, so braun und häßlich war es. Doch als sie ihre kleine Hand benetzte und Augen und Stirn rieb, glänzte die weiße Haut wieder vor; da entkleidete sie sich und ging in das frische Wasser hinein; ein schöneres Königskind, als sie war, gab es nicht in dieser Welt.

Als sie wieder angekleidet war und ihr langes Haar geflochten hatte, ging sie zur sprudelnden Quelle, trank aus der hohlen Hand und wanderte tiefer in den Wald hinein, ohne selbst zu wissen, wohin. Sie dachte an ihre Brüder, dachte an den lieben Gott, der sie sicher nicht verlassen werde; er ließ ja die wilden Waldäpfel wachsen, um den Hungrigen zu sättigen; und er zeigte ihr einen solchen Baum, dessen Zweige sich unter der Last der Früchte beugten. Hier hielt sie ihre Mittagsmahlzeit, setzte Stützen unter die Zweige und ging dann in den dunkelsten Teil des Waldes hinein. Da war es so still, daß sie ihre eigenen Fußtritte hörte, sowie jedes kleine, vertrocknete Blatt, das sich unter ihrem Fuße bog. Nicht ein Vogel war da zu sehen, nicht ein Sonnenstrahl konnte durch die großen, dichten Baumzweige dringen; die hohen Stämme standen so nahe beisammen, daß, wenn sie geradeaus sah, ein Balkengitter sie zu umschließen schien. Oh, hier war eine Einsamkeit, die sie früher noch nie gekannt hatte!

Die Nacht wurde sehr dunkel, nicht ein einziger Johanniswurm leuchtete aus dem Moose. Betrübt legte sie sich nieder, um zu schlafen. Da schien es ihr als ob die Baumzweige über ihr sich zur Seite bewegten und der liebe Gott mit milden Augen auf sie niederblickte, und kleine Engel sahen über seinen Kopf und unter seinen Armen hervor.

Als sie am Morgen erwachte, wußte sie nicht, ob sie geträumt habe oder ob es wirklich so gewesen sei.

Sie ging einige Schritte vorwärts, da begegnete sie einer alten Frau mit vielen Beeren in dem Korbe, die sie im Walde fleißig gesammelt hatte. Die Alte gab ihr einige davon. Elisa fragte, ob sie nicht elf Prinzen durch den Wald habe reiten sehen.

„Nein", sagte die Alte, „aber ich sah gestern elf Schwäne mit goldenen Kronen auf dem Haupte in der Nähe schwimmen."

Sie führte Elisa ein Stück weiter vor zu einem Abhange, an dessen Fuß sich ein kleiner Fluß schlängelte; die Bäume an seinen Ufern streckten ihre langen, blattreichen Zweige einander entgegen, und wo sie ihrem natürlichen Wuchse nach nicht zusammenreichen konnten, da hatten sie die Wurzeln aus der Erde losgerissen und hingen, mit den Zweigen ineinandergeflochten, über das Wasser hinaus.

Elisa sagte der Alten Lebewohl und ging den Fluß entlang, bis dieser in den großen, offenen Strand mündete.

Das ganze herrliche Meer lag vor dem jungen Mädchen; aber nicht ein Segel zeigte sich darauf, nicht ein Boot war da zu sehen, wie sollte sie nun weiter fortkommen? Sie betrachtete die unzähligen, kleinen Steine am Ufer; das Wasser hatte sie alle rund geschliffen. Glas, Eisen, Steine, alles, was da zusammengespült lag, hatte die Gestalt des Wassers angenommen, das doch viel weicher war als ihre feine Hand. „Das rollt unermüdlich fort, und so ebnet sich das Harte, ich will ebenso unermüdlich sein; Dank für eure Lehre, ihr kleinen, rollenden Wogen; einst, das sagt mir mein Herz, werdet ihr mich zu meinen lieben Brüdern tragen!"

Auf dem angespülten Seegrase lagen elf weiße Schwanenfedern; die sammelte sie. Einsam war es dort am Strande, aber sie fühlte es nicht; denn das Meer bot ewige Abwechslung, ja, es wandelte sich in wenigen Stunden mehr als die süßen Landseen in einem ganzen Jahr. Kam da eine große, schwarze Wolke, so war es, als ob die See sagen wollte: Ich kann auch finster aussehen. Und dann blies der Wind, und die Wogen kehrten das Weiße nach außen; schienen aber die Wolken rot und schliefen die Winde, so war das Meer einem Rosen-

blatte gleich; bald wurde es grün, bald weiß; aber wie still es auch ruhte, am Ufer war doch eine leise Bewegung; das Wasser hob sich schwach wie die Brust eines schlafenden Kindes.

Als die Sonne im Begriff war, unterzugehen, sah Elisa elf wilde Schwäne mit Goldkronen auf dem Kopfe dem Lande zufliegen, sie schwebten der eine hinter dem andern; es sah aus wie ein langes, weißes Band. Da stieg Elisa den Abhang hinauf und verbarg sich hinter einem Busche; die Schwäne ließen sich nahe bei ihr nieder und schlugen mit ihren großen weißen Schwingen.

Sowie die Sonne unter dem Wasser war, fielen plötzlich die Schwanenhäute, und elf schöne Prinzen, Elisas Brüder, standen da. Sie stieß einen lauten Schrei aus; denn obwohl die Brüder sich sehr verändert hatten, so wußte Elisa doch, daß sie es waren, fühlte, daß sie es sein mußten; sie sprang in ihre Arme, nannte sie bei Namen, und die Brüder waren ganz glücklich, als sie ihre Schwester sahen und erkannten, die nun groß und schön war. Sie lachten und weinten, und bald hatten sie einander erzählt, wie grausam ihre Stiefmutter gegen sie alle gewesen war.

„Wir Brüder", sagte der Älteste, „fliegen als wilde Schwäne, solange die Sonne am Himmel steht; sobald sie untergegangen ist, erhalten wir unsere menschliche Gestalt wieder. Deshalb müssen wir immer dafür sorgen, daß wir beim Sonnenuntergang eine Ruhestätte für die Füße haben, denn fliegen wir dann gegen die Wolken an, so müssen wir als Menschen in die Tiefe hinunterstürzen. Hier wohnen wir nicht; es liegt ein ebenso schönes Land wie dieses jenseits der See, aber der Weg dahin ist weit. Wir müssen über das große Meer, und es findet sich keine Insel auf unserm Wege, wo wir übernachten können. Nur eine einsame kleine Klippe ragt in der Mitte daraus hervor, sie ist nicht größer, als daß wir Seite an Seite darauf Platz haben; ist die See stark bewegt, so spritzt das Wasser hoch über uns, aber doch danken wir Gott für die Ruhestelle. Da übernachten wir in unsrer Menschengestalt; ohne diese Klippe könnten wir nie unser liebes Vaterland besuchen, denn zwei der längsten Tage des Jahres brauchen wir zu unserm Fluge. Nur einmal im Jahre ist es uns vergönnt, unsere Heimat zu besuchen, elf Tage können wir hierbleiben, über den großen Wald hinfliegen, von wo wir das Schloß erblicken können, wo wir geboren wurden und wo unser Vater wohnt, den hohen Kirchturm sehen, wo die Mutter begraben ist. – Hier kommt es uns vor, als wären Bäume und Büsche mit uns verwandt, hier laufen die wilden Pferde über die Steppen hin, wie wir es in unserer Kindheit gesehen haben, hier singt der alte Kohlenbrenner die alten Lieder, nach denen wir als Kinder tanzten, hier ist unser Vaterland, hierher zieht es uns, und hier haben wir dich, du liebe Schwester, gefunden! Zwei Tage können wir noch hierbleiben, dann müssen wir fort über das Meer nach einem herrlichen Lande, das aber nicht unser Vaterland ist. Wie nehmen wir dich mit? Wir haben weder Schiff noch Boot!"

„Auf welche Art kann ich euch erlösen?" fragte die Schwester.

Sie unterhielten sich fast die ganze Nacht und schlummerten nur einige Stunden.

Elisa erwachte durch das Rauschen der Schwanenflügel über ihr. Die Brüder waren wieder verwandelt und flogen in großen Kreisen und zuletzt weit weg – aber der eine von ihnen, der jüngste, blieb zurück, er legte seinen Kopf in ihren Schoß, und sie streichelte seine Flügel; den ganzen Tag waren sie beisammen. Gegen Abend kamen die anderen zurück, und als die Sonne untergegangen war, standen sie in ihrer menschlichen Gestalt da.

„Morgen fliegen wir von hier weg und können nicht vor Verlauf eines Jahres zurückkehren, aber dich können wir nicht so verlassen! Hast du Mut, mitzukommen? Mein Arm ist stark genug, dich durch den Wald zu tragen, sollten wir da nicht alle so starke Flügel haben, um mit dir über das Meer zu fliegen?"

„Ja, nehmt mich mit!" sagte Elisa.

Die ganze Nacht brachten sie damit zu, ein großes und starkes Netz aus der geschmeidigen Weidenrinde und dem zähen Schilf zu flechten. Auf dieses legte sich Elisa, und als die Sonne hervortrat und die Brüder in wilde Schwäne verwandelt wurden, ergriffen sie das Netz mit ihren Schnäbeln und flogen mit ihrer lieben Schwester, die noch schlief, hoch gegen die Wolken an. Die Sonnenstrahlen fielen ihr gerade auf das Antlitz, deswegen flog einer der Schwäne über ihr Haupt, damit seine breiten Schwingen sie beschatten möchten.

Sie waren weit vom Lande entfernt, als Elisa erwachte; sie glaubte noch zu träumen, so sonderbar kam es ihr vor, hoch durch die Luft, über das Meer getragen zu werden. An ihrer Seite lag ein Zweig mit herrlichen, reifen Beeren und ein Bund wohlschmeckender Wurzeln. Die hatte der jüngste der Brüder gesammelt und ihr hingelegt; sie lächelte ihn dankbar an, denn sie erkannte ihn, er war es, der über ihrem Haupte flog und sie mit den Schwingen beschattete.

Sie waren so hoch, daß das erste Schiff unter ihnen eine weiße Möve zu sein schien, die auf dem Wasser lag. Eine große Wolke stand hinter ihnen, das war ein Berg, und auf ihm sah Elisa ihren eigenen Schatten und den der elf Schwäne, so riesengroß flogen sie davon. Das war ein Gemälde, prächtiger als sie früher je eins gesehen; doch als die Sonne höher stieg und die Wolke weiter zurückblieb, verschwand das Schattenbild.

Den ganzen Tag flogen sie gleich einem sausenden Pfeil durch die Luft, aber es ging doch langsamer als sonst, sie hatten ja die Schwester zu tragen. Es zog ein böses Wetter auf, der Abend näherte sich. Ängstlich sah Elisa die Sonne sinken, und noch war die einsame Klippe im Meer nicht zu erblicken; es kam ihr vor, als machten die Schwäne stärkere Schläge mit den Flügeln. Ach, sie war schuld daran, daß sie nicht rasch genug fortkamen; wenn die Sonne untergegangen war, so wurden sie Menschen, mußten in das Meer stürzen und ertrinken. Da betete sie aus tiefstem Herzen zu Gott, aber noch erblickte sie keine Klippe; die schwarze Wolke kam immer näher, die starken Windstöße verkündeten einen Sturm; die Wolken standen in einer einzigen großen, drohenden Welle da, die fast wie Blei vorwärtsschoß, Blitz leuchtete auf Blitz.

Jetzt war die Sonne gerade am Rande des Meeres. Elisas Herz bebte; da schossen die Schwäne hinab, so schnell, daß sie zu fallen glaubte; aber nun schwebten sie wieder. Die Sonne war halb unter dem Wasser, da erblickte sie erst die kleine Klippe unter sich. Sie sah nicht größer aus, als ob sie ein Seehund wäre, der den Kopf aus dem Wasser streckte. Die Sonne sank schnell; jetzt erschien sie nur noch wie ein Stern, da berührte ihr Fuß den festen Grund – die Sonne erlosch gleich dem letzten Funken in brennendem Papier. Arm in Arm sah sie die Brüder um sich stehen, aber mehr Platz als gerade für sie alle war auch nicht da. Die See schlug gegen die Klippe und ging wie ein Staubregen über sie hin; der Himmel leuchtete in fortwährendem Feuer, und Schlag auf Schlag rollte der Donner, aber Schwester und Brüder hielten einander an den Händen, woraus sie Trost und Mut schöpften.

In der Morgendämmerung war die Luft rein und still; sobald die Sonne emporstieg, flogen die Schwäne mit Elisa von der Insel fort. Das Meer ging noch so hoch, es sah aus, wie sie hoch in der Luft waren, als ob der weiße Schaum auf der schwarzgrünen See Millionen Schwäne wären, die auf dem Wasser schwammen.

Als die Sonne höher stieg, sah Elisa vor sich, halb in der Luft schwimmend, ein Bergland mit glänzenden Eismassen auf den Felsen, und mitten darauf erstreckte sich ein sicher meilenlanges Schloß mit einem kühnen Säulengange über dem andern; unten wogten Palmenwälder und Prachtblumen, so groß wie Mühlräder. Sie fragte, ob dies das Land sei, wohin sie wollten, aber die Schwäne schüttelten den Kopf, denn das, was sie sah, war der Fata Morgana herrliches, alle Zeit abwechselndes Wolkenschloß; da durften sie keinen Menschen hineinbringen. Elisa starrte es an, da stürzten Berge, Wälder und Schloß zusammen, und zwanzig stolze Kirchen, alle einander gleich, mit hohen Türmen und spitzen Fenstern, standen da. Sie glaubte die Orgel ertönen zu hören, aber es war das Meer, das sie hörte. Nun waren sie den Kirchen ganz nahe; da wurden diese zu einer ganzen Flotte, die unter ihr dahinsegelte; sie sah nieder, und es waren nur Meernebel, die über dem Wasser hinglitten. Ja, eine ewige Abwechslung hatten sie vor Augen, und nun sahen sie das wirkliche Land, nach dem sie hinwollten. Da erhoben sich die herrlichen, blauen Berge mit Zedernwäldern, Städten und Schlössern. Lange bevor die Sonne unterging, saß sie auf dem Felsen vor einer großen Höhle, die mit feinen, grünen Schlingpflanzen bewachsen war; es sah aus, als wären es gestickte Teppiche.

„Nun wollen wir sehen, was du diese Nacht hier träumst!" sagte der jüngere Bruder und zeigte ihr die Schlafkammer.

„Gebe der Himmel, daß ich träumen möge, wie ich euch erretten kann!" sagte sie, und dieser Gedanke beschäftigte sie dann lebhaft. Sie betete inbrünstig zu Gott um seine Hilfe, ja selbst im Schlafe betete sie fort. Da kam es ihr vor, als ob sie hoch in die Luft fliege, zu Fata Morganas Wolkenschloß. Die Fee kam ihr entgegen, schön und glänzend, und doch glich sie ganz der alten Frau, die ihr Beeren im Walde gegeben und ihr von den Schwänen mit Goldkronen auf dem Kopfe erzählt hatte.

„Deine Brüder können erlöst werden!" sagte sie, „aber hast du Mut und Ausdauer? Wohl ist das Wasser weicher als deine feinen Hände und formt doch die Steine um, aber es fühlt nicht die Schmerzen, die deine Finger fühlen werden, es hat kein Herz, leidet nicht die Angst und Qual, die du aushalten

mußt. Siehst du die Brennessel, die ich in meiner Hand halte? Von derselben Art wachsen viele rings um die Höhle, in der du schläfst, nur die dort und die, welche auf des Kirchhofs Gräbern wachsen, sind tauglich, merke dir das. Diese mußt du pflücken, obgleich sie deine Haut voll Blasen brennen werden. Brich die Nesseln mit deinen Füßen, so erhältst du Flachs, mit diesem mußt du elf Panzerhemden mit langen Ärmeln flechten und binden, wirf diese über die elf Schwäne, so ist der Zauber gelöst. Aber bedenke wohl, daß du von dem Augenblicke an, wo du diese Arbeit beginnst, bis sie vollendet ist, wenn auch Jahre darüber vergehen, nicht sprechen darfst. Das erste Wort, das du sprichst, fährt wie ein tötender Dolch in deiner Brüder Herz; an deiner Zunge hängt ihr Leben. Merke dir das alles!"

Die Fee berührte zugleich ihre Hand mit der Nessel; es war einem brennenden Feuer gleich, Elisa erwachte dadurch. Es war heller Tag, und dicht neben ihr lag eine Nessel wie die aus dem Traume. Da fiel sie auf ihre Knie, dankte dem lieben Gott und ging aus der Höhle hinaus, um ihre Arbeit zu beginnen.

Mit den feinen Händen griff sie hinunter in die häßlichen Nesseln, sie waren wie Feuer; große Blasen brannten sie an ihren Händen und Armen, aber gern wollte sie es leiden, wenn sie die lieben Brüder befreien konnte. Sie brach jede Nessel mit ihren bloßen Füßen und flocht den grünen Flachs.

Als die Sonne untergegangen war, kamen die Brüder, die sehr erschraken, Elisa stumm zu finden; sie glaubten, es sei ein neuer Zauber der bösen Stiefmutter; aber als sie ihre Hände erblickten, begriffen sie, was ihre Schwester ihrethalben tue, und der jüngste Bruder weinte, und wohin seine Tränen fielen, da fühlte sie keine Schmerzen, da verschwanden die brennenden Blasen.

Die Nacht brachte sie bei ihrer Arbeit zu, denn sie hatte keine Ruhe, bevor sie die lieben Brüder erlöst hatte. Den ganzen folgenden Tag, während die Schwäne fort waren, saß sie in ihrer Einsamkeit, aber nie war die Zeit so eilig entflohen. Ein Panzerhemd war schon fertig, nun fing sie das zweite an.

Da ertönte ein Jagdhorn zwischen den Bergen; sie wurde von Furcht ergriffen, der Ton kam immer näher, sie hörte Hunde bellen, erschrocken floh sie in die Höhle, band die Nesseln, die sie gesammelt und gehechelt hatte, in einen Bund zusammen und setzte sich darauf.

Zugleich kam ein großer Hund aus der Schlucht hervorgesprungen, und gleich darauf wieder einer und noch einer; sie bellten laut, liefen zurück und kamen wieder vor. Es währte nicht lange, so standen alle Jäger vor der Höhle, und der schönste unter ihnen war der König des Landes; dieser trat auf Elisa zu, nie hatte er ein schöneres Mädchen gesehen.

„Wie bist du hierhergekommen, du herrliches Kind?" sagte er. Elisa schüttelte das Haupt, sie durfte ja nicht sprechen, es galt ihrer Brüder Erlösung und Leben; und sie verbarg ihre Hände unter der Schürze, damit der König nicht sehe, was sie leiden müsse.

„Komm mit mir!" sagte er, „hier darfst du nicht bleiben! Bist du so gut, wie du schön bist, so will ich dich in Seide und Samt kleiden, die Goldkrone dir auf das Haupt setzen, und du sollst in meinem schönsten Schlosse wohnen!" – Und dann hob er sie auf sein Pferd. Sie weinte, rang ihre Hände, aber der König sagte: „Ich will nur dein Glück! Einst wirst du mir dafür danken." Dann jagte er fort durch die Berge und hielt sie vorn auf dem Pferde, und die Jäger jagten hinterher.

Als die Sonne unterging, lag die schöne Königsstadt mit Kirchen und Kuppeln vor ihnen. Der König führte sie in das Schloß, wo große Springbrunnen in den hohen Marmorsälen plätscherten, wo Wände und Decken von Gemälden prangten, aber Elisa hatte keine Augen dafür, sie weinte und trauerte. Willig ließ sie die Frauen ihr königliche Kleider anlegen, Perlen in ihre Haare flechten und feine Handschuhe über die verbrannten Finger ziehen.

Als sie in all ihrer Pracht dastand, war sie so blendend schön, daß der Hof sich noch tiefer vor ihr verneigte, und der König erkor sie zu seiner Braut, obgleich der Geistliche den Kopf schüttelte und flüsterte, daß das schöne Waldmädchen sicher eine Hexe sei; sie blende die Augen und betöre das Herz des Königs.

Aber der König hörte nicht darauf, ließ die Musik ertönen, die köstlichsten Gerichte auftragen, die lieblichsten Mädchen um sie tanzen. Sie wurde durch duftende Gärten in prächtige Säle geführt; aber nicht ein Lächeln kam auf ihre Lippen oder sprach aus ihren Augen, die voll Trauer waren. Nun öffnete der König eine kleine Kammer, dicht daneben, wo sie schlafen sollte; sie war mit köstlichen, grünen Teppichen geschmückt und glich ganz der Höhle, in der sie gewesen war. Auf dem Fußboden lag das Bund Flachs, das sie aus den Nesseln gesponnen hatte, und unter der Decke hing das Panzerhemd, das fertig gestrickt war; alles dieses hatte einer der Jäger als eine Seltenheit mitgenommen.

„Hier kannst du dich in deine frühere Heimat zurückträumen!" sagte der König. „Hier ist die Arbeit, die dich dort beschäftigte; nun, mitten in all deiner Pracht, wird es dich belustigen, an jene Zeit zurückzudenken."

Als Elisa das sah, was ihr am Herzen lag, spielte ein Lächeln um ihren Mund, und das Blut kehrte in die Wangen zurück. Sie dachte an die Erlösung ihrer Brüder, küßte des Königs Hand, er drückte sie an sein Herz und ließ durch alle Kirchenglocken das Hochzeitsfest verkünden. Das schöne, stumme Mädchen aus dem Walde war des Landes Königin.

Da flüsterte der Geistliche böse Worte in des Königs Ohr, aber sie drangen nicht bis zu seinem Herzen. Die Hochzeit sollte sein, der Geistliche selbst mußte ihr die Krone auf das Haupt setzen, und er drückte in seinem Unwillen den engen Ring fest auf ihre Stirn nieder, so daß er wehe tat. Doch es lag ein schwererer Ring um ihr Herz, die Trauer um ihre Brüder; sie fühlte nicht die körperlichen Leiden. Ihr Mund war stumm, ein einziges Wort würde ja ihren Brüdern das Leben kosten, aber in ihren Augen sprach sich eine innige Liebe zu dem guten, hübschen Könige aus, der alles tat, um sie zu erfreuen. Sie gewann ihn von Tag zu Tag lieber und wünschte nur, daß sie sich ihm vertrauen, ihm ihre Leiden klagen dürfte! Aber stumm mußte sie sein, stumm mußte sie ihr Werk vollbringen. Deshalb schlich sie nachts von seiner Seite, ging in die kleine Kammer und strickte ein Panzerhemd nach dem andern fertig; aber als sie das siebente begann, hatte sie keinen Flachs mehr.

Auf dem Kirchhof, das wußte sie, wuchsen die Nesseln, die sie brauchen konnte, aber selbst mußte sie diese pflücken; wie sollte sie das tun, wie sollte sie dahinaus gelangen?

‚Oh, was ist der Schmerz in meinen Fingern gegen die Qual, die mein Herz erduldet!' dachte sie, ‚ich muß es wagen! Der Herr wird seine Hand nicht von mir zurückziehen!' Mit einer Herzensangst, als sei es eine böse Tat, die sie vorhabe, schlich sie sich in der mondhellen Nacht in den Garten hinunter, ging durch die langen Alleen, in die einsamen Straßen nach dem Kirchhofe hinaus.

Nur ein einziger Mensch hatte sie gesehen, der Geistliche; er war wach, wenn andere schliefen. Nun hatte er doch recht gehabt, wie er meinte, daß es mit der Königin nicht sei, wie es sein sollte. Sie war eine Hexe, deshalb hatte sie den König und das ganze Volk betört.

Er erzählte dem König, was er gesehen und was er fürchtete, und als die harten Worte seiner Zunge entströmten, rollten zwei schwere Tränen über des Königs Wangen herab. Er ging nach Hause mit Zweifel in seinem Herzen. Er stellte sich, als ob er in der Nacht schlafe, aber es kam kein ruhiger Schlaf in seine Augen, er merkte, wie Elisa aufstand, jede Nacht wiederholte sie das, und jedesmal folgte er sachte nach und sah, wie sie in ihre Kammer verschwand.

Tag für Tag wurde seine Miene finsterer. Elisa sah es, begriff aber nicht, warum; es ängstigte sie, und noch mehr litt sie in ihrem Herzen für ihre Brüder. Auf den königlichen Samt und Purpur flossen ihre heißen Tränen. Sie war nun bald mit ihrer Arbeit fertig, nur ein Panzerhemd fehlte noch; aber

Flachs hatte sie auch nicht mehr und nicht eine einzige Nessel. Einmal noch, nur dieses letzte Mal, mußte sie deswegen zum Kirchhof und einige Hände voll pflücken. Sie dachte mit Angst an diese einsame Wanderung, aber ihr Wille stand fest wie ihr Vertrauen auf den Herrn.

Sie ging, aber der König und der Geistliche folgten nach; sie sahen Elisa bei der Gitterpforte hineinverschwinden, und als sie sich näherten, saßen Hexen auf dem Grabsteine, und der König wendete sich ab; denn unter diesen dachte er sich die, deren Haupt noch diesen Abend an seiner Brust geruht hatte.

„Das Volk muß sie verurteilen!" sagte er, und das Volk urteilte, sie solle verbrannt werden.

Aus den prächtigen Königssälen wurde sie in ein dunkles, feuchtes Loch geführt, wo der Wind durch das Gitter hineinpfiff; anstatt Samt und Seide gab man ihr das Bund Nesseln, das sie gesammelt hatte, darauf konnte sie ihr Haupt legen. Die harten, brennenden Panzerhemden, die sie gestrickt hatte, sollten ihre Decke sein, aber nichts Lieberes konnten sie ihr geben, sie nahm wieder ihre Arbeit auf und betete zu Gott. Draußen sangen die Straßenbuben Spottlieder auf sie, keine Seele tröstete sie mit einem freundlichen Worte.

Da sauste gegen Abend dicht beim Gitter ein Schwanenflügel; es war der jüngste der Brüder, der die Schwester gefunden hatte, und sie schluchzte laut vor Freude, obgleich sie dachte, daß die Nacht, die da kam, wahrscheinlich die letzte sein werde, die sie zu leben habe; aber nun war ja auch die Arbeit fast beendet, und ihre Brüder waren hier.

Der Geistliche kam nun, um die letzte Stunde bei ihr zu sein, das hatte er dem König versprochen; aber sie schüttelte den Kopf, bat mit Blick und Mienen, er möge gehen. In dieser Nacht mußte sie ja ihre Arbeit vollenden, sonst war alles unnütz, alles, Schmerz, Tränen und die schlaflosen Nächte. Der Geistliche entfernte sich mit bösen Worten gegen sie, aber die arme Elisa wußte, daß sie unschuldig war, und fuhr in ihrer Arbeit fort.

Die kleinen Mäuse liefen auf dem Fußboden, sie schleppten Nesseln zu ihren Füßen hin, um doch etwas zu helfen. Ein Vogel setzte sich an das Gitter des Fensters und sang die ganze Nacht, so munter er konnte, damit Elisa den Mut nicht verliere.

Es war noch nicht Morgendämmerung, erst nach einer Stunde konnte die Sonne aufgehen, da standen die elf Brüder an der Pforte des Schlosses und verlangten, vor den König geführt zu werden. Das könne nicht geschehen, wurde geantwortet, es sei ja noch Nacht, der König schlafe und dürfe nicht geweckt werden. Sie baten, sie drohten, die Wache kam, ja selbst der König

trat heraus und fragte, was das bedeute; da ging die Sonne auf, und es waren keine Brüder mehr zu sehen, aber über das Schloß flogen elf wilde Schwäne hin.

Aus dem Stadttore strömte das Volk, es wollte die Hexe verbrennen sehen. Ein alter Gaul zog den Karren, auf dem sie saß; man hatte ihr einen Kittel von grobem Sackleinen angetan, ihr herrliches Haar hing lose um das schöne Haupt, ihre Wangen waren totenbleich, ihre Lippen bewegten sich leise, während die Finger den grünen Flachs flochten. Selbst auf dem Wege zu ihrem Tode unterbrach sie die angefangene Arbeit nicht, die zehn Panzerhemden lagen zu ihren Füßen, an dem elften strickte sie. Der Pöbel verhöhnte sie:

„Sieh die Hexe, wie sie murmelt! Kein Gesangbuch hat sie in der Hand, nein, mit ihrer häßlichen Gaukelei sitzt sie da. Reißt sie ihr in tausend Stücke!"

Man drängte auf sie ein und wollte die Panzerhemden zerreißen; da kamen elf weiße Schwäne geflogen, die setzten sich rings um sie auf den Karren und schlugen mit ihren großen Schwingen. Da wich der Haufen erschrocken zur Seite.

„Das ist ein Zeichen des Himmels! Sie ist sicher unschuldig!" flüsterten viele, aber sie wagten nicht, es laut zu sagen.

Nun ergriff sie der Büttel bei der Hand, da warf sie hastig die elf Panzerhemden über die Schwäne, und alsbald standen elf schöne Prinzen da; aber der jüngste hatte einen Schwanenflügel anstatt des einen Armes, denn es fehlte ein Ärmel in seinem Panzerhemde, den hatte sie nicht fertig bekommen.

„Nun darf ich sprechen!" sagte sie, „ich bin unschuldig!"

Als das Volk sah, was geschehen war, neigte es sich vor ihr; aber sie sank ohnmächtig in der Brüder Arme, so hatten die Spannung, die Angst und der Schmerz auf sie gewirkt.

„Ja, unschuldig ist sie!" sagte der älteste Bruder, und nun erzählte er alles, was da geschehen war. Während er sprach, verbreitete sich ein Duft wie von Millionen Rosen, denn jedes Stück Brennholz im Scheiterhaufen hatte Wurzel geschlagen und trieb Zweige. Da stand eine duftende Hecke, hoch und groß mit roten Rosen; ganz oben saß eine Blume, weiß und glänzend, sie leuchtete wie ein Stern. Die brach der König und steckte sie an Elisas Brust. Da erwachte sie mit Frieden und Glückseligkeit im Herzen.

Alle Kirchenglocken läuteten von selbst, und die Vögel kamen in großen Zügen; es wurde ein Hochzeitszug zurück zum Schlosse, wie ihn noch kein König gesehen hatte.

DAS HÄSSLICHE JUNGE ENTLEIN

Es war wunderschön auf dem Lande; es war Sommer, das Korn stand gelb, der Hafer grün, das Heu war unten auf den grünen Wiesen in Schobern aufgesetzt, und da ging der Storch auf seinen langen, roten Beinen und plapperte ägyptisch, denn diese Sprache hatte er von seiner Mutter gelernt. Rings um den Acker und die Wiese waren große Wälder und mitten in den Wäldern tiefe Seen, ja, es war wirklich herrlich da draußen! Mitten im Sonnenschein lag dort ein altes Rittergut, von tiefen Kanälen umgeben, und von der Mauer bis zum Wasser herunter wuchsen große Klettenblätter, die so hoch waren, daß kleine Kinder unter den höchsten aufrecht stehen konnten; es war aber so wild darin wie im tiefsten Walde. Hier saß eine Ente, die ihre Jungen ausbrüten mußte, auf dem Neste; aber es wurde ihr fast zu langweilig, ehe die Jungen kamen, dazu bekam sie selten Besuch; die andern Enten schwammen lieber in den Kanälen umher, als daß sie hinaufliefen, sich unter ein Blatt zu setzen und mit ihr zu schnattern.

Endlich borst ein Ei nach dem andern, „Piep, piep!" sagte es, und alle Eidotter waren lebendig geworden, und die jungen Entlein steckten den Kopf heraus.

„Rapp, rapp!" sagte sie, und so rappelten sich alle, was sie konnten, und sahen nach allen Seiten unter den grünen Blättern, und die Mutter ließ sie sehen, soviel sie wollten, denn das Grüne ist gut für die Augen.

„Wie groß ist doch die Welt!" sagten alle Jungen; denn nun hatten sie freilich ganz anders Platz als vorher, da sie noch drinnen im Ei lagen.

„Glaubt ihr, daß dies die ganze Welt sei?" sagte die Mutter. „Die erstreckt sich noch weit über die andere Seite des Gartens, gerade hinein in des Pfarrers Feld, aber da bin ich noch nie gewesen! Ihr seid doch alle beisammen?" fuhr sie fort, und so stand sie auf. „Nein, ich habe noch nicht alle, das größte Ei liegt noch da. Wie lange soll das noch währen? Jetzt bin ich es bald überdrüssig!" Und so setzte sie sich wieder.

„Nun, wie geht es?" fragte eine alte Ente, die gekommen war, um ihr einen Besuch abzustatten.

„Es dauert so lange mit dem einen Ei!" sagte die Ente, die da saß; „es will nicht entzweigehen; doch blicke nur auf die andern hin, sind sie nicht die niedlichsten Entlein, die man je gesehen hat? Sie gleichen allesamt ihrem Vater; der Bösewicht kommt nicht, mich zu besuchen."

„Laß mich das Ei sehen, das nicht bersten will!" sagte die Alte. „Glaube mir, es ist ein Kalekutenei; ich bin auch einmal so angeführt worden und hatte meine große Sorge und Not mit den Jungen, denn ihnen ist bange vor dem Wasser. Ich konnte sie nicht hinein bekommen, ich rappte und schnappte, aber es half nichts. Laß mich das Ei sehen. Ja, das ist ein Kalekutenei, laß du das liegen, und bringe lieber den andern Kindern das Schwimmen bei."

„Ich will doch noch ein bißchen darauf sitzen", sagte die Ente, „habe ich nun so lange gesessen, kann ich auch noch einige Zeit sitzen."

„Nach Belieben", sagte die alte Ente und ging von dannen.

Endlich borst das große Ei.

„Piep, piep!" sagte das Junge und kroch heraus; es war groß und häßlich. Die Ente betrachtete es. „Das ist doch ein gewaltig großes Entlein", sagte sie; „keins von den andern sieht so aus; sollte es doch ein kalekutisches Küchlein sein? Nun, wir wollen bald dahinterkommen; in das Wasser muß es, ob ich es auch selbst hineinstoßen soll."

Am nächsten Tage war schönes, herrliches Wetter. Die Sonne schien auf all die grünen Kletten. Die Entleinmutter ging mit ihrer ganzen Familie zu dem Kanal hinunter; platsch; da sprang sie in das Wasser. „Rapp, rapp!" sagte sie, und ein Entlein nach dem andern plumpte hinein; das Wasser schlug ihnen über dem Kopfe zusammen, aber sie kamen gleich wieder empor und schwammen so prächtig, die Beine gingen von selbst, und alle waren sie darin, selbst das häßliche, graue Junge schwamm mit.

„Nein, es ist kein Kalekut", sagte sie; „sieh, wie herrlich es die Beine gebraucht, wie gerade es sich hält, es ist mein eigenes Kind. Im Grunde ist es doch ganz hübsch, wenn man es nur recht betrachtet. Rapp, rapp! – Kommt nur mit mir, ich werde euch in die große Welt führen, euch im Entenhof vorstellen, aber haltet euch immer nahe zu mir, damit niemand auf euch trete, und nehmt euch vor den Katzen in acht!"

Und so kamen sie in den Entenhof hinein. Da drinnen war ein schrecklicher Lärm, denn da waren zwei Familien, die sich um einen Aalkopf bissen, und am Ende bekam ihn doch die Katze.

„Seht, so geht es in der Welt zu!" sagte die Entenmutter und wetzte ihren Schnabel, denn sie wollte auch den Aalkopf haben. „Braucht nur die Beine!" sagte sie. „Seht, daß ihr euch rappeln könnt, und neigt euren Hals vor der alten Ente dort; sie ist die vornehmste von allen hier, sie ist aus spanischem Geblüt, deswegen ist sie so dick; und seht ihr, sie hat einen roten Lappen um das Bein, das ist etwas außerordentlich Schönes und die größte Auszeichnung, die einer Ente zuteil werden kann; das bedeutet so viel, daß man sie nicht verlieren will und daß sie von Tieren und Menschen erkannt werden soll! Rappelt euch; setzt die Füße nicht einwärts. Ein wohlerzogenes Entlein setzt die Füße weit voneinander, gerade wie Vater und Mutter: Seht, so! Nun neigt euren Hals und sagt: ,Rapp!'"

Und das taten sie; aber die anderen Enten ringsherum betrachteten sie und sagten ganz laut: „Sieh da! Nun sollen wir noch den Anhang haben, als ob wir nicht schon genug wären, und pfui, wie das eine Entlein aussieht, das wollen wir nicht dulden!" Und sogleich flog eine Ente hin und biß es in den Nacken.

„Laß es in Ruhe!" sagte die Mutter. „Es tut ja niemand etwas."

„Ja, aber es ist so groß und ungewöhnlich", sagte die beißende Ente, „und deshalb muß es gepufft werden."

„Es sind hübsche Kinder", sagte die Ente mit dem Lappen um das Bein. „Alle zusammen schön, bis auf das eine, das ist nicht geglückt; ich möchte wünschen, daß sie es umarbeiten könnte."

„Das geht nicht, Ihro Gnaden", sagte die Entleinmutter; „es ist nicht hübsch, aber es hat ein gutes Gemüt und schwimmt so herrlich wie eins von den andern, ja, ich darf sagen, noch etwas besser; ich denke, es wird hübsch heranwachsen und mit der Zeit etwas kleiner werden; es hat so lange in dem Ei gelegen und deshalb nicht die rechte Gestalt bekommen!" Und so zupfte sie es im Nacken

und glättete das Gefieder. „Es ist überdies ein Enterich", sagte sie, „und darum macht es nicht soviel aus. Ich denke, er wird gute Kräfte bekommen, er schlägt sich schon durch."

„Die andern Entlein sind niedlich", sagte die Alte. „Tut nun, als ob ihr zu Hause wäret, und findet ihr einen Aalkopf, so könnt ihr mir ihn bringen."

Und so waren sie wie zu Hause.

Aber das arme Entlein, das zuletzt aus dem Ei gekrochen war und so häßlich aussah, wurde gebissen, gestoßen und zum besten gehalten, und das sowohl von den Enten wie von den Hühnern. „Es ist zu groß", sagten sie allesamt, und der kalekutische Hahn, der mit Sporen zur Welt gekommen war und deshalb glaubte, daß er Kaiser sei, blies sich wie ein Fahrzeug mit vollen Segeln auf, ging gerade auf das Entlein los, und dann kollerte er und wurde ganz rot am Kopfe. Das arme Entlein wußte weder wo es stehen noch wo es gehen sollte; es war betrübt, weil es häßlich aussah und vom ganzen Entenhofe verspottet wurde.

So ging es den ersten Tag, und später wurde es schlimmer und schlimmer. Das Entlein wurde von allen gejagt, selbst seine Geschwister waren böse darauf und sagten immer: „Wenn die Katze dich nur fangen möchte, du häßliches Geschöpf!" und die Mutter sagte: „Wenn du nur weit fort wärest!" Die Enten bissen es, und die Hühner schlugen es, und ein Mädchen, das die Tiere füttern sollte, stieß mit dem Fuße danach.

Da lief und flatterte es über das Gehege; die kleinen Vögel in den Büschen flogen erschrocken auf. ‚Das geschieht, weil ich häßlich bin!' dachte das Entlein und schloß die Augen, lief aber gleichwohl weiter; so kam es hinaus zu dem großen Moor, wo die wilden Enten wohnten. Hier lag es die ganze Nacht, es war sehr müde und kummervoll.

Am Morgen flogen die wilden Enten auf, und sie betrachteten den neuen Kameraden. „Was bist du für einer?" fragten sie, und das Entlein wandte sich nach allen Seiten und grüßte, so gut es konnte.

„Du bist außerordentlich häßlich!" sagten die wilden Enten. „Aber das kann uns gleichgültig sein, wenn du nur nicht in unsere Familie hinein heiratest." Das Arme dachte wirklich nicht daran, sich zu verheiraten, wenn es nur die Erlaubnis hatte, im Schilfe zu liegen und etwas Moorwasser zu trinken.

So lag es ganze zwei Tage. Da kamen zwei wilde Gänse oder richtiger wilde Gänseriche dorthin; es war noch nicht lange her, daß sie aus dem Ei gekrochen waren, und deshalb waren sie auch so keck.

„Höre, Kamerad", sagten sie, „du bist so häßlich, daß wir dich gut leiden mögen; willst du mitziehen und Zugvogel sein? Hier nahebei in einem anderen Moor gibt es einige liebliche, wilde Gänse, alle zusammen Fräulein, die da ‚Rapp' sagen können. Du bist imstande, dein Glück zu machen, so häßlich du auch bist!"

„Piff, paff!" ertönte es, und beide wilde Gänseriche fielen tot in das Schilf nieder, und das Wasser wurde blutrot. „Piff, paff!" erscholl es wieder, und ganze Scharen wilder Gänse flogen aus dem Schilfe auf, und dann knallte es wieder. Es war große Jagd: Die Jäger lagen rings um das Rohr herum, ja,

einige saßen oben in den Baumzweigen, die sich weit über das Schilf hinstreckten. Der blaue Dampf zog gleich Wolken in die dunklen Bäume hinein und ging weit über das Wasser hin; zum Moor kamen die Jagdhunde: platsch! platsch! – das Schilf und das Rohr neigten sich nach allen Seiten. Das war ein Schreck für das arme Entlein; es wendete den Kopf, um ihn unter den Flügel zu stecken, und im selben Augenblick stand ein fürchterlich großer Hund dicht bei dem Entlein. Die Zunge hing ihm lang aus dem Halse heraus, und die Augen leuchteten greulich häßlich; er streckte seinen Rachen dem Entlein gerade entgegen, zeigte ihm die scharfen Zähne und, platsch, platsch, ging er wieder, ohne es zu packen.

„Oh, Gott sei Dank!" seufzte das Entlein, „ich bin so häßlich, daß mich selbst der Hund nicht beißen mag!"

So lag es ganz still, während der Bleihagel durch das Schilf sauste und Schuß auf Schuß knallte.

Erst spät am Tage wurde es still, aber das arme Junge wagte noch nicht, sich zu erheben; es wartete noch mehrere Stunden, bevor es sich umsah, und dann eilte es fort aus dem Moor, so schnell es konnte; es lief über Feld und Wiese, und es war ein Sturm, daß es ihm schwer wurde, von der Stelle zu kommen.

Gegen Abend erreichte es eine kleine Bauernhütte, die war so baufällig, daß sie selbst nicht wußte, nach welcher Seite sie fallen sollte, und darum blieb sie stehen. Der Sturm umsauste das Entlein so, daß es sich niedersetzen mußte, um sich dagegen zu stemmen; und es wurde schlimmer und schlimmer; da bemerkte es, daß die Tür aus der einen Angel gegangen war und so schief hing, daß es durch die Öffnung in die Stube hineinschlüpfen konnte, und das tat es.

Hier wohnte eine alte Frau mit ihrer Katze und ihrem Huhn, und die Katze, die sie Söhnchen nannte, konnte einen Buckel machen und spinnen, sie sprühte sogar Funken, wenn man sie gegen die Haare streichelte. Das Huhn hatte ganz kleine, niedrige Beine, und deshalb wurde es Küchelchen Kurzbein genannt; es legte gut Eier, und die Frau liebte es wie ihr eigenes Kind.

Am Morgen bemerkte man sogleich das fremde Entlein, und die Katze fing an zu spinnen und das Huhn zu glucken.

„Was ist das?" sagte die Frau und sah sich rings um, aber sie sah nicht gut, und so glaubte sie, daß das Entlein eine fette Ente sei, die sich verirrt habe. „Das ist ja ein seltsamer Fang!" sagte sie. „Nun kann ich Enteneier bekommen. Wenn es nur kein Enterich ist! Das müssen wir erproben."

Und so wurde das Entlein für drei Wochen auf Probe angenommen, aber da kamen keine Eier. Und die Katze war Herr im Hause, und das Huhn war die Frau, und immer sagten sie: „Wir und die Welt!", denn sie glaubten, daß sie die Hälfte seien, und zwar der allerbeste Teil. Das Entlein glaubte, daß man auch eine andere Meinung haben könne, aber das litt das Huhn nicht.

„Kannst du Eier legen?" fragte es.

„Nein!"

„So wirst du deinen Mund halten!"

Und die Katze sagte: „Kannst du einen krummen Buckel machen, spinnen und Funken sprühen?"

„Nein!"

„So darfst du auch keine Meinung haben, wenn vernünftige Leute sprechen!"

Das Entlein saß im Winkel und war bei schlechter Laune; da fiel es ihm ein, an die frische Luft und den Sonnenschein zu denken; es bekam so sonderbare Lust, auf dem Wasser zu schwimmen, daß es nicht unterlassen konnte, dies der Henne zu sagen.

„Was fehlt dir?" fragte die. „Du hast nichts zu tun, deshalb bekommst du die Grillen! Lege Eier oder spinne, so gehen sie vorüber."

„Aber es ist so schön, auf dem Wasser zu schwimmen", sagte das Entlein, „so herrlich, es über dem Kopfe zusammenschlagen zu lassen und auf den Grund niederzutauchen!"

„Ja, das ist ein großes Vergnügen!" sagte die Henne. „Du bist wohl verrückt geworden! Frage die Katze danach – sie ist die klügste, die ich kenne –, ob sie es liebt, auf dem Wasser zu schwimmen oder unterzutauchen; ich will nicht von mir sprechen. Frage selbst unsere Herrschaft, die alte Frau, klüger als sie ist niemand auf der Welt! Glaubst du, daß sie Lust hat, zu schwimmen und das Wasser über dem Kopfe zusammenschlagen zu lassen?"

„Ihr versteht mich nicht!" sagte die Ente.

„Wir verstehen dich nicht? Wer soll dich denn verstehen können? Du wirst doch wohl nicht klüger sein wollen als die Katze und die Frau, mich will ich nicht erwähnen! Bilde dir nichts ein, Kind, und danke deinem lieben Schöpfer für all das Gute, das man dir erwiesen hat! Bist du nicht in eine warme Stube gekommen und hast einen Umgang, von dem du etwas lernen kannst? Aber du bist ein Schwätzer, und es ist nicht erfreulich, mit dir umzugehen. Mir kannst du glauben, ich meine es gut mit dir, ich sage dir Unannehmlichkeiten, und daran kann man seine wahren Freunde erkennen! Sieh zu, daß du Eier legen oder spinnen und Funken sprühen lernst!"

„Ich glaube, ich gehe hinaus in die weite Welt!" sagte das Entlein.

„Ja, tue das!" sagte das Huhn. Und so ging das Entlein.

Es schwamm auf dem Wasser, es tauchte unter, aber von allen Tieren wurde es wegen seiner Häßlichkeit übersehen.

Nun kam der Herbst, die Blätter im Walde wurden gelb und braun, der Wind riß sie ab, so daß sie umhertanzten, und oben in der Luft war es sehr kalt; die Wolken hingen schwer von Hagel und Schneeflocken. Auf dem Zaun stand ein Rabe und schrie: „Au, au!" vor lauter Kälte – ja, man konnte ordentlich frieren, wenn man daran dachte. Das arme Entlein hatte es wahrlich nicht gut. Eines Abends, als die Sonne schön unterging, kam ein ganzer Schwarm herrlicher, großer Vögel aus dem Busche; das Entlein hatte nie solche schönen gesehen. Sie waren ganz blendend weiß, mit langen, geschmeidigen Hälsen, es waren Schwäne. Sie stießen einen ganz eigentümlichen Ton aus, breiteten ihre prächtigen, langen Flügel aus und flogen von der kalten Gegend fort nach warmen Ländern, nach offenen Seen. Sie stiegen sehr hoch, und dem häßlichen, kleinen Entlein wurde es sonderbar zumute; es drehte sich im Wasser wie ein Rad rund herum, streckte den Hals hoch in die Luft nach ihnen aus und stieß einen so lauten und sonderbaren Schrei aus, daß es sich selbst davor fürchtete.

Oh, es konnte die so schönen und die so glücklichen Vögel nicht mehr vergessen, und sobald es sie nicht mehr erblickte, tauchte es gerade bis auf den Grund, und als es wieder heraufkam, war es wie außer sich. Es wußte nicht, wie alle die Vögel hießen, nicht, wohin sie flogen, aber doch war es ihnen gut, wie es nie jemandem gewesen. Es beneidete sie durchaus nicht; wie konnte es ihm einfallen, sich solche Lieblichkeit zu wünschen! Es wäre schon froh gewesen, wenn die Enten es unter sich geduldet hätten, das arme, häßliche Tier!

Der Winter wurde immer kälter; das Entlein mußte im Wasser herumschwimmen, um nicht völlig einzufrieren; aber in der Nacht wurde das Loch, worin es schwamm, kleiner und kleiner; es fror, daß es knackte; das Entlein mußte fortwährend die Beine gebrauchen, damit das Wasser sich nicht schloß; zuletzt wurde es matt und fror so im Eise fest.

Des Morgens früh kam ein Landmann, der dies sah; er schlug mit seinem Holzschuh das Eis in Stücke und trug das Entlein heim zu seiner Frau.

Da wurde es wieder belebt. Die Kinder wollten mit ihm spielen, aber das Entlein glaubte, sie wollten ihm etwas zuleide tun, und fuhr in der Angst gerade in den Milchnapf hinein, so daß die Milch in die Stube hinausspritzte. Die Frau schrie und schlug die Hände zusammen, worauf es in das Butterfaß, dann hinunter in die Milchtonne und dann wieder aufflog.

Wie sah es da aus!

Die Frau schlug mit der Feuerzange danach, die Kinder rannten einander über den Haufen, um das Entlein zu fangen; sie lachten und schrien! Gut war es, daß die Tür aufstand und es zwischen die Reiser in den frisch gefallenen Schnee schlüpfen konnte; da lag es ganz ermattet.

Aber all die Not und das Elend, die das Entlein in dem harten Winter erdulden mußte, zu erzählen, würde zu trübe sein. Es lag im Moor, zwischen dem Rohre, als die Sonne wieder warm zu scheinen begann; die Lerchen sangen, es war herrlicher Frühling.

Da konnte auf einmal das Entlein seine Flügel schwingen, sie brausten stärker als früher und trugen es kräftig davon; und ehe es das selbst recht wußte, befand es sich in einem großen Garten, wo die Apfelbäume in Blüte standen, wo der Flieder duftete und seine langen, grünen Zweige gerade bis zu den gekrümmten Kanälen hinunter neigte. Oh, hier war es schön und frühlingsfrisch! Gerade vorn aus dem Dickicht kamen drei prächtige weiße Schwäne; sie brausten mit den Federn und schwammen leicht auf dem Wasser. Das Entlein kannte die prächtigen Tiere und wurde von einer eigentümlichen Traurigkeit befallen.

„Ich will zu ihnen hinfliegen, zu den königlichen Vögeln, und sie werden mich totschlagen, weil ich so häßlich bin und mich ihnen zu nähern wage; aber das ist ja gleichviel! Besser, von ihnen getötet, als von den Enten gezwackt, von den Hühnern geschlagen, von dem Mädchen, das den Hühnerhof hütet, gestoßen zu werden und im Winter Mangel zu leiden." Es flog hinaus in das Wasser und schwamm den prächtigen Schwänen entgegen; diese erblickten es und schossen mit brausenden Federn darauflos. „Tötet mich nur!" sagte das arme Tier und neigte seinen Kopf der Wasserfläche zu und erwartete den Tod. Aber was erblickte es in dem klaren Wasser? Es sah sein eigenes Bild unter sich, das kein plumper, schwarzgrauer Vogel mehr war, häßlich und garstig, sondern selbst ein Schwan.

Es schadet nichts, in einem Entenhofe geboren zu sein, wenn man nur in einem Schwanenei gelegen hat.

Es fühlte sich ordentlich erfreut über all die Not und die Drangsal, die es erduldet hatte; jetzt erkannte es erst sein Glück an all der Herrlichkeit, die es begrüßte.

Die großen Schwäne umschwammen es und streichelten es mit dem Schnabel.

Im Garten kamen da einige kleine Kinder, die warfen Brot und Korn in das Wasser, und das kleinste rief: „Da ist ein neuer!" Und die anderen Kinder jubelten mit: „Ja, es ist ein neuer angekommen!" Sie klatschten in die Hände und tanzten umher, liefen zum Vater und zu der Mutter, und es wurden Brot und Kuchen in das Wasser geworfen, und sie sagten alle: „Der neue ist der schönste, so jung und so prächtig!" Und die alten Schwäne neigten sich vor ihm.

Da fühlte er sich beschämt und steckte den Kopf unter seine Flügel; er wußte selbst nicht, was er beginnen sollte, er war allzu glücklich, aber durchaus nicht stolz; denn ein gutes Herz wird nie stolz! Er dachte daran, wie er verfolgt und verhöhnt worden war, und hörte nun alle sagen, daß er der schönste dieser schönen Vögel sei; selbst der Flieder bog sich mit den Zweigen gerade zu ihm in das Wasser hinunter, und die Sonne schien warm und mild. Da brausten seine Federn, der schlanke Hals hob sich, und aus vollem Herzen jubelte er: „Soviel Glück habe ich mir nicht träumen lassen, als ich noch das häßliche Entlein war!"

DER FLIEGENDE KOFFER

Es war einmal ein Kaufmann, der war so reich, daß er die ganze Straße und fast noch eine kleine Gasse mit Silbergeld pflastern konnte; aber das tat er nicht, er wußte sein Geld anders anzuwenden, und gab er einen Groschen aus, so bekam er einen Taler wieder, ein so kluger Kaufmann war er – bis er starb.

Der Sohn bekam nun all dieses Geld, und er lebte lustig, ging jeden Tag einem anderen Vergnügen nach, machte Papierdrachen von Talerscheinen und warf in das Wasser mit Goldstücken anstatt mit einem Steine. So konnte das Geld wohl zu Ende gehen. Zuletzt besaß er nicht mehr als vier Groschen und hatte keine anderen Kleider als ein Paar Schuhe und einen alten Schlafrock. Nun kümmerten sich seine Freunde nicht mehr um ihn, da sie ja nicht zusammen auf die Straße gehen konnten; aber einer von ihnen, der gutmütig war, sandte ihm einen alten Koffer mit der Bemerkung: „Packe ein!" Ja, das war nun ganz gut, aber er hatte nichts einzupacken, darum setzte er sich selbst in den Koffer.

Das war ein merkwürdiger Koffer. Sobald man an das Schloß drückte, konnte der Koffer fliegen. Das tat nun der Mann, und sogleich flog er mit dem Koffer durch den Schornstein hoch über die Wolken hinauf, weiter und weiter fort; sooft aber der Boden ein wenig krachte, war er sehr in Angst, daß der Koffer in Stücke gehe, denn alsdann hätte er einen ganz tüchtigen Luftsprung gemacht. So kam er nach dem Lande der Türken. Den Koffer verbarg er im Walde unter verdorrten Blättern und ging dann in die Stadt hinein; das konnte er auch recht gut, denn bei den Türken gingen ja alle so wie er in Schlafrock und Pantoffeln. Da begegnete er einer Amme mit einem kleinen Kinde. „Höre du, Türkenamme", fragte er, „was ist das für ein großes Schloß hier dicht bei der Stadt, wo die Fenster so hoch sitzen?"

„Da wohnt die Tochter des Königs!" erwiderte die Frau. „Es ist prophezeit, daß sie über einen Geliebten sehr unglücklich werden würde, und deshalb darf niemand zu ihr kommen, wenn nicht der König und die Königin mit dabei sind!"

„Ich danke!" sagte der Kaufmannssohn, ging hinaus in den Wald, setzte sich in seinen Koffer, flog auf das Dach des Schlosses und kroch durch das Fenster zur Prinzessin.

Sie lag auf dem Sofa und schlief; sie war so schön, daß der Kaufmannssohn sie küssen mußte; sie erwachte und erschrak gewaltig, aber er sagte, er sei der Türkengott, der durch die Luft zu ihr heruntergekommen sei, und das gefiel ihr.

So saßen sie beieinander, und er erzählte ihr Geschichten von ihren Augen; das waren die herrlichsten, dunklen Seen, und da schwammen die Gedanken gleich Meerweibchen; und er erzählte von ihrer Stirn, die war ein Schneeberg mit den prächtigsten Sälen und Bildern; und er erzählte vom Storch, der die lieblichen, kleinen Kinder bringt.

Ja, das waren schöne Geschichten! Dann freite er um die Prinzessin, und sie sagte sogleich ja!

„Aber Sie müssen am Sonnabend herkommen", sagte sie, „da sind der König und die Königin bei mir zum Tee! Sie werden sehr stolz darauf sein, daß ich den Türkengott bekomme, aber sehen Sie zu, daß Sie ein recht hübsches Märchen wissen, denn das lieben meine Eltern ganz außerordentlich; meine Mutter will es erbaulich und vornehm und mein Vater belustigend haben, so daß man lachen kann!"

„Ja, ich bringe keine andere Brautgabe als ein Märchen!" sagte er, und so schieden sie, aber die Prinzessin gab ihm einen Säbel, der war mit Goldstücken besetzt, und die konnte er gerade gebrauchen.

Nun flog er fort, kaufte sich einen neuen Schlafrock und saß dann draußen im Walde und dichtete ein Märchen; das sollte bis zu Sonnabend fertig sein, und das ist nicht leicht.

Es wurde fertig, und da war es Sonnabend.

Der König, die Königin und der ganze Hof warteten mit dem Tee bei der Prinzessin. Der Kaufmannssohn wurde freundlich empfangen.

„Wollen Sie uns nun ein Märchen erzählen", sagte die Königin, „eins, das tiefsinnig und belehrend ist?"

„Aber worüber man, auch wenn es viel Weisheit enthält, doch noch lachen kann!" sagte der König.

„Jawohl!" erwiderte er und erzählte; da muß man nun gut aufpassen.

„Es war einmal ein Bund Streichhölzer, die waren außerordentlich stolz auf ihre hohe Herkunft; ihr Stammbaum, das heißt, die große Fichte, wovon sie jedes ein kleines Hölzchen waren, war ein großer, alter Baum im Walde gewesen. Die Streichhölzer lagen nun in der Mitte zwischen einem alten Feuerzeuge und einem alten, eisernen Topfe, und diesem erzählten sie von ihrer Jugend. ‚Ja, als wir noch im Baum waren', sagten sie, ‚da waren wir wirklich auf einem grünen Zweig! Jeden Morgen und Abend gab es Diamanttee, das war der Tau. Den ganzen Tag hatten wir Sonnenschein, wenn die Sonne da war, und alle die kleinen Vögel mußten uns Geschichten erzählen. Wir konnten wohl merken, daß wir auch reich waren, denn die Laubbäume waren nur im Sommer bekleidet, aber unsere Familie hatte Mittel zu grünen Kleidern sowohl im Sommer als im Winter. Doch da kam der Holzhauer, und unsere Familie wurde zersplittert; der Stammherr erhielt Platz als Hauptmast auf einem prächtigen Schiffe, das die Welt umsegeln konnte, wenn es wollte, die anderen Zweige kamen nach anderen Orten, und wir haben nun das Amt, der Menge das Licht anzuzünden; deshalb sind wir vornehmen Leute hier in die Küche gekommen.'

‚Mein Schicksal gestaltete sich auf eine andere Weise!' sagte der Eisentopf, an dessen Seite die Streichhölzer lagen. ‚Vom Anfang an, seit ich in die Welt kam, bin ich vielmal gescheuert und gewärmt worden; ich sorge für das Dauerhafte und bin der Erste hier im Hause. Meine einzige Freude ist, nach Tische rein und sauber auf meinem Platze zu liegen und ein vernünftiges Gespräch mit den Kameraden zu führen. Wenn ich den Wassereimer ausnehme, der hin und wieder einmal zum Hof hinunterkommt, so leben wir immer innerhalb der Türen. Unser einziger Neuigkeitsbote ist der Marktkorb, aber der spricht zu unruhig über die Regierung und das Volk. Ja, neulich war da ein alter Topf, der vor Schreck darüber niederfiel und sich in Stücke schlug; der war gut

gesinnt, sage ich euch!' – ‚Nun sprichst du zuviel!' fiel das Feuerzeug ein, und der Stahl schlug gegen den Feuerstein, daß es sprühte. ‚Wollen wir uns nicht einen lustigen Abend machen?'

‚Ja, laßt uns davon sprechen, wer der vornehmste ist!' sagten die Streichhölzer.

‚Nein, ich liebe es nicht, von mir selbst zu reden', wendete der Tontopf bescheiden ein. ‚Laßt uns eine Abendunterhaltung veranstalten. Ich werde anfangen, ich werde etwas erzählen, was ein jeder erlebt hat; da kann man sich leicht darein finden, und es ist sehr erfreulich! An der Ostsee bei den Buchen –'

‚Das ist ein hübscher Anfang!' sagten die Teller. ‚Das wird sicher eine Geschichte, die uns gefällt!'

‚Ja, da verlebte ich meine Jugend bei einer stillen Familie; die Möbel wurden geputzt, die Fußböden gescheuert, und alle vierzehn Tage wurden neue Vorhänge aufgehängt!'

‚Wie gut Sie erzählen!', sagte der Haarbesen. ‚Man kann gleich hören, daß ein Frauenzimmer erzählt; es geht etwas Reines hindurch!'

‚Ja, das fühlt man!' sagte der Wassereimer und machte vor Freude einen kleinen Sprung, so daß es auf dem Fußboden klatschte.

Der Topf fuhr zu erzählen fort, und das Ende war ebensogut wie der Anfang.

Alle Teller klapperten vor Freude, und der Haarbesen zog grüne Petersilie aus dem Sandloche und bekränzte den Topf, denn er wußte, daß es die andern ärgern werde. ‚Bekränze ich ihn heute', dachte er, ‚so bekränzt er mich morgen.'

‚Nun will ich tanzen!' sagte die Feuerzange und tanzte. Ja, Gott bewahre uns, wie konnte sie das eine Bein in die Höhe strecken! Der alte Stuhlbezug dort im Winkel platzte, als er es sah. ‚Werde ich nun auch bekränzt?' fragte die Feuerzange, und das wurde sie.

‚Das ist das gemeine Volk!' dachten die Streichhölzer.

Nun sollte die Teemaschine singen, aber sie sagte, sie sei erkältet, sie könne nicht, wenn sie nicht koche; doch das war bloß Vornehmtuerei; sie wollte nicht singen, wenn sie nicht drinnen bei der Herrschaft auf dem Tische stand.

Im Fenster saß eine alte Feder, womit das Mädchen zu schreiben pflegte; es war nichts Bemerkenswertes an ihr, außer daß sie gar zu tief in die Tinte getaucht worden, aber darauf war sie nun stolz. ‚Will die Teemaschine nicht singen', sagte sie, ‚so kann sie es unterlassen; draußen hängt eine Nachtigall im Käfig, die kann singen; die hat zwar nichts gelernt, aber das wollen wir diesen Abend dahingestellt sein lassen!'

‚Ich finde es höchst unpassend', sagte der Teekessel – er war Küchensänger und Halbbruder der Teemaschine –, ‚daß ein fremder Vogel gehört werden soll! Ist das Vaterlandsliebe? Der Marktkorb mag darüber richten!'

‚Ich ärgere mich nur', sagte der Marktkorb, ‚ich ärgere mich so, wie es sich kein Mensch denken kann! Ist das eine passende Art, den Abend hinzubringen? Würde es nicht vernünftiger sein, Ordnung herzustellen? Ein jeder müßte auf seinen Platz kommen, und ich würde das ganze Spiel leiten. Das sollte etwas anderes werden!'

‚Laßt uns Lärm machen!' sagten alle. Da ging die Tür auf. Es war das Dienstmädchen, und da standen sie still. Keiner bewegte sich; aber da war nicht ein Topf, der nicht gewußt hätte, was er zu tun vermöge und wie vornehm er sei. ‚Ja, wenn ich gewollt hätte', dachte jeder, ‚so hätte es ein recht lustiger Abend werden sollen!'

Das Dienstmädchen nahm die Streichhölzer und zündete sich Feuer damit an. Wie sie sprühten und in Flammen gerieten!

‚Nun kann doch ein jeder sehen', dachten sie, ‚daß wir die Ersten sind. Welchen Glanz wir haben, welches Licht!' Damit waren sie ausgebrannt."

„Das war ein herrliches Märchen!" sagte die Königin. „Ich fühle mich ganz in die Küche versetzt zu den Streichhölzern, ja, nun sollst du unsere Tochter haben."

„Jawohl!" sagte der König, „du sollst unsere Tochter am Montag haben!" Denn nun sagten sie du zu ihm, da er ja nun fortan sowieso zur Familie gehören sollte.

Die Hochzeit war nun bestimmt, und am Abend vorher wurde die ganze Stadt beleuchtet, Zwieback und Brezeln wurden ausgeteilt, die Straßenbuben riefen hurra und pfiffen auf den Fingern, es war außerordentlich prachtvoll.

‚Ja, ich muß wohl auch etwas tun!' dachte der Kaufmannssohn und kaufte Raketen, Knallerbsen und alles Feuerwerk, was man erdenken konnte, legte es in seinen Koffer und flog damit in die Luft.

Das war kein kleiner Lärm!

Alle Türken hüpften dabei in die Höhe, daß ihnen die Pantoffeln um die Ohren flogen; solche Lufterscheinungen hatten sie noch nie gesehen. Nun konnten sie begreifen, daß es der Türkengott selbst war, der die Prinzessin haben sollte.

Sobald der Kaufmannssohn wieder mit seinem Koffer herunter in den Wald kam, dachte er: ‚Ich will doch in die Stadt hineingehen, um zu erfahren, wie es sich ausgenommen hat'; es war ganz natürlich, daß er Lust dazu hatte.

Was doch die Leute erzählten! Ein
jeder, den er danach fragte, hatte es auf
seine Weise gesehen, aber schön hatten
es alle gefunden.

„Ich sah den Türkengott selbst", sagte
der eine, „er hatte Augen wie glänzende
Sterne und einen Bart wie schäumendes
Wasser!"

„Er flog in einem Feuermantel", sagte
ein anderer. „Die lieblichsten Engelskin-
der blickten aus den Falten hervor!"

Ja, das waren herrliche Sachen, die er
hörte, und am folgenden Tage sollte er
Hochzeit haben.

Nun ging er nach dem Walde zurück,
um sich in seinen Koffer zu setzen –

aber wo war der? Der Koffer war verbrannt. Ein Funken des Feuerwerks war zurückgeblieben, der hatte Feuer gefangen, und der Koffer lag in Asche. Nun konnte der Kaufmannssohn nicht mehr fliegen, nicht mehr zu seiner Braut gelangen.

Sie stand den ganzen Tag auf dem Dache und wartete; sie wartet noch, aber er durchwandert die Welt und erzählt Märchen, doch sind sie nicht mehr so lustig wie das Märchen von den Streichhölzern, das er als Türkengott erzählte.

EIN HERZELEID

Diese Geschichte besteht eigentlich aus zwei Teilen; der erste Teil könnte zwar wegfallen – aber er gibt uns einige Vorkenntnisse, und die sind nützlich!

Wir sind auf dem Lande, auf einem Herrenhause, wo es sich ereignet hatte, daß die Herrschaft auf einige Tage verreist war. Währenddessen kam aus dem nächsten Städtchen eine Madame an; sie führte einen Mops bei sich und kam, wie sie sagte, damit man Aktien auf ihre Gerberei nehmen möge. Sie hatte ihre Papiere mit, und wir rieten ihr, sie in einen Umschlag zu legen und darauf die Anschrift des Gutsbesitzers ,Herrn Generalkriegskommissarius, Ritter usw.' zu schreiben.

Sie hörte uns aufmerksam zu, ergriff die Feder, hielt wieder inne und bat uns, wir möchten die Anschrift wiederholen, aber langsam. Wir taten es, und sie schrieb; allein inmitten des ,Generalkriegs . . .' blieb sie stecken, seufzte tief auf und sagte: „Ich bin nur ein Frauenzimmer!" – Ihr ,Moppelchen' hatte sich, während sie schrieb, auf den Fußboden gesetzt und knurrte, war doch der Hund auch seines Vergnügens und seiner Gesundheit wegen mitgereist, und dann soll einem nicht der Fußboden angetragen werden. Stumpfnase und Speckbuckel waren seine äußere Erscheinung.

„Er beißt nicht!" sagte die Dame, „er hat keine Zähne. Er ist gleichsam ein Mitglied der Familie, treu und knurrig, allein dazu haben ihn meine Enkel gereizt; sie spielen Hochzeit, und ihm wollen sie die Rolle der Brautjungfer geben, das strengt ihn zu sehr an, das alte Fell!"

Sie gab ihre Papiere ab und nahm das Moppelchen auf den Arm. – Dies ist der erste Teil – den man füglich hätte entbehren können!

Das Moppelchen starb! Das ist der zweite Teil.

Es war ungefähr eine Woche später; wir kamen in der Stadt an und kehrten im Gasthofe ein. Unsere Fenster führten auf den Hofraum, der durch eine

Bretterwand in zwei Teile gesondert war; in der einen Hälfte hingen Felle und Häute, rohe und gegerbte. Hier befanden sich alle Materialien einer Gerberei, und die gehörte der Witwe. – Moppelchen war an diesem Morgen gestorben und in diesem Teile des Hofraumes begraben worden; die Enkel der Witwe, das heißt, die der Gerberwitwe, denn Moppelchen war nie verheiratet, deckten das Grab zu, und es war ein schönes Grab, es mußte ein wahres Vergnügen sein, darin zu liegen.

Das Grab war mit Topfscherben eingezäunt und mit Sand bestreut; ganz oben hatten sie eine halbe Bierflasche hingepflanzt, den Hals nach oben gekehrt, und das war durchaus nicht allegorisch.

Die Kinder tanzten um das Grab herum, und der älteste der Knaben unter ihnen, ein praktischer Junge von sieben Jahren, machte den Vorschlag, daß eine Ausstellung der Moppelchen-Grabstätte stattfinden solle, und zwar für alle aus dem Gäßchen; der Eintritt solle mit einem Hosenknopfe bezahlt werden. Einen solchen besäße jeder Knabe, und jeder könne gleichfalls einen für ein kleines Mädchen hergeben; dieser Vorschlag wurde einstimmig genehmigt.

Alle Kinder aus dem Gäßchen, ja selbst aus dem Hintergäßchen strömten herbei, und jedes gab einen Knopf. Viele gingen an diesem Nachmittage nur mit einem Hosenträger umher, aber dafür hatte man das Grab des Moppelchen gesehen, und der Anblick war viel mehr wert.

Doch draußen vor dem Gerberhofe, dicht neben dem Eingange, stand ein kleines, in Lumpen gekleidetes Mädchen, gar schön von Gestalt, mit gelocktem Haar und mit Augen, blau und klar, daß es eine Lust war. Es sprach kein Wort, es weinte auch nicht, aber jedesmal, wenn das Pförtchen sich öffnete, warf es einen langen, langen Blick in den Hof. Es hatte keinen Knopf, das wußte es wohl, und deshalb blieb es traurig draußen stehen, bis alle die anderen das Grab gesehen und sich wieder entfernt hatten; alsdann setzte es sich nieder, hielt die kleinen braunen Hände vor die Augen und brach in Tränen aus; das Mädchen allein hatte Moppelchens Grab nicht gesehen. Es war ein Herzeleid, so groß wie ein Erwachsener es nur empfinden kann.

Wir sahen dies von oben – und von oben gesehen, ja, dann können wir darüber lächeln – über dieses, wie über manches eigene und anderer Leute Herzeleid! – Das ist die Geschichte, und derjenige, der sie nicht versteht, mag sich eine Aktie in der Gerberei bei der Witwe kaufen.

DER SCHNEEMANN

Es ist eine so wunderbare Kälte, daß mir der ganze Körper knackt!" sagte der Schneemann. „Der Wind kann einem wirklich Leben einblasen! Und wie die Glühende da droben glotzt!" – er meinte die Sonne, die eben im Untergehen begriffen war. „Mich soll sie nicht zum Blinzeln bringen, ich will meine Stückchen schon festhalten."

Er hatte nämlich statt der Augen zwei große, dreieckige Stücke von einem Dachziegel im Kopf; sein Mund bestand aus einer alten Harke, folglich hatte er auch Zähne.

Er war geboren unter dem Jubelrufe der Knaben und begrüßt vom Schellengeläute und Peitschengeknall der Schlittenfahrer.

Die Sonne ging unter, der Vollmond ging auf in der blauen Luft, rund und groß, klar und schön.

„Da ist sie wieder von der andern Seite!" sagte der Schneemann. Damit wollte er sagen: Die Sonne zeigt sich wieder. „Ich habe ihr doch das Glotzen abgewöhnt! Mag sie nun da hängen und leuchten, damit ich mich selbst sehen kann. Wüßte ich nur, wie man das macht, um von der Stelle zu kommen! Ich möchte mich gar zu gern bewegen! – Wenn ich es könnte, so würde ich jetzt da unten auf dem Eise hingleiten, wie ich die Knaben gleiten sehe; aber ich weiß nicht, wie man läuft."

„Wäk! Wäk!" bellte der alte Kettenhund; er war etwas heiser und konnte nicht mehr das echte ,Wau! Wau!' aussprechen; die Heiserkeit hatte er sich geholt, als er noch Stubenhund war und unter dem Ofen lag. „Die Sonne wird dich schon laufen lehren! Das habe ich vorigen Winter an deinem Vorgänger und noch früher an dessen Vorgänger gesehen. Wäk, wäk, und weg sind sie!"

„Ich verstehe dich nicht, Kamerad", sagte der Schneemann. „Die da oben soll mich laufen lehren?" Er meinte den Mond; „ja, sie lief ja vorhin freilich weg, als ich sie fest ansah. Jetzt schleicht sie heran von der andern Seite."

„Du weißt gar nichts!" entgegnete der Kettenhund; „du bist aber auch eben erst zusammengekleckst. Der, den du da siehst, ist der Mond; die, die vorhin davonging, war die Sonne; die kommt morgen wieder, sie wird dich schon lehren, in den Wallgraben hinabzulaufen. Wir kriegen bald anderes Wetter; ich fühle das schon in meinem linken Hinterbein; es sticht und schmerzt – das Wetter wird sich ändern!"

„Ich verstehe ihn nicht", sagte der Schneemann, „aber ich habe es so im Gefühl, daß es etwas Unangenehmes ist, was er sagt. Sie, die so glotzte und sich alsdann davonmachte, die Sonne, wie er sie nennt, die ist mein Freund auch nicht; das habe ich im Gefühl!"

„Wäk! Wäk!" bellte der Kettenhund, ging dreimal um sich selbst herum und kroch in seine Hütte, um zu schlafen.

Und das Wetter änderte sich wirklich. Gegen Morgen lag ein dicker, feuchter Nebel über der ganzen Gegend. In der Dämmerung wehte es leise, und nachher erhob sich ein eisiger Wind, so daß die Kälte durch und durch drang. Das Frostwetter packte einen recht; als die Sonne aufging, welch eine Pracht war das! Baum und Strauch waren von Reif übersponnen, das glich einem Wald von Korallen. Die Zweige schienen mit lichtweißen Blüten über und über geschmückt. Die vielen feinen Verästelungen, die während des Sommers der Blätterreichtum verbirgt, traten nun deutlich hervor. Das war wie Spitzengewebe, glänzend und weiß; aus jedem Zweig drang ein Leuchten. Die Hängebirke bewegte sich im Winde; in ihr war Leben, wie es sonst die Bäume nur im Sommer haben. Das war eine seltsame Herrlichkeit! Und als die Sonne nun schien, wie flimmerte, wie funkelte das, als läge überall Demantstaub, und auf der Schneedecke blinkten strahlende Demanten, oder man konnte auch meinen, da leuchteten zahllose kleine Lichter, noch heller als der helle Schnee.

„Wunderbar!" rief ein junges Mädchen, das mit einem jungen Mann in den Garten trat. Beide blieben in der Nähe des Schneemanns stehen und betrachteten die schimmernden Bäume. „Einen schöneren Anblick gewährt der Sommer nicht", sagte sie, und ihre Augen strahlten.

„Und so einen Kerl wie diesen hier hat man im Sommer erst recht nicht", erwiderte der junge Mann und zeigte auf den Schneemann. „Er ist ausgezeichnet!"

Das junge Mädchen lachte, nickte dem Schneemann zu und ging leichten Schrittes mit ihrem Freunde über den Schnee dahin, der knirschte unter ihren Füßen, als ob sie auf Stärkemehl gingen.

„Wer waren die beiden?" fragte der Schneemann den Kettenhund; „du bist längere Zeit hier im Hofe als ich, kennst du sie?"

„Ob ich sie kenne!" antwortete der Kettenhund. „Sie hat mich ja gestreichelt, und er hat mir einen Fleischknochen zugeworfen. Die beiden beiße ich nicht!"

„Aber was stellen die vor?" fragte der Schneemann.

„Brrrrautleute!" knurrte der Kettenhund. „Sie werden in eine Hütte ziehen und zusammen an einem Knochen nagen. Wäk! Wäk!"

„Sind denn die beiden auch so feine Leute wie du und ich?"

„Sie gehören ja zur Herrschaft!" versetzte der Kettenhund; „man weiß doch
wirklich sehr wenig, wenn man den Tag vorher erst zur Welt gekommen ist.
Das merke ich an dir! Aber ich bin alt und erfahren und habe Kenntnisse; ich
kenne alle hier im Hause, und ich habe eine Zeit gekannt, wo ich nicht hier in
der Kälte an der Kette lag. Wäk! Wäk!"

„Die Kälte ist herrlich", sprach der Schneemann. „Erzähle, erzähle! Aber
du darfst nicht mit der Kette lärmen; es knackt in mir, wenn du das tust."

„Wäk! Wäk!" bellte der Kettenhund. „Ein kleiner, junger Hund bin ich
gewesen, klein und niedlich, sagten sie; damals lag ich in einem Sammetstuhle
da oben im Schloß im Schoße der obersten Herrschaft; mir wurde die Schnauze
geküßt, und die Pfoten wurden mir mit einem gestickten Taschentuch abge-
wischt, ich hieß Ami, lieber, süßer Ami! Aber später wurde ich ihnen da oben
zu groß, und sie schenkten mich der Haushälterin. Ich kam in die Kellerwohnung! Du kannst von da, wo du stehst, gerade hineinsehen; du kannst in die
Kammer hinabsehen, wo ich Herrschaft gewesen bin, denn das war ich bei der
Haushälterin. Es ist zwar eine geringere Stelle als oben, aber sie war gemüt-
licher, ich wurde nicht in einem fort von Kindern angefaßt und gezerrt wie

oben. Ich bekam ebenso gutes Futter wie früher, ja noch besseres! Ich hatte mein eigenes Kissen, und ein Ofen war da, der ist um diese Jahreszeit das Schönste auf der Welt! Ich kroch unter den Ofen und konnte mich darunter ganz verbergen. Ach, von dem Ofen träume ich noch immer. Wäk! Wäk!"

„Sieht denn ein Ofen so schön aus?" fragte der Schneemann. „Hat er Ähnlichkeit mit mir?"

„Der ist gerade das Gegenteil von dir! Rabenschwarz ist er und hat einen langen Hals mit Messingaufsatz. Er frißt Brennholz, daß ihm das Feuer aus dem Munde sprüht. Man muß sich dicht an seiner Seite halten, ganz unter ihm ist es sehr angenehm. Du mußt ihn durch das Fenster sehen können."

Der Schneemann sah hin und gewahrte einen schwarzen, glänzenden Gegenstand mit einem Messingaufsatz; das Feuer leuchtete vorn heraus. Dem Schneemanne wurde ganz wunderlich zumute, es überkam ihn ein Gefühl, er wußte selbst nicht was für eins, er konnte sich keine Rechenschaft darüber geben; aber alle Menschen, wenn sie nicht Schneemänner sind, kennen es.

„Warum hast du sie denn verlassen?" fragte der Schneemann. Er hatte es im Gefühl, daß das ein weibliches Wesen sein mußte. „Wie konntest du nur so einen Platz verlassen?"

„Ich mußte wohl!" sagte der Kettenhund. Man warf mich zur Tür hinaus und legte mich hier an die Kette. Ich hatte den jüngsten Junker ins Bein gebissen, weil er mir den Knochen wegstieß, an dem ich nagte; Knochen um Knochen, so denke ich! Das nahm man mir aber sehr übel, und von dieser Zeit an bin ich an die Kette gelegt worden und habe allmählich meine Stimme verloren, hör mal, wie heiser ich bin: Wäk! Wäk! Das war das Ende vom Liede!"

Der Schneemann hörte aber nicht mehr zu; er blickte unablässig in die Kellerwohnung der Haushälterin, er schaute in ihre Stube hinein, wo der Ofen auf seinen vier eisernen Beinen stand, ebenso groß wie er selber.

„Wie sonderbar das in mir knackt!" sagte er. „Werde ich nie dahinein kommen? Es ist doch ein unschuldiger Wunsch, und unsere unschuldigen Wünsche müßten doch in Erfüllung gehen. Ich muß dahinein, ich muß mich an sie lehnen, und wenn ich auch die Fenster eindrücken sollte!"

„Dahinein wirst du niemals gelangen", sagte der Kettenhund, „doch wenn du an den Ofen kommst, dann vergehst du. Wäk! Wäk!"

„Ich bin schon so gut wie weg!" erwiderte der Schneemann, „ich breche zusammen, glaube ich."

Den ganzen Tag guckte der Schneemann durchs Fenster hinein; in der Dämmerstunde wurde die Stube noch einladender; vom Ofen her leuchtete es freundlich, gar nicht wie der Mond, nicht wie die Sonne; nein, wie nur ein Ofen leuchten kann, wenn er etwas in sich hat. Wenn die Stubentür aufging, schlug ihm die Flamme zum Munde heraus – diese Gewohnheit hatte der Ofen; dann flammte es rot in des Schneemannes weißem Gesicht, und er wurde rot bis zum Herzen.

„Ich halte es nicht mehr aus!" sagt er. „Wie schön es ihr steht, wenn sie die Zunge herausstreckt!"

Die Nacht war lang; dem Schneemanne wurde sie aber nicht langweilig, er stand da in seine eigenen, schönen Gedanken versunken, und die gefroren, daß es knackte. Am Morgen waren die Fensterscheiben der Kellerwohnung mit Eis bedeckt; sie trugen die schönsten Eisblumen, die ein Schneemann nur irgend verlangen kann, allein sie verbargen den Ofen. Die Scheiben wollten nicht auftauen, und so konnte er sie, die er liebte, nicht sehen. Es knackte und knickte in ihm und rings um ihn her; es war gerade so ein Frostwetter, an dem ein Schneemann seine Freude haben muß. Er aber freute sich nicht – wie hätte er sich auch glücklich fühlen können; er hatte Ofensehnsucht.

„Das ist eine schlimme Krankheit für einen Schneemann", sagte der Kettenhund, „ich habe auch an der Krankheit gelitten, aber ich habe sie überstanden. Wäk! Wäk!" bellte er. „Wir bekommen anderes Wetter!"

Und das Wetter schlug um, es fing an zu tauen.

Das Tauwetter nahm zu; der Schneemann nahm ab. Er sagte nichts, er klagte nicht, und das ist das richtige Zeichen.

Eines Morgens brach er zusammen. Und siehe, es ragte etwas wie ein Besenstiel da, wo er gestanden hatte, empor; um den Stiel herum hatten die Knaben ihn aufgebaut.

„Ja, nun begreife ich es, nun kann ich das mit seiner Sehnsucht verstehen!" sagte der Kettenhund. „Der Schneemann hat einen Ofenkratzer im Leibe gehabt! Das ist es, was sich in ihm geregt hat; jetzt ist das überstanden. Wäk! Wäk!" Und bald nachher war auch der Winter überstanden.

„Wäk! Wäk!" bellte der heisere Kettenhund; aber die kleinen Mädchen aus dem Hause sangen:

> „Waldmeister grün, hervor aus dem Haus;
> Weide, die wollenen Handschuh' heraus!
> Lerche und Kuckuck, singt fröhlich drein –
> Frühling soll es im Februar sein!
> Ich singe mit! Kuckuck! Quivit!
> Komm, liebe Sonne, komm, quivit!"

DIE SPRINGER

Der Floh, der Grashüpfer und der Springbock wollten einmal sehen, wer von ihnen am höchsten springen könne, und da luden sie jeden ein, der kommen wollte, die Pracht mit anzusehen, und es waren drei tüchtige Springer, die sich im Zimmer versammelten.

„Ich gebe meine Tochter dem, der am höchsten springt!" sagte der König. „Denn es wäre zu ärmlich, wenn die Personen umsonst springen sollten."

Der Floh kam zuerst vor. Er hatte feine Sitten und grüßte nach allen Seiten, denn er hatte Fräuleinblut in den Adern und war gewöhnt, nur mit Menschen umzugehen, und das machte sehr viel aus.

Nun kam der Grashüpfer, der war freilich bedeutend schwerer, aber er hatte doch eine ganz gute Gestalt und trug einen grünen Rock, und der war ihm angeboren. Überdies behauptete er, daß er im Lande Ägypten eine sehr alte Familie besitze und daß er dort hochgeschätzt sei. Er war gerade vom Felde genommen und in ein Kartenhaus von drei Stockwerken versetzt worden, die alle aus Kartenfiguren, die ihre bunte Seite einwärts kehrten, zusammengesetzt waren; da waren sowohl Türme als Fenster ausgeschnitten. „Ich singe so", sagte er, „daß sechzehn eingeborene Heimchen, die von ihrer Kindheit an ge- pfiffen und doch kein Kartenhaus erhalten haben, aus Ärger noch dünner wurden, als sie schon waren, da sie mich hörten!"

Beide, der Floh und der Grashüpfer, taten so gehörig kund, wer sie waren und daß sie glaubten, eine Prinzessin heiraten zu können.

Der Springbock, der aus einem Gänseknochen gefertigt war, sagte nichts, aber man erzählte von ihm, daß er desto mehr denke, und als der Hofhund ihn nur beschnüffelte, wollte er dafür einstehen, daß er von guter Familie sei.

Der alte Ratsherr, der drei Orden für das Stillschweigen erhalten hatte, versicherte, daß der Springbock mit Weissagungskraft begabt sei; man könne an seinem Rücken erkennen, ob man einen milden oder strengen Winter be- komme, und das kann man nicht einmal auf dem Rücken dessen sehen, der den Kalender schreibt.

„Ich sage gar nichts!" sagte der alte König, „aber ich gehe nur immer still für mich und denke das meine!"

Nun war es um den Sprung zu tun. Der Floh sprang so hoch, daß niemand es sehen konnte, und da behaupteten sie, daß er gar nicht gesprungen sei, und das war doch recht schlecht!

Der Grashüpfer sprang nur halb so hoch, aber er
sprang dem König gerade ins Gesicht, und da sagte
dieser, das sei häßlich. Der Springbock stand lange
still und bedachte sich, am Ende glaubte man, daß
er gar nicht springen könne.

„Wenn er nur nicht unwohl geworden ist!" sagte der Hofhund, und dann beschnüffelte er ihn wieder. Rutsch, da sprang
er mit einem kleinen, schiefen Sprung in den Schoß der Prinzessin, die niedrig auf einem goldenen Schemel saß.

Da sagte der König: „Der höchste Sprung ist der, zu meiner Tochter hin-
aufzuspringen, denn darin liegt das Feine, aber es gehört Kopf dazu, darauf
zu kommen, und der Springbock hat gezeigt, daß er Kopf hat. Er hat Verstand
im Kopfe!" Und dann erhielt er die Prinzessin.

„Ich sprang doch am höchsten!" sagte der Floh. „Aber es ist einerlei! Laß
sie nur den Gänseknochen mit Stock und Pech haben! Ich sprang doch am
höchsten, aber es gehört in dieser Welt ein Körper dazu, damit man gesehen
werden kann!"

Und dann ging der Floh in fremde Kriegsdienste, wo er, wie man sagt, erschlagen worden sein soll.

Der Grashüpfer setzte sich draußen in den Graben und dachte darüber nach, wie es eigentlich in der Welt zugehe, und er sagte auch: „Körper gehört dazu! Körper gehört dazu!"

Und dann sang er sein eigentümlich trübseliges Lied, und daher haben wir die Geschichte erfahren, die doch erlogen sein könnte, wenn sie auch gedruckt ist.

DER GOLDSCHATZ

Die Frau des Trommelschlägers ging in die Kirche; sie sah den neuen Altar mit gemalten Bildern und geschnitzten Engeln; sie waren ebenso schön, die auf der Leinewand in Farben und in der Glorie wie die in Holz geschnitzten, und noch dazu gemalt und vergoldet. Das Haar strahlte in Gold und Sonnenschein, reizend anzusehen; aber Gottes Sonnenschein war doch noch reizender; der schien klarer, roter durch die dunklen Bäume, wenn die Sonne unterging. Herrlich, in Gottes Angesicht zu schauen! Sie sah in die rote Sonne hinein und dachte so tief darüber nach, dachte an den Kleinen, den der Storch bringen sollte; sie war sehr fröhlich dabei und sah und sah und wünschte, daß das Kind den Sonnenglanz bekommen, zum wenigsten einem der strahlenden Engel am Altar gleichen möchte.

Und als sie nun wirklich das kleine Kind in ihren Armen hielt und zu seinem Vater erhob, da war es anzusehen wie einer von den Engeln in der Kirche – das Haar wie Gold; der Schein der untergehenden Sonne leuchtete darin.

„Mein Goldschatz, mein Reichtum, mein Sonnenschein!" sagte die Mutter und küßte die strahlenden Locken; und es klang wie Musik und Gesang in der Stube des Trommelschlägers; da war Freude, Leben und Bewegung. Der Trommelschläger schlug einen Wirbel, einen Freudenwirbel. Die Trommel ging, die Brandtrommel ging:

„Rotes Haar! Der Kleine hat rotes Haar! Glaube dem Trommelfelle und nicht, was seine Mutter sagt! Trommelom, trommelom!"

Und die Stadt erzählte, was die Brandtrommel erzählte.

Der Knabe wurde getauft. Von dem Namen war nichts zu erzählen; er ward Peter genannt. Die ganze Stadt, auch die Trommel, nannte ihn Peter, des Trommelschlägers Knabe mit dem roten Haar; aber seine Mutter küßte sein rotes Haar und nannte ihn Goldschatz.

Im Hohlwege, in dem lehmigen Abhang, hatten viele ihren Namen zur Erinnerung eingeritzt.

„Berühmtheit", sagte der Trommelschläger, „das ist immer etwas!" und so ritzte er auch seinen Namen und den seines kleinen Sohnes hinein.

Die Schwalben kamen; sie hatten auf ihrer langen Reise dauerhaftere Schrift in den Klippen und in den Wänden des Tempels in Hindostan eingehauen gesehen: große Taten von mächtigen Königen, unsterbliche Namen, so ganz alte, daß sie jetzt keiner mehr lesen oder nennen konnte.

Nennenswert! Berühmtheit!

Im Hohlwege bauten die Erdschwalben; sie bohrten Löcher in den jähen Abhang, der Platzregen und der Staubregen bröckelten und spülten die Namen fort – auch den des Trommelschlägers und seines kleinen Sohnes.

„Peters Name bleibt doch wohl anderthalb Jahr stehen!" sagte der Vater.

„Narr!" dachte die Brandtrommel; aber sie sagte nur: „Dum, dum, dum! Dummelum!"

Es war ein Knabe voll Leben und Lust, ‚des Trommelschlägers Sohn mit dem roten Haare‘. Er hatte eine liebliche Stimme; er konnte singen, und er sang auch wie der Vogel im Walde.

Da war Melodie und doch keine Melodie.

„Er muß Chorknabe werden", sagte die Mutter; „in der Kirche singen und da unter den schönen, vergoldeten Engeln stehen, die ihm gleichen!"

„Feuerkatze!" sagten die witzigen Köpfe in der Stadt. Die Trommel hörte das von den Nachbarsfrauen.

„Gehe nicht nach Hause, Peter!" riefen die Straßenjungen. „Wenn du auf dem Boden schläfst, dann ist Feuer im oberen Stockwerke, und dann geht die Brandtrommel!"

„Nehmt ihr euch nur vor den Trommelstöcken in acht!" sagte Peter; und wie klein er auch war, so lief er doch mutig voran und schlug mit seiner Faust den Nächsten vor den Leib, daß er seine Beine verlor, und die andern nahmen ihre Beine mit, ihre eigenen Beine.

Der Stadtmusikant war so vornehm und fein; er war der Sohn des königlichen Silberwäschers; er mochte Peter gern leiden, nahm ihn zeitweise mit nach Hause, gab ihm eine Violine und lehrte ihn spielen; es war, als läge es dem Knaben in den Fingern, er wollte mehr als Trommelschläger, er wollte Stadtmusikant werden.

„Soldat will ich werden!" sagte Peter; denn er war noch ein ganz kleiner Bursche, und es schien ihm das schönste in der Welt, das Gewehr zu tragen und so gehen zu können: eins, zwei, eins, zwei – und Uniform und Säbel zu tragen.

„Lerne nur nach dem Trommelfelle zu verlangen, trommelom, komm, komm!" sagte die Trommel.

„Ja, wenn er bis zum General hinaufmarschieren könnte", sagte der Vater; „aber dazu muß es Krieg werden."

„Das verhüte Gott", sagte die Mutter.

„Wir haben nichts zu verlieren!" sagte der Vater.

„Da, wir haben einen Knaben!" sagte sie.

„Aber wenn er nun als General zurückkommt?" sagte der Vater.

„Ohne Arme und Beine!" sagte die Mutter; „nein, lieber will ich meinen Goldschatz heil behalten!"

„Trom! trom! trom!" Die Brandtrommel ging, alle Trommeln gingen. Es war Krieg. Die Soldaten zogen davon, und der Knabe des Trommelschlägers folgte: „Rotkopf! Goldschatz!" Die Mutter weinte; der Vater sah ihn in Gedanken ‚berühmt'; der Stadtmusikant meinte, er dürfe nicht in den Krieg gehen, sondern müsse bei der Heimatmusik bleiben.

„Rotkopf!" sagten die Soldaten, und Peter lachte; aber es sagte auch einer und der andere: „Fuchspelz!" Da biß er die Zähne zusammen und sah fort – in die weite Welt hinein; er kümmerte sich um das Schimpfwort nicht.

Flink war der Knabe, freudig der Sinn, der Humor gut; „und das ist die beste Feldflasche", sagten die alten Kameraden.

Und manche Nacht mußte er im Platzregen und Staubregen, bis auf die Haut durchnäßt, unter offenem Himmel liegen, aber die gute Laune verließ ihn nicht, die Trommelstöcke schlugen: „Trommelom! Jedermann auf!" Ja, er war gewiß zum Trommelschläger geboren.

Der Tag der Schlacht begann; die Sonne war noch nicht aufgegangen, aber der Morgen war da, die Luft kalt, der Kampf heiß; es war Nebel in der Luft, aber es war mehr der Pulverdampf. Die Kugeln und Granaten flogen über die Köpfe hin und in die Köpfe hinein, in den Leib und die Glieder; aber vorwärts ging es. Einer und der andere sanken in die Knie mit blutender Schläfe, kreideweiß im Gesicht. Der kleine Trommelschläger hatte seine gesunde Farbe noch; er hatte keinen Schaden genommen; er sah noch mit ebenso vergnügtem Gesichte dem Regimentshunde nach, der vor ihm hersprang, so vergnügt, als wäre er die Kurzweil des Ganzen und als schlügen die Kugeln nur vor ihm nieder, daß er spielen sollte.

‚Marsch! Vorwärts! Marsch!' waren die Kommandoworte für die Trommel; und die Worte hießen nicht: ‚Zurück!' Aber sie konnten sich zurückziehen, und darin konnte viel Verstand liegen; und jetzt wurde gesagt: „Zurück!" und da schlug der kleine Trommelschläger: „Marsch! Vorwärts!" und er hatte den Befehl so verstanden; die Soldaten gehorchten dem Trommelfelle. Das war ein guter Trommelschlag und gab ihnen, die schon im Weichen waren, den Siegesschlag.

Leiber und Glieder gingen in der furchtbaren Schlacht verloren. Granaten rissen das Fleisch in blutigen Stücken herunter; Granaten zündeten die Strohhaufen zu hellen Flammen an, wohin die Verwundeten sich mühsam geschleppt, um dort viele Stunden hilflos und verlassen zu liegen, verlassen vielleicht für das Leben.

Es hilft nichts, daran zu denken; und doch denkt man daran; selbst weit davon in der friedlichen Stadt; auch der

Trommelschläger und seine Frau dachten daran; Peter war ja im Kriege.

„Nun bin ich des Klagens überdrüssig!" sagte die Brandtrommel.

Wieder begann ein Tag der Schlacht; die Sonne war noch nicht aufgegangen, aber es war Morgen. Der Trommelschläger und seine Frau schliefen, sie hatten von dem Sohne gesprochen; das taten sie fast jede Nacht; er war ja draußen – ‚in Gottes Hand'. Und der Vater träumte, daß der Krieg beendet, daß die Soldaten heimgekehrt und Peter ein silbernes Kreuz auf der Brust trage; aber die Mutter träumte, daß sie in die Kirche getreten und die gemalten Bilder und geschnitzten Engel mit dem vergoldeten Haare gesehn; und ihr eigener, lieber Knabe, ihres Herzens Goldschatz, habe mitten unter den Engeln in weißen Kleidern gestanden und so herrlich gesungen, wie sicher nur die Engel singen können, und habe sich mit ihnen in den Sonnenschein erhoben und seiner Mutter so liebevoll zugenickt.

„Mein Goldschatz!" rief sie und erwachte; „nun hat ihn unser Herrgott zu sich genommen!" Sie faltete ihre Hände, legte ihren Kopf in den Bettvorhang von Kattun und weinte.

„Wo ruht er nun, unter den vielen im großen Grabe, das sie für die Toten gegraben? Vielleicht auch im tiefen Moorwasser! Niemand kennt sein Grab! Es ist kein Gotteswort darüber gelesen worden!"

Und das Vaterunser ging lautlos über ihre Lippen; sie beugte ihr Haupt, sie war so müde – sie schlummerte ein.

Die Tage zogen vorüber, im Leben wie in den Träumen.

Es war Abend; über der Walstätte erhob sich ein Regenbogen, der den Wald und das tiefe Meer berührte.

Es wird gesagt und ist im Volksglauben aufbewahrt:

Wo der Regenbogen die Erde berührt, da liegt ein Schatz begraben, ein Goldschatz; und hier – lag einer; keiner, außer seiner Mutter, dachte an den kleinen Trommelschläger, und deshalb träumte sie von ihm.

Die Tage zogen vorüber, im Leben wie in den Träumen!

Nicht ein Haar auf seinem Haupte war ihm gekrümmt, nicht ein einziges Goldhaar.

‚Trommelom, trommelom, das ist er, das ist er!' konnte die Trommel gesagt und seine Mutter gesungen haben, hätte sie das gesehen oder geträumt.

Mit Hurra und Gesang, mit grünen Siegeskränzen geschmückt, ging es heimwärts, da der Krieg beendet und Frieden geschlossen war. Der Regimentshund sprang in großen Kreisen voran, um sich den Weg gleichsam dreimal so lang zu machen, als er war.

Wochen vergingen und die Tage mit ihnen, und Peter trat in die Stube seiner Eltern; er war so braun wie ein Wilder, seine Augen sahen klar umher, sein Gesicht strahlte wie Sonnenschein. Und die Mutter hielt ihn in ihren Armen; sie küßte seinen Mund, seine Augen, sein rotes Haar. Sie hatte ja ihren Knaben wieder; er hatte kein silbernes Kreuz auf der Brust, wie der Vater geträumt, aber er hatte heile Glieder, was die Mutter nicht geträumt hatte. Und das war eine Freude; sie lachten und – weinten. Und Peter umarmte die alte Brandtrommel:

„Da steht noch das alte Gerippe!" sagte er.

Und der Vater schlug einen Wirbel darauf.

„Es ist fast, als wäre hier eine große Feuersbrunst", sagte die Brandtrommel. „Heller Tag, Feuer im Herzen, Goldschatz! Skrat, skrat, skrat!"

Und nun? Ja, was nun? Frage nur den Stadtmusikanten.

„Peter wächst ganz über die Trommel hinaus", sagte er; „Peter wird größer als ich!" und er war doch der Sohn eines königlichen Silberwäschers; aber alles, was er in einer halben Lebenszeit gelernt, lernte Peter in einem halben Jahre. Es war etwas so Fröhliches in ihm, etwas so innerlich Gutherziges. Die Augen leuchteten, und das Haar leuchtete – und das konnte man wirklich nicht in Abrede stellen.

„Er soll sein Haar färben lassen!" sagte die Nachbarin. „Das glückte des Polizeimeisters Tochter herrlich! Und – sie verlobte sich."

„Aber es wurde ja gleich nachher grün wie Entengrütze und muß immer aufgefärbt werden!"

„Sie weiß sich eben zu helfen", sagte die Nachbarin, „und das kann Peter auch. Er kommt ja in die vornehmsten Häuser zu allen Honoratioren in der Stadt, ja, selbst zu Burgemeisters, wo er dem Fräulein Lotte Klavierstunden gibt."

Spielen konnte er; ja, gleich die herrlichsten Stücke aus dem Herzen spielen, die noch auf keinem Notenblatte geschrieben standen. Er spielte in den hellen Nächten und auch in den dunklen. Das war gar nicht zum Aushalten, sagte die Nachbarin und auch die Brandtrommel.

Er spielte, daß die Gedanken sich erhoben und große Zukunftspläne hervorsprudelten: Berühmtheit!

Und Burgemeisters Lotte saß am Klavier; ihre feinen Finger tanzten über die Tasten hin, daß es bis in Peters Herz hineinklang; es war, als würde ihm das allzuviel, und das geschah nicht einmal, sondern viele Male, und da ergriff er eines Tages die feinen Finger und die schön geformte Hand und küßte sie und sah ihr in die großen, braunen Augen; Gott weiß, was er sagte; wir andern haben aber Erlaubnis, es zu raten. Lotte wurde über Hals und Schultern rot und erwiderte kein einziges Wort – da kamen Fremde in das Zimmer, der Sohn des Staatsrats; der hatte eine hohe, weiße Stirn und trug sie hintenüber, fast bis in den Nacken. Und Peter saß lange bei ihr, und sie sah ihn mit sanften Blicken an.

Daheim am Abend sprach er von der weiten Welt und von dem Goldschatz, der für ihn in seiner Violine verborgen läge.

Berühmtheit!

„Tummelum, tummelum, tummelum", sagte die Brandtrommel. „Nun ist es mit Peter rein toll! Ich glaube, daß Feuer im Hause ist."

Am nächsten Tage ging die Mutter auf den Markt.

„Weißt du was Neues, Peter?" sagte sie, als sie zurückkam, „eine herrliche Neuigkeit! Burgemeisters Lotte hat sich mit des Staatsrats Sohn verlobt; und das geschah gestern abend."

„Nein!" sagte Peter und sprang vom Stuhle auf. Aber seine Mutter sagte: „Ja!" Sie wußte es von der Barbiersfrau, deren Mann es aus dem eigenen Munde des Burgemeisters gehört hatte.

Und Peter wurde bleich wie eine Leiche und setzte sich nieder.

„Herr Gott, was hast du?" fragte die Mutter.

„Schon gut, gut! Laß mich nur in Ruhe!" sagte er, und die Tränen liefen ihm über die Backen.

„Mein süßes Kind, mein Goldschatz!" sagte die Mutter und weinte; aber die Brandtrommel sang nicht auswendig, sondern inwendig:

„Lott' ist tot! Lott' ist tot! Ja, nun ist das Lied aus!"

Das Lied war nicht aus; es hatte noch viele Verse, lange Verse, die allerschönsten, den Goldschatz eines Lebens.

„Sie gebärdet sich wie eine Närrin!" sagte die Nachbarin. „Die ganze Welt soll die Briefe, die sie von ihrem Goldschatze bekommt, lesen und auch noch hören, was die Zeitungen von ihm und seiner Violine sagen. Ja, Geld sendet er ihr, das kann sie gebrauchen, seitdem sie Witwe ist."

„Er spielt vor Kaisern und Königen", sagte der Stadtmusikant. „Mir ist das Los nicht gefallen, aber er ist mein Schüler und vergißt seinen alten Lehrer nicht."

„Sein Vater träumte, weiß Gott", sagte die Mutter, „daß Peter mit dem silbernen Kreuze auf der Brust vom Kriege heimgekehrt; er bekam es im Kriege nicht, aber es ist noch schwieriger, es so zu bekommen! Jetzt hat er das Ritterkreuz. Das müßte sein Vater erlebt haben!"

„Berühmt!" sagte die Brandtrommel, und die Vaterstadt sagte das auch: „Des Trommelschlägers Sohn, Peter mit dem roten Haare, Peter, den sie als kleinen Knaben mit Holzschuhen gesehen, als Trommelschläger gesehen und der zum Tanz aufspielte, war berühmt!"

„Er spielte bei uns, noch ehe er vor den Königen gespielt hat!" sagte die Frau des Burgemeisters. „Damals war er in Lotte ganz weg, er sah immer hoch hinauf! Damals war er naseweis und fabelte! Mein eigener Mann lachte, als er von der Narrheit hörte! Jetzt ist Lotte Staatsrätin!"

Es war ein Goldschatz in das Herz und in die Seele des armen Kindes gelegt, der als kleiner Trommelschläger: „Marsch, vorwärts!" schlug; den Siegesschlag für alle, die im Begriff zu weichen waren. Es lag ein Goldschatz in seiner Brust – die Gewalt der Töne; es brauste von der Violine, als sei eine Orgel darin, als tanzten alle Sommernachtselfen auf den Saiten; man hörte den Schlag der

Drossel und die volle klare Stimme des Menschen; deshalb zogen die Klänge mit Entzücken durch die Herzen und trugen seinen Namen widerhallend durch das Land. Das war ein großer Feuerbrand – der Feuerbrand der Begeisterung.

„Und dann sieht er auch so prächtig aus!" sagten die jungen Damen und auch die alten; ja, die allerälteste schaffte sich ein Album für berühmte Haarlocken an, nur allein, um sich eine Locke von dem reichen, herrlichen Haarwuchse, diesem Goldschatz, auszubitten.

Der Sohn trat in die arme Stube des Trommelschlägers, fein wie ein Prinz, glücklicher als ein König. Die Augen waren so klar, das Gesicht wie Sonnenschein. Er hielt seine Mutter in den Armen; sie küßte seinen warmen Mund und weinte so glückselig, wie man nur vor Freude weinen kann; und er nickte jedem alten Möbel in der Stube zu, dem Schranke mit den Teetassen und dem Blumenglase; er nickte der Schlafbank zu, worin er als kleiner Knabe geschlafen; aber die alte Brandtrommel holte er hervor, zog sie mitten in die Stube und sagte zu ihr und seiner Mutter:

„Mein Vater würde heute einen Wirbel geschlagen haben. Das muß ich nun tun!"

Und er schlug ein ganzes Donnerwetter auf der Trommel, und die fühlte sich so geehrt dadurch, daß sie ihr eigenes Trommelfell zerriß.

„Er hat einen herrlichen Faustschlag!" sagte die Trommel. „Nun habe ich von ihm für immer eine Erinnerung! Ich warte darauf, daß seine Mutter auch vor Freude über ihren Goldschatz platzen soll."

Aber das tat sie natürlich nicht.

DIE GALOSCHEN DES GLÜCKES

Ein Anfang

In einem Hause in Kopenhagen, nicht weit vom Neumarkt, war eine Gesellschaft eingeladen, eine sehr große Gesellschaft, um von den Eingeladenen wieder Einladungen zu erhalten. Die eine Hälfte der Gesellschaft saß schon an den Spieltischen, die andere Hälfte erwartete das Ergebnis von dem ‚Was wollen wir denn nun anfangen?‘ der Wirtin. So weit war man, und die Unterhaltung kam so gut wie möglich in Gang. Unter anderem fiel auch die Rede auf das Mittelalter. Einzelne hielten es für weit hübscher als unsere Zeit, ja der Gerichtsrat Knapp verteidigte die Meinung so eifrig, daß die Frau vom Hause sogleich auf seine Seite übertrat, und beide eiferten nun über alte und neue Zeiten, worin unserm Zeitalter im wesentlichen der Vorzug gegeben wird. Der Gerichtsrat betrachtete die Zeit des Dänenkönigs Hans, der um das Jahr 1500 regierte, als die edelste und glücklichste.

Das war der Stoff einer Unterhaltung, die nur auf Augenblicke durch die Ankunft eines Tageblattes unterbrochen wurde. Es enthielt nichts, was zu lesen der Mühe wert gewesen wäre, deshalb wollen wir uns ins Vorzimmer hinausbegeben, wo die Mäntel, Stöcke und Galoschen Platz gefunden hatten. Hier saßen zwei Mädchen, ein junges und ein altes. Man hätte glauben können, sie seien gekommen, um ihre weibliche Herrschaft nach Hause zu geleiten; betrachtete man sie aber etwas genauer, so begriff man bald, daß sie keine Dienstboten sein konnten. Es waren zwei Feen, die jüngste zwar nicht das Glück selbst, aber ein Kammermädchen einer seiner Kammerjungfrauen, von denen die geringeren Gaben des Glückes umhergetragen werden; die ältere sah etwas finster aus, sie war die Trauer. Sie geht immer in höchsteigener Person ihre Geschäfte zu besorgen, dann weiß sie, daß sie gut ausgeführt werden.

Die beiden Feen erzählten einander, wo sie an diesem Tage gewesen waren. Die Abgesandte des Glückes hatte nur einige unbedeutende Handlungen ausgeführt, einen neuen Hut vor Regen bewahrt, einem ehrlichen Mann einen Gruß von einer vornehmen Null verschafft und dergleichen, aber was ihr noch übrigblieb, war etwas ganz Ungewöhnliches.

„Ich kann auch erzählen", sagte sie, „daß heute mein Geburtstag ist, und deshalb sind mir ein Paar Galoschen anvertraut, die ich der Menschheit bringen soll. Diese Galoschen haben die Eigenschaft, daß ein jeder, der sie anzieht, augenblicklich an die Stelle und die Zeit versetzt wird, wo er am liebsten sein will; ein jeder Wunsch, mit Rücksicht auf Zeit, Ort oder Dauer, wird sogleich erfüllt, und der Mensch wird so endlich einmal glücklich hienieden!"

„Ja, das magst du glauben!" sagte die Trauer; „er wird sehr unglücklich und segnet den Augenblick, wo er die Galoschen wieder los sein wird!"

„Wo denkst du hin?" sagte die andere. „Nun stelle ich sie an die Tür, einer vergreift sich und wird der Glückliche!"

Sieh, das war das Zwiegespräch!

Wie es dem Gerichtsrat erging

Es war spät geworden; der Gerichtsrat Knapp, in die Zeit des Königs Hans vertieft, wollte heimkehren, und das Schicksal lenkte es so, daß er anstatt seiner Galoschen die des Glücks bekam und nun auf die Oststraße hinaustrat; aber er war durch die Zauberkraft der Galoschen in die Zeit des Königs Hans zurückversetzt, und deshalb setzte er den Fuß geradezu in Kot und Morast auf die Straße, weil es zu jener Zeit noch kein Steinpflaster gab.

„Es ist ja greulich, wie schmutzig es hier ist!" sagte der Gerichtsrat. „Der ganze Bürgersteig ist fort, und alle Laternen sind ausgelöscht."

Der Mond war noch nicht hoch genug heraufgekommen und die Luft überdies ziemlich dick, so daß alle Gegenstände ringsumher bei dieser Dunkelheit ineinander verschwammen. An der nächsten Ecke hing eine Laterne vor einem Marienbilde, aber die Beleuchtung war so gut wie keine, er bemerkte sie erst, als er gerade darunter stand, und seine Augen fielen auf das gemalte Bild mit der Mutter und dem Kinde.

‚Das ist wohl', dachte er, ‚eine Kunstsammlung, wo man vergessen hat, das Schild abzunehmen.'

Ein paar Menschen in der Tracht des Zeitalters gingen an ihm vorbei.

„Wie sehen die denn aus! Sie kommen wohl aus einer Maskerade!"

Plötzlich ertönten Trommeln und Pfeifen, Fackeln leuchteten hell. Der Gerichtsrat stutzte und sah nun einen sonderbaren Zug vorbeiziehen. Zuerst kam ein ganzer Trupp Trommelschläger, die ihre Trommeln recht tüchtig bearbeiteten, ihnen folgten Trabanten mit Bogen und Armbrüsten. Der Vornehmste im Zuge war ein geistlicher Herr. Erstaunt fragte der Gerichtsrat, was das zu bedeuten habe und wer der Mann sei.

„Das ist der Bischof von Seeland!"

„Was fällt dem Bischof ein?" seufzte der Gerichtsrat und schüttelte mit dem Haupte; der Bischof konnte es nicht sein. Darüber grübelnd und ohne zur Rechten oder Linken zu sehen, ging der Gerichtsrat durch die Oststraße und über den Hohenbrückenplatz. Die Brücke, die nach dem Schloßplatze führt, war nicht zu finden, er wurde ein seichtes Ufer gewahr und stieß endlich hier auf zwei Leute, die in einem Boote waren.

„Will der Herr nach dem Holm übergesetzt werden?" fragten sie.

„Nach dem Holm hinüber?" fragte der Gerichtsrat, der ja nicht wußte, in welchem Zeitalter er sich befand. „Ich will nach Christianshafen in die kleine Torfstraße!"

Die Leute betrachteten ihn.

„Sagt mir nur, wo die Brücke ist!" sagte er. „Es ist schändlich, daß hier keine Laternen angezündet sind, und dann ist ein Schmutz wie in einem Sumpf!"

Je länger er mit den Bootsmännern sprach, desto unverständlicher waren sie ihm.

„Ich verstehe euer Bornholmisch nicht!" sagte er zuletzt ärgerlich und kehrte ihnen den Rücken. Die Brücke konnte er nicht finden, auch kein Geländer war da. „Es ist eine Schande, wie es hier aussieht!" sagte er. Nie hatte er sein Zeitalter elender gefunden als an diesem Abend. ‚Ich glaube, ich werde am besten tun, einen Wagen zu nehmen!' dachte er, aber wo war einer zu finden? Keiner war zu erblicken. ‚Ich werde zum Neumarkt zurückgehen müssen, dort halten wohl Wagen, sonst komme ich nie nach Christianshafen hinaus!'

Nun ging er nach der Oststraße und war fast hindurchgekommen, als der Mond hervorbrach.

„Mein Gott, was für ein Gerüst hat man hier errichtet?" rief er aus, als er das Osttor erblickte, das zu jener Zeit am Ende der Oststraße stand.

Inzwischen fand er doch einen Durchgang offen, und durch ihn kam er nach unserm Neumarkt hinaus; aber das war ein großer Wiesengrund, einzelne Büsche ragten hervor, und quer durch die Wiese ging ein breiter Graben. Einige erbärmliche Holzbuden für holländische Schiffer, nach denen der Ort den Namen Hollandsaue hatte, lagen auf dem entgegengesetzten Ufer.

„Entweder erblicke ich eine Lufterscheinung, oder ich bin betrunken!" jammerte der Gerichtsrat. „Was ist das doch? Was ist das doch?"

Er kehrte wieder um in der festen Überzeugung, daß er krank sei; indem er in die Straße zurückkam, betrachtete er die Häuser etwas genauer, die meisten waren nur von Fachwerk, und viele hatten nur Strohdächer.

„Nein, mir ist gar nicht wohl", seufzte er, „und ich trank doch nur ein Glas Punsch, aber ich kann ihn nicht vertragen; und es war auch ganz und gar verkehrt, uns Punsch und warmen Lachs zu geben, das werde ich der Frau auch sagen. Ob ich wohl wieder zurückkehre und sage, wie mir zumute ist? Aber das sieht lächerlich aus, und es ist die Frage, ob sie noch wach sind!"

Er suchte nach dem Hause, aber es war gar nicht zu finden.

„Es ist doch erschrecklich, ich kann die Oststraße nicht wiedererkennen, nicht ein Laden ist da! Nur alte, elende, verfallene Häuser! Ach, ich bin krank! Es nützt nichts, ängstlich zu sein! Aber wo in aller Welt ist das Rathaus? Es ist nicht mehr dasselbe, aber dort drinnen sind noch Leute auf; ach, ich bin sicher krank!"

Nun stieß er auf eine halboffene Tür, wo das Licht durch eine Spalte fiel. Es war eine Herberge jener Zeit, eine Art von Bierhaus. Die Stube hatte das Ansehen einer holländischen Diele; eine Anzahl Schiffer, Kopenhagener Bürger und ein paar Gelehrte saßen hier im eifrigsten Gespräch bei ihren Krügen und betrachteten den Eintretenden nur wenig.

„Um Entschuldigung", sagte der Gerichtsrat zu der Wirtin, die ihm entgegenkam, „ich bin sehr unwohl geworden, wollen Sie mir nicht einen Wagen nach Christianshafen hinaus besorgen lassen?"

Die Frau betrachtete ihn und schüttelte den Kopf; darauf redete sie ihn in deutscher Sprache an. Der Gerichtsrat nahm an, daß sie der dänischen Zunge nicht mächtig sei, und brachte deshalb seinen Wunsch auf Deutsch an. Dies im Verein mit seiner Kleidung bestärkte die Frau darin, daß er ein Ausländer sei. Daß er sich unwohl befinde, begriff sie bald und brachte ihm deshalb einen Krug Wasser, freilich schmeckte es etwas nach Seewasser, wiewohl es draußen aus dem Brunnen geschöpft war.

Der Gerichtsrat stützte sein Haupt in die Hand, holte tief Atem und grübelte über alles Seltsame rings um sich her nach.

„Ist das die Zeitung von heute abend?" fragte er ganz mechanisch, indem er sah, wie die Frau ein großes Stück Papier fortlegte.

Sie verstand nicht, was er damit meinte, reichte ihm aber das Blatt. Es war die Abbildung einer Lufterscheinung.

„Das ist sehr alt!" sagte der Gerichtsrat und wurde durch dieses vergilbte Blatt ganz aufgeräumt. „Wie sind Sie doch zu diesem seltenen Blatt gelangt? Das ist höchst merkwürdig, obgleich das Ganze eine Fabel ist! Man nennt dergleichen Lufterscheinungen Nordlichter; wahrscheinlich entstehen sie durch die Elektrizität!"

Die Männer, die ihm zunächst saßen und seine Rede hörten, sahen ihn erstaunt an. Einer von ihnen erhob sich, nahm ehrerbietig den Hut ab und sagte mit ernsthaftester Miene: „Ihr seid sicher ein höchst gelehrter Mann."

„O nein!" erwiderte der Gerichtsrat, „ich kann nur von einem und dem andern mitsprechen, was man ja verstehen muß!"

„Bescheidenheit ist eine schöne Tugend!" sagte der Mann. „Übrigens muß ich zu Eurer Rede sagen: Ich habe eine andere Ansicht, doch will ich hier gern mein Urteil zurückhalten!"

„Darf ich wohl fragen, mit wem ich das Vergnügen habe, zu sprechen?" fragte der Gerichtsrat.

„Ich bin Magister der Heiligen Schrift!" erwiderte der Mann.

Diese Antwort war dem Gerichtsrat genügend, der Titel entsprach hier der Tracht. ‚Das ist sicher', dachte er, ‚ein alter Dorfschulmeister, ein naturwüchsiger Mann, wie man sie zuweilen oben in Jütland treffen kann.'

„Hier ist zwar eigentlich nicht der Platz zu gelehrten Gesprächen", begann der Mann, „doch bitte ich, daß Ihr Euch herablasset zu sprechen! Ihr seid sicher in den Alten sehr belesen!"

„Oh, jawohl!" antwortete der Rat, „ich lese gern alte, nützliche Schriften, habe aber auch die neueren recht gern, mit Ausnahme der neuen Romane, die man jetzt hat."

„Oh", lächelte der Mann, „sie enthalten doch vielen Witz und werden bei Hofe gelesen, der König liebt besonders den Roman von König Artus und seinen Helden der Tafelrunde, er hat mit seinen hohen Herren darüber gescherzt."

„Den habe ich noch nicht gelesen!" sagte der Gerichtsrat.

„Er ist bei Godfred von Gehmen herausgekommen", erwiderte der Mann.

„So − −", sagte der Gerichtsrat. „Das ist ein sehr alter Name, so hieß ja wohl der erste Buchdrucker, der in Dänemark gewesen ist?"

„Ja, das ist unser erster Buchdrucker", sagte der Mann.

Soweit ging es ganz gut; nun sprach einer der guten Bürgersleute von der schweren Pestilenz, die vor ein paar Jahren geherrscht hatte, und meinte die im Jahre 1484; der Gerichtsrat nahm an, daß es die Cholera sei, von der die Rede war, und so ging die Unterhaltung weiter. Der Freibeuterkrieg von 1490 lag so nahe, daß er berührt werden mußte; die englischen Freibeuter hatten Schiffe auf der Reede genommen, sagten sie; und der Gerichtsrat, der sich in die Begebenheiten von 1801 recht hineingelebt hatte, stimmte vortrefflich gegen die Engländer mit ein. Das übrige Gespräch dagegen ging nicht so gut; der Ma-

gister war nicht zu unwissend, und die einfachsten Äußerungen des Gerichtsrats klangen ihm wieder zu dreist und zu überspannt. Sie betrachteten einander, und wurde es gar zu arg, dann sprach der Magister lateinisch, in der Hoffnung, besser verstanden zu werden, aber es half doch nichts.

„Wie ist es mit Ihnen?" fragte die Wirtin und zog den Rat beim Ärmel; nun kam seine Besinnung zurück, im Laufe der Unterhaltung hatte er alles rein vergessen, was vorgegangen war.

„Mein Gott, wo bin ich?" fragte er, und es schwindelte ihm, wie er daran dachte.

„Klaret wollen wir trinken! Met und Bremer Bier", rief einer der Gäste, „und Ihr sollt mittrinken!"

Zwei Mädchen kamen herein und schenkten ein.

Er mußte mit den andern trinken, sie bemächtigten sich ganz artig des guten Mannes, er war höchst verzweifelt, und als der eine sagte, daß er betrunken sei, so zweifelte er durchaus nicht an des Mannes Wort, bat sie nur, ihm einen Wagen zu verschaffen, und dann glaubten sie, er spreche moskowitisch.

Nie war er in so roher Gesellschaft gewesen. „Man könnte glauben, das Land sei zum Heidentume zurückgekehrt", meinte er, „das ist der schrecklichste Augenblick in meinem Leben!" Doch plötzlich kam ihm der Gedanke, sich unter den Tisch hinabzubücken und dann nach der Tür zu kriechen. Das tat er, aber indem er beim Ausgange war, bemerkten die andern, was er vorhatte, sie ergriffen ihn bei den Füßen, und nun gingen die Galoschen zu seinem Glücke ab, und – mit diesen die ganze Bezauberung.

Der Gerichtsrat sah ganz deutlich vor sich eine Laterne brennen und hinter dieser ein großes Gebäude, alles sah bekannt und prächtig aus, das war die Oststraße, wie wir sie kennen, er lag mit den Beinen gegen eine Pforte hin, und gerade gegenüber saß der Wächter und schlief.

„Du mein Schöpfer, habe ich hier auf der Straße gelegen und geträumt?“ sagte er. „Ja, das ist die Oststraße! Wie prächtig und hell und bunt! Es ist doch erschrecklich, wie das Glas Punsch auf mich gewirkt haben muß.“

Zwei Minuten später saß er in einem Wagen, der mit ihm nach Christianshafen fuhr, er gedachte der Angst und Not, die er ausgestanden, und pries von Herzen die glückliche Wirklichkeit, unsere Zeit, die mit allen ihren Mängeln doch weit besser sei als die, in der er vor kurzem gewesen war.

Des Wächters Abenteuer

„Da liegen ja ein Paar Galoschen!“ sagte der Wächter. „Die gehören sicher dem Leutnant, der dort oben wohnt. Sie liegen gerade bei der Tür!“

Gern hätte der ehrliche Mann geklingelt und sie abgeliefert, denn da war noch Licht, aber er wollte nicht die übrigen Leute im Hause wecken, und deshalb unterließ er es.

„Das muß recht warm sein, ein Paar solcher Dinger am Fuße zu haben!“ sagte er. „Sie sind weich im Leder. Sie paßten gut an meine Füße. Wie ist es doch drollig in der Welt! Nun könnte der Leutnant sich in sein warmes Bett legen, doch sieh, ob er es tut! Da geht er im Zimmer auf und nieder; das ist ein glücklicher Mensch! Er hat weder eine Frau noch Kinder, jeden Abend ist er in Gesellschaft; wäre ich doch er, ja, dann wäre ich ein glücklicher Mann!“

Indem er den Wunsch aussprach, wirkten die Galoschen, die er angezogen hatte, der Wächter ging in des Leutnants Sein und Wesen über. Da stand er oben im Zimmer und hielt ein kleines, rosenrotes Papier zwischen den Fingern, worauf ein Gedicht stand, ein Gedicht des Herrn Leutnants selbst. Denn wer hat in seinem Leben nicht einmal einen dichterischen Augenblick gehabt, und schreibt man dann den Gedanken nieder, so hat man ein Gedicht.

Ja, Gedichte schreibt man, wenn man verliebt ist, aber besonnene Leute lassen sie nicht drucken. Leutnant, Liebe und Mangel, das ist ein Dreieck oder ebensogut die Hälfte des zerbrochenen Würfels des Glückes. Das fühlte der Leutnant recht lebendig, und deshalb legte er das Haupt gegen den Fensterrahmen und seufzte tief.

„Der arme Wächter draußen auf der Straße ist weit glücklicher als ich, er kennt nicht, was ich Mangel nenne; er hat eine Heimat, Frau und Kinder, die bei seiner Trauer weinen, sich bei seiner Lust freuen! Oh, ich wäre glücklicher, als ich bin, könnte ich in sein Wesen und Sein übergehen, mit seinen Forderungen und Hoffnungen durch dieses Leben wandeln! Ja, er ist glücklicher als ich!"

Im gleichen Augenblicke war der Wächter wieder Wächter, denn durch die Galoschen des Glückes war er in das Wesen und Sein des Leutnants übergegangen, aber da, wie wir sehen, fühlte er sich noch weniger zufrieden und zog gerade das vor, was er vor kurzem verworfen hatte.

„Das war ein häßlicher Traum!" sagte der Wächter, „aber drollig genug. Es war mir, als ob ich der Leutnant dort oben sei, und das war durchaus kein Vergnügen. Ich entbehrte die Frau und die Kinder, die mich halbtot küssen!"

Er saß wieder und nickte, der Traum wollte ihm nicht recht aus den Gedanken, die Galoschen hatte er noch an den Füßen. Eine Sternschnuppe glitt über den Horizont.

„Da ging die!" sagte er, „doch was tut's, es sind ihrer noch genug. Ich hätte wohl Lust, die Dinger etwas näher zu betrachten, besonders den Mond, denn er kommt einem doch nicht unter den Händen fort. Wenn wir sterben, sagte der Student, für den meine Frau wäscht, fliegen wir von dem einen zum andern. Das ist eine Lüge, könnte aber recht hübsch sein. Könnte ich doch einen kleinen Sprung dahinauf machen, dann möchte der Körper gern hier auf der Treppe liegenbleiben!"

Sieh, es gibt nun gewisse Dinge in der Welt, die man auszusprechen sehr vorsichtig sein muß, aber doppelt vorsichtig muß man sein, wenn man die Galoschen des Glückes an den Füßen hat. Höre nur, wie es dem Wächter erging.

Wir kennen alle die Schnelligkeit der Dampfbeförderung; doch dieser Flug ist wie die Wanderung des Faultieres oder der Marsch der Schnecke im Verhältnis zu der Schnelligkeit, die das Licht hat. Der Raum zwischen den Weltkörpern ist für das Licht nicht größer, als für uns in einer und derselben Stadt Entfernungen zwischen den Häusern unserer Freunde sind, selbst wenn diese ziemlich nahe beieinander liegen.

In wenigen Sekunden hatte der Wächter die 52 000 Meilen bis zum Monde zurückgelegt. Er befand sich auf einem der unzählig vielen Ringberge, die wir aus Mädlers großer Karte über den Mond kennen. Innerhalb ging es in einen

Kessel, ungefähr eine halbe Meile senkrecht hinab; dort unten lag eine Stadt, von deren Aussehen wir allein einen Begriff bekommen können, wenn wir Eiweiß in ein Glas Wasser ausschlagen; das Material hier war ebenso weich und bildete ähnliche Türme mit Kuppeln und segelförmigen Altanen, durchsichtig und in der dünnen Luft schwebend. Unsere Erde schwebte wie eine dunkelrote Kugel über des Wächters Haupte.

Er wurde sogleich eine Menge Geschöpfe gewahr, die sicherlich das waren, was wir ‚Menschen‘ nennen, aber sie sahen ganz anders aus als wir; die reichste Einbildungskraft hatte sie geschaffen; würden sie in Reihe und Glied aufgestellt und so abgemalt, so würde man sagen: Das ist eine hübsche Verzierung! Sie hatten auch eine Sprache, aber es kann niemand verlangen, daß die Seele des Wächters sie verstehen sollte; dessenungeachtet konnte sie es, denn unsere Seele hat weit größere Fähigkeiten, als wir glauben. Zeigt sie uns nicht in unseren Träumen ihre erstaunliche schöpferische Kraft? Ein jeder Bekannter tritt da sprechend auf, so völlig in Gewohnheiten und Worten ähnlich, daß niemand von uns wachend es nachahmen kann. Wie weiß sie uns Personen zurückzurufen, an die wir in vielen Jahren nicht gedacht haben! Plötzlich treten sie in unseren Träumen lebendig bis auf die feinsten Züge hervor.

Die Seele des Wächters verstand auf diese Weise die Sprache der Mondbewohner sehr gut. Sie unterhielten sich über unsere Erde und bezweifelten, daß sie bewohnt wäre. Die Luft müßte dort zu dick sein, als daß ein vernünftiges Mondgeschöpf dort leben könnte. Sie hielten den Mond allein für bewohnt, er war der eigentliche Weltkörper, wo die alten Weltbewohner lebten.

Sie sprachen auch von unserer jetzigen Zeit; doch wir begeben uns nach der Oststraße zurück und sehen da, wie es dem Körper des Wächters ergeht.

Leblos saß er auf der Treppe, der Stock war ihm aus der Hand gefallen, und die Augen blickten zum Monde empor, auf dem die ehrliche Seele herumwandelte.

„Was ist die Uhr, Wächter?“ fragte ein Vorübergehender. Wer aber nicht antwortete, das war der Wächter; dann gab ihm der Mann ganz sacht einen Nasenstüber, und nun verlor er das Gleichgewicht; da lag der Körper, so lang er war, der Mensch war tot. Alle seine Kameraden erschraken sehr, tot war und blieb er, es wurde gemeldet, und es wurde besprochen, und in der Morgenstunde trug man den Körper nach dem Hospital hinaus.

Das konnte nun einen ganz hübschen Spaß für die Seele abgeben, im Fall sie zurückkehrte und aller Wahrscheinlichkeit nach den Körper auf der Oststraße suchen, aber ihn nicht finden würde; wahrscheinlich würde sie dann auf die Polizei laufen, daß von dort aus Nachfrage unter den fortgekommenen Sachen darüber angestellt werden könnte, und dann würde sie nach dem Hospital hinaus wandern; doch wir können uns damit trösten, daß die Seele am klügsten ist, wenn sie für sich handelt, nur der Körper macht sie dumm.

Wie gesagt, des Wächters Körper kam nach dem Hospital, wurde dort in die Reinigungsstube gebracht, und das erste, was man hier tat, war natürlicherweise, daß man die Galoschen abnahm, und da mußte die Seele zurück; sie nahm sogleich die Richtung gerade nach dem Körper, und ein paar Sekunden darauf war wieder Leben in dem Manne. Er versicherte, daß es die schrecklichste Nacht seines Lebens gewesen sei; nicht für einen Taler wollte er solche Empfindungen wieder haben, aber nun war es ja überstanden.

An demselben Tage wurde er wieder entlassen, aber die Galoschen blieben in dem Hospital.

Eine höchst ungewöhnliche Reise

Ein jeder Kopenhagener weiß, wie der Eingang zum Friedrichshospital in Kopenhagen aussieht; da aber wahrscheinlich auch einige Nichtkopenhagener diese kleine Schrift lesen, müssen wie eine kurze Beschreibung davon geben.

Das Hospital ist von der Straße durch ein ziemlich hohes Gitter geschieden, in dem die dicken Eisenstäbe so weit voneinander abstehen, daß, wie man sich erzählt, sehr dünne Leute sich hindurchgeklemmt und so ihre kleinen Besuche außerhalb abgestattet haben. Der Teil des Körpers, der am schwierigsten hinauszubringen war, war der Kopf; hier, wie oft in der Welt, waren also die kleinen Köpfe die glücklichsten. Dieses wird als Einleitung genug sein.

Einer der jungen Leute, von dem man nur in körperlicher Hinsicht sagen konnte, daß er einen großen, dicken Kopf habe, hatte gerade die Wache an diesem Abend. Der Regen strömte herab, doch ungeachtet dieser beiden Hindernisse mußte er hinaus, nur eine Viertelstunde; das war ja nichts, was er dem Pförtner zu vertrauen brauche, meinte er, wenn man durch die Eisenstangen schlüpfen könne. Da lagen die Galoschen, die der Wächter vergessen hatte; es fiel ihm nicht im mindesten ein, daß es die des Glückes seien, sie konnten in diesem Wetter recht gute Dienste leisten, daher zog er sie an. Nun kam es darauf an, ob er sich würde durchklemmen können, er hatte es früher nie versucht. Da stand er nun.

„Gott gebe, daß ich den Kopf hinausbekomme!" sagte er, und sofort, ob-

gleich der sehr dick und groß war, glitt er leicht und glücklich hindurch, das mußten die Galoschen verstehen, aber nun sollte der Körper mit hinaus; hier stand er. „Ach, ich bin zu dick!" sagte er. „Der Kopf, dachte ich, sei das schlimmste; ich komme nicht hindurch."

Nun wollte er rasch den Kopf zurückziehen, aber das ging nicht. Den Hals konnte er bequem bewegen, aber das war auch alles. Das erste Gefühl war, daß er ärgerlich wurde, das zweite, daß seine Laune unter Null fiel. Die Galoschen des Glückes hatten ihn in diese schreckliche Lage gebracht, und unglücklicherweise fiel es ihm nicht ein, sich frei zu wünschen, nein, er handelte und kam nicht von der Stelle. Der Regen strömte herab, nicht ein Mensch war auf der Straße zu erblicken. Die Pfortenklingel konnte er nicht erreichen, wie sollte er nun loskommen! Er sah voraus, daß er hier bis zur Morgenstunde stehen könne, dann mußte man nach einem Schlosser senden, damit die Eisenstäbe zerfeilt werden könnten, aber das geht nicht so geschwind, die ganze Knabenschule gerade gegenüber würde auf die Beine kommen, um ihn am Pranger zu sehen, es würde einen ungeheuren Zulauf abgeben. „Hu, das Blut steigt mir zu Kopfe, so daß ich wahnsinnig werden muß! – Ja, ich werde verrückt! Oh, wäre ich doch wieder los, dann ginge es wohl vorüber."

Sieh, das hätte er etwas früher sagen sollen! Augenblicklich, sowie der Gedanke ausgesprochen war, hatte er den Kopf los und stürzte nun hinein, ganz verwirrt über den Schreck, den ihm die Galoschen des Glückes eingejagt hatten.

Hiermit dürfen wir nicht glauben, daß das Ganze vorbei war, nein – es wird noch ärger.

Die Nacht verstrich und der folgende Tag mit, es wurde nicht nach den Galoschen geschickt.

Am Abend sollte eine Vorstellung auf einem Liebhabertheater gegeben werden. Das Haus war gepfropft voll; unter den Zuschauern befand sich der junge Mann aus dem Hospital, der sein Abenteuer der vergangenen Nacht vergessen zu haben schien; die Galoschen hatte er angezogen, denn sie waren nicht abgeholt worden, und da es auf der Straße schmutzig war, konnten sie ihm ja gute Dienste leisten. Ein neues Gedicht, ‚Die Brille der Muhme', wurde vorgetragen. Das war eine Brille, wenn man diese aufgesetzt hatte und vor einer großen Versammlung von Menschen saß, so sahen die Menschen wie Karten aus, und man konnte aus diesen alles, was im kommenden Jahre geschehen werde, prophezeien.

Der Gedanke beschäftigte ihn, er hätte wohl eine solche Brille haben mögen; wenn man sie richtig gebrauchte, könnte man vielleicht den Leuten gerade in die Herzen hineinschauen, das wäre eigentlich noch hübscher, meinte er, als zu sehen, was im nächsten Jahre geschehen werde, denn das bekomme man doch zu wissen, das andere dagegen nie. „Ich denke mir nun die ganze Reihe von Herren und Damen auf der ersten Bank – könnte man ihnen gerade in das Herz sehen, ja, da müßte eine Öffnung, eine Art von Laden sein; wie sollten meine Augen im Laden herumschweifen! Bei jener Dame dort würde ich sicher einen großen Modehandel finden, bei dieser da ist der Laden leer, doch würde es ihm nicht schaden, gereinigt zu werden. Würden da auch gute Läden sein? Ach ja", seufzte er, „ich kenne einen, in dem ist alles gut, aber da ist schon ein Diener darin, das ist das einzige Übel im ganzen Laden! Aus dem einen und dem andern würde es schallen: Treten Sie gefälligst näher! Ja, könnte ich nur wie ein kleiner, niedlicher Gedanke hineinschlüpfen!"

Sieh, das war das Stichwort für die Galoschen, der junge Mann schrumpfte zusammen, und eine höchst ungewöhnliche Reise begann mitten durch die Herzen der vordersten Reihe der Zuschauer. Das erste Herz, durch das er kam, war das einer Dame; doch glaubte er augenblicklich in einer Heilanstalt, in dem Zimmer zu sein, wo die Gipsabgüsse der verwachsenen Glieder an den Wänden hängen; nur war hier der Unterschied der, daß sie in der Anstalt genommen werden, wenn der Kranke hineinkommt, aber hier im Herzen waren sie genommen und aufbewahrt, indem die guten Personen hinausgegangen waren. Es waren Abgüsse von Freundinnen, deren körperliche und geistige Fehler hier aufbewahrt wurden.

Schnell war er in einem andern Herzen, aber dieses erschien ihm wie eine große Kirche. Die weiße Taube der Unschuld flatterte über dem Altar; wie gern wäre er auf die Knie niedergesunken! Aber fort mußte er, in das nächste Herz hinein, doch hörte er noch die Orgeltöne, und er selbst kam sich vor, als wäre er ein neuer und besserer Mensch geworden, er fühlte sich nicht unwürdig, das nächste Heiligtum zu betreten, das ihm eine ärmliche Dachkammer mit einer kranken Mutter zeigte. Durch das offene Fenster strahlte warme Sonne, herrliche Rosen nickten von dem kleinen Holzkasten auf dem Dache, und zwei himmelblaue Vögel sangen von kindlicher Freude, während die kranke Mutter um Segen für die Tochter flehte.

Nun kroch er auf Händen und Füßen durch einen überfüllten Fleischerladen, da war Fleisch und nur Fleisch, worauf er stieß, das war das Herz in einem reichen, geachteten Manne, dessen Name allgemein bekannt ist.

Nun war er in dem Herzen seiner Gemahlin, das war ein alter, verfallener Taubenschlag. Das Bild des Mannes wurde als Wetterfahne benutzt, diese stand in Verbindung mit den Türen, und so gingen diese auf und zu, so wie der Mann sich drehte.

Darauf kam er in ein Spiegelzimmer, aber die Spiegel vergrößerten in einem unglaublichen Grade. Mitten auf dem Fußboden saß wie ein Steinbild das unbedeutende Ich der Person, erstaunt, seine eigene Größe zu betrachten.

Hierauf glaubte er sich in eine enge Nadelbüchse voller spitzer Nadeln versetzt zu sehen, er mußte denken: ‚Das ist sicher das Herz einer alten unverheirateten Jungfrau!' Aber das war nicht der Fall, das war ein ganz junger Krieger mit mehreren Orden, von dem man sagte: ein Mann von Geist und Herz.

Ganz betäubt kam der arme Mann aus dem letzten Herzen in der Reihe, er vermochte seine Gedanken nicht zu ordnen, sondern meinte, daß seine allzu starke Einbildungskraft mit ihm durchgegangen sei.

„Mein Gott", seufzte er, „ich habe gewiß Anlage, verrückt zu werden. Hier drinnen ist es auch unverzeihlich heiß, das Blut steigt mir zu Kopfe!" Und nun erinnerte er sich der großen Begebenheit des vorhergegangenen Abends, wie sein Kopf zwischen den Eisenstäben des Hospitals festgessen hatte. „Da habe ich es gewiß bekommen!" meinte er. „Ich muß beizeiten etwas dagegen tun. Ein russisches Bad könnte recht gut sein. Läge ich nur erst auf dem höchsten Brette!"

Und da lag er auf dem obersten Brette im Dampfbade, aber er lag da mit allen Kleidern, mit Stiefeln und Galoschen; die heißen Wassertropfen von der Decke fielen ihm ins Antlitz.

„Hu!" schrie er und fuhr herab, um ein Sturzbad zu nehmen. Der Aufwärter stieß einen lauten Schrei aus, wie er den angekleideten Menschen erblickte.

Der junge Mann hatte indes so viel Fassung, daß er ihm zuflüsterte: „Es gilt eine Wette!" Aber das erste, was er tat, als er sein eigenes Zimmer erreichte, war, daß er sich ein großes spanisches Fliegenpflaster in den Nacken und eins den Rücken hinab legte, damit die Verrücktheit endlich wieder aus ihm herausziehen könne.

Am nächsten Morgen hatte er einen blutigen Rücken, das war alles, was er durch die Galoschen des Glückes gewonnen hatte.

Die Verwandlung des Schreibers

Der Wächter, den wir sicher noch nicht vergessen haben, gedachte inzwischen der Galoschen, die er gefunden und mit nach dem Hospital hinausgebracht hatte; er holte sie ab, aber da weder der Leutnant noch sonst jemand in der Straße sie als die seinigen anerkennen wollte, wurden sie auf der Polizei abgeliefert.

„Es sieht aus, als wären es meine eigenen Galoschen", sagte einer der Schreiber, als er das gefundene Gut betrachtete und sie an die Seite der seinigen stellte. „Da gehört mehr als ein Schuhmacherauge dazu, um sie voneinander unterscheiden zu können!"

Ein Diener, der mit einigen Papieren hereintrat, rief ihn.

Der Schreiber wendete sich um und sprach mit dem Manne; nachdem das aber geschehen war und er wieder die Galoschen ansah, war er in großer Ungewißheit darüber, ob es die zur Linken oder die zur Rechten seien, die ihm gehörten.

‚Es müssen die sein, die naß sind!' dachte er, aber es war gerade verkehrt gedacht, denn das waren die des Glückes; aber weshalb sollte nicht auch die Polizei fehlen können! Er zog sie an, steckte seine Papiere in die Tasche und einige Schriftstücke unter den Arm, die zu Hause durchgelesen und abgeschrieben werden sollten; aber nun war es gerade Sonntagvormittag und das Wetter gut, ‚ein Ausflug ins Freie könnte mir wohltun!' dachte er, und so ging er hinaus.

Niemand konnte ein stillerer und nüchternerer Mensch sein als dieser junge Mann, wir gönnen ihm darum diesen kleinen Spaziergang wohl, er wird nach dem vielen Sitzen sicher recht wohltuend auf ihn wirken. Anfangs ging er nur wie ein gewöhnlicher Mensch, deshalb hatten die Galoschen keine Gelegenheit, ihre Zauberkraft zu betätigen.

Unterwegs begegnete er einem Bekannten, einem unserer jüngeren Dichter, der ihm erzählte, daß er am folgenden Tage seine Sommerreise beginnen werde.

„Nun wollen Sie wieder fort!“ sagte der Schreiber. „Sie sind doch ein glücklicher, freier Mensch. Sie können fliegen, wohin Sie wollen, wir andern haben eine Kette an dem Fuß!“

„Aber sie ist am Brotbaum befestigt!“ erwiderte der Dichter. „Sie brauchen nicht für den morgigen Tag zu sorgen, und werden Sie alt, so erhalten Sie Ihr Einkommen fortbezahlt!“

„Sie haben es doch am besten“, sagte der Schreiber. „Es ist ja ein Vergnügen, zu sitzen und zu dichten; die ganze Welt sagt Ihnen Angenehmes, und dann sind Sie Ihr eigener Herr! Ja, Sie sollten es nur versuchen, im Gericht bei den langweiligen Sachen zu sitzen!“

Der Dichter schüttelte den Kopf, der Schreiber schüttelte den seinen auch, jeder blieb bei seiner Meinung, und sie trennten sich.

„Es ist ein eigenes Volk, diese Dichter“, sagte der Schreiber; „ich möchte wohl versuchen, in eine solche Natur einzugehen, um selbst ein Dichter zu werden; ich bin gewiß, daß ich nicht solche Klageverse schreiben würde wie die andern! – – Das ist ein rechter Frühlingstag für einen Dichter! Die Luft ist ungewöhnlich klar, die Wolken so schön, und das Grüne duftet so prächtig! Ja, in vielen Jahren habe ich es nicht so gefühlt wie in diesem Augenblick.“

Wir bemerken schon, daß er ein Dichter geworden ist, aber es ist eine törichte Vorstellung, sich einen Dichter anders als andere Menschen zu denken. Es können unter diesen weit mehr dichterische Naturen sein, als manche große anerkannte Dichter es sind. Der Unterschied ist nur der, daß der Dichter besseres geistiges Gedächtnis und bessere Ausdrucksmöglichkeiten hat, er kann den Gedanken und das Gefühl festhalten, bis es klar und deutlich durch das Wort verkörpert ist, das können die andern nicht. Aber der Übergang von einer Alltagsnatur zu einer begabten ist immer ein Übergang, und so muß er bei dem Schreiber in das Auge fallen.

„Der herrliche Duft!“ sagte er; „wie erinnert er mich an die Veilchen bei der Tante! Ja, das war, als ich ein kleiner Knabe war! Daran habe ich seit langer Zeit nicht gedacht; das gute, alte Mädchen, sie wohnte dort herum hinter der Börse. Immer hatte sie einen Zweig oder ein paar grüne Schößlinge im Wasser, der Winter mochte so streng sein, wie er wollte. Die Veilchen dufteten, während ich die erwärmten Kupferdreier gegen die gefrorene Fensterscheibe legte und Gucklöcher machte. Das war ein hübscher Anblick. Draußen lagen die Schiffe eingefroren, von der ganzen Mannschaft verlassen, eine schreiende Krähe bildete die ganze Besatzung; wenn die Frühlingslüfte wehten, dann wurde es lebendig, unter Gesang und Hurraruf sägte man das Eis entzwei, die Schiffe wurden geteert und getakelt, dann fuhren sie nach fremden Ländern. Ich bin hiergeblieben und muß immer bleiben, immer auf der Polizei sitzen und die andern Pässe zu den Reisen nach dem Auslande nehmen sehen, das ist mein Los! Ach ja!" seufzte er tief, dann hielt er plötzlich an. „Wie ist mir denn! So habe ich früher nie gedacht und gefühlt, das muß die Frühjahrsluft sein, das ist ebenso ängstlich wie angenehm!" Er griff in die Tasche nach seinen Papieren. „Die geben mir etwas anderes zu denken!" sagte er und ließ die Augen über das erste Blatt hingleiten. „Frau Sigbrith, Trauerspiel in fünf Aufzügen", las er, „was ist das, und das ist ja meine eigene Hand! Habe ich dieses Stück geschrieben? ‚Der Scherz auf dem Walle oder Der Bußtag, Lustspiel.' – Aber wo habe ich das bekommen? Man muß mir das in die Tasche gesteckt haben; hier ist ein Brief!" Der war von dem Unternehmer einer Volksbühne, die Stücke waren verworfen, und der Brief war durchaus nicht höflich abgefaßt. „Hm! hm!" sagte der Schreiber und setzte sich auf eine Bank nieder. Seine Gedanken schweiften in die Ferne; sein Herz war weich; unwillkürlich ergriff er eine der nächsten Blumen. Es war eine gewöhnliche kleine Gänseblume; was uns die Naturforscher erst durch manche Vorlesungen sagen, verkündete sie in einer Minute; sie erzählte von ihrer Geburt und von der Kraft des Sonnenlichts, das die feinen Blätter ausspannte und sie zum Duften zwang. Er gedachte der Kämpfe des Lebens, die gleichfalls Gefühle in unserer Brust erwecken. Luft und Licht sind die Liebhaber der Blume, aber das Licht ist der begünstigte; nach dem Licht wendete sie sich, verschwand dieses, so rollte sie ihre Blätter zusammen und schlief in der Umarmung der Luft ein. „Das Licht ist es, was mich schmückt!" sagte die Blume. „Aber die Luft läßt dich atmen!" flüsterte die Dichterstimme.

„Ach", seufzte er ganz wehmütig und betrachtete die singenden Vögel, die fröhlich von Zweig zu Zweig sprangen, „die haben es weit besser als ich! Fliegen, das ist eine herrliche Kunst, glücklich der, welcher damit geboren! Ja, könnte ich mich in etwas verwandeln, dann möchte ich eine kleine Lerche sein!"

In demselben Augenblick flogen Rockschöße und Ärmel in Flügel zusammen, die Kleider wurden zu Federn und die Galoschen zu Klauen; er bemerkte es ganz wohl und lachte innerlich. „So, nun träume ich, aber so närrisch wie noch nie!" Und er flog in die grünen Zweige hinauf und sang, aber es war kein

Schwung im Gesange, denn die Dichternatur war fort. Die Galoschen konnten wie ein jeder, der etwas gründlich tut, nur eine Sache auf einmal besorgen, er wollte Dichter sein, das wurde er, nun wollte er ein kleiner Vogel sein, und indem er dieses wurde, hörte die vorige Eigentümlichkeit auf.

„Das ist allerliebst!" sagte er. „Bei Tage sitze ich in der Polizei unter den Akten, nachts kann ich träumen, als Lerche im Garten zu fliegen. Es könnte wahrlich ein ganzes Volksstück davon geschrieben werden!"

Nun flog er in das Gras nieder, drehte den Kopf nach allen Seiten herum und schlug mit dem Schnabel auf die geschmeidigen Halme, die im Verhältnis zu seiner gegenwärtigen Größe ihm so lang wie Palmzweige erschienen.

Es war nur einen Augenblick so, dann wurde es kohlschwarze Nacht um ihn; ein, wie es ihm erschien, ungeheurer Gegenstand wurde über ihn hin geworfen; es war eine große Mütze, die ein Knabe über den Vogel warf. Eine Hand kam herein und ergriff den Schreiber um Rücken und Flügel, so daß er pfiff; im ersten Schrecken rief er laut: „Du unverschämter Junge! Ich bin Beamter der Polizei!" Aber das klang dem Knaben wie ein Pipipip! Er schlug den Vogel auf den Schnabel und wanderte davon.

Unterwegs begegnete er zwei Schulknaben; sie kauften den Vogel für zwei Groschen, und so kam der Schreiber zu einer Familie in der Oststraße.

„Es ist gut, daß ich träume", sagte der Schreiber, „sonst würde ich wahrlich böse. Zuerst war ich Dichter, nun bin ich eine Lerche; ja, das war sicher die Dichternatur, die mich in das kleine Tier verwandelte! Es ist doch eine jämmerliche Geschichte, besonders wenn man einigen Knaben in die Hände fällt. Ich möchte wohl wissen, wie das abläuft!"

Die Knaben brachten ihn in ein sehr schönes Zimmer; eine dicke, lächelnde Dame empfing sie, aber sie war durchaus nicht darüber erfreut, daß der gemeine Feldvogel, wie sie die Lerche nannte, mit hereinkam; doch für heute wollte sie es sich gefallen lassen, und sie mußten ihn in den leeren Käfig setzen, der am Fenster stand. „Das wird vielleicht dem Papchen Freude machen!" fügte sie hinzu und lachte einen großen Papagei an, der sich vornehm in seinem Ring in dem prächtigen Messingkäfig schaukelte. „Es ist Papchens Geburtstag!" sagte sie, „deshalb will der kleine Feldvogel Glück wünschen!"

Papchen erwiderte nicht ein einziges Wort, sondern schaukelte vornehm hin und her, dagegen fing ein hübscher Kanarienvogel, der im letzten Sommer von seinem warmen, duftenden Vaterlande hierhergebracht war, laut zu singen an.

„Schreihals!" sagte die Dame und warf ein Taschentuch über den Käfig.

„Pipip!" seufzte er, „das ist ein erschreckliches Schneewetter!" und mit diesem Seufzer schwieg er.

Der Schreiber oder, wie die Dame sagte, der Feldvogel kam in einen kleinen Käfig dicht neben den Kanarienvogel, nicht weit vom Papagei. Den einzigen Satz, den Papchen plaudern konnte und der oft belustigend klang, war der: „Nein, laßt uns nun Menschen sein!", alles übrige, was er schrie, war ebenso unverständlich wie das Zwitschern des Kanarienvogels, nur nicht für den Schreiber, der nun selbst ein Vogel war, er verstand die Kameraden sehr gut.

„Ich flog unter der grünen Palme und dem blühenden Mandelbaume!" sang der Kanarienvogel. „Ich flog mit meinen Brüdern und Schwestern über die prächtigen Blumen und über den spiegelklaren See hin, wo die Pflanzen sich auf dem Boden wiegten. Ich erblickte auch viel schöne Papageien, die lustige Geschichten erzählten."

„Das waren wilde Vögel", erwiderte der Papagei, „die besaßen keine Bildung. Nein, laßt uns nun Menschen sein! – Weshalb lachst du nicht? Wenn die Dame und alle Fremden darüber lachen können, so kannst du es auch. Es ist ein großer Fehler, das Ergötzliche nicht heiter zu finden. Nein, laßt uns nun Menschen sein!"

„Oh, entsinnst du dich der hübschen Mädchen, die unter dem ausgespannten Zelte bei den blühenden Bäumen tanzten? Entsinnst du dich der süßen Früchte und des kühlendes Saftes in den wild wachsenden Kräutern?"

„O ja", sagte der Papagei, „aber hier habe ich es weit besser; ich habe gutes Essen und eine gute Behandlung; ich weiß, ich bin ein guter Kopf, und mehr verlange ich nicht. Laßt uns nun Menschen sein! Du bist eine Dichterseele, wie sie es nennen, ich habe gründliche Kenntnisse und Witz, du hast viele Gaben, aber keine Besonnenheit, steigst in diesen hohen Naturtönen hinauf, und deshalb wirst du zugedeckt. Das bietet man mir nicht, nein, denn ich habe sie mehr gekostet! Ich mache Eindruck mit meinem Schnabel. Nein, laßt uns nun Menschen sein!"

„O mein warmes, blühendes Vaterland!" sang der Kanarienvogel. „Ich will deine dunkelgrünen Bäume und deine stillen Meerbusen besingen, wo die Zweige die klare Wasserfläche küssen, singen von dem Jubel aller meiner schimmernden Brüder und Schwestern, wo der Wüste Pflanzenquellen, die Kakteen, wachsen!"

„Laß doch nur die traurigen Töne!" sagte der Papagei. „Sage etwas, worüber man lachen kann! Gelächter ist das Zeichen des höchsten geistigen Standpunktes. Sieh, ob ein Hund oder Pferd lachen kann; nein, weinen können sie, aber lachen, das ist allein dem Menschen gegeben. Ho, ho, ho!" lachte das Papchen und fügte seinen Witz: „Laßt uns nun Menschen sein!" hinzu.

„Du kleiner, grauer Vogel", sagte der Kanarienvogel, „du bist auch Gefangener geworden, es ist sicher kalt in deinen Wäldern, aber da ist doch Freiheit, fliege hinaus! Man hat vergessen, deinen Käfig zu schließen; das oberste Fenster steht offen. Fliege, fliege!"

Unwillkürlich gehorchte der Schreiber und flog aus dem Käfig; im gleichen Augenblicke knarrte die halbgeöffnete Tür zum nächsten Zimmer, und geschmeidig, mit grünen, funkelnden Augen, schlich sich die Hauskatze herein und machte Jagd auf ihn. Der Kanarienvogel flatterte im Käfig, der Papagei schlug mit den Flügeln und rief: „Laßt uns nun Menschen sein!" Der Schreiber fühlte den tödlichsten Schreck und flog durch das Fenster, über die Häuser und Straßen davon, zuletzt mußte er etwas ausruhen. Das gegenüberliegende Haus hatte etwas Heimisches, ein Fenster stand offen, er flog hinein, es war sein eigenes Zimmer; er setzte sich auf den Tisch.

„Laßt uns nun Menschen sein!" sprach er unwillkürlich dem Papagei nach, und im selben Augenblick war er wieder der Schreiber, aber er saß nicht an, sondern auf dem Tische.

„Gott bewahre mich!" sagte er, „wie bin ich hier heraufgekommen und eingeschlafen? Das war ein unruhiger Traum, den ich hatte. Dummes Zeug war doch die ganze Geschichte."

Am darauffolgenden Tage, in der frühen Morgenstunde, als der Schreiber noch im Bett lag, klopfte es an seine Tür, und sein Nachbar, ein junger Theologe, trat herein.

„Leihe mir deine Galoschen", sagte er, „es ist so naß im Garten, aber die Sonne scheint herrlich, ich möchte eine Pfeife dort unten rauchen."

Die Galoschen zog er an und war bald unten im Garten, der einen Pflaumen- und einen Apfelbaum enthielt. Selbst ein so kleiner Garten, wie dieser war, gilt in einer großen Stadt als eine Herrlichkeit.

Der Theologe wanderte im Gange auf und nieder; die Uhr war erst sechs; draußen von der Straße ertönte ein Posthorn.

„O reisen, reisen!" rief er aus, „das ist doch das größte Glück in der Welt, das ist meiner Wünsche höchstes Ziel! Da würde diese Unruhe, die ich fühle, gestillt werden. Aber weit fort müßte es sein; ich möchte die herrliche Schweiz sehen, Italien bereisen und . . ."

Ja, gut war es, daß die Galoschen sogleich wirkten, sonst wäre er gar zu weit herumgekommen, sowohl für sich selbst wie für uns andere. Er reiste. Er war mitten in der Schweiz, aber mit acht andern in das Innere eines Wagens eingepackt; er hatte Kopfschmerzen, fühlte sich müde im Nacken, und das Blut war ihm in die Füße hinabgesunken, die angeschwollen von den Stiefeln gedrückt wurden. Er befand sich in einem Zustande zwischen Schlafen und Wachen. In seiner Tasche zur Rechten hatte er den Wechsel, in seiner Tasche zur Linken den Paß und in einem kleinen Lederbeutel auf der Brust einige festgenähte Goldstücke; jeder Traum verkündete, daß eine oder die andere dieser Kostbarkeiten verloren sei, und deshalb fuhr er wie im Fieber empor, und die erste Bewegung, die seine Hand machte, war ein Dreieck von der Rechten zur Linken und gegen die Brust hinauf, um zu fühlen, ob er seine Sachen noch habe. Schirme, Stöcke und Hüte schaukelten im Netze über ihm und nahmen fast ganz eine Aussicht, die wundervoll war; er schielte danach, während das Herz sang.

Groß, ernst und dunkel war die ganze Natur rings um ihn.

Die Tannenwälder erschienen wie Heidekraut auf den hohen Felsen, deren Gipfel im Wolkennebel verborgen waren; nun begann es zu schneien, der kalte Wind blies.

„Uh!" seufzte er, „wären wir doch auf der andern Seite der Alpen, dann wäre es Sommer, und ich hätte Geld auf meinen Wechsel erhoben; die Angst,

die ich für diesen fühle, macht, daß ich die Schweiz nicht genieße, oh, wäre ich doch schon auf der andern Seite!"

Und da war er auf der andern Seite; mitten in Italien war er, zwischen Florenz und Rom. Der Trasimener See lag in der Abendbeleuchtung wie flammendes Gold zwischen den dunkelblauen Bergen. Hier, wo Hannibal den Flaminius schlug, hielten sich nun die Weinranken friedlich an den grünen Fingern; liebliche, halbnackte Kinder hüteten eine Herde kohlschwarzer Schweine unter einer Gruppe duftender Lorbeerbäume am Wege. Könnten wir dieses Gemälde richtig wiedergeben, so würden alle jubeln: ‚Herrliches Italien!' Aber das sagte keineswegs der Theologe oder ein einziger der Reisegefährten im Wagen.

Giftige Fliegen und Mücken flogen bei ihnen zu Dutzenden in den Wagen hinein, vergebens schlugen die Reisenden mit Myrtenzweigen um sich, die Fliegen stachen dennoch; es war nicht ein Mensch im Wagen, dessen Gesicht nicht von den blutigen Bissen angeschwollen gewesen wäre. Die armen Pferde sahen matt aus, die Fliegen saßen in großen Scharen auf ihnen, und nur für den Augenblick half es, daß der Kutscher hinabstieg und die Tiere abschabte. Nun sank die Sonne unter, eine rasche, eisige Kälte ging durch die ganze Natur, es war gleich des Grabgewölbes kaltem Luftzug nach einem heißen Sommertage, aber ringsumher erhielten Berge und Wolken den sonderbaren grünen Ton, den wir auf einzelnen alten Gemälden finden und, wenn wir ein solches Farbenspiel im Süden nicht erlebt haben, für unnatürlich halten. Es war ein herrliches Schauspiel, aber – der Magen war leer, der Körper ermüdet, alle Sehnsucht des Herzens drehte sich um ein Nachtlager, aber wie würde dies ausfallen? Man blickte weit inniger danach als nach der schönen Natur.

Der Weg ging durch einen Olivenwald, dem Theologen war es, als führe er daheim zwischen knotigen Weiden, hier lag das einsame Wirtshaus. Ein Dutzend bettelnder Krüppel hatte sich davor gelagert; sie waren entweder blind, hatten vertrocknete Beine und krochen auf den Knien oder zeigten abgezehrte Arme mit fingerlosen Händen. Das war das Elend, recht aus den Lumpen gezogen. „Erbarmen, meine Herren!" seufzten sie und streckten die kranken Glieder vor. Die Wirtin selbst, mit bloßen Füßen, ungekämmten Haaren und in einer schmutzigen Bluse, empfing die Gäste. Die Türen waren mit Bindfaden zusammengebunden, der Fußboden in den Zimmern bot ein halbaufgewühltes Pflaster von Mauersteinen dar; Fledermäuse flogen unter der Decke hin, und der Gestank hier drinnen – –.

„Decken Sie unten im Stall!" sagte einer der Reisenden, „dort unten weiß man doch, was man einatmet!"

Das Essen wurde aufgetragen; es gab eine Suppe von Wasser, gewürzt mit Pfeffer und ranzigem Öl; verdorbene Eier und gebratene Hahnenkämme waren die Prachtgerichte, selbst der Wein hatte einen Beigeschmack, er war eine wahre Arznei. Zur Nacht wurden die Koffer gegen die Tür aufgestellt; einer der Reisenden hatte die Wache, während die andern schliefen; der Theologe war der Wachhabende; oh, wie schwül war es hier drinnen! Die Hitze drückte; die Mücken summten und stachen.

„Ja, reisen ist schon gut", sagte der Theologe, „hätte man nur keinen Körper; könnte dieser ruhen und der Geist dagegen fliegen. Wohin ich komme, fühle ich einen Mangel, der das Herz drückt; etwas Besseres als das Augenblickliche ist es, was ich haben will; ja, etwas Besseres, das Beste, aber wo und was ist es? Im Grunde weiß ich wohl, was ich will, ich will zu einem glücklichen Ziel, dem glücklichsten von allen!"

So wie das Wort ausgesprochen war, befand er sich in der Heimat; die langen, weißen Vorhänge hingen vor den Fenstern herab, und mitten auf dem Fußboden stand der schwarze Sarg, in diesem lag er in seinem stillen Todesschlaf, sein Wunsch war erfüllt, der Körper ruhte, der Geist reiste. ‚Preise niemand glücklich, bevor er in seinem Grabe ist!' waren die Worte Solons, hier wurde ihre Wahrheit erneut bewiesen.

Zwei Gestalten bewegten sich im Zimmer, wir kennen sie beide, es waren die Fee der Trauer und die Abgesandte des Glückes; sie beugten sich über den Toten hin.

„Siehst du", sagte die Trauer, „welches Glück brachten deine Galoschen wohl der Menschheit?"

„Sie brachten wenigstens ihm, der hier schlummert, ein dauerndes Gut!" antwortete die Freude.

„O nein!" sagte die Trauer. „Selbst ging er fort, er wurde nicht gerufen; seine geistige Kraft war nicht stark genug, um die Schätze hier zu heben, die er seiner Bestimmung nach heben muß! Ich will ihm eine Wohltat erweisen!"

Sie zog die Galoschen von seinen Füßen; da war der Todesschlaf geendet, der Wiederbelebte erhob sich. Die Trauer verschwand, mit ihr aber auch die Galoschen.

DIE GLÜCKLICHE FAMILIE

Das größte grüne Blatt hierzulande ist sicherlich das Klettenblatt; hält man es vor seinen kleinen Leib, so ist es gerade wie eine ganze Schürze, und legt man es auf seinen Kopf, dann ist es im Regenwetter fast ebenso gut wie ein Regenschirm, denn es ist ungeheuer groß. Nie wächst eine Klette allein, nein! Wo eine wächst, da wachsen auch mehrere, es ist eine große Herrlichkeit, und all diese Herrlichkeit ist Schneckenspeise. Die großen, weißen Schnecken, woraus vornehme Leute in früheren Zeiten Leckerbissen bereiten ließen, speisten und sagten: „Hm! Schmeckt das prächtig!" – denn sie glaubten nun einmal, daß so etwas gut schmecke – diese Schnecken lebten von Klettenblättern, und deswegen wurden die Kletten gesät.

Nun gab es da ein altes Rittergut, wo man keine Schnecken mehr speiste, diese waren beinahe ganz ausgestorben, aber die Kletten waren nicht ausgestorben, sie wuchsen über alle Gänge und Beete, man konnte ihrer nicht mehr Meister werden. Es war ein förmlicher Klettenwald, hin und wieder standen da ein Apfel- und ein Pflaumenbaum, sonst hätte man gar nicht vermuten können, daß dies ein Garten gewesen sei. Alles war Klette, und drinnen wohnten die beiden letzten steinalten Schnecken.

Sie wußten selbst nicht, wie alt sie waren, aber sie konnten sich sehr wohl erinnern, daß ihrer weit mehr gewesen, daß sie von einer Familie aus fremden Ländern abstammten und daß für sie und die Ihrigen der ganze Wald gepflanzt worden war. Sie waren nie aus ihm hinausgekommen, aber sie wußten doch, daß es außerdem noch etwas in der Welt gab, was der Herrenhof hieß, und da oben wurde man gekocht, und dann wurde man schwarz, und dann wurde man auf eine silberne Schüssel gelegt, was aber dann weiter geschah, das wußten sie nicht. Wie das übrigens war, gekocht zu werden und auf einer silbernen Schüssel zu liegen, das konnten sie sich nicht denken, aber schön sollte es sein, und außerordentlich vornehm. Weder die Maikäfer, noch die Kröten oder die Regenwürmer, die sie darum befragten, konnten ihnen Bescheid darüber geben; keiner von ihnen war gekocht worden oder hatte auf einer silbernen Schüssel gelegen.

Die alten, weißen Schnecken waren die vornehmsten in der Welt, das wußten sie; der Wald war ihrethalben da, und der Herrenhof war da, damit sie gekocht und auf eine silberne Schüssel gelegt werden konnten.

Sie lebten nun sehr einsam und glücklich, und da sie selbst keine Kinder hatten, so hatten sie eine kleine, gewöhnliche Schnecke angenommen, die sie wie ihr eigenes Kind erzogen; aber die Kleine wollte nicht wachsen, denn es war nur eine gewöhnliche Schnecke. Die Alten, besonders die Mutter, die Schneckenmutter, glaubten doch zu bemerken, daß sie zunahm, und sie bat den Vater, wenn er das nicht sehen könnte, so möge er doch nur das kleine Schneckenhaus anfühlen, und dann fühlte er und fand, daß die Mutter recht habe.

Eines Tages regnete es stark.

„Höre, wie es auf den Kletten tromme-romme-rommelt!" sagte der Schneckenvater.

„Da kommen auch Tropfen!" sagte die Schneckenmutter. „Es läuft ja gerade am Stengel herab! Du wirst sehen, daß es hier naß werden wird. Ich bin froh, daß wir unsere guten Häuser haben und daß der Kleine auch eins hat! Für uns ist freilich mehr getan als für alle anderen Geschöpfe, man kann also sehen, daß wir die Herren der Welt sind! Wir haben ein Haus von der Geburt ab, und der Klettenwald ist unsertwegen gesät! – Ich möchte wohl wissen, wie weit er sich erstreckt und was außerhalb von ihm ist!"

„Da ist nichts außerhalb!" sagte der Schneckenvater. „Besser als bei uns kann es nirgends sein, und ich habe nichts zu wünschen!"

„Ja", sagte die Schneckenmutter, „ich möchte wohl zum Herrenhof kommen, gekocht und auf eine silberne Schüssel gelegt werden. Das ist allen unseren Vorfahren widerfahren, und glaube mir, es ist ganz etwas Besonderes dabei!"

„Der Herrenhof ist vielleicht zusammengestürzt", sagte der Schneckenvater, „oder der Klettenwald ist darüber hinweggewachsen, so daß die Menschen nicht herauskommen können. Übrigens hat das keine Eile, du eilst immer gewaltig, und der Kleine fängt auch schon damit an; er ist nun in drei Tagen an dem Stiel hinaufgekrochen, mir wird schwindlig, wenn ich zu ihm hinaufsehe!"

„Du mußt nicht schelten!" sagte die Schneckenmutter. „Er kriecht so besonnen; wir werden noch Freude an ihm erleben, und wir Alten haben ja nichts anderes, wofür wir leben können! Hast du aber wohl daran gedacht, wo wir eine Frau für ihn hernehmen? Glaubst du nicht, daß da weit hinein in dem Klettenwald noch jemand von unserer Art sein möchte?"

„Schwarze Schnecken, glaube ich, werden wohl da sein", sagte der Alte; „schwarze Schnecken ohne Haus, aber das ist gemein, und doch sind sie stolz. Aber wir könnten die Ameisen damit beauftragen, die laufen hin und her, als ob sie etwas zu tun hätten, sie wissen sicher eine Frau für unsern Kleinen."

„Ich weiß freilich die allerschönste", sagte eine der Ameisen, „aber ich fürchte, es geht nicht, denn sie ist eine Königin!"

„Das schadet nichts!" sagten die Alten. „Hat sie ein Haus?"

„Sie hat ein Schloß", sagte die Ameise, „das schönste Ameisenschloß mit siebenhundert Gängen."

„Schönen Dank!" sagte die Schneckenmutter. „Unser Sohn soll nicht in einen Ameisenhaufen! Wißt ihr nichts Besseres, so geben wir den Auftrag den weißen Mücken, die fliegen bei Regen und Sonnenschein weit umher und kennen den Klettenwald von innen und außen."

„Wir haben eine Frau für ihn!" sagten die Mücken. „Hundert Menschenschritte von hier sitzt auf einem Stachelbeerstrauch eine kleine Schnecke mit einem Hause, sie ist ganz allein und alt genug, sich zu verheiraten. Es sind nur hundert Menschenschritte!"

„Ja, laßt sie zu ihm kommen", sagten die Alten, „er hat einen Klettenwald, sie hat nur einen Strauch!"

Sie holten das kleine Schneckenfräulein. Es währte acht Tage, ehe sie eintraf, aber das war gerade das Vornehme dabei, daran konnte man sehen, daß sie von der rechten Art war.

Dann hielten sie Hochzeit. Sechs Johanniswürmer leuchteten so gut sie konnten; übrigens ging es im ganzen still zu, denn die alten Schnecken konnten Schwärmen und Lustbarkeiten nicht ertragen. Aber eine schöne Rede wurde von der Schneckenmutter gehalten; der Vater konnte nicht reden, er war zu bewegt, und dann gaben sie ihnen den ganzen Klettenwald zur Erbschaft und sagten, was sie immer gesagt hatten, daß es das Beste in der Welt sei, und wenn sie redlich und ordentlich lebten und sich vermehrten, dann würden sie und ihre Kinder einst zum Herrenhofe kommen, schwarz gekocht und auf eine silberne Schüssel gelegt werden.

Nachdem die Rede gehalten war, krochen die Alten in ihre Häuser und kamen nie wieder heraus; sie schliefen. Das junge Schneckenpaar regierte im Walde und erhielt eine große Nachkommenschaft, aber sie wurden nie gekocht, und sie kamen nie auf eine silberne Schüssel, woraus sie den Schluß zogen, daß der Herrenhof zusammengestürzt sei und daß alle Menschen in der Welt ausgestorben seien, und da ihnen niemand widersprach, so mußte es ja wahr sein. Der Regen schlug auf die Klettenblätter, um für sie eine Trommelmusik zu veranstalten, und die Sonne schien, um den Klettenwald für sie zu beleuchten, und sie waren sehr glücklich, und die ganze Familie war glücklich.

ETWAS

Ich will etwas sein!" sagte der älteste von fünf Brüdern, „ich will etwas nützen in der Welt; mag es eine noch so geringe Stellung sein, wenn nur das, was ich ausrichte, etwas Gutes ist, dann ist es in der Tat etwas. Ich will Mauersteine machen, die sind nicht zu entbehren, und ich habe wirklich etwas gemacht!"

„Aber etwas gar zu wenig!" sprach der zweite Bruder, „das, was du tun willst, ist so gut wie nichts, das ist Handlangerarbeit und kann durch eine

Maschine verrichtet werden. Nein, dann lieber Maurer sein, das ist doch etwas, das will ich sein; das ist ein Stand! Durch den wird man zünftig, ein Bürger, man bekommt seine eigene Fahne, seine eigene Herberge; ja, wenn alles gut geht, werde ich Gesellen halten können, werde ich Meister, und meine Frau wird die Frau Meisterin heißen; das ist doch etwas!"

„Das ist gar nichts!" sagte der dritte; „das ist doch außerhalb der eigentlichen Stände, und es gibt viele solche in einer Stadt, die alle weit über einem Handwerksmeister stehen. Du kannst ein braver Mann sein, allein du gehörst als ‚Meister' doch nur zu denen, die man den ‚gemeinen' Mann nennt, nein, dann weiß ich etwas Besseres! Ich will Baumeister sein, will mich auf das Gebiet der Kunst, auf das der Spekulation begeben, will zu den Höherstehenden im Reiche zählen. Zwar muß ich von der Pike auf dienen, ja, daß ich es geradeheraus sage: Ich muß als Zimmerlehrling anfangen, muß als Bursche mit der Mütze einhergehen, obgleich ich daran gewöhnt bin, einen seidenen Hut zu tragen, muß den gewöhnlichen Gesellen Schnaps und Bier holen, und diese werden mich du heißen, das ist beleidigend; allein ich werde mir einbilden, daß das Ganze eine Mummerei sei, daß es Maskenfreiheit ist. Morgen – das heißt, wenn ich Geselle sein werde, gehe ich meinen Weg, die andern gehen mich nichts an! Ich gehe auf die Akademie, bekomme Zeichenunterricht, heiße Architekt! – Das ist etwas, das ist viel! Ich kann etwas mehr bekommen vorn und hinten, und ich baue und baue, gerade wie die andern vor mir gebaut haben. Das ist immer etwas, worauf man bauen kann! Das Ganze ist etwas!"

„Ich aber mache mir aus diesem Etwas gar nichts!" sprach der vierte; „ich will nicht in dem Kielwasser anderer segeln, nicht eine Kopie sein; ich will ein Genie sein, will tüchtiger dastehen als ihr alle insgesamt! Ich bin der Schöpfer eines neuen Stils, ich gebe die Idee zu einem Gebäude, passend für das Klima und das Material des Landes, für das Volk, für die Entwicklung des Zeitalters und gebe außerdem noch ein Stockwerk zu für mein eigenes Genie!"

„Wenn nun aber das Klima und das Material nichts taugen?" sagte der fünfte. „Das wäre ein unangenehmer Umstand, denn ihrem Einfluß unterliegt alles. Auch die Entwicklung des Zeitalters kann mit dir durchgehen, wie die Jugend oft durchgeht. Ich sehe es schon kommen, daß keiner von euch eigentlich etwas werden wird, wie sehr ihr es auch selber glaubt! Aber tut, was ihr wollt, ich werde euch nicht ähnlich sein, ich stelle mich außerhalb der Dinge, ich will über das urteilen, was ihr ausrichtet! An jedem Dinge klebt etwas, was nicht richtig ist, etwas Verkehrtes, das will ich heraustifteln und besprechen; das ist etwas!"

Das tat er denn auch, und die Leute sagten von dem fünften: „An dem ist bestimmt etwas! Er ist ein guter Kopf! Aber er tut nichts!" – Doch dadurch gerade war er etwas!

Seht, das ist nur eine kleine Geschichte, und doch hat sie kein Ende, solange die Welt steht!

Aber wurde denn weiter nichts aus den fünf Brüdern? – Das war ja nichts und nicht etwas! –

Hören wir weiter, es ist ein Märchen.

Der älteste Bruder, der Mauersteine herstellte, wurde bald inne, daß von jedem Ziegel, wenn er fertig war, eine kleine Münze, wenn auch nur von Kupfer, abfiel; doch viele Kupferpfennige, aufeinandergelegt, machen einen blanken Taler, und wo man mit einem solchen anklopft, sei es beim Bäcker, beim Schlächter, Schneider, ja bei allen, dort fliegt die Tür auf, und man bekommt, was man braucht – seht, das werfen die Ziegel ab; einige zerbröckelten zwar oder sprangen entzwei, aber auch solche konnte man gebrauchen.

Auf dem hohen Erdwalle, dem schützenden Deiche an der Meeresküste, wollte Margarethe, die arme Frau, sich ein Häuschen bauen; sie bekam alle die zerbröckelten Ziegel und noch dazu einige ganze, denn ein gutes Herz besaß der älteste Bruder, wenn er es auch in der Tat nicht weiter brachte, als daß er Mauersteine anfertigte. Die arme Frau baute selbst ihr Häuschen; es war zwar schmal und eng, das eine Fenster saß schief, die Tür war zu niedrig, und das Strohdach hätte besser gelegt werden können, aber Schutz verlieh es immerhin, und weit über das Meer, das gewaltig gegen den Deich brandete, konnte man von dem Häuschen hinausschauen; die salzigen Wogen spritzten ihren Schaum über das ganze Haus, das noch dastand, als der Mann, der die Mauersteine dazu hergestellt hatte, schon längst tot und begraben war.

Der zweite Bruder, ja, der verstand nun das Mauern besser, und er hatte es ja auch gelernt. Als er die Gesellenprüfung bestanden, schnürte er seinen Ranzen und stimmte das Lied des Handwerkers an:

„Weil ich jung bin, will ich wandern,
draußen will ich Häuser bau'n,
ziehn von einem Ort zum andern;
Jugendsinn gibt mir Vertrau'n.
Und kehr ich heim ins Vaterland,
wo mein die Liebste harrt,
hurra, der brave Handwerksstand!
Wie bald ich Meister ward!"

Und das wurde er denn auch. Als er zurückgekommen und Meister geworden war, mauerte er in der Stadt ein Haus neben dem andern, eine ganze Straße. Als die Straße vollendet war, sich gut ausnahm und der Stadt zur Zierde gereichte, bauten die Häuschen ihm wieder ein Haus, das sein Eigentum sein sollte. Doch wie können die Häuser wohl bauen? Frage sie, und sie werden dir die Antwort schuldig bleiben; aber die Leute werden das Wort ergreifen und sagen: „Allerdings hat die Straße ihm sein Haus gebaut!" Klein war es, und der Fußboden war mit Lehm belegt, aber als er mit seiner Braut über den Lehmboden hintanzte, wurde dieser blank und gebohnt, und aus jedem Steine in der Wand sprang eine Blume hervor und schmückte das Zimmer wie mit einer kostbaren Tapete. Es war ein hübsches Haus und ein glückliches Ehepaar. Die Fahne der Innung flatterte vor dem Hause, und Gesellen und Lehrburschen schrien: „Hurra!" Ja, der war etwas! Und darauf starb er, das war auch etwas!

Nun kam der Architekt, der dritte Bruder, der erst Zimmerlehrling gewesen, mit der Mütze gegangen war und den Laufburschen gemacht hatte, aber von der Akademie aus bis zum Baumeister gestiegen war. – Ja, hatten die Häuser der Straße dem Bruder, der Maurermeister war, ein Haus gebaut, so erhielt nun die Straße seinen Namen, und das schönste Haus der Straße wurde sein Eigentum, das war etwas, und er war etwas – und das mit einem langen Titel vorn und hinten. Seine Kinder hieß man ‚feine' Kinder, und als er starb, war seine Witwe eine ‚Witwe von Stand' – das ist etwas! Und sein Name stand für immer an der Straßenecke geschrieben und lebte in aller Mund als Straßenname – ja, das ist etwas!

Darauf kam das Genie, der vierte Bruder, der etwas Neues, etwas Eigenartiges und noch ein Stockwerk darüber erfinden wollte, aber er fiel herunter und brach den Hals; – allein er bekam ein schönes Begräbnis mit Innungsfahnen, Musik und vielen Blumen, Nachrufe in der Zeitung und drei Leichenreden, die eine länger als die andere, und das wird ihn sehr erfreut haben, denn er hatte es sehr gern, wenn von ihm geredet wurde, auch ein Denkmal wurde ihm auf seinem Grab errichtet, zwar nur aus einem Stockwerk, aber das ist immerhin etwas!

Er war nun gestorben wie die drei andern Brüder. Der letzte aber, der über die andern urteilen wollte, überlebte sie alle, und das war ja eben das richtige, wie es sein sollte, denn dadurch bekam er ja das letzte Wort, und ihm war es von großer Wichtigkeit, das letzte Wort zu haben. War er doch ein guter Kopf, sagten die Leute. – Endlich schlug aber auch seine Stunde, er starb und kam an die Pforten des Himmels. Dort traten stets je zwei heran; er stand daselbst mit einer andern Seele, die auch gern hinein wollte, und diese war gerade die alte Frau Margarethe aus dem Hause auf dem Deich.

„Das geschieht wohl des Gegensatzes halber, daß ich und diese elende Seele hier zu gleicher Zeit antreten müssen!" sprach der Rechthaber. „Nun, wer ist Sie, Frauchen? Will Sie auch hinein?" fragte er.

Die alte Frau verneigte sich, so gut sie es vermochte, denn sie glaubte, es sei Petrus selbst, der zu ihr rede. „Ich bin eine alte arme Frau ohne alle Familie, bin die alte Margareth aus dem Hause auf dem Deiche."

„Nun, was hat Sie getan, was ausgerichtet dort unten?"

„Ich habe wahrhaftig gar nichts in dieser Welt ausgerichtet! Nichts, wodurch mir hier könnte aufgeschlossen werden! Es wird eine wahre Gnade sein, wenn man erlaubt, daß ich durchs Tor hineinschlüpfe!"

„In welcher Weise hat Sie diese Welt verlassen?" fragte er weiter, um doch von etwas zu reden, da es ihm Langweile machte, dort zu stehen und zu warten.

„Ja, wie ich sie verlassen, das weiß ich nicht! Krank und elend war ich während der letzten Jahre, und ich habe es wohl nicht vertragen können, aus dem Bette zu kriechen und so plötzlich in Frost und Kälte hinauszukommen. Es ist ein harter Winter, doch jetzt habe ich es überstanden. Es war einige Tage stilles Wetter, aber sehr kalt, wie Euer Ehrwürden ja selbst wissen, die Eisdecke lag so weit übers Meer hinaus, als man nur schauen konnte; alle Leute aus der Stadt spazierten aufs Eis hinaus, dort war, wie sie sagten, Schlittschuhlaufen und Tanz, glaube ich; große Musik und Bewirtung war auch da; es schallte in mein ärmliches Stübchen herein, wo ich lag. Und dann war es so gegen Abend, der Mond war schön aufgegangen, aber noch nicht in seinem vollen Glanze; ich blickte von meinem Bett über das weite Meer hinaus, und dort draußen, am Rande von Himmel und Meer, tauchte eine wunderbare weiße Wolke empor; ich lag und sah die weiße Wolke an, ich sah auch das schwarze Pünktchen inmitten der Wolke, das immer größer und größer wurde; und nun wußte ich, was das zu bedeuten hatte; ich bin alt und erfahren, obwohl man das Zeichen nicht oft sieht. Ich kannte es, und ein Grausen überkam mich. Habe ich doch zweimal früher bei Lebzeiten das Ding kommen sehen, wußte ich doch, daß es einen entsetzlichen Sturm mit Springflut geben würde, die über die armen Menschen draußen käme, die jetzt tranken, umhersprangen und jubelten; jung und alt, die ganze Stadt war ja draußen; wer sollte sie warnen, wenn niemand dort das sah und zu deuten wußte, was ich wohl kannte. Mir wurde angst, ich wurde so lebendig, wie ich es seit langer Zeit nicht gewesen war. Aus dem Bett heraus kam ich zum Fenster hin, weiter konnte ich mich vor Mattigkeit nicht schleppen. Das Fenster zu öffnen, gelang mir aber doch; ich sah die Menschen draußen auf dem Eis laufen und springen; ich sah auch die schönen Flaggen, die im Winde wehten; ich hörte die Knaben hurra schreien, Knechte und Mägde sangen; es ging fröhlich her; aber – die weiße Wolke mit dem schwarzen Punkte! – Ich rief, so laut ich es vermochte, allein niemand hörte mich; ich war zu weit von den Leuten. Bald mußte das Unwetter losbrechen, das Eis platzen und alle, die draußen waren, ohne Rettung verloren sein. Mich hören konnten sie nicht, zu ihnen hinauszureichen vermochte ich nicht; oh, könnte ich sie doch aufs Land führen! Da gab der gute Gott mir den Gedanken, mein Bett anzuzünden, lieber das Haus niederbrennen zu lassen, als daß die vielen gar so jämmerlich umkommen sollten. Es gelang mir, ihnen ein Licht aufzustecken; die rote Flamme loderte hoch empor, ja, ich entkam glücklich aus der Tür, allein vor ihr blieb ich liegen, ich konnte nicht weiter; die Flamme leckte nach mir heraus, flackerte aus den Fenstern, loderte hoch aus dem Dache empor; die Menschen alle draußen auf dem Eise wurden sie gewahr, und alle liefen sie, was sie konnten, um einer Armen zu Hilfe zu eilen, von der sie annahmen, daß sie lebendig verbrenne; nicht einer war, der nicht lief; ich hörte sie kommen, aber ich vernahm auch, wie es mit einem Male in der Luft brauste, ich hörte es dröhnen wie schwere Kanonenschüsse; die Springflut hob die Eisdecke, die in tausend Stücke zerschellte; aber die Leute, sie erreichten den Damm, wo die Funken über mich dahinflogen, ich rettete sie alle! – Doch ich habe die Kälte wohl nicht vertragen können und auch nicht den Schrecken, und so bin ich nun hierherauf an das Tor des Himmels gekommen; man sagt ja, es wird auch so einem armen Menschen, wie ich bin, aufgetan, und jetzt habe ich kein Haus mehr unten auf dem Deiche – doch dadurch habe ich wohl noch keinen Eintritt hier!"

Da öffnete sich des Himmels Pforte, und der Engel führte die alte Frau hinein; sie verlor einen Strohhalm draußen, einen der Strohhalme, die in ihrem Lager gewesen, als sie es anzündete, um die vielen zu retten, und der hatte sich in das reinste Gold verwandelt, und zwar in solches Gold, das immer wuchs und sich in den schönsten Blumen und Blättern emporrankte.

„Siehe, das brachte die arme Frau!" sagte der Engel. „Was bringst du? Ja, ich weiß es wohl, daß du nichts ausgerichtet hast; nicht einmal einen Mauerstein hast du gemacht; wenn du nur wieder zurückgehen und wenigstens es so weit bringen könntest. Wahrscheinlich würde der Stein, wenn du ihn gemacht, nicht viel wert sein; doch mit gutem Willen gemacht, wäre es immerhin etwas; allein du kannst nicht zurück, und ich kann nichts für dich tun!"

Da legte die arme Seele, das Mütterchen aus dem Hause vom Deiche, eine Bitte für ihn ein: „Sein Bruder hat mir die Ziegelsteine und Brocken geschenkt, aus denen ich mein armseliges Haus zusammenbaute, und das war sehr viel für mich Arme! Könnten nun nicht alle die Brocken und ganzen Ziegelsteine als ein Mauerstein für ihn gelten? Es ist ein Akt der Gnade! Er ist deren jetzt bedürftig, und hier ist ja der Urquell der Gnade!"

„Dein Bruder, derjenige, den du den Geringsten nanntest", sagte der Engel, „derjenige, dessen ehrliches Tun dir am niedrigsten erschien, schenkt dir seine Himmelsgabe. Du sollst nicht abgewiesen werden; es soll dir erlaubt sein, hier außen zu stehen und nachzusinnen und deinem Leben dort unten aufzuhelfen, aber hinein gelangst du nicht, bevor du mit einer guten Tat – etwas ausgerichtet hast!"

‚Das hätte ich besser sagen können!' dachte der Besserwisser, aber er sprach es nicht so laut aus, und das war wohl schon etwas.

DIE KLEINE SEEJUNGFRAU

Weit hinaus im Meer ist das Wasser so blau wie die Blätter der schönsten Kornblume und so klar wie das reinste Glas, aber es ist sehr tief, tiefer als irgendein Ankertau reicht; viele Kirchtürme müßten aufeinandergestellt werden, um vom Boden bis über das Wasser zu reichen.

Nun muß man aber nicht glauben, daß da nur der weiße Sandboden sei; nein, da wachsen die sonderbarsten Bäume und Pflanzen, die so geschmeidig im Stiel und in den Blättern sind, daß sie sich bei der geringsten Bewegung des Wassers rühren, gerade als ob sie lebten. Alle Fische, kleine und große, schlüpfen zwischen den Zweigen hindurch, ebenso wie hier oben die Vögel in der Luft. An der allertiefsten Stelle liegt des Meerkönigs Schloß, die Mauern sind von Korallen und die langen, spitzen Fenster vom allerklarsten Bernstein; aber das Dach bilden Muschelschalen, die sich öffnen und schließen, je nachdem das Wasser strömt. Das sieht herrlich aus, denn in jeder liegen strahlende Perlen; eine einzige würde in der Krone einer Königin die größte Pracht geben.

Der Meerkönig dort unten war seit vielen Jahren Witwer gewesen, während seine alte Mutter bei ihm wirtschaftete. Sie war eine kluge Frau, aber stolz auf ihren Adel, deshalb trug sie zwölf Austern auf dem Schwanze, die

anderen Vornehmen durften nur sechs
tragen. – Sonst verdiente sie großes Lob,
besonders weil sie viel von den kleinen
Meerprinzessinnen, ihren Enkelinnen,
hielt. Es waren sechs schöne Kinder,
aber die Jüngste war die schönste von
allen, ihre Haut war so klar und fein
wie ein Rosenblatt, ihre Augen waren so
blau wie der tiefste See, aber wie all
die andern hatte sie keine Füße, ihr Körper endete in einen Fischschwanz.

Den ganzen Tag konnten sie unten
im Schlosse in den großen Sälen, wo
lebendige Blumen aus den Wänden hervorwuchsen, spielen. Die großen Bern-
steinfenster wurden aufgemacht, und
dann schwammen die Fische zu ihnen
hinein, wie bei uns die Schwalben
hereinfliegen, wenn wir die Fenster
aufmachen. Die Fische schwammen gerade zu den Prinzessinnen hin, fraßen
aus ihren Händen und ließen sich
streicheln.

Draußen vor dem Schlosse war ein
großer Garten mit feuerroten und dunkelblauen Bäumen; die Früchte strahlten
wie Gold und die Blumen wie brennendes Feuer, und sie bewegten fortwährend Stengel und Blätter. Die Erde
selbst war der feinste Sand, aber blau wie
die Schwefelflamme. Über dem Ganzen lag ein eigentümlich blauer Schein,
man hätte eher glauben mögen, daß
man hoch in der Luft stehe und nur Himmel über und unter sich habe, als daß
man auf dem Grund des Meeres sei.
Während der Windstille konnte man die

239

Sonne erblicken, sie erschien wie eine Purpurblume, aus deren Kelch alles Licht ausströmte.

Eine jede der kleinen Prinzessinnen hatte ihren kleinen Fleck im Garten, wo sie graben und pflanzen konnte, wie es ihr gefiel. Die eine gab ihrem Blumenfleck die Gestalt eines Walfisches, einer andern gefiel es besser, daß der ihre einem kleinen Meerweib gleiche, aber die jüngste machte den ihren ganz rund, der Sonne gleich, und hatte nur Blumen, die rot wie diese schienen. Sie war ein wunderbares Kind, still und nachdenkend, und wenn die andern Schwestern mit den seltsamen Sachen, die sie von gestrandeten Schiffen erhalten hatten, Staat machten, wollte sie nur außer den rosenroten Blumen, die der Sonne dort oben glichen, ein hübsches Marmorbild haben; es war ein herrlicher Knabe, aus weißem, klarem Stein gehauen, der beim Stranden auf den Meeresgrund gekommen war. Sie pflanzte bei dem Bilde eine rosenrote Trauerwinde, die wuchs herrlich und hing mit ihren frischen Zweigen über den Knaben hinweg, gegen den blauen Sandboden hinunter, wo der Schatten sich bläulich zeigte und gleich den Zweigen in Bewegung war. Es sah aus, als ob die Spitze und die Wurzeln miteinander spielten, als wollten sie sich küssen.

Es gab keine größere Freude für sie, als von der Menschenwelt dort oben zu hören; die alte Großmutter mußte alles, was sie von Schiffen und Städten, Menschen und Tieren wußte, erzählen. Hauptsächlich erschien ihr ganz besonders schön, daß oben auf der Erde die Blumen duften, das taten sie auf dem Grunde des Meeres nicht, und daß die Wälder grün sind und daß die Fische, die man dort zwischen den Bäumen erblickt, so laut und herrlich singen können, daß es eine Lust ist; das waren die kleinen Vögel, die von der Großmutter Fische genannt wurden, denn sonst konnten die Kinder sie nicht verstehen, da sie noch keinen Vogel erblickt hatten.

„Wenn ihr euer fünfzehntes Jahr erreicht habt", sagte die Großmutter, „dann sollt ihr die Erlaubnis erhalten, aus dem Wasser emporzutauchen, im Mondschein auf der Klippe zu sitzen und die großen Schiffe, die vorbeisegeln, zu sehen, Wälder und Städte werdet ihr dann erblicken!" In dem kommenden Jahr war die eine der Schwestern fünfzehn Jahre alt. Von den übrigen war eine immer ein Jahr jünger als die andere, die jüngste von ihnen hatte demnach noch volle fünf Jahre zu warten, bevor sie aus dem Grunde des Meeres hinaufkommen und sehen konnte, wie es bei uns aussah. Aber die eine versprach der andern zu erzählen, was sie erblickt, was sie am ersten Tag am schönsten gefunden habe; denn ihre Großmutter erzählte ihnen nicht genug, da war vieles, worüber sie Auskunft haben wollten.

Keine war so sehnsüchtig wie die Jüngste, gerade sie, die noch die längste Zeit zu warten hatte und die so still und gedankenvoll war. Manche Nacht stand sie am offenen Fenster und sah durch das dunkelblaue Wasser empor, wie die Fische mit ihren Flossen und Schwänzen schlugen. Mond und Sterne konnte sie sehen, freilich schienen sie ganz bleich, aber durch das Wasser sahen sie weit größer aus als vor unsern Augen. Zog dann etwas einer schwarzen Wolke gleich unter ihnen hin, so wußte sie, daß es entweder ein Walfisch, der über ihr schwamm, oder auch ein Schiff mit vielen Menschen war; sie dachten sicher nicht daran, daß eine liebliche, kleine Seejungfrau unten stehe und ihre weißen Hände gegen den Kiel emporstrecke.

Nun war die älteste Prinzessin fünfzehn Jahre alt und durfte über die Meeresfläche emporsteigen.

Als sie zurückkehrte, hatte sie hunderterlei zu erzählen, aber das Schönste, sagte sie, war, im Mondschein auf einer Sandbank in der ruhigen See zu liegen und nahebei die Küste mit der großen Stadt zu betrachten, wo die Lichter gleich hundert Sternen blinkten, die Musik und den Lärm und das Toben von Wagen und Menschen zu hören, die vielen Kirchtürme und Spitzen zu sehen und das Läuten der Glocken zu hören. Gerade weil sie noch nicht da hinauf gelangen konnte, sehnte die Jüngste sich am allermeisten nach allem diesem.

Oh, wie horchte sie auf, und wenn sie später des Abends am Fenster stand und durch das dunkelblaue Wasser emporblickte, gedachte sie der großen Stadt mit all dem Lärm und Toben, und dann glaubte sie das Läuten der Kirchenglocken bis zu sich herunter hören zu können.

Im folgenden Jahre erhielt die zweite Schwester die Erlaubnis, durch das Wasser emporzusteigen und zu schwimmen, wohin sie wolle. Sie tauchte auf, eben als die Sonne unterging, und dieser Anblick, fand sie, war das Schönste. Der ganze Himmel habe wie Gold ausgesehen, sagte sie, und die Wolken, ja, deren Schönheit konnte sie nicht genug beschreiben; rot und blau waren sie über ihr dahingesegelt, aber weit schneller als diese flog, einem langen, weißen Schleier gleich, ein Schwarm wilder Schwäne über das Wasser hin, wo die Sonne stand. Sie schwammen ihr entgegen, aber die Sonne sank, und der Rosenschein erlosch auf der Meeresfläche und den Wolken.

Das Jahr darauf kam die dritte Schwester hinauf; sie war die mutigste von allen, deshalb schwamm sie einen breiten Fluß aufwärts, der in das Meer ausmündete. Herrlich grüne Hügel mit Weinranken erblickte sie, Schlösser und Gehöfte schimmerten durch prächtige Wälder hervor, und sie hörte, wie alle Vögel sangen. In einer kleinen Bucht traf sie einen ganzen Schwarm kleiner

Menschenkinder, ganz nackt liefen sie und plätscherten im Wasser; sie wollte mit ihnen spielen, aber die Kinder liefen erschrocken davon, und es kam ein kleines, schwarzes Tier, das war ein Hund, aber sie hatte nie einen Hund gesehen, der bellte sie so erschrecklich an, daß ihr bange wurde und sie die offene See zu erreichen suchte. Nie konnte sie die Wälder, die Hügel und die niedlichen Kinder vergessen, die im Wasser schwimmen konnten, obgleich sie keinen Fischschwanz hatten.

Die vierte Schwester war nicht so kühn, sie blieb draußen mitten im wilden Meer und erzählte, daß es dort am schönsten sei; man sehe ringsumher, viele Meilen weit, und der Himmel stehe wie eine Glasglocke darüber. Schiffe hatte sie gesehen, aber nur in weiter Ferne, sie sahen wie Strandmöwen aus, und die possierlichen Delphine hatten Purzelbäume geschossen und die großen Walfische aus ihren Nasenlöchern Wasser emporgespritzt, so daß es ausgesehen hatte wie Hunderte von Springbrunnen ringsumher.

Nun kam die Reihe an die fünfte Schwester; ihr Geburtstag fiel in den Winter, und deshalb sah sie, was die andern das erstemal nicht gesehen hatten. Die See nahm sich ganz grün aus, und ringsherum schwammen große Eisberge, ein jeder sah wie eine Perle aus, sagte sie, und war doch weit größer als die Kirchtürme der Menschen. Sie zeigten sich in den sonderbarsten Gestalten und glänzten wie Diamanten. Sie hatte sich auf einen der allergrößten gesetzt, und alle Segler kreuzten erschrocken draußen herum, wo sie saß und den Wind mit ihrem langen Haar spielen ließ; aber gegen Abend hatte sich der Himmel mit Wolken überzogen, es blitzte und donnerte, während die schwarze See die großen Eisblöcke hoch emporhob und sie beim roten Blitz erglänzen ließ. Auf allen Schiffen zog man die Segel ein, da war eine Angst und ein Grauen, aber sie saß ruhig auf ihrem schwimmenden Eisberge und sah die blauen Blitzstrahlen im Zickzack in die schimmernde See fahren.

Das erstemal, wenn eine der Schwestern über das Wasser emporkam, war jede entzückt über das Neue und Schöne, was sie erblickte; aber da sie nun als erwachsene Mädchen die Erlaubnis hatten, hinaufzusteigen wann sie wollten, wurde es ihnen gleichgültig. Sie sehnten sich wieder zurück, und nach Verlauf eines Monats sagten sie, daß es da unten bei ihnen am allerschönsten sei. Da sei man hübsch zu Hause.

In mancher Abendstunde nahmen die fünf Schwestern einander in die Arme und stiegen in einer Reihe über das Wasser auf; herrliche Stimmen hatten sie, schöner als irgendein Mensch, und wenn dann ein Sturm im Anzug war, so daß sie vermuten konnten, daß Schiffe untergehen würden, schwammen sie vor den Schiffen her und sangen lieblich, wie schön es auf dem Grunde des Meeres sei. Sie baten die Seeleute, sich nicht zu fürchten, da hinunterzukommen, die aber konnten die Worte nicht verstehen und glaubten, es sei der Sturm. Sie bekamen auch die Herrlichkeiten dort unten nicht zu sehen, denn wenn das Schiff sank, ertranken die Menschen und kamen als Leichen zu des Meerkönigs Schloß.

Wenn die Schwestern so des Abends Arm in Arm hoch durch das Wasser hinaufstiegen, dann stand die kleine Schwester ganz allein und sah ihnen nach, und es war ihr, als ob sie weinen müßte, aber die Seejungfrau hat keine Tränen, und darum leidet sie weit mehr.

„Ach, wäre ich doch fünfzehn Jahre alt!" sagte sie. „Ich weiß, daß ich die Welt dort oben und die Menschen, die darauf wohnen, recht lieben werde."

Endlich war sie fünfzehn Jahre alt.

„Sieh, nun bist du erwachsen!" sagte die Großmutter, die alte Königin-Witwe. „Komm, nun laß mich dich schmücken gleich deinen andern Schwestern!" Und sie setzte ihr einen Kranz weißer Lilien auf das Haar, aber jedes Blatt in der Blume war die Hälfte einer Perle; und die Alte ließ acht große Austern sich im Schwanze der Prinzessin festklemmen, um ihren hohen Rang zu zeigen.

„Das tut weh!" sagte die kleine Seejungfrau.

„Ja, Hoffart muß Zwang leiden!" sagte die Alte.

Oh, sie hätte gern alle diese Pracht abschütteln und den schweren Kranz ablegen mögen, ihre roten Blumen im Garten kleideten sie besser, aber sie konnte es nun nicht ändern. „Lebt wohl!" sprach sie und stieg leicht und klar, gleich einer Blase, durch das Wasser auf.

Die Sonne war eben untergegangen, als sie den Kopf über das Wasser erhob, aber alle Wolken glänzten noch wie Rosen und Gold, und inmitten der blaßroten Luft strahlte der Abendstern hell und schön, die Luft war mild und frisch und das Meer ganz ruhig. Da lag ein großes Schiff mit drei Masten, ein einziges Segel war nur aufgezogen, denn es rührte sich kein Lüftchen, und ringsumher im Tauwerk und auf den Stangen saßen Matrosen. Da war Musik und Gesang, und wie der Abend dunkler ward, wurden Hunderte von bunten Laternen angezündet; sie sahen aus, als ob die Flaggen aller Völker in der Luft wehten. Die kleine Seejungfrau schwamm bis zum Kajütenfenster hin, und jedesmal, wenn das Wasser sie emporhob, konnte sie durch die spiegelklaren Fensterscheiben blicken, wo viele geputzte Menschen standen; aber der schönste war doch der junge Prinz mit den großen, schwarzen Augen. Er war sicher nicht mehr als fünfzehn Jahre alt; heute war sein Geburtstag, und deshalb herrschte all diese Pracht. Die Matrosen tanzten auf dem Verdeck, und als der junge Prinz da hinaustrat, stiegen über hundert Raketen in die Luft, die leuchteten wie der helle Tag, so daß die kleine Seejungfrau sehr erschrak und unter das Wasser tauchte. Aber bald steckte sie den Kopf wieder hervor, und da war es gerade, als ob alle Sterne des Himmels zu ihr herunterfielen. Nie hatte sie solche Feuerkünste gesehen. Große Sonnen sprühten herum, prächtige Feuerfische flogen in die blaue Luft, und alles glänzte in der klaren, stillen See wider. Auf dem Schiffe selbst war es so hell, daß man jedes kleine Tau, wieviel mehr die Menschen sehen konnte. Oh, wie war doch der junge Prinz hübsch, und er drückte den Leuten die Hände und lächelte, während die Musik in der herrlichen Nacht erklang!

Es wurde spät, aber die kleine Seejungfrau konnte ihre Augen nicht von dem Schiffe und dem schönen Prinzen wegwenden. Die bunten Laternen wurden ausgelöscht, Raketen stiegen nicht mehr in die Höhe, es ertönten auch keine Kanonenschüsse mehr, aber tief unten im Meer summte und brummte es. Inzwischen saß sie auf dem Wasser und schaukelte auf und nieder, so daß sie in die Kajüte hineinblicken konnte. Aber das Schiff bekam mehr Wind, ein Segel nach dem andern breitete sich aus, nun gingen die Wogen stärker, große Wolken zogen auf, es blitzte in der Ferne. Oh, es würde ein erschrecklich böses Wetter werden; deshalb zogen die Matrosen die Segel ein. Das große Schiff schaukelte in fliegender Fahrt auf der wilden See, das Wasser erhob sich gleich großen, schwarzen Bergen, die sich über die Maste wälzen wollten, aber das Schiff tauchte einem Schwan gleich zwischen den hohen Wogen nieder und ließ sich wieder auf die aufgetürmten Wasser heben. Der kleinen Seejungfrau dünkte es eine recht lustige Fahrt zu sein, aber so erschien es den Seeleuten nicht. Das Schiff knackte und krachte, die dicken Planken bogen sich bei den starken Stößen, die See drang in das Schiff hinein, der Mast brach mittendurch, als ob er ein Rohr wäre, und das Schiff legte sich auf die Seite, während das Wasser in den Raum eindrang. Nun sah die kleine Seejungfrau, daß sie in Gefahr waren, sie mußte sich selbst vor Balken und Stücken vom Schiff, die auf dem Wasser trieben, in acht nehmen. Einen Augenblick war es so stockdunkel, daß sie nicht das mindeste wahrnehmen konnte, aber wenn es dann blitzte, wurde es wieder so hell, daß sie alle auf dem Schiff erkennen konnte; besonders suchte sie den jungen Prinzen, und sie sah ihn, als das Schiff verschwand, in das tiefe Meer versinken. Zuerst wurde sie ganz vergnügt, denn nun kam er zu ihr hinunter, aber da gedachte sie, daß die Menschen nicht im Wasser leben

können und daß er nicht anders als tot zum Schlosse ihres Vaters hinuntergelangen konnte. Nein, sterben, das durfte er nicht; deshalb schwamm sie hin zwischen Balken und Planken, die auf der See trieben, und vergaß völlig, daß diese sie hätten zerquetschen können; sie tauchte tief unter das Wasser und stieg wieder hoch zwischen den Wogen empor und gelangte am Ende so zu dem jungen Prinzen hin, der fast nicht länger in der stürmenden See schwimmen konnte; seine Arme und Beine begannen zu ermatten, die schönen Augen schlossen sich, er hätte sterben müssen, wäre die kleine Seejungfrau nicht hinzugekommen. Sie hielt seinen Kopf über das Wasser empor und ließ sich dann mit ihm von den Wogen treiben, wohin sie wollten.

Am Morgen war das böse Wetter vorüber, von dem Schiffe war keine Spur zu erblicken, die Sonne stieg rot und glänzend aus dem Wasser empor, es war, als ob des Prinzen Wangen Leben dadurch erhielten, aber die Augen blieben geschlossen. Die Seejungfrau küßte seine hohe, schöne Stirn und strich sein nasses Haar zurück; es kam ihr vor, als gleiche er dem Marmorbilde unten in ihrem kleinen Garten, sie küßte ihn wieder und wünschte, daß er noch leben möchte.

Nun erblickte sie vor sich das feste Land, hohe, blaue Berge, auf deren Gipfeln der weiße Schnee erglänzte, als wären es Schwäne, die dort lägen; unten an der Küste waren herrliche, grüne Wälder, und vorn lag eine Kirche oder ein Kloster, das wußte sie nicht recht, aber ein Gebäude war es. Zitronen- und Apfelsinenbäume wuchsen im Garten, und vor dem Tor standen hohe Palmbäume. Die See bildete hier eine kleine Bucht, da war es ganz still, aber sehr tief; hierher bis zur Klippe, wo der weiße, feine Sand aufgespült war, schwamm sie mit dem schönen Prinzen, legte ihn in den Sand und sorgte besonders dafür, daß der Kopf hoch im warmen Sonnenschein lag.

Nun läuteten die Glocken in dem großen, weißen Gebäude, und es kamen viel junge Mädchen durch den Garten. Da schwamm die kleine Seejungfrau weiter hinaus, hinter einige hohe Steine, die aus dem Wasser emporragten, legte Seeschaum auf ihr Haar und ihre Brust, so daß niemand ihr kleines Antlitz sehen konnte, und dann paßte sie auf, wer zu dem armen Prinzen kommen würde.

Es währte nicht lange, bis ein junges Mädchen dorthin kam; sie schien sehr zu erschrecken, aber nur einen Augenblick, dann holte sie mehrere Menschen, und die Seejungfrau sah, daß der Prinz zum Leben zurückkehrte und daß er alle ringsherum anlächelte, aber zu ihr hinaus lächelte er nicht, er wußte ja auch nicht, daß sie ihn gerettet hatte. Sie fühlte sich sehr betrübt, und als er in das große Gebäude hineingeführt wurde, tauchte sie traurig unter das Wasser und kehrte zum Schlosse ihres Vaters zurück.

Immer war sie still und nachdenkend gewesen, aber nun wurde sie es weit mehr. Die Schwestern fragten sie, was sie das erstemal dort oben gesehen habe, aber sie erzählte nichts.

Manchen Abend und Morgen stieg sie da hinauf, wo sie den Prinzen verlassen hatte. Sie sah, wie die Früchte des Gartens reiften und abgepflückt wurden, sie sah, wie der Schnee auf den hohen Bergen schmolz, aber den Prinzen erblickte sie nicht, und deshalb kehrte sie immer betrübter heim. Da war es ihr einziger Trost, in ihrem kleinen Garten zu sitzen und ihre Arme um das schöne Marmorbild zu schlingen, das dem Prinzen glich, aber ihre Blumen pflegte sie nicht, die wuchsen wie in einer Wildnis über die Gänge hinaus und flochten ihre langen Stiele und Blätter in die Zweige der Bäume hinein, so daß es dort ganz dunkel war.

Zuletzt konnte sie es nicht länger aushalten, sondern sagte es einer ihrer Schwestern, und da bekamen es gleich alle andern zu wissen, aber auch niemand sonst als diese und ein paar andere Seejungfrauen, die es nicht weiter sagten, außer ihren nächsten Freundinnen. Eine von ihnen wußte, wer der Prinz war, sie hatte auch das Fest auf dem Schiffe gesehen und gab an, woher er war und wo sein Königsschloß lag.

Dieses war aus einer hellgelben, glänzenden Steinart aufgeführt, mit großen Marmortreppen, deren eine gerade in das Meer hinunterreichte. Prächtige vergoldete Kuppeln erhoben sich über dem Dache, und zwischen den Säulen, die um das Gebäude herumliefen, standen Marmorbilder, die sahen aus, als lebten sie. Durch das klare Glas in den hohen Fenstern blickte man in die prächtigsten Säle hinein, wo köstliche, seidene Vorhänge und Teppiche aufgehängt und alle Wände mit großen Gemälden geziert waren, so daß es ein wahres Vergnügen war, sie zu betrachten. Mitten in dem größten Saal plätscherte ein großer Springbrunnen, seine Strahlen reichten hoch hinauf gegen die Glaskuppel in der Decke. Durch diese Kuppel aber schien die Sonne auf das Wasser und die schönen Pflanzen, die in dem großen Becken wuchsen.

Nun wußte die kleine Seejungfrau, wo er wohnte, und dort war sie manchen Abend und manche Nacht auf dem Wasser; sie schwamm dem Lande weit näher, als eine der andern es gewagt hatte, ja, sie ging den schmalen Kanal ganz hinauf, unter den prächtigen Marmoraltan, der einen langen Schatten über das Wasser hinwarf. Hier saß sie und betrachtete den jungen Prinzen, der glaubte, er sei ganz allein in dem klaren Mondschein.

Sie sah ihn manchen Abend mit Musik in seinem prächtigen Boote, von dem die Flaggen wehten, segeln; sie lauschte durch das grüne Schilf hervor; und ergriff der Wind ihren langen, silberweißen Schleier und jemand sah ihn, so glaubte er, es sei ein Schwan, der die Flügel ausbreite.

Sie hörte in mancher Nacht, wenn die Fischer mit Fackeln auf der See waren, daß sie viel Gutes von dem jungen Prinzen erzählten, und es freute sie, daß sie sein Leben gerettet hatte, als er halbtot auf den Wogen herumtrieb, und sie dachte daran, wie fest sein Haupt an ihrem Busen geruht und wie herzlich sie ihn da geküßt hatte; er wußte gar nichts davon, konnte nicht einmal von ihr träumen.

Mehr und mehr fing sie an, die Menschen zu lieben, mehr und mehr wünschte sie, unter ihnen umherwandeln zu können, deren Welt ihr weit größer zu sein schien als die ihrige; sie konnten ja auf Schiffen über das Meer fliegen, auf den hohen Bergen hoch über die Wolken emporsteigen, und die Länder, die sie besaßen, erstreckten sich mit Wäldern und Feldern weiter, als ihre Blicke reichten. Da war so vieles, was sie zu wissen wünschte, aber die Schwestern wußten ihr nicht alles zu beantworten, deshalb fragte sie die alte Großmutter, und diese kannte die höhere Welt recht gut, die sie sehr richtig die Länder über dem Meer nannte.

„Wenn die Menschen nicht ertrinken", fragte die kleine Seejungfrau, „können sie dann ewig leben, sterben sie nicht wie wir unten im Meer?"

„Ja", sagte die Alte, „sie müssen auch sterben, und ihre Lebenszeit ist sogar noch kürzer als die unsere. Wir können dreihundert Jahre alt werden, aber wenn wir dann aufhören zu sein, so werden wir in Schaum auf dem Wasser verwandelt, haben nicht einmal ein Grab hier unten unter unsern Lieben. Wir haben keine unsterbliche Seele, wir erhalten nie wieder Leben, wir sind gleich dem grünen Schilf, ist das einmal durchschnitten, so kann es nicht wieder grünen. Die Menschen dahingegen haben eine Seele, die ewig lebt, nachdem der Körper zu Erde geworden ist; sie steigt hinauf zu den glänzenden Sternen! So wie wir aus dem Wasser auftauchen und die Länder der Menschen erblicken, so steigen sie zu unbekannten, herrlichen Orten auf, die wir nie zu sehen bekommen."

„Warum bekamen wir keine unsterbliche Seele?" fragte die kleine Seejungfrau betrübt. „Ich möchte alle meine Hunderte von Jahren, die ich zu leben habe, dafür geben, um nur einen Tag ein Mensch zu sein und dann Anteil an der himmlischen Welt zu haben."

„Daran mußt du nicht denken!" sagte die Alte. „Wir fühlen uns weit glücklicher und besser als die Menschen dort oben!"

„Ich werde also sterben und als Schaum auf dem Meer treiben, nicht die Musik der Wogen hören, die Blumen und die Sonne sehen? Kann ich denn gar nichts tun, um eine unsterbliche Seele zu gewinnen?"

„Nein", sagte die Alte, „nur wenn ein Mensch dich so lieben würde, daß du ihm mehr als Vater und Mutter wärest; wenn er mit all seinem Denken und all seiner Liebe an dir hinge, seine rechte Hand in die deinige legen wollte, mit dem Versprechen der Treue hier und in alle Ewigkeit, dann flösse seine Seele in deinen Körper über, und auch du erhieltest Anteil an der Glückseligkeit der Menschen. Er gäbe dir Seele und behielte doch seine eigene. Aber das kann nie geschehen! Was hier im Meer gerade schön ist, dein Fischschwanz, den finden sie dort auf der Erde häßlich, sie verstehen es nun nicht besser, man muß dort zwei plumpe Stützen haben, die sie Beine nennen, um schön zu sein!"

Da seufzte die kleine Seejungfrau und sah betrübt auf ihren Fischschwanz.

„Laß uns froh sein!" sagte die Alte. „Hüpfen und springen wollen wir in den dreihundert Jahren, die wir zu leben haben. Das ist wahrlich lange Zeit genug, später kann man um so besser ausruhen. Heute abend werden wir Hofball haben!"

Das war auch eine Pracht, wie man sie nie auf Erden erblickt. Die Wände und die Decke des großen Tanzsaales waren von dickem, aber klarem Glase. Mehrere hundert ungeheure Muschelschalen, rosenrote und grasgrüne, standen zu jeder Seite in Reihen mit einem blau brennenden Feuer, das den ganzen Saal beleuchtete und durch die Wände hinausschien, so daß die See draußen ganz beleuchtet war. Man konnte alle die unzähligen Fische sehen, große und kleine, die gegen die Glasmauern hinschwammen; auf einigen glänzten die Schuppen purpurrot, auf andern erschienen sie wie Silber und Gold. – Mitten durch den Saal floß ein breiter Strom, und auf ihm tanzten die Meermänner und Meerweibchen zu ihrem eigenen lieblichen Gesang. So schöne Stimmen haben die Menschen auf der Erde nicht. Die kleine Seejungfrau sang am schönsten von ihnen allen, sie wurde deshalb beklatscht, und einen Augenblick fühlte sie eine Freude in ihrem Herzen, denn sie wußte, daß sie die schönste Stimme von allen auf der Erde und im Meere hatte. Aber bald gedachte sie wieder der Welt oben über sich; sie konnte den hübschen Prinzen und ihren Kummer, daß sie keine unsterbliche Seele wie er besaß, nicht vergessen. Deshalb schlich sie sich aus ihres Vaters Schloß hinaus, und während alles drinnen Gesang und Frohsinn war, saß sie betrübt in ihrem kleinen Garten. Da hörte sie das Waldhorn durch das Wasser ertönen, und sie dachte: ,Nun segelt er sicher dort oben, er, von dem ich mehr halte als von Vater und Mutter, er, an dem meine Sinne hängen und in dessen Hand ich meines Lebens Glück legen möchte. Alles will ich wagen, um ihn und eine unsterbliche Seele zu gewinnen! Während meine Schwestern dort in meines Vaters Schloß tanzen, will ich zur Meerhexe gehen, vor der ich mich immer gefürchtet habe, aber sie kann mir vielleicht raten und helfen!'

Nun ging die kleine Seejungfrau aus ihrem Garten hinaus nach den brausenden Strudeln hin, hinter denen die Hexe wohnte. Den Weg hatte sie früher nie zurückgelegt; da wuchsen keine Blumen, kein Seegras, nur der nackte, graue Sandboden erstreckte sich gegen die Strudel hin, wo das Wasser gleich brausenden Mühlrädern herumwirbelte und alles, was es erfaßte, mit sich in die Tiefe riß. Mitten zwischen diesen zermalmenden Wirbeln mußte sie hindurch, um in den Bereich der Meerhexe zu gelangen, und hier war ein langes Stück kein anderer Weg als über warmen sprudelnden Schlamm, den die Hexe ihr Torfmoor nannte. Dahinter lag ihr Haus mitten in einem seltsamen Walde. Alle Bäume und Büsche waren Polypen, halb Tier, halb Pflanze, sie sahen aus wie hundertköpfige Schlangen, die aus der Erde hervorwuchsen; alle Zweige waren lange, schleimige Arme mit Fingern wie geschmeidige Würmer, und Glied um Glied bewegten sie sich, von der Wurzel bis zur äußersten Spitze. Alles, was sie im Meer erfassen konnten, umschlangen sie fest und ließen es nie wieder fahren. Die kleine Seejungfrau blieb ganz erschrocken stehen; ihr Herz pochte vor Furcht, fast wäre sie umgekehrt, aber sie dachte an den Prinzen und an die Seele des Menschen, und da bekam sie Mut. Ihr langes, fliegendes Haar band sie fest um das Haupt, damit die Polypen sie nicht daran ergreifen möchten, beide Hände legte sie über ihre Brust zusammen und schoß so davon, wie der Fisch durch das Wasser schießen kann, zwischen den häßlichen Polypen hindurch, die ihre geschmeidigen Arme und Finger hinter ihr herstreckten. Sie sah, wie jeder von ihnen etwas, das er ergriffen hatte, mit Hunderten von kleinen Armen, gleich starken Eisenbanden, hielt. Menschen, die auf der See umgekommen und tief hinunter gesunken waren, sahen als weiße Gerippe aus den Armen der Polypen hervor. Schiffsruder und Kisten hielten sie fest, Knochen von Landtieren und ein kleines Meerweib, das sie gefangen und erstickt hatten, das war ihr das schrecklichste.

Nun kam sie zu einem großen, sumpfigen Platz im Walde, wo große, fette Wasserschlangen sich wälzten und ihren häßlichen, weißgelben Bauch zeigten. Mitten auf dem Platze war ein Haus, von weißen Knochen gestrandeter Menschen errichtet, da saß die Meerhexe und ließ eine Kröte aus ihrem Munde fressen, gerade wie die Menschen einem kleinen Kanarienvogel Zucker zu essen geben. Die häßlichen, fetten Wasserschlangen nannte sie ihre Küchlein und ließ sie sich auf ihrer Brust ringeln.

„Ich weiß schon, was du willst!" sagte die Meerhexe; „es ist zwar dumm von dir, doch sollst du deinen Willen haben, denn er wird dich ins Unglück stürzen, meine schöne Prinzessin. Du willst gern deinen Fischschwanz los sein und statt dessen zwei Stützen gleich wie die Menschen zum Gehen haben, damit der junge Prinz verliebt in dich werden möge und du ihn und eine unsterbliche Seele erhalten kannst!" Dabei lachte die Hexe widerlich, so daß die Kröte und die Schlange auf die Erde fielen, wo sie sich wälzten. „Du kommst gerade zur rechten Zeit", sagte die Hexe, „morgen, wenn die Sonne aufgeht, könnte ich dir nicht helfen, bis wieder ein Jahr vorüber wäre. Ich werde dir einen Trank bereiten, mit dem mußt du, bevor die Sonne aufgeht, nach dem Lande schwimmen, dich dort an das Ufer setzen und ihn trinken, dann schwindet dein Schweif und schrumpft zu dem, was die Menschen niedliche Beine nennen, ein; aber das tut weh, es ist, als ob ein scharfes Schwert dich durchdränge. Alle, die dich sehen, werden sagen, du seiest das schönste Menschenkind, was sie gesehen haben! Du behältst deinen schwebenden Gang, keine Tänzerin kann schweben wie du, aber bei jedem Schritt, den du machst, ist dir, als ob du auf scharfe Messer trätest, als ob dein Blut fließen müßte. Willst du alles dies leiden, so werde ich dir helfen!"

„Ja!" sagte die kleine Seejungfrau mit bebender Stimme und gedachte des Prinzen und der unsterblichen Seele.

„Aber bedenke", sagte die Hexe, „hast du erst menschliche Gestalt bekommen, so kannst du nie wieder eine Seejungfrau werden! Du kannst nie durch das Wasser zu deinen Schwestern und zum Schlosse deines Vaters zurückkehren, und gewinnst du des Prinzen Liebe nicht, so daß er für dich Vater und Mutter vergißt, an dir mit Leib und Seele hängt und ihr Mann und Frau werdet, so bekommst du keine unsterbliche Seele! Am ersten Morgen, nachdem er mit einer andern verheiratet ist, da wird dein Herz brechen, und du wirst zu Schaum auf dem Wasser."

„Ich will es!" sagte die kleine Seejungfrau und ward bleich wie der Tod.

„Aber du mußt mich auch bezahlen!" sagte die Hexe, „und es ist nicht wenig, was ich verlange. Du hast die schönste Stimme von allen hier auf dem Grunde des Meeres, damit glaubst du wohl, ihn bezaubern zu können, aber diese Stimme mußt du mir geben. Das Beste, was du besitzest, will ich für meinen köstlichen Trank haben! Mein eigen Blut muß ich dir ja darin geben, damit der Trank scharf werde wie ein zweischneidig Schwert!"

„Aber wenn du meine Stimme nimmst", sagte die kleine Seejungfrau, „was bleibt mir dann übrig?"

„Deine schöne Gestalt", sagte die Hexe, „dein schwebender Gang und deine sprechenden Augen, damit kannst du schon ein Menschenherz betören. Nun, hast du den Mut verloren? – Strecke deine kleine Zunge hervor, dann schneide ich sie an Zahlungs Statt ab, und du erhältst den kräftigen Trank!"

„Es geschehe!" sagte die kleine Seejungfrau, und die Hexe setzte ihren Kessel auf, um den Zaubertrank zu kochen. „Reinlichkeit ist eine gute Sache!" sagte sie und scheuerte den Kessel mit den Schlangen ab, die sie in einen Knoten band; nun ritzte sie sich selbst in die Brust und ließ ihr schwarzes Blut dahinein tröpfeln; der Dampf bildete die sonderbarsten Gestalten, so daß einem angst und bange werden mußte. Jeden Augenblick warf die alte Hexe neue Sachen in den Kessel, und als es recht kochte, klang es, als ob ein Krokodil weinte. Zuletzt war der Trank fertig, er sah aus wie das klarste Wasser.

„Da hast du ihn!" sagte die Hexe und schnitt der kleinen Seejungfrau die Zunge ab, die nun stumm war, weder singen noch sprechen konnte.

„Sollten die Polypen dich ergreifen, wenn du durch meinen Wald zurückkehrst", sagte die Hexe, „so wirf nur einen einzigen Tropfen dieses Getränkes

auf sie, davon zerspringen ihre Arme und Finger in tausend Stücke!" Aber das brauchte die kleine Seejungfrau nicht zu tun, die Polypen zogen sich erschrokken vor ihr zurück, als sie den glänzenden Trank erblickten, der in ihrer Hand leuchtete, als sei es ein funkelnder Stern. So kam sie schnell durch den Wald, das Moor und die brausenden Strudel.

Sie konnte ihres Vaters Schloß sehen, die Fackeln waren in dem großen Tanzsaal erloschen; sie schliefen sicher alle darin, aber sie wagte doch nicht, sie aufzusuchen, nun, da sie stumm war und sie auf immer verlassen wollte. Es war, als ob ihr Herz vor Trauer zerspringen sollte. Sie schlich in den Garten, nahm eine Blume von jedem Blumenbeet ihrer Schwestern, warf tausend Kußfinger dem Schlosse zu und stieg durch die dunkelblaue See hinauf.

Die Sonne war noch nicht aufgegangen, als sie des Prinzen Schloß erblickte und die prächtige Marmortreppe hinaufstieg. Der Mond schien herrlich klar. Die kleine Seejungfrau trank den brennenden, scharfen Trank, und es war, als ginge ein zweischneidig Schwert durch ihren feinen Körper, sie fiel dabei in Ohnmacht und lag wie tot da. Als die Sonne über die See schien, erwachte sie und fühlte einen schneidenden Schmerz, aber vor ihr stand der schöne junge Prinz und heftete seine kohlschwarzen Augen auf sie, so daß sie die ihrigen niederschlug. Da sah sie, daß ihr Fischschwanz fort war und daß sie die niedlichsten, kleinen weißen Beine hatte, die nur ein Mädchen haben kann; aber sie war ganz nackt, deshalb hüllte sie sich in ihr dichtes, langes Haar ein. Der Prinz fragte, wer sie sei und wie sie dahin gekommen sei, und sie sah ihn milde und doch betrübt mit ihren dunkelblauen Augen an, sprechen konnte sie ja nicht. Da nahm er sie bei der Hand und führte sie in das Schloß hinein. Bei jedem Schritt, den sie tat, war ihr, wie die Hexe vorausgesagt hatte, als träte sie auf spitze Nadeln und scharfe Messer, aber das ertrug sie gern; an des Prinzen Hand stieg sie so leicht wie eine Seifenblase, und er sowie alle wunderten sich über ihren lieblichen, schwebenden Gang.

Köstliche Kleider von Seide und Musselin bekam sie nun anzuziehen, im Schlosse war sie die schönste von allen, aber sie war stumm, konnte weder singen noch sprechen. Herrliche Sklavinnen, in Seide und Gold gekleidet, kamen hervor und sangen vor dem Prinzen und seinen königlichen Eltern; eine sang schöner als alle die andern, und der Prinz klatschte in die Hände und lächelte sie an, da wurde die kleine Seejungfrau betrübt, sie wußte, daß sie selbst weit schöner gesungen hatte. ‚Oh‘, dachte sie, ‚er sollte nur wissen, daß ich, um bei ihm sein zu können, meine Stimme für alle Ewigkeit dahingegeben habe.‘

Nun tanzten die Sklavinnen niedliche, schwebende Tänze zur herrlichsten Musik; da erhob die kleine Seejungfrau ihre schönen, weißen Arme, richtete sich auf den Zehenspitzen empor und schwebte tanzend über den Fußboden hin, wie noch keine getanzt hatte; bei jeder Bewegung wurde ihre Schönheit noch sichtbarer, und ihre Augen sprachen tiefer zum Herzen als der Gesang der Sklavinnen.

Alle waren entzückt davon, besonders der Prinz, der sie sein kleines Findelkind nannte, und sie tanzte immerfort, obwohl es jedesmal, wenn ihr Fuß die Erde berührte, war, als ob sie auf scharfe Messer träte. Der Prinz sagte, daß sie immer bei ihm sein solle, und sie erhielt die Erlaubnis, vor seiner Tür auf einem Samtkissen zu schlafen.

Er ließ ihr eine Männertracht machen, damit sie ihn zu Pferde begleiten könne. Sie ritten durch die duftenden Wälder, wo die grünen Zweige ihre Schultern berührten und die kleinen Vögel hinter den frischen Blättern sangen. Sie kletterte mit dem Prinzen auf die hohen Berge hinauf, und obgleich ihre zarten Füße bluteten, so daß die andern es sehen konnten, lachte sie doch darüber und folgte ihm, bis sie die Wolken unter sich segeln sahen, als wäre es ein Schwarm Vögel, die nach fremden Ländern zögen.

Zu Hause in des Prinzen Schloß, wenn nachts die andern schliefen, ging sie auf die breite Marmortreppe hinaus, kühlte ihre brennenden Füße im kalten Seewasser und gedachte derer dort unten in der Tiefe.

Einmal nachts kamen ihre Schwestern Arm in Arm, sie sangen sehr traurig, indem sie über dem Wasser schwammen, und sie winkte ihnen, und sie erkannten sie und erzählten, wie sie sie allesamt betrübt habe. Darauf besuchten sie die jüngste Schwester in jeder Nacht, und einst erblickte sie auch in weiter Ferne ihre alte Großmutter, die in vielen Jahren nicht über der Meeresfläche gewesen war, und den Seekönig, mit seiner Krone auf dem Haupte; sie streckten beide die Hände gegen sie aus, wagten sich aber dem Lande nicht so nahe wie die Schwestern.

Tag für Tag wurde sie dem Prinzen lieber, er hatte sie so lieb, wie man nur ein gutes, liebes Kind lieben kann, aber sie zur Königin zu machen, kam ihm nicht in den Sinn, und seine Frau mußte sie doch werden, sonst erhielt sie keine unsterbliche Seele und mußte an seinem Hochzeitsmorgen zu Schaum auf dem Meere werden.

„Liebst du mich nicht am meisten von ihnen allen?" schienen der kleinen Seejungfrau Augen zu sagen, wenn er sie in seine Arme nahm und ihre schöne Stirne küßte.

„Ja, du bist mir die liebste", sagte der Prinz, „denn du hast das beste Herz von allen, du bist mir am meisten ergeben, und du gleichst einem jungen Mädchen, das ich einmal sah, aber sicher nie wieder finde. Ich war auf einem Schiffe, das strandete, die Wellen warfen mich bei einem Tempel an das Land, wo mehrere junge Mädchen den Dienst verrichteten. Die jüngste dort fand mich am Ufer und rettete mein Leben; ich sah sie nur zweimal; sie wäre die einzige, die ich in dieser Welt lieben könnte, aber du gleichst ihr, du verdrängst fast ihr Bild aus meiner Seele, sie gehört dem heiligen Tempel an, und deshalb hat mein gutes Glück dich mir gesendet, nie wollen wir uns trennen!" – ‚Ach, er weiß nicht, daß ich sein Leben gerettet habe!' dachte die kleine Seejungfrau. ‚Ich trug ihn über das Meer zum Walde hin, wo der Tempel steht, ich saß hinter dem Schaume und sah, ob keine Menschen kommen würden. Ich sah das hübsche Mädchen, das er mehr liebt als mich!' Und die Seejungfrau seufzte tief, weinen konnte sie nicht. ‚Das Mädchen gehört dem heiligen Tempel an, hat er gesagt, sie kommt nie in die Welt hinaus, sie begegnen sich nicht mehr, ich bin bei ihm, sehe ihn jeden Tag, ich will ihn pflegen, lieben, ihm mein Leben opfern!'

Aber nun sollte der Prinz sich verheiraten und des Nachbarkönigs schöne Tochter haben, erzählte man, deswegen rüstete er ein prächtiges Schiff aus. Der

Prinz reist, um des Nachbarkönigs Länder zu besichtigen, heißt es wohl, aber es geschieht, um des Nachbarkönigs Tochter zu sehen, ein großes Gefolge soll ihn begleiten; aber die kleine Seejungfrau schüttelte das Haupt und lächelte; sie kannte des Prinzen Gedanken weit besser als die andern. „Ich muß reisen!" hatte er zu ihr gesagt. „Ich muß die schöne Prinzessin sehen, meine Eltern verlangen es, aber sie wollen mich nicht zwingen, sie als meine Braut heimzuführen. Ich kann sie nicht lieben, sie gleicht nicht dem schönen Mädchen im Tempel, der du ähnlich bist; sollte ich einst eine Braut wählen, so würdest du es eher sein, mein liebes, gutes Findelkind mit den sprechenden Augen!" Und er küßte sie, spielte mit ihren schönen, langen Haaren und legte sein Haupt an ihr Herz, so daß es von Menschenglück und einer unsterblichen Seele träumte.

„Du fürchtest doch das Meer nicht, mein stummes Kind?" sagte er, als sie auf dem prächtigen Schiffe standen, das ihn nach dem Lande des Nachbarkönigs führen sollte, und er erzählte ihr vom Sturm und von der Windstille, von seltsamen Fischen in der Tiefe und was die Taucher dort gesehen, und sie lächelte bei seiner Erzählung, sie wußte ja besser als sonst jemand auf dem Grunde des Meeres Bescheid.

In der mondhellen Nacht, wenn sie alle bis auf den Steuermann, der am Ruder stand, schliefen, saß sie an dem Bord des Schiffes und starrte durch das klare Wasser hinunter, und sie glaubte ihres Vaters Schloß zu erblicken; hoch auf dem Dach stand die alte Großmutter mit der Silberkrone auf dem Haupte und starrte durch die reißenden Ströme nach des Schiffes Kiel empor. Da kamen ihre Schwestern über das Wasser hervor und starrten sie traurig an und rangen ihre weißen Hände; sie winkte ihnen zu, lächelte und wollte erzählen, daß es ihr gut gehe, daß sie glücklich sei, aber der Schiffsjunge näherte sich ihr, und die Schwestern tauchten unter, so daß er glaubte, das Weiße, was er gesehen, sei nur Schaum auf der See gewesen.

Am nächsten Morgen segelte das Schiff in den Hafen von des Nachbarkönigs prächtiger Stadt. Alle Kirchenglocken läuteten, und von den hohen Türmen wurden die Posaunen geblasen, während die Soldaten mit fliegenden Fahnen und blitzenden Bajonetten in Reihe und Glied dastanden. Jeder Tag führte ein neues Fest mit sich. Bälle und Gesellschaften folgten einander, aber die Prinzessin war noch nicht da, sie werde weit davon entfernt in einem Tempel erzogen, sagten sie, dort lerne sie alle königlichen Tugenden. Endlich traf sie ein.

Die kleine Seejungfrau war begierig, ihre Schönheit zu sehen, und sie mußte anerkennen, daß sie eine lieblichere Erscheinung noch nie gesehen habe. Die

Haut war fein und klar, und hinter den langen, dunklen Augenwimpern lächelten ein Paar schwarzblaue, treue Augen.

„Du bist es", sagte der Prinz, „du, die mich gerettet hat, als ich einer Leiche gleich an der Küste lag!" Und er drückte seine errötende Braut in die Arme. „Oh, ich bin allzu glücklich!" sagte er zur kleinen Seejungfrau. „Das Beste, was ich je hoffen durfte, ist mir in Erfüllung gegangen. Du wirst dich über mein Glück freuen, denn du meinst es am besten mit mir von allen!" Die kleine Seejungfrau küßte seine Hand, und es war ihr, als fühle sie ihr Herz brechen. Sein Hochzeitsmorgen sollte ihr ja den Tod geben und sie in Schaum auf dem Meere verwandeln.

Alle Kirchenglocken läuteten, die Herolde ritten in den Straßen umher und verkündeten die Verlobung. Auf allen Altären brannte duftendes Öl in köstlichen Silberlampen. Die Priester schwangen die Räucherfässer, und Braut und Bräutigam reichten einander die Hand und erhielten den Segen des Bischofs. Die kleine Seejungfrau stand in Seide und Gold und hielt die Schleppe der Braut, aber ihre Ohren hörten die festliche Musik nicht, ihr Auge sah die heilige Handlung nicht, sie gedachte ihrer Todesnacht und alles dessen, was sie in dieser Welt verloren hatte.

Noch an demselben Abend gingen die Braut und der Bräutigam an Bord des Schiffes; die Kanonen donnerten, alle Flaggen wehten, und mitten auf dem Schiffe war ein köstliches Zelt von Gold und Purpur und mit den schönsten Kissen errichtet, da sollte das Brautpaar in der stillen, kühlen Nacht schlafen.

Die Segel schwollen im Winde, und das Schiff glitt leicht und ohne große Bewegung über die klare See dahin.

Als es dunkelte, wurden bunte Lampen angezündet, und die Seeleute tanzten lustige Tänze auf dem Verdeck. Die kleine Seejungfrau mußte ihres ersten Auftauchens aus dem Meere gedenken, wo sie dieselbe Pracht und Freude erblickt hatte, und sie drehte sich mit im Tanze, schwebte, wie die Schwalbe schwebt, wenn sie verfolgt wird, und alle jubelten ihr Bewunderung zu, nie hatte sie so herrlich getanzt. Es schnitt wie scharfe Messer in die zarten Füße, aber sie fühlte es nicht; es schnitt ihr noch schmerzlicher durch das Herz. Sie wußte, es war der letzte Abend, an dem sie ihn erblickte, für den sie ihre Verwandten und ihre Heimat verlassen, ihre schöne Stimme dahingegeben und täglich unendliche Qualen ertragen, ohne daß er eine Ahnung davon hatte. Es war die letzte Nacht, daß sie dieselbe Luft mit ihm einatmete, das tiefe Meer und den sternklaren Himmel erblickte, eine ewige Nacht ohne Gedanken und Traum harrte ihrer, die keine Seele hatte, keine Seele gewinnen konnte. Alles war Freude und Heiterkeit auf dem Schiffe bis weit über Mitternacht hinaus, sie lachte und tanzte mit Todesgedanken im Herzen. Der Prinz küßte seine schöne Braut, und sie spielte mit seinen schwarzen Haaren, und Arm in Arm gingen sie zur Ruhe in das prächtige Zelt.

Es wurde tot und stille auf dem Schiffe, nur der Steuermann stand am Ruder, die kleine Seejungfrau legte ihre weißen Arme auf den Schiffsrand und blickte gegen Osten nach der Morgenröte, der erste Sonnenstrahl, wußte sie, würde sie töten. Da sah sie ihre Schwestern aus dem Meere aufsteigen, sie waren bleich wie sie; ihre langen, schönen Haare wehten nicht mehr im Winde, sie waren abgeschnitten.

„Wir haben sie der Hexe gegeben, um dir Hilfe bringen zu können, damit du diese Nacht nicht sterben mußt! Sie hat uns ein Messer gegeben, hier ist es! Siehst du, wie scharf? Bevor die Sonne aufgeht, mußt du es in das Herz des Prinzen stechen, und wenn dann das warme Blut auf deine Füße spritzt, so wachsen diese in einen Fischschwanz zusammen, und du wirst wieder eine Seejungfrau, kannst zu uns herabsteigen und lebst deine dreihundert Jahre, bevor du der tote, salzige Meerschaum wirst. Beeile dich! Einer von euch muß sterben, er oder du, bevor die Sonne aufgeht! Unsere alte Großmutter trauert so, daß ihr weißes Haar gefallen ist wie das unsrige, von der Schere der Hexe. Töte den Prinzen und komm zurück! Beeile dich, siehst du den roten Streifen am Himmel? In wenigen Minuten steigt die Sonne auf, und dann mußt du sterben!“ Und sie stießen einen tiefen Seufzer aus und versanken in die Wogen.

Die kleine Seejungfrau zog den Purpurteppich vom Zelte fort, und sie sah die schöne Braut mit ihrem Haupte an des Prinzen Brust ruhen. Sie bog sich nieder, küßte ihn auf seine schöne Stirn, blickte gen Himmel auf, wo die Morgenröte mehr und mehr leuchtete, betrachtete das scharfe Messer und heftete die Augen wieder auf den Prinzen, der im Traum seine Braut beim Namen nannte; nur sie war in seinen Gedanken, und das Messer zitterte in der Seejungfrau Hand – aber da warf sie es weit hinaus in die Wogen, die glänzten rot; wo es hinfiel, sah es aus, als keimten Blutstropfen aus dem Wasser auf. Noch einmal sah sie mit halbgebrochenem Blick auf den Prinzen, stürzte sich vom Schiffe in das Meer hinab und fühlte, wie ihr Körper sich in Schaum auflöste. Nun stieg die Sonne aus dem Meere, die Strahlen fielen mild und warm auf den totkalten Meeresschaum, und die kleine Seejungfrau fühlte nichts vom Tode; sie sah die klare Sonne, und oben über ihr schwebten Hunderte von durchsichtigen, herrlichen Geschöpfen, sie konnte durch sie des Schiffes weiße Segel und des Himmels rote Wolken erblicken. Ihre Sprache war melodisch,

aber so geistig, daß kein menschliches Ohr sie vernehmen, ebenso wie kein menschliches Auge sie erblicken konnte; ohne Schwingen schwebten sie vermittels ihrer eigenen Leichtigkeit durch die Luft. Die kleine Seejungfrau sah, daß sie einen Körper hatte wie diese, der sich mehr und mehr aus dem Schaume erhob.

„Zu wem komme ich?" fragte sie, und ihre Stimme klang wie die der andern Wesen, so geistig, daß keine irdische Musik sie wiederzugeben vermag.

„Zu den Töchtern der Luft!" erwiderten die andern. „Die Seejungfrau hat keine unsterbliche Seele, kann sie nie erhalten, wenn sie nicht eines Menschen Liebe gewinnt; von einer fremden Macht hängt ihr ewiges Dasein ab. Die Töchter der Luft haben auch keine ewige Seele, aber sie können durch gute Handlungen sich selbst eine schaffen. Wir fliegen nach den warmen Ländern, dort fächeln wir Kühlung. Wir breiten den Duft der Blumen durch die Luft aus und senden Erquickung und Heilung. Wenn wir dreihundert Jahre lang gestrebt haben, alles Gute, was wir vermögen, zu vollbringen, so erhalten wir eine unsterbliche Seele und nehmen teil an dem ewigen Glücke der Menschen. Du arme, kleine Seejungfrau hast mit ganzem Herzen gelitten und geduldet, nun kannst du dir selbst durch gute Werke nach drei Jahrhunderten eine unsterbliche Seele schaffen."

Die kleine Seejungfrau erhob ihre verklärten Arme gegen Gottes Sonne, und zum ersten Mal fühlte sie Tränen in ihren Augen. – Auf dem Schiffe war wieder Lärm und Leben, sie sah den Prinzen mit seiner schönen Braut nach ihr suchen; wehmütig starrten sie den perlenden Schaum an, als ob sie wüßten, daß sie sich in die Fluten gestürzt habe. Unsichtbar küßte sie die Stirn der Braut, lächelte ihn an und stieg mit den übrigen Kindern der Luft auf die rosenrote Wolke hinauf, die den Äther durchschiffte.

DAS FEUERZEUG

Es kam ein Soldat auf der Landstraße dahermarschiert: eins, zwei; eins, zwei! Er hatte seinen Tornister auf dem Rücken und einen Säbel an der Seite, denn er war im Krieg gewesen und wollte nun nach Hause.

Da begegnete er einer alten Hexe; sie war widerlich, ihre Unterlippe hing ihr gerade bis auf die Brust hinunter. Sie sagte: „Guten Abend, Soldat! Was hast du doch für einen schönen Säbel und großen Tornister! Du bist ein wahrer Soldat! Nun sollst du so viel Geld haben, wie du willst."

„Ich danke dir, du alte Hexe!" sagte der Soldat.

„Siehst du den großen Baum da?" sagte die Hexe und zeigte auf eine Eiche, die ihnen zur Seite stand. „Er ist inwendig ganz hohl; da mußt du den Wipfel erklettern, dann findest du ein Loch, durch das du dich hinabgleiten lassen und tief in den Erdboden gelangen kannst. Ich werde dir einen Strick um den Leib binden, damit ich dich wieder heraufziehen kann, wenn du mich rufst!"

„Was soll ich denn da unten?" fragte der Soldat.

„Geld holen!" sagte die Hexe. „Wisse, wenn du auf den Boden hinunterkommst, so bist du in einer großen Halle; da ist es ganz hell, denn da brennen über hundert Lampen. Dann erblickst du drei Türen! Du kannst sie öffnen, der Schlüssel steckt daran. Gehst du in die erste Kammer hinein, so siehst du mitten auf dem Fußboden eine große Kiste. Auf ihr sitzt ein Hund; er hat ein Paar Augen, so groß wie Teetassen, doch darum brauchst du dich nicht zu kümmern! Ich gebe dir meine blaue Schürze, die kannst du auf dem Fußboden ausbreiten, geh dann rasch hin und nimm den Hund, setze ihn auf meine Schürze, öffne die Kiste und nimm soviel Geld, wie du willst; es ist lauter Kupfer. Willst du lieber Silber haben, so mußt du in das nächste Zimmer hineingehen; da sitzt ein Hund, der hat ein Paar Augen, so groß wie Mühlräder; doch das soll dich nicht kümmern. Setze ihn auf meine Schürze und nimm von dem Gelde! Willst du hingegen Gold haben, so kannst du es auch bekommen, und zwar soviel, wie du tragen willst, wenn du in die dritte Kammer hineingehst. Aber der Hund, der auf dem Goldkasten sitzt, hat zwei Augen, jedes so groß wie ein Turm. Glaube mir, das ist ein ordentlicher Hund; aber daran sollst du dich nicht kehren. Setze ihn auf meine Schürze, so tut er dir nichts, und nimm aus der Kiste soviel Gold, wie du willst!"

„Das ist nicht übel!" sagte der Soldat. „Aber was soll ich dir geben, du alte Hexe, denn etwas willst du doch auch wohl haben?"

„Nein", sagte die Hexe, „nicht einen einzigen Groschen will ich haben! Für mich sollst du nur ein altes Feuerzeug nehmen, das meine Großmutter vergaß, als sie das letzte Mal da unten war!"

„Nun, so binde mir den Strick um den Leib!" sagte der Soldat.

„Hier ist er", sagte die Hexe, „und hier ist meine blaue Schürze."

Dann kletterte der Soldat auf den Baum hinauf, ließ sich in das Loch hinuntergleiten und stand nun, wie die Hexe gesagt hatte, unten in der großen Halle, wo die vielen Lampen brannten.

Nun öffnete er die erste Tür. Uh, da saß der Hund mit den Augen, so groß wie Teetassen, und glotzte ihn an.

„Du bist ein netter Kerl!" sagte der Soldat, setzte ihn auf die Schürze der Hexe und nahm soviel Kupfergeld, als seine Tasche fassen konnte, schloß dann die Kiste, setzte den Hund wieder darauf und ging in das andere Zimmer hinein. Wahrhaftig, da saß der Hund mit den Augen, so groß wie Mühlräder.

„Du solltest mich lieber nicht so ansehen", sagte der Soldat, „du könntest Augenschmerzen bekommen!" Und dann setzte er den Hund auf die Schürze der Hexe. Aber als er das viele Silbergeld in der Kiste erblickte, warf er all das Kupfergeld, was er hatte, fort und füllte die Taschen und den Tornister nur mit Silber. Nun ging er in die dritte Kammer. Das war häßlich! Der Hund darin hatte wirklich zwei Augen, so groß wie ein Turm, und die drehten sich im Kopfe, gerade wie die Flügel von Windmühlen.

„Guten Abend!" sagte der Soldat und berührte die Mütze, denn einen solchen Hund hatte er früher nie gesehen; aber als er ihn etwas genauer betrachtet hatte, dachte er: ‚Nun ist es genug!' hob ihn auf den Fußboden herunter und machte die Kiste auf. Was war da für eine Menge Gold! Er konnte dafür die ganze Stadt und die Zuckerferkel der Kuchenfrauen, alle Zinnsoldaten, Peitschen und Schaukelpferde in der ganzen Welt kaufen! Ja, das war einmal Gold! Nun warf der Soldat alles Silbergeld, womit er seine Taschen und seinen Tornister gefüllt hatte, fort und nahm dafür Gold; ja, alle Taschen, der Tornister, die Mütze und die Stiefel wurden gefüllt, so daß er kaum gehen konnte; nun hatte er Geld! Den Hund setzte er auf die Kiste, schlug die Türe zu und rief dann durch den Baum hinauf:

„Zieh mich jetzt in die Höhe, du alte Hexe!"

„Hast du auch das Feuerzeug?" fragte die Hexe.

„Wahrhaftig", sagte der Soldat, „das habe ich vergessen." Und er ging und holte es. Die Hexe zog ihn hinauf, und da stand er wieder auf der Landstraße, die Taschen, Stiefel, Tornister und Mütze voll Gold.

„Was willst du mit dem Feuerzeug?" fragte der Soldat.

„Das geht dich nichts an!" sagte die alte Hexe. „Nun hast du ja Geld bekommen! Gib mir nur das Feuerzeug!"

„Ach was!" sagte der Soldat. „Willst du mir gleich sagen, was du damit willst, oder ich ziehe ganz einfach meinen Säbel aus der Scheide und schlage dir ohne zu zögern den Kopf ab!"

„Nein!" sagte die Hexe.

Da schlug der Soldat ihr den Kopf ab. Da lag sie. Aber er band all sein Geld in ihre Schürze, nahm es wie ein Bündel auf seinen Rücken, steckte das Feuerzeug ein und ging gerade nach der Stadt.

Das war eine prächtige Stadt, und in den prachtvollsten Wirtshäusern kehrte er ein, verlangte die allerbesten Zimmer und seine Lieblingsspeisen, denn nun war er ja reich, da er soviel Geld hatte.

Dem Diener, der seine Stiefel putzen sollte, kam es freilich vor, als seien es recht jämmerliche, alte Stiefel, die ein so reicher Herr besaß, aber er hatte sich noch keine neuen gekauft; am nächsten Tage bekam er anständige Stiefel und schöne Kleider. Nun war aus dem Soldaten ein vornehmer Herr geworden, und man erzählte ihm von all den Herrlichkeiten, die in der Stadt waren, und von dem König und was für eine niedliche Prinzessin seine Tochter sei.

„Wo kann man sie zu sehen bekommen?" fragte der Soldat.

„Sie ist gar nicht zu Gesicht zu bekommen!" antwortete man. „Sie wohnt in einem großen Schlosse, von vielen Mauern und Türmen umgeben. Niemand außer dem König darf bei ihr ein und aus gehen, denn es ist prophezeit, daß sie an einen ganz gemeinen Soldaten verheiratet wird, und das kann der König nicht zugeben."

‚Ich möchte sie wohl sehen!' dachte der Soldat, aber dazu konnte er ja durchaus keine Erlaubnis erhalten.

Nun lebte er recht lustig, besuchte das Theater, fuhr in des Königs Garten und gab den Armen viel Geld, und das war hübsch von ihm; er wußte noch von früheren Zeiten her, wie schlimm es ist, nicht einen Groschen zu besitzen! Er war immer noch reich, hatte schöne Kleider und bekam viele Freunde, die alle sagten, er sei ein vortrefflicher Mensch, ein wahrer Edelmann, und das hatte der Soldat gern! Aber da er jeden Tag Geld ausgab und nie etwas einnahm, so blieben ihm zuletzt nicht mehr als zwei Groschen übrig. Er mußte die schönen Zimmer verlassen und oben in einer ganz kleinen Kammer wohnen, dicht unter dem Dache, seine Stiefel selbst bürsten und sie mit einer Stopfnadel zusammennähen, und keiner seiner Freunde kam zu ihm, denn es waren viele Treppen hinaufzusteigen.

Es war ein ganz dunkler Abend, er konnte sich nicht einmal ein Licht kaufen, aber da fiel es ihm ein, daß ein kleines Stückchen in dem Feuerzeuge liege, das er aus dem hohlen Baume, in den die Hexe ihm hinuntergeholfen, genommen hatte. Er holte das Feuerzeug und das Lichtstückchen vor; aber gerade als er Feuer schlug, sprang die Tür auf, und der Hund, der Augen so groß wie ein paar Teetassen hatte und den er unten unter dem Baume gesehen hatte, stand vor ihm und fragte: „Was befiehlt mein Herr?"

„Was ist das?" fragte der Soldat. „Das ist ja ein lustiges Feuerzeug, wenn ich so bekommen kann, was ich haben will! Schaffe mir etwas Geld", sagte er

zum Hunde, und schnell war er fort und wieder da, und hielt einen großen Beutel voll Geld in seinem Maule.

Nun wußte der Soldat, was für ein prächtiges Feuerzeug das war! Schlug er einmal, so kam der Hund, der auf der Kiste mit Kupfergeld saß, schlug er zweimal, so kam der, der das Silbergeld bewachte, und schlug er dreimal, so kam der, der das Gold hatte. Nun zog der Soldat wieder in die schönen Zimmer, erschien wieder in schönen Kleidern, und da erkannten ihn sogleich alle seine Freunde und hielten sehr viel von ihm.

Da dachte er einmal: ‚Es ist doch etwas recht Sonderbares, daß man die Prinzessin nicht zu sehen bekommen kann. Sie soll sehr schön sein; aber was kann das helfen, wenn sie immer in dem großen Schlosse sitzen soll! Kann ich sie denn gar nicht zu sehen bekommen? Wo ist mein Feuerzeug? Er schlug Feuer, und da kam der Hund mit den Augen, so groß wie Teetassen.

„Es ist freilich mitten in der Nacht", sagte der Soldat, „aber ich möchte herzlich gern die Prinzessin nur einen Augenblick sehen!"

Der Hund war gleich aus der Tür, und ehe der Soldat daran dachte, sah er ihn schon mit der Prinzessin wieder. Sie saß und schlief auf dem Rücken des Hundes und war so lieblich, daß jedermann sehen konnte, daß es eine wirkliche Prinzessin war; der Soldat konnte es durchaus nicht unterlassen, sie zu küssen, denn er war ganz und gar Soldat.

Darauf lief der Hund mit der Prinzessin zurück. Doch als es Morgen wurde und der König und die Königin kamen, sagte die Prinzessin, sie habe in der vorigen Nacht einen ganz sonderbaren Traum von einem Hunde und einem Soldaten gehabt. Sie sei auf dem Hunde geritten, und der Soldat habe sie geküßt.

„Das wäre wahrlich eine schöne Geschichte!" sagte die Königin.

Nun sollte in der nächsten Nacht eine der alten Hofdamen am Bette der Prinzessin wachen, um zu sehen, ob es ein Traum sei oder was sonst.

Der Soldat hatte eine außerordentliche Sehnsucht, die Prinzessin wieder-zusehen, und so kam denn der Hund in der Nacht, nahm sie und lief, was er konnte; aber die alte Hofdame lief ebenso schnell hinterher. Als sie nun sah, daß der Hund mit der Prinzessin in einem großen Hause verschwand, dachte sie: ‚Nun weiß ich, wo er ist‘, und machte mit einem Stück Kreide ein großes Kreuz an die Tür. Dann ging sie nach Hause und legte sich nieder, und der Hund kam auch mit der Prinzessin wieder. Aber als er sah, daß ein Kreuz an der Tür, wo der Soldat wohnte, gemacht war, nahm er auch ein Stück Kreide und machte Kreuze an alle Türen in der ganzen Stadt. Das war klug getan, denn nun konnte ja die Hofdame die richtige Tür nicht finden, da Kreuze an allen waren.

Frühmorgens kamen der König und die Königin, die alte Hofdame und alle Offiziere, um zu sehen, wo die Prinzessin gewesen war.

„Da ist es!" sagte der König, als er die erste Tür mit einem Kreuze erblickte.

„Nein, dort ist es, lieber Mann!" sagte die Königin, als sie die zweite Tür mit einem Kreuze darauf gewahr wurde.

„Aber da ist eins und dort ist eins!" sagten alle; wohin sie blickten, waren Kreuze an den Türen. Da begriffen sie denn wohl, daß ihnen das Suchen nichts helfen würde.

Aber die Königin war eine äußerst kluge Frau, die mehr konnte als in einer

Kutsche fahren. Sie nahm ihre große, goldene Schere, schnitt ein großes Stück Seidenzeug in Stücke und nähte einen kleinen, niedlichen Beutel; den füllte sie mit feiner Buchweizengrütze, band ihn der Prinzessin auf den Rücken, und als das getan war, schnitt sie ein kleines Loch in den Beutel, so daß die Grütze den ganzen Weg bestreuen konnte, den die Prinzessin nahm.

In der Nacht kam nun der Hund wieder, nahm die Prinzessin auf den Rükken und lief mit ihr zu dem Soldaten hin, der sie liebhatte und gern ein Prinz hätte sein mögen, um sie zur Frau bekommen zu können.

Der Hund merkte nicht, wie die Grütze gerade vom Schlosse bis zum Fenster des Soldaten, wo er mit der Prinzessin die Mauer hinauflief, sich ausstreute. Am Morgen sahen der König und die Königin nun wohl, wo ihre Tochter gewesen war, und da nahmen sie den Soldaten und setzten ihn ins Gefängnis.

Da saß er. Hu, wie dunkel und häßlich war es da! Und dazu sagte man ihm: „Morgen wirst du gehängt werden." Das zu hören, war eben nicht ergötzlich, und sein Feuerzeug hatte er zu Hause im Gasthofe gelassen. Am Morgen konnte er durch das Eisengitter vor dem kleinen Fenster sehen, wie sich das Volk beeilte, aus der Stadt zu kommen, um ihn hängen zu sehen. Er hörte die Trommeln und sah die Soldaten marschieren. Alle Menschen liefen hinaus; unter ihnen war auch ein Schuhmacherjunge mit Schurzfell und Pantoffeln; er lief so im Galopp, daß einer seiner Pantoffeln gerade gegen die Mauer abflog, hinter der der Soldat saß und durch das Eisengitter hinaussah.

„Ei, du Schuhmacherjunge! Du brauchst nicht solche Eile zu haben", sagte der Soldat zu ihm; „es wird nichts daraus, bevor ich komme! Willst du aber hinlaufen, wo ich gewohnt habe, und mir mein Feuerzeug holen, so sollst du vier Groschen haben! Aber du mußt schnell machen!" Der Schuhmacherjunge wollte gern die vier Groschen haben und lief fort nach dem Feuerzeuge, brachte es dem Soldaten und – ja, nun werden wir hören!

Außerhalb der Stadt war ein großer Galgen gemauert, ringsherum standen die Soldaten und viele tausend Menschen. Der König und die Königin saßen oben auf einem prächtigen Thron, den Richtern und dem ganzen Rat gegenüber.

Der Soldat stand schon oben auf der Leiter; aber als sie ihm den Strick um den Hals legen wollten, sagte er, daß man ja immer einem armen Sünder, bevor er seine Strafe erdulde, die Erfüllung eines unschuldigen Wunsches gewähre. Er möchte eine Pfeife Tabak rauchen, es sei ja die letzte Pfeife, die er in dieser Welt bekomme.

Das wollte der König ihm denn auch nicht abschlagen, und so nahm der Soldat sein Feuerzeug und schlug Feuer, ein-, zwei-, dreimal! Da standen alle drei Hunde, der mit den Augen, so groß wie Teetassen, der mit den Augen wie Mühlräder und der, dessen Augen so groß waren wie ein Turm.

„Helft mir, daß ich nicht gehängt werde", sagte der Soldat, und da fielen die Hunde über die Richter und den ganzen Rat her, nahmen den einen bei den Beinen und den andern bei der Nase und warfen sie viele Ellen hoch in die Luft, daß sie beim Niederfallen sich in Stücke zerschlugen.

„Ich will nicht", sagte der König, aber der größte Hund nahm sowohl ihn wie die Königin und warf sie den andern nach; da erschraken die Soldaten, und alles Volk rief: „Guter Soldat, du sollst unser König sein und die schöne Prinzessin haben!"

Dann setzten sie den Soldaten in des Königs Kutsche, und alle drei Hunde tanzten vorauf und riefen Hurra, und die Knaben pfiffen auf den Fingern, und die Soldaten präsentierten das Gewehr. Die Prinzessin kam aus dem Schlosse und wurde Königin, und das gefiel ihr wohl! Die Hochzeit währte acht Tage lang, und die Hunde saßen mit bei Tische und machten große Augen.

DER ENGEL

Jedesmal, wenn ein gutes Kind stirbt, kommt ein Engel Gottes zur Erde hernieder, nimmt das tote Kind auf seine Arme, breitet die großen, weißen Flügel aus und pflückt eine ganze Handvoll Blumen, die er zu Gott hinaufbringt, damit sie dort noch schöner als auf der Erde blühen. Gott drückt dann alle Blumen an sein Herz, aber der Blume, die ihm die liebste ist, gibt er einen Kuß, und dann bekommt sie Stimme und kann in der großen Glückseligkeit mitsingen.

Sieh, alles dieses erzählte ein Engel Gottes, während er ein totes Kind zum Himmel forttrug, und das Kind hörte wie im Traume; sie flogen über die Stätten in der Heimat, wo das Kleine gespielt hatte, und kamen durch Gärten mit herrlichen Blumen.

„Welche wollen wir nun mitnehmen und in den Himmel pflanzen?" fragte der Engel.

Da stand ein schlanker, herrlicher Rosenstock, aber eine böse Hand hatte den Stamm abgebrochen, so daß alle Zweige, voll von großen, halb aufgebrochenen Knospen, vertrocknet rundherum hingen.

„Der arme Rosenstock!" sagte das Kind. „Nimm ihn, damit er oben bei Gott zum Blühen kommen kann!"

Und der Engel nahm ihn, küßte das Kind dafür, und das Kleine öffnete seine Augen zur Hälfte. Sie pflückten von den reichen Prachtblumen, nahmen aber auch die verachtete Butterblume und das wilde Stiefmütterchen.

„Nun haben wir Blumen!" sagte das Kind, und der Engel nickte, aber er flog noch nicht zu Gott empor. Es war Nacht und ganz still; sie blieben in der großen Stadt und schwebten in einer der schmalen Gassen umher, wo Haufen Stroh und Asche lagen; es war Umzug gewesen. Da lagen Scherben von Tellern, Gipsstücke, Lumpen und alte Hutköpfe, was alles nicht gut aussah.

Der Engel zeigte in allen diesen Wirrwarr hinunter auf einige Scherben eines Blumentopfes und auf einen Klumpen Erde, der da herausgefallen war. Von den Wurzeln einer großen, vertrockneten Feldblume, die nichts taugte und die man deshalb auf die Gasse geworfen hatte, wurde er zusammengehalten.

„Diese nehmen wir mit!" sagte der Engel. „Ich werde dir erzählen, während wir fliegen!"

Sie flogen, und der Engel erzählte:

„Dort unten in der schmalen Gasse, in dem niedrigen Keller, wohnte ein armer, kranker Knabe. Von seiner Geburt an war er immer bettlägerig gewesen; wenn es ihm am besten ging, konnte er auf Krücken die kleine Stube ein paarmal auf und nieder gehen, das war alles. An einigen Tagen im Sommer fielen die Sonnenstrahlen während einer halben Stunde bis in den Keller hinab, und wenn der Knabe dasaß und sich von der warmen Sonne bescheinen ließ und das rote Blut durch seine feinen Finger sah, die er vor das Gesicht hielt, dann hieß es: ‚Heute ist er aus gewesen!' Er kannte den Wald in seinem herrlichen Frühjahrsgrün nur dadurch, daß ihm des Nachbars Sohn den ersten Buchenzweig brachte, den hielt er über seinem Haupte und träumte dann unter Buchen zu sein, wo die Sonne scheint und die Vögel singen. An einem Frühlingstage brachte ihm des Nachbars Knabe auch Feldblumen, und unter diesen war zufällig eine mit der Wurzel, deshalb wurde sie in einen Blumentopf gepflanzt und am Bette neben das Fenster gestellt. Die Blume war mit einer glücklichen Hand gepflanzt, sie wuchs, trieb neue Zweige und trug jedes Jahr ihre Blumen; sie wurde des kranken Knaben herrlichster Blumengarten, sein kleiner Schatz hier auf Erden; er begoß und pflegte sie und sorgte dafür, daß sie jeden Sonnenstrahl, bis zum letzten, der durch das niedrige Fenster hinunterglitt, erhielt; die Blume selbst verwuchs mit seinen Tränen, denn für ihn blühte sie, verbreitete sie ihren Duft und erfreute das Auge; gegen sie wendete er sich im Tode, da der Herr ihn rief. Ein Jahr ist er nun bei Gott gewesen, ein Jahr hat die Blume vergessen im Fenster gestanden und ist verdorrt und wurde deshalb beim Umziehen hinaus auf die Straße geworfen. Und dies ist die Blume, die vertrocknete Blume, die wir mit in unsern Blumenstrauß genommen haben, denn diese Blume hat mehr erfreut als die reichste Blume im Garten einer Königin!"

„Aber woher weißt du das alles?" fragte das Kind, das der Engel gen Himmel trug.

„Ich weiß es", sagte der Engel, „denn ich war selbst der kleine, kranke Knabe, der auf Krücken ging; meine Blume kenne ich wohl!"

Das Kind öffnete seine Augen ganz und sah in des Engels herrliches, frohes Antlitz hinein, und im selben Augenblick befanden sie sich in Gottes Himmel, wo Freude und Glückseligkeit waren. Gott drückte das tote Kind an sein Herz, und da bekam es Schwingen wie der andere Engel und flog Hand in Hand mit ihm. Gott drückte alle Blumen an sein Herz, aber die arme verdorrte Feldblume küßte er, und sie erhielt Stimme und sang mit allen Engeln, welche Gott umschwebten, einige ganz nahe, andere um diese herum in großen Kreisen und immer weiter fort in das Unendliche, aber alle gleich glücklich. Und alle sangen sie, klein und groß, samt dem guten, gesegneten Kinde und der armen Feldblume, die verdorrt dagelegen hatte, hingeworfen in den Kehricht des Umziehtages, in der schmalen, dunklen Gasse.

DER SCHMETTERLING

Der Schmetterling wollte eine Braut haben und sich unter den Blumen eine recht niedliche aussuchen. Zu dem Ende warf er einen musternden Blick über den ganzen Blumenflor und fand, daß jede Blume recht still und ehrsam auf ihrem Stengel saß, gerade wie es einer Jungfrau geziemt, wenn sie nicht verlobt ist; allein es waren gar viele da, und die Wahl drohte mühsam zu werden. Diese Mühe gefiel dem Schmetterling nicht, deshalb flog er auf Besuch zu dem Gänseblümchen. Dieses Blümlein nennen die Franzosen ‚Margarete'; sie wissen auch, daß Margarete wahrsagen kann, und das tut sie, wenn die Liebesleute, wie es oft geschieht, ein Blättchen nach dem andern von ihr abpflücken, während sie an jedes eine Frage über den Geliebten stellen: ‚Von Herzen? – Mit Schmerzen? – Liebt mich sehr? – ein klein wenig? – Ganz und gar nicht?' und dergleichen mehr. Jeder fragt in seiner Sprache. Der Schmetterling kam auch zu Margarete um zu fragen; er zupfte ihr aber nicht die Blätter aus, sondern er drückte jedem Blatte einen Kuß auf, denn er meinte, man käme mit Güte besser fort.

„Beste Margarete Gänseblümlein!" sprach er zu ihr, „Sie sind die klügste Frau unter den Blumen, Sie können wahrsagen – bitte, bitte, mir zu sagen, bekomme ich die oder die? Welche wird meine Braut sein? – Wenn ich das weiß, werde ich geradeswegs zu ihr hinfliegen und um sie anhalten."

Allein Margarete antwortete ihm nicht, sie ärgerte sich, daß er sie ,Frau' genannt hatte, da sie doch noch eine Jungfrau sei – das ist ein Unterschied! Er fragte zum zweiten und zum dritten Male; als sie aber stumm blieb und ihm kein einziges Wort entgegnete, so mochte er zuletzt auch nicht länger fragen, sondern flog davon, und zwar unmittelbar auf die Brautwerbung.

Es war in den ersten Tagen des Frühjahrs, ringsum blühten Schneeglöckchen und Krokus. ,Die sind sehr niedlich', dachte der Schmetterling, ,allerliebste kleine Konfirmanden, aber ein wenig zu sehr Backfisch!' – Er, wie alle jungen Burschen, spähte nach älteren Mädchen aus.

Darauf flog er auf die Anemonen zu; diese waren ihm ein wenig zu bitter, die Veilchen ein wenig zu schwärmerisch, die Lindenblüten zu klein und hatten eine zu große Verwandtschaft; die Apfelblüten – ja, die sahen zwar aus wie Rosen, aber sie blühten heute, um morgen schon abzufallen, meinte er. Die Erbsenblüte gefiel ihm am besten, rot und weiß war sie, auch zart und fein, und gehörte zu den häuslichen Mädchen, die gut aussehen und doch für die Küche taugen; er stand eben im Begriffe, seinen Liebesantrag zu stellen – da erblickte er dicht neben ihr eine Schote, an deren Spitze eine welke Blüte hing. „Wer ist die da?" fragte er. „Es ist meine Schwester", antwortete die Erbsenblüte.

„Ah, so! Sie werden später auch so aussehen?" fragte er und flog davon, denn er hatte sich darob entsetzt.

Das Geißblatt hing blühend über den Zaun hinaus, da war die Hülle und Fülle derartiger Fräulein, lange Gesichter, gelber Teint, nein, die Art gefiel ihm nicht. Aber welche liebte er denn?

Der Frühling verstrich, der Sommer ging zu Ende; es war Herbst; er aber war noch immer unschlüssig.

Die Blumen erschienen nun in den prachtvollsten Gewändern – doch vergeblich.

Es fehlte ihnen der frische, duftende Jugendsinn. Duft begehrt das Herz, wenn es selbst nicht mehr jung ist, und gerade hiervon ist bitter wenig bei den Georginen und Klatschrosen zu finden. So wandte sich denn der Schmetterling der Krauseminze zu ebener Erde zu.

Diese hat nun wenig Blüte, sie ist ganz und gar Blüte, duftet von unten bis oben, hat Blumenduft in jedem Blatte. „Die werde ich nehmen!" sagte der Schmetterling.

Und nun hielt er um sie an.

Aber die Krauseminze stand steif und still da und hörte ihn an; endlich sagte sie: „Freundschaft, ja! Aber weiter nichts! Ich bin alt, und Sie sind alt; wir können zwar sehr wohl füreinander leben, aber uns heiraten – nein! Machen wir uns nicht zu Narren in unserem Alter!"

So kam es denn, daß der Schmetterling keine Frau bekam. Er hatte zu lange gewählt, und das soll man nicht! Der Schmetterling blieb ein Hagestolz, wie man es nennt.

Es war im Spätherbste, Regen und trübes Wetter. Der Wind blies kalt über den Rücken der alten Weidenbäume dahin, so, daß es in ihnen knackte. Es war kein Wetter, um im Sommeranzuge herumzufliegen; aber der Schmetterling flog auch nicht draußen umher; er war zufälligerweise unter Dach und Fach geraten, wo Feuer im Ofen und es so recht sommerwarm war; er konnte schon leben; doch „Leben ist nicht genug!" sprach er. „Sonnenschein, Freiheit und ein kleines Blümchen muß man haben!"

Und er flog gegen die Fensterscheibe, wurde gesehen, bewundert, auf eine Nadel gesteckt und in dem Raritätenkasten ausgestellt; mehr konnte man nicht für ihn tun.

„Jetzt setze ich mich selbst auf einen Stengel wie die Blumen!" sagte der Schmetterling, „so recht angenehm ist das freilich nicht! So ungefähr wird es wohl sein, wenn man verheiratet ist, man sitzt fest!" – Damit tröstete er sich dann einigermaßen.

„Das ist ein schlechter Trost!" sagten die Topfgewächse im Zimmer.

„Aber", meinte der Schmetterling, „diesen Topfgewächsen ist nicht recht zu trauen, sie gehen zuviel mit Menschen um!"

DAS KLEINE MÄDCHEN MIT DEN STREICHHÖLZERN

Es war fürchterlich kalt; es schneite und begann dunkler Abend zu werden, es war der letzte Abend im Jahre, Neujahrsabend! In dieser Kälte und in dieser Finsternis ging ein kleines, armes Mädchen mit bloßem Kopfe und nackten

Füßen auf der Straße. Sie hatte freilich Pantoffeln gehabt, als sie von Hause wegging, aber was half das! Es waren sehr große Pantoffeln, ihre Mutter hatte sie zuletzt getragen; so groß waren sie, daß die Kleine sie verlor, als sie sich beeilte, über die Straße zu gelangen, weil zwei Wagen gewaltig schnell daherjagten. Der eine Pantoffel war nicht wiederzufinden, und mit dem andern lief ein Knabe davon, der sagte, er könne ihn gut gebrauchen, ja, er könne ihn sogar als Wiege benutzen, wenn er selbst einmal Kinder bekomme.

Da ging nun das arme Mädchen auf den bloßen, kleinen Füßen, die ganz rot und blau vor Kälte waren. In einer alten Schürze hielt sie eine Menge Streichhölzer, und ein Bund trug sie in der Hand. Niemand hatte ihr während des ganzen Tages etwas abgekauft, niemand hatte ihr auch nur einen Dreier geschenkt; hungrig und halberfroren schlich sie einher und sah sehr gedrückt aus, die arme Kleine! Die Schneeflocken fielen in ihr langes, gelbes Haar, das sich schön über den Hals lockte, aber an Pracht dachte sie freilich nicht.

In einem Winkel zwischen zwei Häusern – das eine sprang etwas weiter in die Straße vor als das andere – setzte sie sich und kauerte sich zusammen. Die kleinen Füße hatte sie fest angezogen, aber es fror sie noch mehr, und sie wagte nicht nach Hause zu gehen, denn sie hatte ja keine Streichhölzer verkauft, nicht einen einzigen Dreier erhalten. Ihr Vater würde sie schlagen, und kalt war es daheim auch, sie hatten nur das Dach gerade über sich, und da pfiff der Wind herein, obgleich Stroh und Lappen zwischen die größten Spalten gestopft waren. Ihre kleinen Hände waren vor Kälte fast ganz erstarrt. Ach! Ein Streichhölzchen könnte gewiß recht gut tun; wenn sie nur wagen dürfte, eins aus dem Bunde herauszuziehen, es anzustreichen und die Finger daran zu wärmen. Sie zog eins heraus. ‚Ritsch!‘ Wie sprühte es, wie brannte es! Es gab eine warme, helle Flamme wie ein kleines Licht, als sie die Hand darum hielt, es war ein wunderbares Licht! Es kam dem kleinen Mädchen vor, als sitze sie vor einem großen eisernen Ofen mit Messingfüßen und einem messingenen Aufsatz; das Feuer brannte ganz herrlich darin und wärmte schön! – Die Kleine streckte schon die Füße aus, um auch diese zu wärmen – – da erlosch die Flamme, der Ofen verschwand – sie saß mit einem kleinen Stumpf des ausgebrannten Hölzchens in der Hand.

Ein neues wurde angestrichen, es brannte, es leuchtete, und wo der Schein auf die Mauer fiel, wurde diese durchsichtig wie ein Flor. Sie sah gerade in das Zimmer hinein, wo der Tisch mit einem glänzend weißen Tischtuch und feinem Porzellan gedeckt stand, und herrlich dampfte eine mit Pflaumen und Äpfeln gefüllte, gebratene Gans darauf! Und was noch prächtiger war, die Gans

sprang von der Schüssel herab, watschelte auf dem Fußboden hin mit Gabel und Messer im Rücken, gerade auf das arme Mädchen kam sie zu. Da erlosch das Streichholz, und nur die dicke, kalte Mauer war zu sehen.

Sie zündete ein neues an. Da saß sie unter dem schönsten Weihnachtsbaume. Der war noch größer und aufgeputzter als der, den sie zu Weihnachten durch die Glastür bei dem reichen Kaufmann erblickt hatte. Viel tausend Lichter brannten auf den grünen Zweigen, und bunte Bilder wie jene, die in den Ladenfenstern lagen, schauten zu ihr herab. Die Kleine streckte die beiden Hände in die Höhe – da erlosch das Streichholz; die vielen Weihnachtslichter stiegen höher und immer höher, nun sah sie, daß es die klaren Sterne am Himmel waren, einer davon fiel herab und machte einen langen Feuerstreifen am Himmel.

„Nun stirbt jemand!" sagte die Kleine, denn ihre alte Großmutter, die einzige, die sie liebgehabt hatte, die jetzt aber tot war, hatte gesagt: „Wenn ein Stern fällt, so steigt eine Seele zu Gott empor."

Sie strich wieder ein Streichholz an, es leuchtete ringsumher, und im strahlenden Glanze stand die alte Großmutter glänzend, mild und lieblich da.

„Großmutter!" rief die Kleine. „Oh, nimm mich mit! Ich weiß, daß du auch gehst, wenn das Streichholz ausgeht; gleich wie der warme Ofen, der schöne Gänsebraten und der große, herrliche Weihnachtsbaum!" Sie strich eiligst den ganzen Rest der Hölzer, die noch in der Schachtel waren, an – sie wollte die Großmutter recht festhalten; und die Streichhölzer leuchteten mit solchem Glanz, daß es heller war als am lichten Tage. Die Großmutter war nie so schön, so groß gewesen; sie hob das kleine Mädchen auf ihren Arm, und in Glanz und Freude flogen sie in die Höhe, und da fühlte sie keine Kälte, keinen Hunger, keine Furcht – sie waren bei Gott!

Aber im Winkel am Hause saß in der kalten Morgenstunde das kleine Mädchen mit roten Wangen, mit lächelndem Munde – tot, erfroren am letzten Abend des alten Jahres. Der Neujahrsmorgen ging über der kleinen Leiche auf, die mit Streichhölzern dasaß, wovon eine ganze Schachtel verbrannt war. Sie hat sich wärmen wollen, sagte man. Niemand wußte, was sie Schönes erblickt hatte, in welchem Glanze sie mit der alten Großmutter zur Neujahrsfreude eingegangen war!

DAS HEINZELMÄNNCHEN BEI DEM KRÄMER

Es war einmal ein richtiger Student, der wohnte in einer Dachkammer, und ihm gehörte gar nichts; – es war aber auch einmal ein richtiger Krämer, der wohnte zu ebener Erde, und ihm gehörte das ganze Haus. Zu ihm hielt sich das Heinzelmännchen, denn beim Krämer gab es jeden Weihnachtsabend eine Schüssel voll Grützbrei mit einem großen Klumpen Butter mitten darin! Das konnte der Krämer ganz gut geben; darum blieb das Heinzelmännchen im Krämerladen, und das war sehr lehrreich.

Eines Abends trat der Student durch die Hintertür ein, um selbst Licht und Käse zu kaufen; er hatte niemand zu schicken, darum ging er selbst; er bekam, was er wünschte, bezahlte es, und der Krämer und auch dessen Frau nickten ihm einen ,guten Abend' zu; das war eine Frau, die mehr konnte als mit dem Kopfe nicken; sie hatte Rednergabe! – Der Student nickte ebenfalls, blieb aber auf einmal stehen, und zwar indem er den Bogen Papier las, in den der Käse gewickelt war. Es war ein Blatt, herausgerissen aus einem alten Buche, das eigentlich nicht hätte zerrissen werden sollen; denn es war ein Buch voller Poesie.

„Da liegt noch mehr von derselben Art!" sagte der Krämer, „ich habe einer alten Frau ein paar Kaffeebohnen für das Buch gegeben; wollen Sie mir zwei Groschen bezahlen, so sollen Sie den ganzen Rest haben."

„Ja", sagte der Student, „geben Sie mir das Buch für den Käse! Ich kann mein Butterbrot ohne Käse essen! Es wäre ja Sünde, wenn das Buch ganz und gar zerrissen werden sollte. Sie sind ein prächtiger Mann, ein praktischer Mann, aber auf Poesie verstehen Sie sich ebensowenig wie die Tonne da."

Und das war unartig gesprochen, namentlich gegen die Tonne, aber der Krämer lachte, und der Student lachte auch; es war ja nur aus Spaß gesagt. Aber das Heinzelmännchen ärgerte sich, daß man einem Krämer, der Hauswirt war und die beste Butter verkaufte, dergleichen Dinge zu sagen wagte.

In der Nacht, als der Laden geschlossen war und alle zur Ruhe gegangen waren, nur der Student nicht, trat das Heinzelmännchen hervor, ging in die Schlafstube und nahm der Hausfrau das Mundwerk weg; das brauchte sie nicht, wenn sie schlief; und wo er das einem Gegenstande in der Stube aufsetzte, bekam dieser Stimme und Rede und sprach seine Gedanken und seine Gefühle ebensogut aus wie die Hausfrau; aber nur ein Gegenstand nach dem andern konnte es benutzen, und das war eine Wohltat, sie hätten sonst durcheinander gesprochen.

Das Heinzelmännchen legte das Mundwerk auf die Tonne, in der die alten Zeitungen lagen. „Ist es wirklich wahr", fragte es, „daß Sie nicht wissen, was Poesie ist?"

„Freilich weiß ich es", antwortete die Tonne, „Poesie ist so etwas, was immer unten in den Zeitungen steht und manchmal herausgeschnitten wird! Ich möchte behaupten, ich habe mehr in mir als der Student, und ich bin doch nur eine geringe Tonne gegen den Krämer."

Und das Heinzelmännchen setzte der Kaffeemühle das Mundwerk auf, nein, wie die ging! Und es setzte es dem Butterfasse und dem Geldkasten auf; – alle waren sie derselben Ansicht wie die Tonne, und das, worüber die Mehrzahl einig ist, das muß man anerkennen.

„Jetzt werde ich's aber dem Studenten sagen!" – und mit diesen Worten stieg es leise die Hintertreppe zur Dachkammer hinauf, wo der Student wohnte. Der Student hatte noch Licht, und das Heinzelmännchen guckte durch das Schlüsselloch und sah, wie er in dem zerrissenen Buche las, das er unten im Laden geholt hatte.

Aber wie hell war es bei ihm drinnen! Aus dem Buche hervor drang ein heller Strahl, der wuchs zu einem Stamme und allmählich zu einem mächtigen Baume empor, der sich erhob und seine Zweige weit über den Studenten ausbreitete. Jedes Blatt war frisch, und jede Blume war ein schöner Mädchenkopf, einige mit Augen, dunkel und strahlend, andere mit wunderbar blauen und klaren; jede Frucht war ein glänzender Stern, und es sang und klang im Zimmer des Studenten.

Nein, eine solche Pracht hatte das kleine Heinzelmännchen noch nie erträumt, geschweige denn gesehen und vernommen. Es blieb auf den Fußspitzen stehen und guckte und guckte – bis das Licht in der Dachkammer erlosch; der Student blies es wahrscheinlich aus und ging zu Bett, aber das Heinzelmännchen blieb doch stehen, denn der Gesang ertönte noch immer sanft und herrlich als schönes Schlummerlied des Studenten, der sich zur Ruhe niedergelegt hatte.

„Hier ist es doch unvergleichlich!" sagte das Heinzelmännchen, „das hätte ich nicht erwartet! – Ich möchte bei dem Studenten bleiben." – Es sann darüber nach – und es war ein vernünftiges Männchen. Es seufzte: „Der Student hat keinen Brei!" – und darauf ging es wieder zum Krämer hinab; und es war sehr gut, daß es endlich dahin zurückkehrte, denn die Tonne hatte das Mundwerk der Frau fast ganz verbraucht, es hatte nämlich schon alles, was in seinem Innern wohnte, von einer Seite ausgesprochen und stand gerade im Begriff, sich umzukehren, um das gleiche von der andern Seite zum besten zu geben, als

das Heinzelmännchen eintrat und das Mundwerk wieder der Krämerin anlegte; aber der ganze Laden, vom Geldkasten bis auf das Streichholz herab, bildete von der Zeit an seine Ansichten nach der Tonne, und alle zollten ihr dermaßen Achtung und trauten ihr soviel zu, daß sie fest glaubten, wenn später der Krämer die Kunst- und Theaterkritiken aus seiner Zeitung abends vorlas, das käme aus der Tonne.

Das Heinzelmännchen saß nicht länger ruhig, der Weisheit und dem vielen Verstande da unten lauschend; nein, sobald das Licht des Abends von der Dachkammer herabschimmerte, wurde ihm zumute, als wären die Strahlen starke Ankertaue, die es hinaufzogen, und es mußte hin und durchs Schlüsselloch gucken. Da umbrauste es ein Gefühl der Größe, wie wir es empfinden an dem ewig rollenden Meer, wenn Gott im Sturme darüber hinfährt, und es brach in Tränen aus. Es wußte selbst nicht, warum es weinte, aber ein eigenes, gar wohltuendes Gefühl mischte sich mit seinen Tränen! – Wie wunderlich herrlich mußte es sein, mit dem Studenten zusammen unter jenem Baume zu sitzen; allein das konnte nicht geschehen, und darum war es zufrieden und froh an seinem Schlüsselloch. Und als der Herbstwind durch die Bodenluke hereinblies, stand das Heinzelmännchen noch immer abends auf dem kalten Flur. Es war bitterlich kalt, doch das empfand der Kleine erst, wenn das Licht in der Dachkammer erlosch und die Töne im Walde dahinstarben. Hu, dann fror es – und es kroch wieder hinab in seinen warmen Winkel; da war es gemütlich und behaglich! Und als Weihnachten herankam und mit ihm der Brei mit dem großen Klumpen Butter – ja, da war der Krämer Meister.

Aber mitten in der Nacht erwachte das Heinzelmännchen durch einen schrecklichen Lärm; die Leute schlugen mit Gewalt gegen die Fensterscheiben; der Nachtwächter tutete, eine große Feuersbrunst war ausgebrochen; die ganze Stadt stand in Flammen. War es im Hause selbst oder bei den Nachbarn? Wo war es? Das Entsetzen war groß! Die Krämerfrau wurde dermaßen verdutzt, daß sie ihre goldenen Ohrringe aus den Ohren löste und sie in die Tasche steckte, um doch etwas zu retten; der Krämer rannte nach seinen Staatspapieren und die Magd nach ihrem schwarzseidenen Umhang – denn einen solchen erlaubten ihr ihre Mittel! Jeder wollte das Beste retten; und das wollte das Heinzelmännchen auch. In wenigen Sprüngen eilte es die Treppe hinan und in die Kammer des Studenten hinein, der ganz ruhig am offenen Fenster stand und das Feuer betrachtete, das im Hause des Nachbars gegenüber wütete. Das Heinzelmännchen ergriff das auf dem Tisch liegende Buch, steckte es in seine rote Mütze und umklammerte diese mit beiden Händen; der beste Schatz des Hauses war gerettet, und nun eilte es auf und davon, ganz auf das Dach hinaus, auf den Schornstein. Da saß es, beleuchtet von den Flammen des gegenüber brennenden Hauses, beide Hände fest um seine rote Mütze gepreßt, in der der Schatz lag, und jetzt erkannte es die wahre Neigung seines Herzens, wußte, wem es eigentlich gehörte. – Allein als das Feuer gelöscht und das Heinzelmännchen wieder zur Besinnung gekommen war – ja!...

„Ich will mich zwischen beide teilen", sagte es, „dann hat jedes von mir etwas, denn das geht doch nicht, ich kann den Krämer nicht ganz aufgeben, wegen des Grützbreis."

Und das war ganz menschlich gesprochen! Und wenn wir es uns ehrlich eingestehen, dann müssen wir zugeben, daß es nun einmal so in der Welt ist. Wir andern gehen auch zum Krämer – des Grützbreis wegen.

DER SCHATTEN

In den heißen Ländern brennt die Sonne gewaltig, die Leute werden mahagonibraun, ja in den allerheißesten Ländern werden sie zu Negern gebrannt. Ein gelehrter Mann war von den kalten Ländern her nach den heißen gelangt, der glaubte nun, daß er dort ebenso herumgehen könne wie daheim, das wurde ihm aber bald abgewöhnt. Er und alle vernünftigen Leute mußten zu Hause bleiben, die Fensterladen und Türen waren den ganzen Tag über geschlossen; es sah aus, als ob das ganze Haus schlafe oder niemand zu Hause sei. Die schmale Straße mit den hohen Gebäuden, wo er wohnte, war nun auch so gebaut, daß die Sonne vom Morgen bis zum Abend hineinschien; es war wirklich nicht auszuhalten! – Der gelehrte Mann aus dem kalten Lande war ein junger, ein kluger Mann, es kam ihm vor, als säße er in einem glühenden Ofen; das griff ihn so an, daß er ganz mager wurde, selbst sein Schatten schrumpfte zusammen, der wurde viel kleiner, als er daheim war, die Sonne nahm auch den mit. – Sie lebten erst am Abend auf, wenn die Sonne untergegangen war.

Es war eine Freude, es mit anzusehen. Sobald das Licht in das Zimmer gebracht wurde, reckte der Schatten sich ganz gegen die Wand hinauf, so lang machte er sich; er mußte sich strecken, um wieder zu Kräften zu gelangen. Der Gelehrte trat auf den Altan, um sich dort zu erholen, und sobald die Sterne in der herrlichen Luft erschienen, war es ihm, als ob er wieder auflebte. Auf allen Altanen in der Straße – und in den warmen Ländern hat jedes Fenster einen Altan – kamen Leute zum Vorschein, denn Luft muß man haben, selbst wenn man gewöhnt ist, mahagonibraun zu sein! Es wurde lebendig oben und unten. Schuhmacher und Schneider, alle Leute zogen auf die Straße, da kamen Tisch und Stuhl, und das Licht brannte, ja, über tausend Lichter brannten, und der eine sprach zum andern und sang, und die Leute spazierten, die Wagen fuhren, Maultiere gingen: klingelingling, denn sie trugen Glocken. Da wurden Leichen mit Gesang begraben, die Straßenjungen brannten Sprühteufelchen ab, und die Glocken läuteten, ja, es war recht lebendig unten auf der Straße. Nur in dem einen Haus, das dem, worin der fremde, gelehrte Mann wohnte, gerade gegenüberlag, war es ganz stille, und doch wohnte da jemand, denn es standen Blumen auf dem Altan, die wuchsen üppig in der Sonnenhitze, und das konnten sie nicht, wenn sie nicht begossen wurden, und jemand mußte sie doch begießen; Leute mußten also da sein. Die Tür da drüben wurde auch gegen Abend geöffnet, aber es war finster da drinnen, wenigstens im vordersten Zimmer, tiefer hinein ertönte Musik. Dem fremden, gelehrten Mann schien sie außerordentlich schön zu sein, aber es war auch möglich, daß er sich das nur einbildete, denn er fand alles vortrefflich da draußen in den warmen Ländern, wenn nur die Sonne nicht so sehr gebrannt hätte. Der Wirt des Fremden sagte, daß er nicht wisse, wer das gegenüberliegende Haus gemietet habe, und die Musik hielt er für langweilig. Es sei gerade, als ob jemand säße und ein Stück übe, das er doch nicht herausbringen könne, immer das gleiche Stück. „Ich bekomme es doch heraus!" meint er, aber es gelingt nicht, solange er auch spielt.

Einmal nachts erwachte der Fremde, er schlief bei offener Altantür, der Vorhang vor ihr wurde durch den Wind gelüftet, und es war ihm, als ob ein wunderbarer Glanz vom gegenüberliegenden Altan käme. Alle Blumen leuchteten wie Flammen in den herrlichsten Farben, und mitten unter den Blumen stand eine schlanke, liebliche Jungfrau, als ob sie auch leuchtete. Es blendete ihm förmlich die Augen, er riß sie aber auch gewaltig weit auf und kam eben aus dem Schlaf. Mit einem Sprung stand er auf dem Fußboden, ganz leise schlich er hinter den Vorhang, aber die Jungfrau war fort, der Glanz war fort; die Blumen leuchteten gar nicht, sondern standen wie immer, die Tür war angelehnt, und tief aus dem Innern erklang Musik, so lieblich und schön, daß man in süße Gedanken versenkt werden konnte. Es war wie ein Zauber, und wer wohnte da? Wo war der Eingang? Im ganzen Erdgeschoß war Laden an Laden, und da konnten die Leute doch nicht immer hindurchlaufen.

Eines Abends saß der Fremde draußen auf seinem Altan, im Zimmer hinter ihm brannte Licht, und deshalb war es ganz natürlich, daß sein Schatten auf die gegenüberliegende Wand fiel, ja, da saß er gerade drüben zwischen den

Blumen auf dem Altan; und wenn der Fremde sich bewegte, so bewegte sich der Schatten auch.

„Ich glaube, mein Schatten ist das einzige Lebendige, was man da drüben erblickt!" sagte der gelehrte Mann. „Sieh, wie hübsch er zwischen den Blumen sitzt, die Tür ist halb angelehnt, und nun sollte der Schatten so pfiffig sein und hineingehen und dann zurückkehren und mir erzählen, was er dort erlebt hat! Ja, du solltest dich nützlich machen!" sagte er im Scherz. „Gehe gefälligst hinein! Nun, wirst du gehen?" Und dann nickte er dem Schatten zu, und der Schatten nickte wieder. „Nun, so gehe, aber bleibe nicht ganz fort!" Der Fremde erhob sich, und sein Schatten auf dem gegenüberliegenden Altan erhob sich auch, der Fremde kehrte sich um, und der Schatten kehrte sich auch um, ja, wenn jemand genau darauf geachtet hätte, so würde er deutlich haben sehen können, daß der Schatten in die halboffene Altantür des gegenüberliegenden Hauses hineinging, gerade wie der Fremde sein Zimmer wieder betrat und den langen Vorhang hinter sich fallen ließ.

Am folgenden Morgen ging der gelehrte Mann aus, um Kaffee zu trinken und Zeitungen zu lesen. „Was ist das?" sagte er, als er in den Sonnenschein kam, „ich habe ja keinen Schatten! Also ist er wirklich gestern abend fortgegangen und nicht zurückgekehrt; das ist doch recht unangenehm!"

Und es ärgerte ihn, doch nicht so sehr, daß der Schatten fort war, sondern weil er wußte, daß es eine Geschichte gibt von einem Manne ohne Schatten; diese kannten ja alle Leute daheim in den kalten Ländern, und käme nun der gelehrte Mann dorthin und erzählte die seine, so würde man sagen, daß er nur nach-

zuahmen suche, und das brauchte er nicht. Deshalb wollte er gar nicht davon sprechen, und das war vernünftig gedacht.

Am Abend ging er wieder auf seinen Altan hinaus, das Licht hatte er ganz richtig hinter sich gestellt, denn er wußte, daß der Schatten immer seinen Herrn zum Schirm haben will, aber er konnte ihn nicht hervorlocken. Er machte sich klein, er machte sich groß, aber es kam kein Schatten wieder. Er sagte: „Hm, hm!" Aber es half nichts.

Ärgerlich war es, aber in den warmen Ländern wächst alles geschwind, und nach Verlauf von acht Tagen bemerkte er zu seinem großen Vergnügen, daß ihm ein neuer Schatten von den Beinen aus wuchs, sobald er in den Sonnenschein kam; die Wurzel mußte sitzengeblieben sein. Nach drei Wochen hatte er einen ganz leidlichen Schatten, der, als er sich heim nach den nördlichen Ländern begab, auf der Reise mehr und mehr wuchs, so daß er zuletzt so lang und groß war, daß es an der Hälfte genug gewesen wäre.

So kam der gelehrte Mann nach Hause, und er schrieb Bücher über das, was wahr ist in der Welt, und über das, was gut und was schön ist, und so verstrichen Tage und Jahre; es vergingen viele Jahre.

Da saß er eines Abends in seinem Zimmer, und da klopfte es ganz sacht an die Tür.

„Herein!" sagte er, aber es kam niemand, da öffnete er die Tür, und da stand ein außerordentlich magerer Mensch vor ihm, so daß es ihm ganz sonderbar wurde. Übrigens war der Mensch sehr fein gekleidet, es mußte ein vornehmer Mann sein.

„Mit wem habe ich die Ehre zu sprechen?" fragte der Gelehrte.

„Ja, das dachte ich wohl", sagte der feine Mann, „daß Sie mich nicht erkennen würden! Ich bin soviel Körper geworden, ich habe ordentlich Fleisch und Kleider bekommen! Sie haben wohl nie daran gedacht, mich in solchem Wohlstand zu erblicken. Kennen Sie Ihren alten Schatten nicht? Ja, Sie haben sicher nicht geglaubt, daß ich je wiederkommen würde. Mir ist es außerordentlich wohl ergangen, seitdem ich das letztemal bei Ihnen war, ich bin in jeder Hinsicht sehr vermögend geworden. Wenn ich mich vom Dienst freikaufen will, so kann ich es!" Dabei klapperte er mit einem ganzen Bund kostbarer Petschafte, die an der Uhr hingen, und er streckte seine Hand in die dicke, goldene Kette, die er um den Hals trug; wie blitzten alle Finger von Diamantringen! Und das war alles echt.

„Nein, ich kann mich gar nicht erholen!" sagte der gelehrte Mann, „was bedeutet dieses alles?"

„Ja, es ist nichts Gewöhnliches!" sagte der Schatten, „aber Sie gehören ja selbst nicht zu den Gewöhnlichen, und ich, das wissen Sie wohl, bin von Kindesbeinen an in Ihre Fußtapfen getreten. Sobald Sie fanden, daß ich reif war, um allein in die Welt hinauszugehen, ging ich meinen eigenen Weg. Ich befinde mich in der besten Lage, aber es befiel mich eine Art von Sehnsucht, Sie einmal zu sehen, bevor Sie sterben. Sie müssen ja sterben! Auch wollte ich diese Länder gern wiedersehen, denn man liebt das Vaterland doch immer! – Ich weiß, Sie haben wieder einen andern Schatten erhalten, habe ich ihm oder Ihnen etwas zu bezahlen? Haben Sie nur die Güte, es zu sagen."

„Nein, bist du es wirklich?" sagte der gelehrte Mann, „das ist doch höchst merkwürdig! Nie hätte ich geglaubt, daß ein alter Schatten als Mensch wiederkommen könne!"

„Sagen Sie mir, was ich zu bezahlen habe!" sagte der Schatten, „denn ich will nicht gern jemandes Schuldner sein."

„Wie kannst du so sprechen!" sagte der gelehrte Mann, „von Schuld kann hier nicht die Rede sein! Sei so frei wie irgendeiner! Ich freue mich außerordentlich über dein Glück! Setze dich, alter Freund, und erzähle mir nur, wie sich alles zugetragen und was du dort in den warmen Ländern in dem gegenüberliegenden Hause erblickt hast!"

„Ja, das werde ich Ihnen erzählen", sagte der Schatten und setzte sich nieder, „aber dann müssen Sie mir auch versprechen, daß Sie nie jemand hier in der Stadt, wo Sie mich auch treffen mögen, sagen, daß ich Ihr Schatten gewesen bin! Ich beabsichtige mich zu verloben; ich kann mehr als eine Familie ernähren!" –

„Sei ganz ruhig", sagte der gelehrte Mann, „ich werde niemand sagen, wer du eigentlich bist! Hier ist meine Hand! Ich verspreche es, und ein Mann, ein Wort!"

„Ein Wort, ein Schatten!" sagte der Schatten, denn so mußte er sprechen.

Es war übrigens wirklich merkwürdig, wie sehr er Mensch war. Er war ganz schwarz gekleidet und in das allerfeinste schwarze Tuch, hatte glänzende Stiefel und einen Hut, den man zusammendrücken konnte, so daß er nichts als Deckel und Krempe war, nicht zu gedenken der Petschafte, der goldenen Halskette und der Diamantringe; ja, der Schatten war außerordentlich gut gekleidet, und das war es gerade, was ihn zu einem ganzen Menschen machte.

„Nun werde ich erzählen", sagte der Schatten, und dann setzte er seine Beine mit den Stiefeln, so fest er konnte, auf den Arm des neuen Schattens des gelehrten Mannes nieder, der wie ein Pudel zu seinen Füßen lag, und das geschah nun entweder aus Hochmut **oder** vielleicht mit dem Wunsche, daß der neue daran hängenbleiben sollte. **Aber der** liegende Schatten verhielt sich ganz still und ruhig, um recht zuzuhören, **er** wollte wohl auch wissen, wie man so loskommen und sich zu seinem eigenen **Herrn** aufdienen könne.

„Wissen Sie, wer in dem gegenüberliegenden Hause wohnte?" sagte der Schatten, „es war das schönste von **allem, es** war die Poesie! Ich war dort drei Wochen, und das ist ebenso wirksam, als ob man dreitausend Jahre oder noch länger lebte und alles lesen würde, was gedichtet und geschrieben ist. Das behaupte ich, und das ist richtig. Ich habe alles gesehen, und ich weiß alles!"

„Die Poesie!" rief der gelehrte Mann, „ja – sie ist oft Einsiedlerin in den großen Städten! Die Poesie! Ja, ich habe sie einen einzigen, kurzen Augenblick gesehen, aber ich hatte die Augen voll Schlaf! Sie stand auf dem Altan und leuchtete, wie das Nordlicht leuchtet. Erzähle, erzähle! Du warst auf dem Altan, du gingst zur Tür hinein und dann – –!"

„Dann befand ich mich im Vorzimmer!" sagte der Schatten. „Sie saßen stets und sahen nach dem Vorgemach hinüber. Da war gar kein Licht, dort herrschte eine Art Dämmerung, aber in einer langen Reihe von Zimmern und Sälen standen die einander gegenüberliegenden Türen offen; da war es erhellt, ich wäre vom Licht völlig erschlagen worden, wenn ich ganz bis zur Jungfrau hineingekommen wäre; aber ich war besonnen, ich nahm mir Zeit, und das muß man tun!"

„Und was erblicktest du dann?" fragte der gelehrte Mann.

„Ich sah alles, und ich werde es Ihnen erzählen, aber – es ist durchaus kein Stolz von meiner Seite – als freier Mann und bei den Kenntnissen, die ich besitze, meine gute Stellung und meine ausgezeichneten Vermögensverhältnisse nicht zu erwähnen, so wünschte ich wohl, daß Sie mich Sie nennen möchten!"

„Ich bitte um Verzeihung", sagte der gelehrte Mann, „es ist eine alte, eingewurzelte Gewohnheit! – Sie haben vollkommen recht, und ich werde daran denken; aber nun erzählen Sie mir alles, was Sie gesehen haben."

„Alles", sagte der Schatten, „denn ich sah alles und weiß alles!"

„Wie sah es in den innersten Sälen aus?" fragte der gelehrte Mann. „War es dort wie in dem frischen Walde? War es dort wie in einer Kirche? Waren die Säle wie der sternenhelle Himmel, wenn man auf den hohen Bergen steht?"

„Alles war da!" sagte der Schatten. „Ich ging ja nicht ganz hinein, ich blieb im vordersten Zimmer in der Dämmerung, aber da stand ich sehr gut, ich sah alles, und ich weiß alles! Ich bin am Hofe der Poesie im Vorgemach gewesen."

„Aber was sahen Sie? Gingen durch die großen Säle alle Götter der Vorzeit?

Kämpften dort die alten Helden? Spielten dort liebliche Kinder und erzählten ihre Träume?"

„Ich sage Ihnen, daß ich dort war, und Sie begreifen wohl, daß ich alles sah, was dort zu sehen war! Wären Sie hinübergekommen, so wären Sie nicht Mensch geblieben, aber das wurde ich, und zugleich lernte ich meine innerste Natur, mein Angeborenes, die Verwandtschaft, die ich mit der Poesie hatte, kennen. Ja, damals, als ich bei Ihnen war, dachte ich nicht darüber nach, aber immer, das wissen Sie, wenn die Sonne auf- und unterging, wurde ich so wunderbar groß, im Mondschein war ich fast noch deutlicher als Sie selbst. Ich verstand damals meine Natur nicht, im Vorgemach der Poesie wurde es mir klar. – Ich wurde Mensch! – Reif ging ich daraus hervor, aber Sie waren nicht mehr in den warmen Ländern; ich schämte mich, als Mensch zu gehen, wie ich ging, ich bedurfte der Stiefel, der Kleider, dieses ganzen Menschenfirnisses, der den Menschen kenntlich macht. – Ich suchte Schutz, ja, Ihnen sage ich es, Sie setzen es ja in kein Buch, ich suchte Schutz im Rock der Kuchenfrau, darin versteckte ich mich. Die Frau dachte gar nicht daran, wieviel sie verberge; erst am Abend ging ich aus, ich lief im Mondschein auf der Straße herum, ich streckte mich lang gegen die Mauer, das kitzelte so schön den Rücken, ich lief hinauf und hinab, schaute durch die höchsten Fenster in die Säle und aufs Dach, ich sah hin, wohin niemand sehen konnte, und ich erblickte, was kein anderer sah, was niemand sehen sollte. Es ist im Grunde eine böse Welt! Ich sah das Allerunglaublichste – ich sah", sagte der Schatten, „was kein Mensch wissen sollte. – Hätte ich eine Zeitung geschrieben, die wäre gelesen worden! Aber ich schrieb gerade an die Personen selbst, und es entstand Schrecken in allen Städten, in die ich kam. Sie wurden bange vor mir, und sie hatten mich außerordentlich lieb. Die Lehrer machten mich zum Lehrer, die Schneider gaben mir neue Kleider, ich bin gut versorgt; der Münzmeister schlug Münzen für mich, und die Frauen sagten, ich sei schön! – So wurde ich der Mann, der ich bin, und nun sage ich Ihnen Lebewohl; hier ist meine Karte, ich wohne auf der Sonnenseite und bin bei Regenwetter immer zu Hause!" Damit machte der Schatten eine leichte Verbeugung und ging.

„Das war doch merkwürdig!" sagte der gelehrte Mann.

Es verstrichen Jahr und Tag, dann kam der Schatten wieder.

„Wie geht es?" fragte er.

„Ach!" sagte der gelehrte Mann, „ich schreibe über das Wahre und das Gute und das Schöne, aber niemand mag dergleichen hören, ich bin ganz verzweifelt, denn ich nehme mir das so zu Herzen!"

„Das tue ich nicht", sagte der Schatten, „ich werde fett, und das muß man zu werden trachten! Ja, Sie verstehen sich nicht auf die Welt. Sie werden krank dabei. Sie müssen reisen! Ich mache im Sommer eine Reise, wollen Sie mitkommen? Ich möchte wohl einen Reisekameraden haben, wollen Sie als Schatten mitreisen? Es wird mir sehr viel Vergnügen machen, Sie mitzunehmen, ich bezahle die Reise!"

„Das geht zu weit!" sagte der gelehrte Mann.

„Das ist gerade, wie man es nimmt!" sagte der Schatten. „Eine Reise wird Ihnen außerordentlich wohltun! Wollen Sie mein Schatten sein, so sollen Sie auf der Reise alles frei haben!"

„Das ist zu toll!" sagte der gelehrte Mann.

„Aber die Welt ist nun so!" sagte der Schatten, „und so bleibt sie auch!" und dann ging der Schatten.

Dem gelehrten Mann ging es gar nicht gut, Sorgen und Plagen verfolgten ihn; und was er über das Wahre und das Gute und das Schöne sagte, das war für die meisten gerade wie Rosen für eine Kuh! – Er ward zuletzt krank.

„Sie sehen wirklich wie ein Schatten aus!" sagten die Leute zu ihm, und es schauderte den gelehrten Mann, wenn er darüber nachdachte.

„Sie müssen in ein Bad reisen", sagte der Schatten, der ihn zu besuchen kam, „da hilft nichts weiter! Ich will Sie aus alter Bekanntschaft mitnehmen, ich bezahle die Reise, und Sie machen die Beschreibung und belustigen mich ein wenig unterwegs! Ich will nach einem Bade, mein Bart wächst nicht hervor, wie er sollte, das ist auch eine Krankheit, und einen Bart muß man haben! Seien Sie nun vernünftig, und nehmen Sie mein Anerbieten an, wir reisen ja wie Kameraden!"

Und dann reisten sie, der Schatten war Herr, und der Herr war Schatten. Sie fuhren miteinander, sie ritten und gingen zusammen, Seite an Seite, vor- und hintereinander, je nachdem die Sonne stand. Der Schatten wußte sich immer auf dem Herrenplatz zu halten, und das fiel dem gelehrten Manne nicht weiter auf; er war sehr gutmütig und sehr sanft und freundlich, und da sagte er eines Tages zum Schatten: „Da wir nun so Reisekameraden geworden, wie wir jetzt sind, und wir zugleich von der Kindheit an zusammen aufgewachsen sind, wollen wir da nicht Brüderschaft trinken? Das ist doch weit traulicher!"

„Sie sagen da etwas", sagte der Schatten, der ja nun der eigentliche Herr war, „das ist recht gerade heraus und wohlgemeint gesprochen. Sie, als gelehrter Mann, wissen sicher, wie sonderbar die Natur ist. Manche Menschen können es nicht ertragen, Seide anzufassen, dann wird ihnen unwohl; andern geht es durch alle Glieder, wenn man mit einem Nagel gegen eine Glasscheibe reibt; ich habe ein ebensolches Gefühl, wenn ich höre, daß Sie du zu mir sagen, ich fühle mich gleichsam zu Boden gedrückt wie in meiner ersten Stellung bei Ihnen. Sie sehen, es ist ein Gefühl, es ist nicht Stolz: Ich kann Sie nicht du zu mir sagen lassen, aber ich werde du zu Ihnen sagen, dann ist die Hälfte Ihres Wunsches erfüllt!"

Und dann sagte der Schatten du zu seinem früheren Herrn.

,Das ist doch wahrhaft toll‘, dachte er, ,daß ich Sie sagen muß und er du sagt!‘ Aber nun mußte er aushalten.

Dann kamen sie nach einem Bade, wo viele Fremde waren und unter diesen eine schöne Königstochter. Sie hatte die Krankheit, daß sie allzu scharf sah, und das war höchst ängstlich.

Sie merkte sogleich, daß der Neuangekommene eine ganz andere Person sei als alle die anderen. „Er ist hier, um seinen Bart zum Wachsen zu bringen, sagte man, aber ich erkenne die rechte Ursache, er kann keinen Schatten werfen."

Sie war neugierig geworden, und daher ließ sie sich sogleich auf der Promenade mit dem fremden Herrn in ein Gespräch ein. Als Königstochter brauchte sie nicht viel Umstände zu machen, und deshalb sagte sie: „Ihre Krankheit ist, daß Sie keinen Schatten werfen können."

„Ihre Königliche Hoheit müssen sich bedeutend in der Besserung befinden!" sagte der Schatten. „Ich weiß, daß Ihr Übel darin besteht, daß Sie allzu scharf sehen, das hat sich aber verloren, Sie sind geheilt. Ich habe gerade einen ganz ungewöhnlichen Schatten! Sehen Sie nicht die Person, die immer mit mir geht? Andere Menschen haben einen gewöhnlichen Schatten, ich liebe aber das Gewöhnliche nicht. Man gibt oft seinen Dienern feineres Tuch, als man selbst trägt, und so habe ich meinen Schatten zum Menschen aufputzen lassen! Ja, Sie sehen, daß ich ihm sogar einen Schatten gegeben habe. Das ist etwas Kostbares, aber ich liebe es, etwas für mich allein zu haben."

,Was?‘ dachte die Prinzessin, ,sollte ich mich wirklich erholt haben? Dieses Bad ist das beste von allen! Das Wasser hat in unserer Zeit ganz erstaunliche Kräfte. Aber ich reise nicht ab, denn jetzt wird es hier unterhaltend; der Fremde gefällt mir. Wenn nur sein Bart nicht wächst, denn sonst reist er ab!‘

Am Abend in dem großen Ballsaal tanzten die Königstochter und der Schatten. Sie war leicht, aber er war noch leichter, einen solchen Tänzer hatte sie noch nie gehabt. Sie sagte ihm, aus welchem Lande sie sei, und er kannte das Land, er war dort gewesen, aber damals war sie nicht zu Hause gewesen, er hatte in die Fenster geschaut, sowohl oben wie unten, er hatte sowohl das eine wie das andere erblickt, und daher konnte er der Königstochter antworten und Andeutungen machen, daß sie ganz erstaunt wurde. Er mußte der weiseste Mann auf der ganzen Erde sein! Sie bekam große Achtung vor seinem Wissen, und als sie dann wieder tanzten, da wurde sie verliebt, und das konnte der Schatten recht gut merken, denn sie hatte ihn fast durch und durch gesehen. Dann tanzten sie noch einmal, und da war sie nahe daran, es zu sagen, aber sie war besonnen, sie dachte an ihr Land und an ihr Reich und an die vielen Menschen, die sie zu regieren hatte. „Ein weiser Mann ist er", sagte sie zu sich selbst, „das ist gut, und herrlich tanzt er, das ist auch gut. Ob er aber gründliche Kenntnisse hat, das muß untersucht werden." Nun fing sie an, ihn nach etwas von dem Allerschwierigsten zu fragen, sie hätte es selbst nicht beantworten können, und der Schatten machte ein ganz sonderbares Gesicht.

„Das können Sie nicht beantworten!" sagte die Königstochter.

„Es gehört zu meiner Schulgelehrsamkeit", sagte der Schatten, „ich glaube sogar, mein Schatten dort bei der Tür kann es beantworten!"

„Ihr Schatten", sagte die Königstochter, „das würde höchst merkwürdig sein!"

„Ja, ich sage nicht mit Bestimmtheit, daß er es kann", sagte der Schatten, „aber ich möchte es glauben, er ist mir nun viele Jahre lang gefolgt und hat mich gehört, ich möchte es wohl glauben. Aber Eure Königliche Hoheit erlauben, daß ich Sie darauf aufmerksam mache, daß er so stolz darauf ist, als Mensch zu gelten, daß er, wenn er bei guter Laune sein soll, und das muß er sein, um gut zu antworten, ganz wie ein Mensch behandelt werden muß."

„Das gefällt mir!" sagte die Königstochter.

So ging sie zu dem gelehrten Mann bei der Tür und sprach mit ihm von Sonne, Mond und Sternen, von Meeren, Flüssen und Bächen, von Bäumen und Blumen und von dem äußeren und inneren Menschen, und er antwortete klug und gut.

,Was muß das für ein Mann sein, der einen so weisen Schatten hat!' dachte sie. ,Es würde ein wahrer Segen für mein Volk und Reich sein, wenn ich ihn zum Gemahl erwählte; – ich tue es!'

Und sie waren bald einig, sowohl die Königstochter wie der Schatten, aber niemand sollte davon etwas erfahren, bevor sie in ihr eigenes Reich zurückkam.

„Niemand, nicht einmal mein Schatten!" sagte der Schatten, und da hatte er nun seine eigenen Gedanken dabei! –

Dann kamen sie in das Land, wo die Königstochter regierte, wenn sie zu Hause war. „Höre, mein Freund", sagte der Schatten zu dem gelehrten Manne, „jetzt bin ich so glücklich und mächtig geworden, wie nur jemand sein kann, nun will ich auch etwas Außerordentliches für dich tun. Du sollst immer bei mir auf dem Schlosse wohnen, mit mir in meinem königlichen Wagen fahren und jährlich hunderttausend Reichstaler haben; aber dann mußt du dich von allen und jedem Schatten nennen lassen; du mußt nicht sagen, daß du je Mensch gewesen bist, und einmal des Jahres, wenn ich auf dem Altan im Sonnenschein sitze und mich sehen lasse, mußt du zu meinen Füßen liegen, wie es einem Schatten gebührt! Ich will dir sagen, ich heirate die Königstochter, heute soll die Hochzeit gefeiert werden."

„Nein, das ist doch zu toll", sagte der gelehrte Mann, „das will ich nicht, das tue ich nicht; das heißt das ganze Land betrügen und die Königstochter dazu! Ich sage alles, daß ich ein Mensch bin und daß du ein Schatten bist, du bist nur angekleidet!"

„Das glaubt niemand!" sagte der Schatten, „sei vernünftig, oder ich rufe die Wache!" –

„Ich gehe gerade zur Königstochter!" sagte der gelehrte Mann. „Aber ich gehe zuerst", sagte der Schatten, „und du gehst in das Gefängnis!" – und das mußte er, denn die Schildwachen gehorchten ihm, von dem sie wußten, daß die Königstochter ihn heiraten wollte.

„Du bebst ja und zitterst an allen Gliedern, so daß es mir ganz angst und bange wird", sagte die Königstochter, als der Schatten zu ihr hineinkam, „ist etwas vorgefallen? Du mußt zu heute abend nicht krank werden, jetzt, wo wir Hochzeit halten wollen."

„Ich habe das Greulichste erlebt, was man erleben kann!" sagte der Schatten, „denke dir – ja, solch ein armes Schattengehirn kann nicht viel aushalten –, denke dir, mein Schatten ist verrückt geworden, er glaubt, er sei ein Mensch, also, daß es nun umgekehrt wäre und daß ich – denke nur –, daß ich sein Schatten sei!"

„Das ist doch fürchterlich", sagte die Prinzessin und schüttelte sich, „er ist doch eingesperrt?"

„Das ist er! Ich fürchte, er wird sich nie wieder erholen."

„Der arme Schatten", sagte die Prinzessin, „er ist sehr unglücklich; es ist eine wahre Wohltat, ihn von dem bißchen Leben, was er hat, zu befreien, und wenn ich recht darüber nachdenke, so glaube ich, es wird notwendig sein, daß man es in aller Stille mit ihm abmacht!"

„Das ist freilich hart", sagte der Schatten, „denn er war ein treuer Diener!"
Und dann tat er, als ob er seufzte.

„Du bist ein edler Mann!" sagte die Königstochter.

Am Abend war die ganze Stadt erleuchtet, und die Kanonen gingen los:
Bum! – Und die Soldaten präsentierten das Gewehr. Das war eine Hochzeit,
wie man sie nicht alle Tage zu sehen bekam! Die Königstochter und der Schatten traten auf den Altan hinaus, um sich sehen zu lassen und noch einmal ein
Hurra zu bekommen.

Der gelehrte Mann hörte nichts von diesen Herrlichkeiten – denn ihm hatten
sie das Leben genommen.

DIE BLUMEN DER KLEINEN IDA

Meine armen Blumen sind ganz verwelkt!" sagte die kleine Ida. „Sie waren
so schön gestern abend, und nun hängen alle Blätter vertrocknet da! Warum?"
fragte sie den Studenten, der im Sofa saß, denn sie mochte ihn sehr gern
leiden, er wußte die allerschönsten Geschichten und schnitt belustigende

Bilder aus: Herzen mit kleinen Damen darin, die fröhlich tanzten, Blumen und große Schlösser, woran man Türen öffnen konnte; es war ein munterer Student! „Warum sehen die Blumen so jämmerlich aus?" fragte sie wieder und zeigte ihm einen Strauß, der ganz vertrocknet war.

„Ja, weißt du, was ihnen fehlt?" sagte der Student. „Die Blumen sind diese Nacht auf dem Ball gewesen, deshalb lassen sie heute die Köpfe hängen."

„Aber die Blumen können ja nicht tanzen!" sagte die kleine Ida.

„Jawohl", sagte der Student, „wenn es dunkel wird und wir andern schlafen, dann springen sie lustig umher; fast jede Nacht halten sie Ball."

„Können keine Kinder mit auf diesen Ball kommen?"

„O ja", sagte der Student, „ganz kleine Gänseblümchen und Maiblümchen."

„Wo tanzen die schönen Blumen?" fragte die kleine Ida.

„Bist du nicht oft vor dem Tore bei dem großen Schlosse gewesen, wo der König im Sommer wohnt und der herrliche Garten mit den vielen Blumen ist? Du hast ja die Schwäne gesehen, die zu dir hinschwimmen, wenn du ihnen Brotkrumen geben willst. Glaube mir, da draußen ist großer Ball."

„Ich war gestern mit meiner Mutter draußen im Garten", sagte Ida, „aber alle Blätter waren von den Bäumen, und da war durchaus keine Blume mehr! Wo sind sie? Im Sommer sah ich viele!"

„Sie sind drinnen im Schlosse!" sagte der Student. „Wisse, sobald der König und alle Hofleute zur Stadt ziehen, dann laufen die Blumen gleich aus dem Garten in das Schloß und sind lustig. Das solltest du sehen. Die beiden allerschönsten Rosen setzen sich auf den Thron, und dann sind sie König und Königin, alle die roten Hahnenkämme stellen sich zu beiden Seiten auf und stehen und verbeugen sich, das sind die Kammerjunker. Dann kommen die niedlichsten Blumen, und dann ist da großer Ball; die blauen Veilchen stellen kleine Seekadetten vor, sie tanzen mit Hyazinthen und Krokus, die sie Fräulein nennen. Die Tulpen und die großen Feuerlilien sind alte Damen, die sorgen dafür, daß hübsch getanzt wird und daß es ordentlich zugeht!"

„Aber", fragte die kleine Ida, „ist da niemand, der den Blumen etwas zuleide tut, weil sie in des Königs Schloß tanzen?"

„Es weiß eigentlich niemand davon!" sagte der Student. „Zuweilen kommt freilich in der Nacht der alte Schloßverwalter, der dort draußen aufpassen soll, mit seinem großen Bund Schlüssel, aber sobald die Blumen die Schlüssel rasseln hören, sind sie ganz still, verstecken sich hinter den langen Vorhängen und stecken den Kopf hervor. ‚Es riecht hier nach Blumen' sagt der alte Schloßverwalter, aber sehen kann er sie nicht."

„Das ist lustig!" sagte die kleine Ida und klatschte in die Hände. „Aber würde ich die Blumen auch nicht sehen können?"

„Ja", sagte der Student, „denke nur daran, wenn du wieder hinauskommst, daß du durch das Fenster siehst, so wirst du sie schon gewahr werden. Das tat ich heute, da lag eine lange, gelbe Lilie im Sofa und streckte sich; das war eine Hofdame!"

„Können auch die Blumen aus anderen Gärten da hinauskommen? Können sie den weiten Weg machen?"

„Ja, gewiß!" sagte der Student, „denn wenn sie wollen, so können sie fliegen. Du hast die schönen Schmetterlinge gesehen, die roten, gelben und weißen, die sehen fast aus wie Blumen; das sind sie auch gewesen. Sie sind vom Stengel ab hoch in die Luft geflogen und haben da mit den Blättern geschlagen, als wenn es kleine Flügel wären, und da flogen sie; und da sie sich gut aufführten, bekamen sie die Erlaubnis, auch bei Tage herumzufliegen, brauchten nicht zu Hause und still auf dem Stiel zu sitzen, und da wurden die Blätter am Ende zu wirklichen Flügeln. Das hast du ja selbst gesehen. Es kann übrigens sein, daß die Blumen eines Gartens noch nie im Schlosse des Königs gewesen sind oder nicht wissen, daß es dort nachts so munter hegeht. Deshalb will ich dir etwas sagen! Du kennst ja wohl den Lehrer, der hier nebenan wohnt? Wenn du in seinen Garten kommst, mußt du einer der Blumen erzählen, daß draußen auf dem Schlosse großer Ball ist, dann sagt diese es allen andern wieder, und sie fliegen fort. Kommt dann der Lehrer in den Garten hinaus, so ist nicht eine einzige Blume da, und er kann gar nicht begreifen, wo sie geblieben sind."

„Aber wie kann es die Blume den anderen erzählen? Die Blumen können ja nicht sprechen!"

„Nein, das können sie freilich nicht!" erwiderte der Student, „aber dann geben sie sich Zeichen! Hast du nicht oft gesehen, daß, wenn es ein wenig weht, die Blumen sich beugen und alle die grünen Blätter bewegen? Das ist ebenso deutlich, als ob sie sprächen!"

„Kann der Lehrer denn die Zeichen verstehen?" fragte Ida.

„Ja, sicherlich! Er kam eines Morgens in seinen Garten und sah eine große Brennessel stehen und mit ihren Blättern einer schönen, roten Nelke Zeichen geben. ,Du bist niedlich, und ich bin dir gut', sagte sie, aber dergleichen kann der Lehrer nicht leiden und schlug sogleich der Brennessel auf die Blätter, denn das sind ihre Finger, aber da brannte er sich, und seit der Zeit wagt er es nicht, eine Brennessel anzurühren."

„Das ist lustig!" sagte die kleine Ida und lachte.

„Wie kann man einem Kinde so etwas erzählen!" sagte der alte Herr, der zu Besuch gekommen war und im Sofa saß. Er konnte den Studenten gar nicht leiden und brummte immer, wenn er ihn die possierlichen, munteren Bilder ausschneiden sah; bald war es ein Mann, der an einem Galgen hing und ein Herz in der Hand hielt, denn er war ein Herzensdieb, bald eine alte Hexe, die auf einem Besen ritt und ihren Mann auf der Nase hatte. Das konnte der alte Herr nicht leiden, und dann sagte er gerade wie jetzt: „Wie kann man einem Kinde so etwas erzählen! Das sind dumme Luftschlösser!"

Aber der kleinen Ida schien es doch recht drollig zu sein, was der Student von ihren Blumen erzählte, und sie dachte viel daran. Die Blumen ließen die Köpfe hängen, denn sie waren müde, da sie die ganze Nacht getanzt hatten. Da ging sie mit ihnen zu ihrem anderen Spielzeug, das auf einem niedlichen, kleinen Tische stand, und das ganze Schubfach war voll schöner Sachen. Im Puppenbette lag ihre Puppe Sophie und schlief, aber die kleine Ida sagte zu ihr: „Du mußt aufstehen, Sophie, und dich damit begnügen, diese Nacht im Schubkasten zu liegen, die armen Blumen sind krank, und da müssen sie in deinem Bette liegen, vielleicht werden sie dann wieder munter!" Da nahm sie die Puppe heraus, die sehr verdrießlich aussah und nicht ein einziges Wort sagte, denn sie war ärgerlich, weil sie ihr Bett nicht behalten konnte.

Dann legte Ida die Blumen in das Puppenbett, zog die kleine Decke ganz über sie herauf und sagte, nun sollten sie hübsch stilliegen, so wollte sie ihnen Tee kochen, damit sie wieder munter werden und morgen aufstehen könnten, und sie zog die Vorhänge dicht um das kleine Bett zusammen, damit die Sonne ihnen nicht in die Augen schiene.

Den ganzen Abend konnte sie nicht unterlassen, an das zu denken, was ihr der Student erzählt hatte, und als sie nun selbst zu Bette gehen sollte, mußte sie erst hinter die Vorhänge sehen, die vor den Fenstern herabhingen, wo ihrer Mutter herrliche Blumen standen, sowohl Hyazinthen wie Tulpen, und da flüsterte sie ganz leise: „Ich weiß wohl, ihr sollt diese Nacht tanzen!" Die Blumen taten, als ob sie nichts verständen und rührten kein Blatt, allein die kleine Ida wußte doch, was sie wußte.

Als sie zu Bett gegangen war, dachte sie lange daran, wie hübsch es sein müsse, die schönen Blumen draußen im Schlosse des Königs tanzen zu sehen. „Ob meine Blumen wirklich mit dabeigewesen sein mögen?" Aber dann schlief sie ein. In der Nacht erwachte sie wieder; sie hatte von den Blumen und dem Studenten geträumt, den der alte Herr gescholten und dem er gesagt hatte, er

wolle ihr etwas einbilden. Es war ganz stille in der Schlafstube, wo Ida lag; die Nachtlampe brannte auf dem Tisch, und Vater und Mutter schliefen.

„Ob meine Blumen nun wohl in Sophiens Bett liegen?" sagte sie bei sich selbst, „gern möchte ich es wissen!" Sie erhob sich ein wenig und blickte nach der Tür, die angelehnt stand, drinnen lagen ihre Blumen und all ihr Spielzeug. Sie horchte, und da kam es ihr vor, als höre sie, daß drinnen in der Stube auf dem Klavier gespielt werde, aber ganz leise und so hübsch, wie sie es nie gehört hatte.

„Nun tanzen sicherlich alle Blumen drinnen!" sagte sie. „Oh, wie gern möchte ich es doch sehen!" aber sie wagte nicht aufzustehen, denn sonst weckte sie ihren Vater und ihre Mutter.

„Wenn sie doch nur hereinkommen möchten", sagte sie; aber die Blumen kamen nicht, und die Musik fuhr fort, hübsch zu spielen. Da konnte sie es nicht mehr aushalten, denn es war allzu schön, sie kroch aus ihrem kleinen Bette heraus, ging ganz leise nach der Tür und sah in die Stube hinein. Wie herrlich war das, was sie zu sehen bekam!

Es war gar keine Nachtlampe drinnen, aber doch ganz hell, der Mond schien durch das Fenster mitten auf den Fußboden, es war fast, als ob es Tag wäre. Alle Hyazinthen und Tulpen standen in zwei langen Reihen im Zimmer, es waren keine mehr am Fenster, dort standen die leeren Töpfe; auf dem Fußboden tanzten alle Blumen niedlich rings umeinander herum, machten ordentlich Kette und hielten einander bei den langen, grünen Blättern, wenn sie sich herumschwenkten. Am Klavier saß eine große, gelbe Lilie, die hatte Ida bestimmt im Sommer gesehen, denn sie erinnerte sich deutlich, daß der Student sagte: „Wie gleicht sie dem Fräulein Line!" aber da wurde er von allen ausgelacht. Nun erschien es der kleinen Ida wirklich auch, als ob die lange, gelbe Blume dem Fräulein gleiche, und sie hatte auch dasselbe Wesen beim Spielen. Bald neigte sie ihr länglich gelbes Antlitz nach der einen Seite, bald nach der andern und nickte den Takt zur herrlichen Musik. Niemand bemerkte die kleine Ida. Nun sah sie einen großen blauen Krokus mitten auf den Tisch hüpfen, wo das Spielzeug stand, gerade auf das Puppenbett zugehen und die Vorhänge zur Seite ziehen. Da lagen die kranken Blumen, aber sie erhoben sich sogleich und nickten den andern zu, daß sie auch mittanzen wollten. Das alte Räuchermännchen, dem die Unterlippe abgebrochen war, stand auf und verneigte sich vor den hübschen Blumen. Die sahen durchaus nicht krank aus, sie sprangen hinunter zu den anderen und waren recht vergnügt.

Es war gerade, als ob etwas vom Tische herunterfiele. Ida sah dorthin, es war die Fastnachtsrute, die heruntersprang, es schien auch, als ob sie mit zu den Blumen gehörte. Sie war auch sehr niedlich, und eine kleine Wachspuppe, die auch einen solchen breiten Hut auf dem Kopf hatte, wie ihn der alte Herr trug, saß oben drauf. Die Fastnachtsrute hüpfte auf ihren drei roten Stelzfüßen mitten unter die Blumen und trampelte ganz laut, denn sie tanzte Mazurka, und den Tanz kannten die andern Blumen nicht, weil sie so leicht waren und nicht so stampfen konnten.

Die Wachspuppe auf der Fastnachtsrute wurde auf einmal groß und lang, drehte sich über den Papierblumen herum und rief ganz laut: „Wie kann man einem Kinde so etwas erzählen? Das sind dumme Luftschlösser!" und da glich die Wachspuppe dem alten Herrn mit dem breiten Hut ganz genau, sie sah ebenso gelb und verdrießlich aus. Aber die Papierblumen schlugen ihn an die dünnen Beine, und da schrumpfte er wieder zusammen und wurde eine ganz kleine Wachspuppe. Das war recht hübsch anzusehen! Die kleine Ida konnte das Lachen nicht unterdrücken. Die Fastnachtsrute fuhr fort zu tanzen, und der alte Herr mußte mittanzen, es half ihm nichts, er mochte sich nun groß und lang machen oder die kleine, gelbe Wachspuppe mit dem großen, schwarzen Hut bleiben. Da legten die andern Blumen ein gutes Wort für ihn ein, besonders die aus dem Puppenbett, und dann ließ die Fastnachtsrute es gut sein. Im gleichen Augenblick klopfte es ganz laut drinnen im Schubkasten, wo Idas Puppe Sophie bei viel anderm Spielzeug lag; das Räuchermännchen lief bis an die Kante des Tisches, legte sich lang auf seinen Bauch und begann den Schubkasten ein wenig herauszuziehen. Da erhob sich Sophie und sah ganz erstaunt ringsumher. „Hier ist wohl Ball!" sagte sie; „warum hat mir das niemand gesagt?"

„Willst du mit mir tanzen?" fragte das Räuchermännchen.

„Ja, du bist mir der Rechte zum Tanzen!" sagte sie und kehrte ihm den Rücken zu. Dann setzte sie sich auf den Schubkasten und dachte, daß wohl eine der Blumen sie zum Tanzen auffordern werde, aber es kam keine. Dann hustete sie, hm, hm, hm!, aber dennoch kam keine. Das Räuchermännchen tanzte ganz allein und nicht schlecht.

Da nun keine der Blumen Sophien zu erblicken schien, ließ sie sich vom Schubkasten gerade auf den Boden herunterfallen, so daß es einen großen Lärm gab. Alle Blumen kamen herbeigelaufen und fragten, ob sie sich verletzt habe, und sie waren alle sehr freundlich gegen sie, besonders die Blumen, die in ihrem Bett gelegen hatten. Aber sie war ganz munter, und Idas Blumen bedankten sich alle für das schöne Bett und nahmen sie mitten in die Stube, wo

der Mond schien, tanzten mit ihr, und alle die anderen Blumen bildeten einen Kreis um sie herum. Nun war Sophie froh und sagte, sie könnten gern ihr Bett behalten, sie mache sich nichts daraus, im Schubkasten zu liegen.

Aber die Blumen sagten: „Wir danken dir herzlich, doch wir können nicht lange leben! Morgen sind wir tot; sage der kleinen Ida, sie solle uns draußen im Garten, wo der Kanarienvogel liegt, begraben, dann wachsen wir zum Sommer wieder und werden weit schöner!"

„Nein, ihr sollt nicht sterben!" sagte Sophie, und dann küßte sie die Blumen, da ging die Saaltür auf, und eine Menge herrlicher Blumen kam tanzend herein. Ida konnte gar nicht begreifen, woher sie gekommen waren, das waren sicher alle Blumen draußen vom Schlosse des Königs. Ganz vorn gingen zwei prächtige Rosen, die hatten kleine Goldkronen auf, das waren ein König und eine Königin, dann kamen die niedlichsten Levkojen und Nelken, und sie grüßten nach allen Seiten. Sie hatten Musik mit sich, große Mohnblumen bliesen auf Erbsenschoten, so daß sie ganz rot im Gesicht waren. Die blauen Traubenhyazinthen und die kleinen, weißen Schneeglöckchen klingelten, gerade als ob sie Schellen hätten. Das war eine merkwürdige Musik. Dann kamen noch viele andere Blumen, und die tanzten allesamt, die blauen Veilchen und die roten Tausendschön, die Gänseblumen und die Maiblumen. Und alle Blumen küßten einander, das war allerliebst anzusehen!

Zuletzt sagten die Blumen einander gute Nacht, dann schlich sich auch die kleine Ida in ihr Bett, wo sie von allem träumte, was sie gesehen hatte.

Als sie am nächsten Morgen aufstand, ging sie geschwind zum Tische hin, um zu sehen, ob die Blumen noch da seien. Sie zog die Vorhänge von dem kleinen Bett zur Seite, ja, da lagen sie alle, aber sie waren ganz vertrocknet, weit mehr als gestern. Sophie lag im Schubkasten, wohin Ida sie gelegt hatte, sie sah sehr schläfrig aus.

„Entsinnst du dich, was du mir sagen solltest?" sagte die kleine Ida, aber Sophie sah ganz dumm aus und sagte nicht ein einziges Wort.

„Du bist gar nicht gut", sagte Ida, „und sie tanzten doch allesamt mit dir." Dann nahm sie eine kleine Papierschachtel, worauf schöne Vögel abgebildet waren, die machte sie auf und legte die toten Blumen hinein. „Das soll euer Sarg sein", sagte sie, „und wenn später die Verwandten kommen, so sollen sie mir helfen, euch draußen im Garten zu begraben, damit ihr im Sommer wieder wachsen und weit schöner werden könnt!"

Die Verwandten waren zwei muntere Knaben, sie hießen Jonas und Adolf; ihr Vater hatte ihnen zwei neue Gewehre geschenkt, die sie mitgebracht hatten, um sie Ida zu zeigen. Sie erzählte ihnen von den armen Blumen, die gestorben waren, und da begruben sie alle. Beide Knaben gingen mit dem Gewehr auf der Schulter voraus, und die kleine Ida folgte mit den toten Blumen in der niedlichen Schachtel. Draußen im Garten wurde ein kleines Grab gegraben, Ida küßte erst die Blumen, setzte sie mit der Schachtel in die Erde, und Adolf und Jonas schossen mit den Gewehren über das Grab, denn sie hatten keine Kanonen.

DAS GÄNSEBLÜMCHEN

Nun höre einmal!

Draußen auf dem Lande, dicht am Wege lag ein Landhaus, du hast es gewiß selbst einmal gesehen. Vor ihm lag ein kleiner Garten mit Blumen und einem Zaun; dicht dabei am Graben, mitten in dem schönsten grünen Grase wuchs eine kleine Gänseblume. Die Sonne beschien sie ebenso warm und schön wie die großen, schönen Prachtblumen drinnen im Garten, und deshalb wuchs sie von Stunde zu Stunde.

Eines Morgens stand sie mit ihren kleinen, blendendweißen Blättern, die wie Strahlen um die kleine, gelbe Sonne in der Mitte ringsherum sitzen, ganz entfaltet da. Sie dachte gar nicht daran, daß kein Mensch sie dort im Grase sehe und daß sie eine arme, einfache Blume sei; nein, sie war vergnügt, sie wendete sich der warmen Sonne gerade entgegen, sah zu ihr auf und horchte auf die Lerche, die in der Luft sang.

Das kleine Gänseblümchen war so glücklich, als ob es ein großer Festtag gewesen wäre, und es war doch ein Montag. Alle Kinder waren in der Schule. Während sie auf den Bänken saßen und etwas lernten, saß sie auf ihrem kleinen, grünen Stengel und lernte auch von der warmen Sonne und allem ringsumher, wie gut Gott ist. Es machte sie froh, daß die kleine Lerche alles, was sie in der Stille fühlte, so deutlich und schön sang, und die Gänseblume blickte mit einer Art Ehrfurcht zu dem glücklichen Vogel, der singen und fliegen konnte, empor, war aber gar nicht betrübt, weil sie es selbst nicht konnte. ‚Ich sehe und höre ja!‘ dachte sie; ‚die Sonne bescheint mich, und der Wind küßt mich! Oh, wie bin ich doch begabt worden!‘

Im Garten standen viele steife, vornehme Blumen, je weniger Duft sie hatten, um so mehr prunkten sie. Die Sonnenrose blies sich auf, um größer als eine Rose zu sein, aber die Größe ist es nicht, die es macht! Die Tulpen hatten die allerschönsten Farben, das wußten sie wohl und hielten sich so gerade, damit man sie besser sehen möchte. Sie betrachteten die kleine Gänseblume da draußen gar nicht, aber sie sah desto mehr nach ihnen und dachte: ‚Wie sind sie reich und schön! Ja, zu ihnen fliegt sicher der prächtige Vogel hernieder und besucht sie! Gott sei Dank, daß ich so nahe dabei stehe, so kann ich doch den Staat zu sehen bekommen!‘ Und gerade, wie sie das dachte, „Quirrvit!" da kam die Lerche nieder ins Gras zu der armen Gänseblume geflogen; die erschrak so vor lauter Freude, daß sie gar nicht wußte, was sie denken sollte.

Der kleine Vogel tanzte rings um sie her und sang: „Wie ist doch das Gras so weich! Welch liebliche, kleine Blume mit Gold im Herzen und Silber auf dem Kleide!" Der gelbe Punkt in der Gänseblume sah ja auch aus wie Gold, und die kleinen Blätter ringsherum erglänzten silberweiß.

Wie glücklich die kleine Gänseblume war, das kann niemand begreifen! Der Vogel küßte sie mit seinem Schnabel, sang ihr vor und flog dann wieder in die blaue Luft hinauf. Es währte sicher eine ganze Viertelstunde, bevor die Blume sich beruhigen konnte. Halb beschämt und doch innerlich erfreut, sah sie nach den anderen Blumen im Garten; sie hatten ja die Ehre und Glückseligkeit, die ihr widerfahren war, gesehen, sie mußten ja begreifen, welche Freude das war; aber die Tulpen standen noch einmal so steif wie früher, und dann waren sie spitz im Gesicht und rot, denn sie hatten sich geärgert. Die Sonnenblumen waren ganz dickköpfig; es war gut, daß sie nicht sprechen konnten, sonst hätte die Gänseblume eine ordentliche Zurechtweisung bekommen. Die arme, kleine Blume konnte wohl sehen, daß sie nicht guter Laune waren, und das tat ihr herzlich weh. Zur selben Zeit kam drinnen im Garten ein Mädchen mit einem großen, scharfen und glänzenden Messer, es ging gerade auf die Tulpen zu und schnitt eine nach der andern ab. „Uh!" seufzte die kleine Gänseblume, „das war erschrecklich, nun ist es mit ihnen vorbei!" Dann ging das Mädchen mit den Tulpen fort. Das Gänseblümchen war froh, daß es draußen im Grase stand und eine kleine Blume war, es fühlte sich so dankbar, und als die Sonne unterging, faltete es seine Blätter, schlief ein und träumte die ganze Nacht von der Sonne und dem kleinen Vogel.

Am nächsten Morgen, als die Blume wieder glücklich alle ihre weißen Blätter gerade wie kleine Arme gegen Luft und Sonne ausstreckte, erkannte sie des Vogels Stimme, aber es war traurig, was er sang. Ja, die arme Lerche hatte guten Grund dazu; sie war gefangen worden und saß nun in einem Käfig dicht beim offenen Fenster. Sie besang das freie und glückliche Umherfliegen, sang von dem jungen grünen Korn auf dem Felde und von der herrlichen Reise, die sie auf ihren Flügeln hoch in die Luft hinauf machen konnte. Der arme, kleine Vogel war nicht bei guter Laune, gefangen saß er da im Käfig.

Die kleine Gänseblume wünschte ihr zu helfen. Aber wie sollte sie das anfangen? Ja, es war schwer zu erdenken. Sie vergaß völlig, wie schön alles ringsumher stand und wie warm die Sonne schien – ach, sie konnte nur an den gefangenen Vogel denken, für den sie durchaus nichts tun konnte.

In derselben Zeit kamen zwei kleine Knaben aus dem Garten; der eine von ihnen hatte ein Messer in den Händen, groß und scharf, wie das des Mädchens war, das die Tulpen abgeschnitten hatte. Sie gingen gerade auf die kleine Gänseblume zu, die gar nicht begreifen konnte, was sie wollten.

„Hier können wir ein herrliches Rasenstück für die Lerche ausschneiden!" sagte der eine Knabe und begann nun um die Gänseblume in einem Viereck tief hineinzuschneiden, so daß sie mitten in das Rasenstück zu stehen kam.

„Reiße die Blume ab!" sagte der eine Knabe, und das Gänseblümchen zitterte aus Angst; denn abgerissen werden hieß ja das Leben verlieren, und nun wollte es so gern leben, da es mit dem Rasenstück zu der gefangenen Lerche in den Käfig sollte.

„Nein, laß sie stehen!" sagte der andere Knabe; „sie putzt so niedlich!" Und so blieb die kleine Gänseblume stehen und kam mit in den Käfig zur Lerche.

Aber der arme Vogel klagte laut über die verlorene Freiheit und schlug mit den Flügeln gegen den Eisendraht des Käfigs; die kleine Gänseblume konnte nicht sprechen, kein tröstendes Wort sagen. So verging der ganze Vormittag.

„Hier ist kein Wasser!" sagte die gefangene Lerche. „Sie sind alle ausgegangen und haben vergessen, mir einen Tropfen zu trinken zu geben. Mein Hals ist trocken und brennend! Es ist Feuer und Eis in mir, und die Luft ist so schwer! Ach, ich muß sterben, scheiden von dem warmen Sonnenschein, vom frischen Grün, von all der Herrlichkeit, die Gott geschaffen!" Und dann bohrte sie ihren Schnabel in das kühle Rasenstück, um sich dadurch ein wenig zu erfrischen; da fielen ihre Augen auf das Gänseblümchen, und der Vogel nickte ihm zu, küßte es mit dem Schnabel und sagte: „Du mußt hier drinnen auch vertrocknen, du arme, kleine Blume! Dich und den kleinen Flecken grünen Grases hat man mir für die ganze Welt gegeben, die ich draußen hatte! Jeder kleine Grashalm soll mir ein grüner Baum, jedes deiner weißen Blätter eine duftende Blume sein! Ach, ihr erzählt mir nur, wieviel ich verloren habe!"

‚Wer ihn doch trösten könnte!' dachte die Gänseblume, aber sie konnte kein Blatt bewegen; doch der Duft, der den feinen Blättern entströmte, war weit stärker, als man ihn sonst bei dieser Blume findet; das bemerkte der Vogel auch, und obgleich er vor Durst fast verschmachtete und in seinem Schmerz die grünen Grashalme abriß, berührte er doch nicht die Blume.

Es wurde Abend, und noch kam niemand, dem armen Vogel einen Wassertropfen zu bringen. Da streckte er seine hübschen Flügel aus, schüttelte sie krampfhaft, sein Gesang war ein wehmütiges ‚piep, piep' – das kleine Haupt neigte sich der Blume entgegen, und des Vogels Herz brach aus Mangel und Sehnsucht. Da konnte die Blume nicht wie am vorhergehenden Abend ihre Blätter zusammenfalten und schlafen, sie hing traurig zur Erde nieder.

Erst am nächsten Morgen kamen die Knaben, und als sie den Vogel tot erblickten, weinten sie, weinten viele Tränen und gruben ihm ein niedliches Grab, das mit Blumenblättern verziert wurde. Des Vogels Leiche kam in eine rote, schöne Schachtel, königlich sollte er bestattet werden, der arme Vogel! Als er lebte und sang, vergaßen sie ihn, ließen ihn im Käfig sitzen und Mangel leiden, nun bekam er Staat und viele Tränen.

Aber das Rasenstück mit dem Gänseblümchen wurde fortgeworfen; niemand dachte an die bescheidene Blume, die doch am meisten für den kleinen Vogel gefühlt hatte und ihn gern trösten wollte.

DIE KRÖTE

Der Brunnen war tief, darum war das Seil lang; die Winde drehte sich schwer, wenn man den Eimer, mit Wasser gefüllt, über die Brunnenkante hinaufheben mußte. So klar das Wasser auch war, die Sonne drang doch niemals so weit in den Brunnen hinab, daß sie sich im Wasser spiegeln konnte, aber so weit ihr Schein reichte, wuchs Grün zwischen den Steinen der Brunnenwände hervor.

Da unten wohnte eine Familie vom Krötengeschlecht; sie war eigentlich kopfüber hinunter geraten durch die alte Krötenmutter, die noch lebte. Die grünen Frösche, die weit früher hier zu Hause waren und im Wasser umherschwammen, erkannten die Verwandtschaft an und nannten sie die ‚Brunnengäste'. Die aber hatten wahrscheinlich die Absicht, für immer dazubleiben; denn sie lebten hier sehr behaglich auf dem Trockenen, wie sie die nassen Steine nannten.

Die Krötenmutter war einmal verreist, sie war im Wassereimer gewesen, als dieser aufwärts ging, aber es wurde ihr zu hell, sie bekam Augenschmerzen, und glücklicherweise gelangte sie wieder aus dem Eimer heraus; sie fiel mit einem entsetzlichen Plump ins Wasser und lag nachher drei Tage lang krank an Rückenschmerzen. Von der Welt oberhalb konnte sie also nicht viel erzählen, aber so viel wußte sie, und so viel wußten sie alle, daß der Brunnen nicht die ganze Welt wäre. Die Krötenmutter hätte zwar dieses und jenes erzählen können, aber sie antwortete niemals, wenn man sie fragte, und so fragte man nicht mehr.

„Dick, fett und häßlich ist sie", sagten die jungen, grünen Frösche. „Ihre Jungen werden später einmal ebenso häßlich werden!"

„Das mag sein!" sagte die Krötenmutter, „aber eins hat in seinem Kopf einen Edelstein, oder ich habe ihn selbst!

Die grünen Frösche horchten und glotzten, und weil ihnen irgend etwas daran nicht zu passen schien, so schnitten sie Grimassen und gingen in die Tiefe. Aber die Krötenjungen streckten die Hinterbeine aus vor lauter Stolz, denn jedes glaubte, den Edelstein zu haben; und immer saßen sie mit dem Kopf ganz still, aber endlich fragten sie, was das bedeute, worauf sie so stolz waren, und was für ein Ding so ein Edelstein eigentlich wäre.

„Das ist etwas so Herrliches und Kostbares, daß ich es gar nicht beschreiben kann!" sagte die Krötenmutter. „Es ist etwas, womit man zu seinem eigenen Vergnügen umhergeht und worüber die andern sich ärgern. Aber fragt nicht, ich antworte nicht!"

„Ach, ich habe den Edelstein nicht!" sagte die kleinste Kröte; sie war so häßlich, wie nur eine sein kann. „Warum sollte gerade ich eine solche Kostbarkeit haben? Und wenn sie andere ärgert, so kann ich mich ja nicht darüber freuen! Nein, ich wünsche nur, daß ich einmal bis an den Brunnenrand hinaufkommen und hinausschauen könnte; das muß herrlich sein!"

„Bleibe du lieber, wo du bist!" sagte die Alte, „hier kennst du alles und weißt, was du hast! Nimm dich in acht vor dem Eimer, der zerdrückt dich; und kommst du auch wohlbehalten hinein, so könntest du herausfallen; nicht alle fallen so glücklich wie ich und kommen mit ganzen Gliedmaßen und ganzen Eiern davon!"

„Quak!" sagte die Kleine, gerade so, wie wenn wir Menschen manchesmal ‚Ach!' sagen.

Sie hatte ein zu großes Verlangen, bis zur Brunnenkante hinauf zu gelangen und da auszuschauen; sie fühlte eine zu große Sehnsucht nach dem Grünen da oben! Als am nächsten Morgen zufällig der mit Wasser gefüllte Eimer aufgewunden wurde und einen Augenblick unterwegs gerade vor dem Steine anhielt, auf dem die Kröte saß, durchzuckte sie es so seltsam, und sie sprang in den gefüllten Eimer, der nun vollends hinaufgewunden und ausgegossen wurde.

„Pfui Teufel!" sagte der Knecht, der den Eimer ausgoß und die Kröte sah! „So was Häßliches habe ich lange nicht gesehen!" Und mit seinem Holzschuh stieß er nach der Kröte, die beinahe zerquetscht worden wäre, sich aber doch in die hohen Nesseln hinein rettete, die am Brunnen standen. Hier sah sie Stiel an Stiel stehen, sie schaute aber auch aufwärts! Die Sonne schien auf die Blätter, die ganz durchsichtig waren; ihr war zumute wie uns Menschen, wenn wir auf einmal in einen großen Wald treten, wo die Sonne durch Zweige und Blätter scheint.

„Hier ist es viel schöner als unten im Brunnen! Hier möchte man sein Leben lang bleiben!" sagte die kleine Kröte. Sie blieb darum eine Stunde, sie blieb zwei Stunden liegen. „Was wohl draußen sein mag? Bin ich so weit gekommen, muß ich auch versuchen, noch weiter zu kommen!" Sie kroch, so schnell sie kriechen konnte, und gelangte auf die Landstraße hinaus, wo die Sonne sie beschien und der Staub sie puderte, als sie quer über die Straße marschierte.

„Hier ist man richtig aufs Trockene gelangt!" sagte die Kröte, „es ist beinahe zuviel des Guten, es kribbelt mich wirklich."

Sie erreichte den Graben; da wuchsen Vergißmeinnicht und Labkraut, ganz in der Nähe war eine Hecke von Weißdorn, und auch Holunder wuchs da und Schlingpflanzen mit weißen Blüten; hier waren prächtige Farben zu sehen; auch ein Schmetterling flog da umher! Die Kröte meinte, es wäre eine Blume, die sich losgerissen hatte, damit sie sich besser in der Welt umschauen konnte; das wäre ja ganz natürlich.

„Wenn man so eine Reise machen könnte wie die!" sagte die Kröte. „Quak! Ach! Was für ein Vergnügen!"

Sie blieb acht Nächte und Tage am Graben und hatte keinen Mangel an Nahrung. Am neunten Tage dachte sie: ‚Vorwärts, weiter!' – Aber was könnte sie Herrlicheres und Schöneres finden? Vielleicht eine kleine Kröte oder ein paar grüne Frösche. Es hatte die letzte Nacht gerade so im Winde gelautet, als wären ‚Vettern' in der Nähe.

„Das Leben ist schön! Schön ist's, aus dem Brunnen herauszukommen, in Brennesseln zu liegen, auf dem staubigen Wege zu kriechen! Aber weiter vorwärts, um Frösche oder eine kleine Kröte zu finden, das ist nicht gut zu entbehren, die Natur ist einem nicht genug!" Damit ging sie wieder auf die Wanderung.

Sie gelangte auf das Feld und an einen großen Teich, der mit Schilf umwachsen war; sie platschte hinein.

„Hier wird's Ihnen wohl zu naß sein!" sagten die Frösche; „aber Sie sind sehr willkommen! Sind Sie ein Er oder eine Sie? Es tut nichts zur Sache, Sie sind gleich willkommen!"

Und nun wurde sie abends zum Konzert, zum Familienkonzert, eingeladen. Große Begeisterung und sehr dünne Stimmen; das kennen wir. Bewirtung fand natürlich nicht statt, nur freies Getränk gab es, nämlich den ganzen großen Teich.

„Jetzt reise ich weiter!" sagte die kleine Kröte; sie fühlte immer den Drang zu etwas Besserem.

Sie sah die Sterne blitzen, so groß, so hell, sah die Mondsichel leuchten, sah die Sonne aufgehen, immer höher und höher steigen.

„Ich bin am Ende noch immer im Brunnen, in einem größeren Brunnen, ich muß höher hinauf! Ich habe eine große Unruhe und Sehnsucht!" Und als der Mond voll und rund wurde, dachte das armselige Tier: ,Ob das wohl der Eimer ist, der herabgelassen wird und in den ich hineinspringen muß, um höher hinauf zu gelangen? Oder ist die Sonne der große Eimer? Wie der groß ist, wie der strahlend ist, er kann uns alle aufnehmen! Ich muß aufpassen, daß ich die Gelegenheit nicht versäume! Oh, wie es in meinem Kopf leuchtet! Ich glaube, der Edelstein kann nicht schöner leuchten! Aber den habe ich nicht, und darum gräme ich mich auch nicht, nein, höher hinauf in Glanz und Freude! Ich habe

Zuversicht und doch Furcht – es ist ein schwerer Schritt, aber ich muß ihn tun! Vorwärts! Immer geradeaus, auf den Weg!'

Sie machte einige Schritte, so gut wie ein Kriechtier eben schreiten kann, und befand sich bald auf einer Landstraße, an der Menschen wohnten; hier waren Blumengärten und auch Kohlgärten. Sie ruhte an einem Kohlgarten aus.

„Wie viele verschiedene Geschöpfe gibt es doch, die ich nie gekannt habe! Und wie ist die Welt so groß und schön! Aber man muß sich auch in der Welt umsehen und nicht auf einem Fleck sitzenbleiben." Und sie hüpfte kurz entschlossen in den Kohlgarten hinein. „Wie grün ist es hier, wie schön ist es hier!"

„Das weiß ich schon!" sagte die Kohlraupe auf dem Blatte. „Mein Blatt ist das größte hier! Es verdeckt die halbe Welt, aber die kann ich entbehren!"

„Gluck! Gluck!" sagte es, und Hühner kamen heran; sie trippelten im Kohlgarten umher. Das Huhn, das voranging, war weitsichtig, es erblickte die Raupe auf dem krausen Blatte und schnappte nach ihr, so daß sie auf die Erde fiel, wo sie sich krümmte und wand. Das Huhn betrachtete sie erst mit dem einen Auge, dann mit dem andern, denn es wußte nicht, was daraus werden würde.

‚Sie tut es nicht gutwillig!' dachte das Huhn und hob den Kopf, um nach ihr zu schnappen. Die Kröte entsetzte sich so darüber, daß sie gerade auf das Huhn zukroch.

„Also die hat Hilfstruppen!" sagte das Huhn. „Sieh mal das Gekrabbel an!" Und damit drehte es sich um. „Ich mache mir nichts aus dem kleinen grünen Bissen, er könnte höchstens im Hals kitzeln!" Die anderen Hühner waren derselben Ansicht, und sie kehrten nun alle um.

„Ich wand mich von ihm los!" sagte die Raupe; „es ist gut, wenn man Geistesgegenwart besitzt; aber das Schwerste bleibt noch übrig: wieder auf mein Kohlblatt zu kommen. Wo ist das?"

Und die kleine Kröte kam heran und äußerte ihre Teilnahme. Sie freute sich, daß ihre Häßlichkeit die Hühner erschreckt hatte.

„Was meinen Sie damit?" fragte die Raupe. „Ich wand mich ja selbst von dem Huhne los. Sie sind sehr unangenehm anzusehen! Darf ich wohl auf meinem Eigentum in Ruhe bleiben? Jetzt rieche ich Kohl! Jetzt bin ich an meinem Blatte! Nichts ist so schön wie Eigentum. Aber ich muß höher hinauf!"

„Ja, höher hinauf!" sagte die kleine Kröte, „höher hinauf! Sie fühlt gerade wie ich! Aber sie ist heute nicht guter Laune, das kommt von dem Schrecken. Alle wollen wir höher hinauf!" Und sie sah so hoch hinauf, wie sie konnte.

Der Storch saß in seinem Nest auf dem Dache des Bauernhauses; er klapperte, und die Storchmutter klapperte auch.

‚Wie die hoch wohnen!‘ dachte die Kröte. ‚Wer da hinauf könnte!‘

In dem Bauernhause wohnten zwei junge Studenten; der eine war Dichter, der andere Naturforscher; der eine sang und schrieb in Freude von allem, was Gott geschaffen hatte, und wie es sich in seinem Herzen spiegelte; er sang es heraus, kurz, klar, und reich in klangvollen Versen; der andere griff das Ding selbst an, ja schnitt es auf, wenn es sein mußte. Er betrachtete die Schöpfung Gottes als ein großes Rechenexempel, subtrahierte, multiplizierte und wollte es in- und auswendig kennen, mit Verstand darüber reden; und das war echter Verstand, und er sprach in Freude und mit Klugheit davon. Es waren gute, fröhliche Menschen, die beiden.

„Da sitzt ja ein treffliches Exemplar von einer Kröte!“ sagte der Naturforscher; „das muß ich in Spiritus haben!“

„Du hast ja schon zwei andere!“ sagte der Dichter; „laß die in Ruhe sitzen und sich des Lebens freuen!“

„Aber sie ist so wunderbar häßlich!“ sagte der andere.

„Ja, wenn wir den Edelstein in ihrem Kopfe finden könnten“, meinte der Dichter, „dann würde ich selbst mit dabei sein, sie aufzuschneiden.“

„Edelstein!“ sagte der andere, „du scheinst dich gut auf die Naturgeschichte zu verstehen!“

„Aber liegt nicht gerade etwas Schönes in dem Volksglauben, daß die Kröte, das häßlichste Tier, oft den köstlichsten Edelstein in ihrem Kopfe trägt?! Geht es nicht gerade so mit dem Menschen? Welch einen Edelstein hatte nicht Äsop und vollends Sokrates? –“

Mehr hörte die Kröte nicht, und sie begriff nicht die Hälfte. Die beiden Freunde schritten weiter, und sie entging dem Schicksal, in Spiritus zu kommen.

„Die beiden sprachen auch von dem Edelstein!“ sagte die Kröte. „Wie gut, daß ich ihn nicht habe! Ich hätte sonst Unannehmlichkeiten haben können.“

Nun klapperte es auf dem Dach des Bauernhauses; Storchvater hielt Vortrag für die Familie, und diese schielte auf die zwei jungen Menschen im Kohlgarten hinab.

„Der Mensch ist die eingebildetste Kreatur!“ sagte der Storch. „Hört, wie der Klapperschnabel ihnen geht, und dabei können sie doch nicht ordentlich klappern. Sie sind stolz auf ihre Rednergabe und ihre Sprache! Das ist mir eine schöne Sprache: Sie geht ins Unverständliche über bei jeder Tagesreise, die wir machen; der eine versteht den andern nicht. Unsere Sprache können wir

überall auf der ganzen Erde sprechen, in Dänemark und in Ägypten. Fliegen können die Menschen auch nicht! Sie schießen dahin durch eine Erfindung, die sie ‚Eisenbahn‘ nennen, aber sie brechen auch oft den Hals dabei. Es läuft mir kalt über den Schnabel, wenn ich daran denke! Die Welt kann ohne Menschen bestehen. Wir können sie entbehren! Wenn wir nur Frösche und Regenwürmer behalten!"

‚Das war doch eine gewaltige Rede!‘ dachte die kleine Kröte. „Was für ein großer Mann ist das, und wie hoch wohnt er, so hoch, wie ich noch niemand habe wohnen sehen! Und wie er schwimmen kann!" rief sie, als der Storch mit ausgebreiteten Flügeln durch die Luft dahinfuhr.

Und Storchmutter sprach im Neste, erzählte von Ägypten, von den Gewässern des Nils und von dem unvergleichlichen Schlamme, der im fremden Lande war; es klang der kleinen Kröte ganz neu und reizend.

„Ich muß nach Ägypten!" sagte sie. „Wenn nur der Storch oder eins seiner Jungen mich mitnehmen wollte. Ich würde ihm wieder gefällig sein. Ja, ich werde nach Ägypten kommen, denn ich bin so glücklich! All die Sehnsucht und all die Lust, die ich habe, ist wirklich besser als ein Edelstein im Kopf!"

Und doch besaß gerade sie den Edelstein: die ewige Sehnsucht und Lust nach aufwärts, immer nach aufwärts! Es leuchtete drinnen im Kopfe, leuchtete in Freude, strahlte in Lust.

Da kam plötzlich der Storch heran, der hatte die Kröte im Grase gesehen, fuhr nieder und faßte das kleine Tier eben nicht sanft an. Der Schnabel drückte, der Wind sauste, es war nicht angenehm, aber aufwärts ging es, aufwärts nach Ägypten, das wußte sie; und darum blitzten die Augen, es war, als sprühe ein Funken aus ihnen hervor.

„Quak! Ach!"

Der Körper war tot, die Kröte war getötet. Aber der Funken aus ihren Augen, wo blieb der?

Der Sonnenstrahl nahm ihn mit, der Sonnenstrahl trug den Edelstein vom Kopfe der Kröte. Wohin?

Frage nicht den Naturforscher, frage lieber den Dichter; er erzählt es dir wie ein Märchen; und die Kohlraupe und die Storchfamilie ist mit darin. Denke! Die Raupe wird verwandelt und wird ein schöner Schmetterling! Die Storchfamilie fliegt über Berge und Meere nach dem fernen Afrika und findet doch den nächsten Weg zurück nach Hause, nach demselben Lande, demselben Dache! Ja, das ist wirklich fast gar zu abenteuerlich, und doch ist es wahr; du kannst sogar der Naturforscher fragen, er muß es zugestehn; und du selbst weißt es auch, denn du hast es gesehen.

– Aber der Edelstein im Kopfe der Kröte?

Suche ihn in der Sonne! Blicke ihn an, wenn du kannst!

Der Glanz da ist zu stark. Wir haben noch nicht die Augen, um in die Herrlichkeit hineinschauen zu können, die Gott geschaffen hat, aber wir werden sie einmal bekommen, und das wird das schönste Märchen sein, denn wir selbst sind mit darin.

DIE SCHNEEKÖNIGIN

Sieben Geschichten

Erste Geschichte,
die von dem Spiegel und den Scherben handelt

Seht, nun fangen wir an. Wenn wir am Ende der Geschichte sind, wissen wir mehr als jetzt! Es war ein böser Zauberer, einer der allerärgsten, es war der Teufel! Eines Tages war er recht bei Laune, denn er hatte einen Spiegel gemacht, der die Eigenschaft besaß, daß alles Gute und Schöne, was sich darin spiegelte, fast zu nichts zusammenschwand, aber das, was nichts taugte und sich schlecht ausnahm, das trat hervor und wurde noch ärger. Die herrlichsten Landschaften sahen wie gekochter Spinat darin aus, und die besten Menschen wurden darin widerlich oder standen auf dem Kopfe ohne Rumpf, ihre Gesichter wurden so verdreht, daß sie nicht zu erkennen waren, und hatte man ein Sonnenfleckchen, so konnte man versichert sein, daß es sich über Mund und Nase ausbreitete. Das sei äußerst belustigend, sagte der Teufel. Fuhr nun ein guter, frommer Gedanke durch einen Menschen, dann zeigte sich ein Grinsen im Spiegel, so daß der Zauberteufel über seine künstliche Erfindung lachen mußte. Alle, die seine Zauberschule besuchten, denn er hielt Zauberschule, erzählten ringsumher, daß ein Wunder geschehen sei; nun könnte man erst sehen, meinten sie, wie die Welt und die Menschen wirklich aussehen. Sie liefen mit dem Spiegel umher, und zuletzt gab es kein Land oder keinen Menschen, der nicht verdreht darin gewesen wäre. Nun wollten sie auch zum Himmel selbst auffliegen, um sich über die Engel und den lieben Gott lustig zu machen. Je höher sie mit dem Spiegel flogen, um so mehr grinste und zitterte er, sie konnten ihn kaum festhalten; sie flogen höher und höher, Gott und den Engeln näher; da erzitterte der Spiegel so fürchterlich in seinem Grinsen, daß er ihren Händen entflog und zur Erde stürzte, wo er in hundert Millionen Stücke zersprang. Damit verursachte er weit größeres Unglück als zuvor, denn einige Stücke waren so groß wie ein Sandkorn, und die flogen ringsherum in der weiten Welt, und wo Leute sie ins Auge bekamen, da blieben sie sitzen, und da sahen die Menschen alles verkehrt oder hatten nur Sinn für das Verkehrte bei einer Sache, denn jede kleine Spiegelscherbe hatte dieselben Kräfte behalten, die der ganze Spiegel besaß. Einige Menschen bekamen sogar eine kleine Spie-

gelscherbe ins Herz, und dann war es ganz greulich: Das Herz wurde einem Klumpen Eise gleich. Einige Spiegelscherben waren so groß, daß sie zu Fensterscheiben gebraucht wurden, aber es taugte nichts, seine Freunde durch diese Scheiben zu betrachten. Andere Stücke kamen in Brillen, und dann ging es schlecht, wenn die Leute diese Brillen aufsetzten, um recht zu sehen und gerecht zu sein. Der Böse lachte, daß ihm beinahe der Bauch platzte, und das kitzelte ihn angenehm. Aber draußen flogen noch kleine Glasscherben in der Luft umher. Nun werden wir's hören.

Zweite Geschichte
Ein kleiner Knabe und ein kleines Mädchen

Drinnen in der großen Stadt, wo so viele Menschen und Häuser sind und nicht genug Platz, daß alle Leute einen kleinen Garten besitzen können, und wo sich deshalb die meisten mit Blumen in Blumentöpfen begnügen müssen, da lebten zwei arme Kinder, die einen etwas größeren Garten als einen Blumentopf besaßen. Sie waren nicht Bruder und Schwester, aber sie waren sich so gut, als ob sie es gewesen wären. Die Eltern wohnten einander gerade gegenüber in zwei Dachkammern, da, wo das Dach des einen Nachbarhauses gegen das andere stieß und die Wasserrinne zwischen den Dächern entlang lief. Hier war in jedem Hause ein kleines Fenster; man brauchte nur über die Rinne zu schreiten, so konnte man von dem einen Fenster zum andern gelangen.

Die Eltern hatten draußen jedes einen großen Holzkasten, darin wuchsen Küchenkräuter, die sie brauchten, und ein kleiner Rosenstock; es stand einer in jedem Kasten, und sie wuchsen herrlich. Nun fiel es den Eltern ein, die Kasten quer über die Rinne zu stellen, so daß sie fast von dem einen bis zum andern Fenster reichten und zwei Blumenwällen ganz ähnlich sahen. Erbsenranken hingen über die Kästen hinunter, und die Rosenstöcke schossen lange Zweige, die sich um die Fenster rankten und sich einander entgegenbogen, es war fast einer Ehrenpforte von Blättern und Blumen gleich. Da die Kästen sehr hoch waren und die Kinder wußten, daß sie nicht hinaufkriechen durften, so erhielten sie oft die Erlaubnis, zueinander hinauszusteigen, auf ihren kleinen Schemeln unter den Rosen zu sitzen, und da spielten sie dann prächtig.

Im Winter hatte dies Vergnügen ein Ende. Die Fenster waren oft ganz zugefroren. Aber dann wärmten die Kinder Kupferdreier auf dem Ofen, legten den warmen Dreier gegen die gefrorene Scheibe, und dann entstand da ein rundes, schönes Guckloch; dahinter blitzte ein lieblich mildes Auge, eins von jedem Fenster; das waren der kleine Knabe und das kleine Mädchen. Er hieß Karl, und sie hieß Gretchen. Im Sommer konnten sie mit einem Sprunge zueinander gelangen, im Winter mußten sie erst die vielen Treppen hinunter- und die andern Treppen hinaufsteigen; draußen trieb der Schnee.

„Das sind die weißen Bienen, die schwärmen!" sagte die alte Großmutter.

„Haben sie auch eine Bienenkönigin?" fragte der kleine Knabe, denn er wußte, daß unter den wirklichen Bienen eine solche ist.

„Die haben sie!" sagte die Großmutter. „Sie fliegt dort, wo sie am dichtesten schwärmen, sie ist die größte von allen, und nie bleibt sie liegen auf Erden, sie fliegt wieder in die schwarze Wolke hinauf. Manche Winternacht fliegt sie durch die Straßen der Stadt und blickt zu den Fenstern hinein, und dann gefrieren diese sonderbar, gleich wie mit Blumen."

„Ja, das habe ich gesehen!" sagten beide Kinder, und nun wußten sie, daß es wahr sei.

„Kann die Schneekönigin denn auch zu uns hereinkommen?" fragte das kleine Mädchen.

„Laß sie nur kommen", sagte der Knabe, „dann setze ich sie auf den warmen Ofen, und dann schmilzt sie."

Aber die Großmutter glättete sein Haar und erzählte andere Geschichten.

Am Abend, als der kleine Karl zu Hause und halb entkleidet war, kletterte er auf den Stuhl am Fenster und guckte aus dem kleinen Loche. Ein paar Schneeflocken fielen draußen, und eine, die allergrößte, blieb auf dem Rande des einen Blumenkastens liegen; sie wuchs mehr und mehr und wurde zuletzt ein ganzes Frauenzimmer, in den feinsten, weißen Flor gekleidet, der wie von Millionen sternartiger Flocken zusammengesetzt war. Sie war schön und fein, aber von Eis, dem blendenden, blinkenden Eise, und doch war sie lebend; die Augen blitzten wie zwei klare Sterne, aber es war keine Ruhe noch Rast in ihnen. Sie nickte dem Fenster zu und winkte mit der Hand. Der kleine Knabe erschrak und sprang vom Stuhle hernieder, da war es, als ob draußen vor dem Fenster ein großer Vogel vorbeiflöge.

Am nächsten Tage wurde es klarer Frost – und dann kam das Frühjahr, die Sonne schien, das Grün keimte hervor, Schwalben bauten Nester, die Fenster wurden geöffnet, und die Kinder saßen wieder in ihrem kleinen Garten hoch oben in der Dachrinne über allen Stockwerken.

Die Rosen blühten diesmal prachtvoll. Das kleine Mädchen hatte in diesem Sommer ein Lied gelernt, in dem auch von Rosen die Rede war, und bei den

Rosen dachte sie an ihre eigenen, und sie sang es dem kleinen Knaben vor, und er sang mit:

> „Die Rosen, die blühn und verwehn,
> Wir werden den Weihnachtsbaum sehn!"

Und die Kleinen hielten einander bei den Händen, küßten die Rosen und blickten in Gottes klaren Sonnenschein. Was waren das für herrliche Sommertage, wie schön war es draußen bei den frischen Rosenstöcken, die mit dem Blühen nie aufhören wollten!

Karl und Gretchen saßen und blickten in das Bilderbuch mit Tieren und Vögeln, da war es – die Uhr schlug gerade fünf auf dem großen Kirchturme –, daß Karl sagte: „Au, es stach mir ins Herz! Und nun flog mir etwas ins Auge!"

Das kleine Mädchen war erschrocken und wollte ihm helfen; es nahm ihn um den Hals, er blinzelte ein wenig mit den Augen, aber es war gar nichts zu sehen.

„Ich glaube, es ist fort!" sagte er; aber weg war es nicht. Es war eins von den Glaskörnern, das vom Zauberspiegel gesprungen war, der alles Große und Gute, was sich darin abspiegelte, klein und häßlich machte, aber das Böse und Schlechte trat ordentlich hervor, und jeder Fehler an einer Sache war gleich zu bemerken. Der arme Kerl hatte auch ein Korn gerade in das Herz hinein bekommen. Das wird nun bald wie ein Eisklumpen werden. Nun tat es nicht mehr wehe, aber es war da.

„Weshalb weinst du?" fragte er. „So siehst du häßlich aus! Mir fehlt ja nichts! Pfui!" rief er auf einmal, „die Rose dort hat einen Wurmstich! Und sieh, diese da ist ja ganz schief! Im Grunde sind es häßliche Rosen, sie gleichen dem Kasten, in dem sie stehen!" und dann stieß er mit dem Fuß gegen den Kasten und riß die beiden Rosen ab.

„Karl, was machst du?" rief das Mädchen; und als er ihren Schreck gewahr wurde, riß er noch eine Rose ab und lief dann in sein Fenster hinein, von dem kleinen, lieblichen Gretchen fort.

Wenn sie später mit dem Bilderbuche kam, dann sagte er, daß das für Säuglinge sei, und erzählte die Großmutter Geschichten, so kam er immer mit einem Aber. Ja, konnte er dazugelangen, dann ging er hinter ihr her, setzte eine Brille auf und sprach ebenso wie sie; das machte er ganz treffend, und dann lachten die Leute über ihn. Bald konnte er allen Menschen in der ganzen Straße nachsprechen und nachgehen. Alles, was ihnen eigen und unschön war, das wußte Karl nachzumachen, und dann sagten die Leute: „Das ist sicher ein

ausgezeichneter Kopf, den der Knabe
hat!" Aber das war das Glas, was ihm
ins Auge gekommen war, das Glas, das
ihm im Herzen saß; daher kam es, daß
er selbst das kleine Gretchen neckte, das
ihm von ganzen Herzen gut war.

Seine Spiele wurden nun ganz anders
als früher, sie wurden ganz verständig!
An einem Wintertage, als es schneite,
kam er mit einem großen Brennglase,
hielt seinen blauen Rockzipfel hinaus
und ließ die Schneeflocken darauf fallen.

„Sieh nun in das Glas, Gretchen!"
sagte er, und jede Schneeflocke wurde
viel größer und sah aus wie eine prächtige Blume oder ein sechseckiger Stern;

es war schön anzusehen. „Siehst du, wie künstlich!" sagte Karl. „Das ist weit
hübscher als die wirklichen Blumen, und es ist kein einziger Fehler daran, sie
sind ganz regelmäßig, wenn sie nur nicht schmelzen würden!"

Bald darauf kam Karl mit großen Handschuhen und seinem Schlitten auf
dem Rücken und rief Gretchen in die Ohren: „Ich habe Erlaubnis erhalten, auf
den großen Platz zu fahren, wo die andern Knaben spielen!" Und weg war er.

Dort auf dem Platze banden oft die kecksten Knaben ihre Schlitten an die
Wagen der Landleute fest, und dann fuhren sie ein gutes Stück Weges mit. Das
ging prächtig. Als sie im besten Spielen waren, da kam ein großer Schlitten,
der war ganz weiß angestrichen, und darin saß jemand in einen rauhen, weißen
Pelz gehüllt und mit einer weißen, rauhen Mütze. Der Schlitten fuhr zweimal
um den Platz herum, und Karl band seinen kleinen Schlitten schnell daran fest,
und nun fuhr er mit. Es ging rascher und rascher, gerade hinein in die nächste
Straße. Der Kutscher wendete das Haupt und nickte dem Knaben freundlich
zu, es war gerade, als ob sie einander kannten, und jedesmal, wenn Karl seinen
Schlitten ablösen wollte, nickte die Person wieder, und dann blieb Karl sitzen.
Sie fuhren endlich zum Stadttor hinaus, da begann der Schnee so stark her-
niederzufallen, daß der kleine Knabe keine Hand vor sich erblicken konnte,
aber er fuhr davon. Da ließ er schnell die Schnur los, um von dem großen
Schlitten freizukommen, aber das half nichts, sein kleines Fahrzeug hing fest,
und es ging mit Windeseile. Da rief er ganz laut, aber niemand hörte ihn, der

Schnee trieb, und der Schlitten flog dahin; mitunter gab es einen Sprung, es war, als führe er über Gräben und Hecken. Karl war ganz erschrocken, er wollte beten, aber er konnte sich nur des großen Einmaleins entsinnen.

Die Schneeflocken wurden größer und größer, zuletzt sahen sie aus wie große, weiße Hühner; auf einmal sprangen sie zur Seite, der große Schlitten hielt, und die Person, die ihn fuhr, erhob sich. Pelze und Mütze waren ganz und gar von Schnee, es war eine Dame, hoch und schlank, glänzend weiß, es war die Schneekönigin.

„Wir sind gut gefahren!" sagte sie, „aber wer wird frieren! Krieche in meinen Bärenpelz!" Sie setzte ihn neben sich in den Schlitten, schlug den Pelz um ihn, und es war, als versinke er in einem Schneetreiben.

„Friert dich noch?" fragte sie, und dann küßte sie ihn auf die Stirn. Oh, das war kälter als Eis, das ging ihm gerade hinein bis an sein Herz, das ja doch zur Hälfte ein Eisklumpen war. Es war, als sollte er sterben, aber nur einen Augenblick, dann tat es ihm gerade recht wohl; er spürte nichts mehr von der Kälte ringsumher.

„Meinen Schlitten! Vergiß nicht meinen Schlitten!" Daran dachte er zuerst, und der wurde an eines der weißen Hühner festgebunden. Das flog hinterher, mit dem Schlitten auf dem Rücken. Die Schneekönigin küßte Karl nochmals, und dann hatte er das kleine Gretchen, die Großmutter und alle daheim vergessen.

„Nun bekommst du keine Küsse mehr", sagte sie, „denn sonst küsse ich dich tot!"

Karl sah sie an, sie war sehr schön, ein klügeres, lieblicheres Antlitz konnte er sich nicht denken. Sie erschien ihm nun nicht von Eis wie damals, als sie draußen vor dem Fenster saß und ihm winkte; in seinen Augen war sie vollkommen, er fühlte gar keine Furcht; er erzählte ihr, daß er im Kopfe rechnen könnte, und zwar mit Brüchen, er wisse die Größe des Landes und die Einwohnerzahl, und sie lächelte immer. Das kam ihm vor, als wäre es noch nicht genug, was er wisse, und er blickte hinauf in den großen, großen Luftraum, und sie flog mit ihm, flog hoch hinauf in die schwarze Wolke, und der Sturm sauste und brauste, es war, als sänge er alte Lieder. Sie flogen über Wälder und Seen, über Meere und Länder; unter ihnen sauste der kalte Wind, die Wölfe heulten, der Schnee funkelte, über ihnen flogen die schwarzen, schreienden Krähen dahin, aber hoch oben schien der Mond groß und klar, und den betrachtete Karl die lange, lange Winternacht; am Tage schlief er zu den Füßen der Schneekönigin.

Dritte Geschichte
Der Blumengarten bei der Frau, die zaubern konnte

Aber wie erging es dem kleinen Gretchen, als Karl nicht zurückkehrte? Wo war er doch geblieben? – Niemand wußte es, niemand konnte Bescheid geben. Die Knaben erzählten nur, daß sie ihn seinen Schlitten an einen prächtig großen hatten binden sehen, der in die Straße hinein und aus dem Stadttore gefahren sei. Niemand wußte, wo er war, viele Tränen flossen, das kleine Gretchen weinte viel und lange; dann sagten sie, er sei tot, er sei im Flusse versunken, der nahe bei der Stadt vorbeifloß. Oh, das waren recht lange, finstere Wintertage.

Nun kam der Frühling mit warmem Sonnenschein.

„Karl ist tot!" sagte das kleine Gretchen.

„Das glaube ich nicht!" sagte der Sonnenschein.

„Er ist tot!" sagte sie zu den Schwalben.

„Das glauben wir nicht!" erwiderten die, und am Ende glaubte das kleine Gretchen es auch nicht.

„Ich will meine neuen, roten Schuhe anziehen", sagte sie eines Morgens, „die Karl noch nie gesehen hat, und dann will ich zum Flusse hinuntergehen und den nach ihm fragen!"

Es war noch ganz früh, sie küßte die alte Großmutter, die noch schlief, zog die roten Schuhe an und ging ganz allein aus dem Stadttore zum Flusse.

„Ist es wahr, daß du meinen kleinen Spielkameraden genommen hast? Ich will dir meine roten Schuhe geben, wenn du mir ihn wiedergeben willst!"

Es kam ihr vor, als nickten die Wogen sonderbar; da nahm sie ihre roten Schuhe, das, was sie am liebsten hatte, und warf sie beide in den Fluß hinaus, aber sie fielen dicht an das Ufer, und die kleinen Wellen trugen sie ihr wieder an das Land. Es war, als wollte der Fluß das Liebste, was sie hatte, nicht nehmen, weil er den kleinen Karl ja nicht hatte. Gretchen aber glaubte nun, daß sie die Schuhe nicht weit genug hinausgeworfen habe, und so kroch sie in ein Boot, das im Schilfe lag, ging ganz an das Ende und warf die Schuhe von da aus in das Wasser. Aber das Boot war nicht festgebunden, und bei der Bewegung, die sie verursachte, glitt es vom Lande ab. Sie bemerkte es und beeilte sich fortzukommen, aber ehe sie zurückkam, war das Boot weit vom Lande, und nun trieb es schneller dahin.

Da wurde das kleine Gretchen ganz ängstlich und fing an zu weinen; aber niemand außer den Sperlingen hörte sie, und die konnten sie nicht an das Land tragen, aber sie flogen längs dem Ufer und zwitscherten gleichsam, um sie zu trösten: „Hier sind wir, hier sind wir!" Das Boot trieb mit dem Strome; das kleine Gretchen saß ganz still in bloßen Strümpfen; ihre kleinen, roten Schuhe trieben hinterher, aber sie konnten das Boot nicht erreichen, das hatte stärkere Fahrt.

Hübsch war es an beiden Ufern, schöne Blumen, alte Bäume und Abhänge mit Schafen und Kühen, aber nicht ein Mensch war zu erblicken.

‚Vielleicht trägt mich der Fluß zu dem kleinen Karl hin!' dachte Gretchen, und da wurde sie heiter, erhob sich und betrachtete viele Stunden die schönen, grünen Ufer; dann gelangte sie zu einem großen Kirschengarten, in dem ein kleines Haus mit sonderbar roten und blauen Fenstern war. Dazu hatte es ein Strohdach, und draußen standen zwei hölzerne Soldaten, die vor den Vorbeisegelnden das Gewehr schulterten.

Gretchen rief nach ihnen; sie glaubte, daß sie lebend seien, aber sie antworteten natürlich nicht; sie kam ihnen ganz nahe, der Fluß trieb das Boot gerade auf das Land zu.

Gretchen rief noch lauter, und da kam eine alte, alte Frau aus dem Hause, die sich auf einen Krückstock stützte; sie hatte einen großen Sonnenhut auf, und der war mit den schönsten Blumen bemalt.

„Du kleines, armes Kind!" sagte die alte Frau. „Wie bist du doch auf den großen, reißenden Strom gekommen und weit in die Welt hinausgetrieben?" Und dann ging die alte Frau ans Wasser, erfaßte mit ihrem Krückstock das Boot, zog es ans Land und hob Gretchen heraus.

Diese war froh, wieder auf das Trockene zu gelangen, obgleich sie sich vor der alten Frau ein wenig fürchtete.

„Komm, erzähle mir, wer du bist und wie du hierherkommst!" sagte sie.

Gretchen erzählte ihr alles; und die Alte schüttelte den Kopf und sagte: „Hm! hm!" und als ihr Gretchen alles gesagt und gefragt hatte, ob sie nicht den kleinen Karl gesehen habe, sagte die Frau, daß er nicht vorbeigekommen sei, aber er komme wohl noch, sie solle nur nicht betrübt sein, sondern die Kirschen kosten, ihre Blumen betrachten, die seien schöner als irgendein Bilderbuch, eine jede könne eine Geschichte erzählen. Da nahm sie Gretchen bei der Hand, sie gingen in das kleine Haus hinein, und die alte Frau schloß die Tür zu.

Die Fenster lagen sehr hoch, und die Scheiben waren rot, blau und gelb, und das Tageslicht schien ganz sonderbar herein; aber auf dem Tische standen die schönsten Kirschen, und Gretchen aß davon, soviel sie wollte, denn das war ihr erlaubt. Während sie speiste, kämmte die alte Frau ihr Haar mit einem

goldenen Kamme, und das Haar ringelte sich und glänzte herrlich gelb rings um das kleine, freundliche Antlitz, das frisch wie eine Rose aussah.

„Nach einem so lieben kleinen Mädchen habe ich mich schon lange gesehnt!" sagte die Alte. „Nun wirst du sehen, wie gut wir miteinander leben werden!" Und so wie sie dem kleinen Gretchen das Haar kämmte, vergaß diese mehr und mehr ihren Kameraden Karl, denn die alte Frau konnte zaubern, aber eine böse Zauberin war sie nicht. Sie zauberte nur ein bißchen zu ihrem eigenen Vergnügen und wollte gern das kleine Gretchen behalten. Deshalb ging sie hinaus in den Garten, streckte ihren Krückstock gegen alle Rosensträucher aus, und wie schön sie auch blühten, so sanken sie alle in die schwarze Erde hinunter, und man konnte nicht sehen, wo sie gestanden hatten. Die Alte fürchtete, daß Gretchen, wenn sie die Rosen erblickte, an ihre eigenen denken, sich dann des kleinen Karl erinnern und davonlaufen würde.

Nun führte sie Gretchen in den Blumengarten. Was war da für ein Duft und eine Herrlichkeit! Alle nur denkbaren Blumen, für jede Jahreszeit, standen hier in der prächtigsten Blüte; kein Bilderbuch konnte hübscher und bunter sein. Gretchen sprang vor Freude und spielte, bis die Sonne hinter den hohen Kirschbäumen unterging, dann bekam sie ein schönes Bett mit roten Seidenkissen, die mit Veilchen gestopft waren, und sie schlief und träumte da so herrlich wie nur eine Königin an ihrem Hochzeitstage.

Am nächsten Tage konnte sie wieder mit den Blumen im warmen Sonnenschein spielen. So verflossen viele Tage. Gretchen kannte jede Blume, aber wie viele es auch waren, so war es ihr doch, als ob eine fehle. Welche, das wußte sie nicht. Da saß sie eines Tages und betrachtete den Sonnenhut der alten Frau mit den gemalten Blumen, und gerade die schönste darunter war eine Rose. Die Alte hatte vergessen, die vom Hute wegzuwischen, als sie die anderen Rosen in die Erde verbannte. Aber so ist es, wenn man die Gedanken nicht immer gesammelt hat! „Was!" sagte Gretchen, „sind hier keine Rosen?" und sprang zwischen die Beete, suchte und suchte, aber da waren keine zu finden. Da setzte sie sich hin und weinte; aber ihre Tränen fielen gerade auf eine Stelle, wo ein Rosenstrauch versunken war, und als die warmen Tränen die Erde benetzten, schoß der Strauch auf einmal empor, so blühend er versunken war. Gretchen umarmte ihn, küßte die Blüten und gedachte der herrlichen Rosen daheim und auch des kleinen Karl.

„Oh, wie bin ich aufgehalten worden!" sagte das kleine Mädchen. „Ich wollte ja den kleinen Karl suchen! – Wißt ihr nicht, wo er ist?" fragte sie die Rosen. „Glaubt ihr, er sei tot?"

„Tot ist er nicht", sagten die Rosen. „Wir sind ja in der Erde gewesen, dort sind ja alle die Toten, aber Karl war nicht da!"

„Ich danke euch!" sagte das kleine Gretchen, und sie ging zu den andern Blumen hin, sah in deren Kelch hinein und fragte: „Wißt ihr nicht, wo der kleine Karl ist?"

Aber jede Blume stand in der Sonne und träumte ihr eigenes Märchen oder Geschichtchen, aber keine wußte etwas von Karl.

„Es nützt zu nichts, daß ich die Blumen frage", sagte Gretchen, „die wissen nur ihr eigenes Lied, sie geben mir keinen Bescheid!" Und dann band sie ihr kleines Kleid auf, damit sie rascher gehen könne, und dann lief sie nach dem Ende des Gartens.

Die Tür war verschlossen, aber sie drückte auf die verrostete Klinke, so daß diese losging – die Tür sprang auf, und da lief das kleine Gretchen mit bloßen Füßen in die weite Welt hinaus. Sie blickte dreimal zurück, aber da war niemand, der sie verfolgte. Zuletzt konnte sie nicht mehr gehen und setzte sich auf einen großen Stein, und als sie ringsum sah, war der Sommer vorbei, es war Spätherbst, das konnte man in dem schönen Garten gar nicht bemerken, wo immer Sonnenschein und Blumen aller Jahreszeiten gewesen waren.

„Gott, wie habe ich mich verspätet!" sagte das kleine Gretchen. „Es ist ja Herbst geworden, da darf ich nicht ruhen!" und sie erhob sich, um weiterzugehen.

Oh, wie waren die kleinen Füße wund und müde! Ringsumher sah es kalt und rauh aus; die langen Weidenblätter waren ganz gelb, und der Tau tröpfelte als Wasser herab, ein Blatt fiel nach dem andern ab, nur der Schlehendorn trug noch Früchte, aber die waren herb und zogen Gretchen den Mund zusammen. Oh, wie war es grau und schwer in der weiten Welt!

Vierte Geschichte
Prinz und Prinzessin

Gretchen mußte wieder ausruhen. Da hüpfte dort auf dem Schnee, der Stelle, wo sie saß, gerade gegenüber, eine große Krähe, die hatte lange gesessen, sie betrachtet und mit dem Kopfe gewackelt; nun sagte sie: „Kra, kra! – Gut' Tag, gut' Tag!" Besser konnte sie es nicht herausbringen, aber sie meinte es gut mit dem kleinen Mädchen und fragte, wohin sie allein in die weite Welt hinausgehe. Das Wort ‚allein‘ verstand Gretchen sehr wohl und fühlte recht, wieviel darin lag, und dann erzählte sie der Krähe ihr ganzes Leben und Geschick und fragte, ob sie Karl nicht gesehen habe.

Die Krähe nickte ganz bedächtig und sagte: „Das könnte sein!"

„Wie? Glaubst du?" rief das kleine Mädchen, küßte die Krähe und hätte sie aus Freude fast tot gedrückt.

„Vernünftig, vernünftig!" sagte die Krähe. „Ich glaube, ich weiß – ich glaube, es kann der kleine Karl sein! Aber nun hat er dich sicher über der Prinzessin vergessen!"

„Wohnt er bei einer Prinzessin?" fragte Gretchen.

„Ja, höre!" sagte die Krähe. „Aber es fällt mir schwer, deine Sprache zu reden. Verstehst du die Krähensprache, dann will ich besser erzählen?"

„Nein, die habe ich nicht gelernt!" sagte Gretchen.

„Schadet gar nichts!" sagte die Krähe. „Ich werde erzählen, so gut ich kann, aber schlecht wird es immer!" Dann erzählte sie, was sie wußte.

„In diesem Königreich, in dem wir jetzt sitzen, wohnt eine Prinzessin, die ist ganz außerordentlich klug, aber sie hat auch alle Zeitungen, die es in der Welt gibt, gelesen und wieder vergessen, so klug ist sie. Vor kurzem saß sie auf dem Throne, und das ist doch nicht angenehm, sagt man, da fing sie an, ein Lied zu singen: ‚Weshalb sollte ich mich nicht verheiraten?' ‚Höre, da ist etwas daran', sagte sie, und so wollte sie sich verheiraten, aber sie wollte einen Mann haben, der zu antworten verstand, wenn man mit ihm sprach, einen, der nicht nur stand und vornehm aussah, denn das ist zu langweilig. Nun ließ sie alle Hofdamen zusammentrommeln, und als diese hörten, was sie wollte, wurden sie sehr vergnügt. ‚Das mag ich leiden!' sagten sie, ‚daran dachte ich neulich auch!' – Du kannst glauben, daß jedes Wort, was ich sage, wahr ist!" sagte die Krähe. „Ich habe eine zahme Geliebte, die geht frei im Schlosse umher, und die hat mir alles erzählt!"

Die Geliebte war natürlicherweise auch eine Krähe. Denn eine Krähe sucht die andere, und das bleibt immer eine Krähe.

„Die Zeitungen kamen sogleich mit einem Rande von Herzen und der Prinzessin Namenszug heraus. Man konnte darin lesen, daß es jedem jungen Mann, der gut aussah, freistehe, auf das Schloß zu kommen und mit der Prinzessin zu sprechen, und derjenige, der rede, daß man hören könne, er sei dort zu Hause, und der am besten spreche, den wolle die Prinzessin zum Mann nehmen! – Ja, ja!" sagte die Krähe, „du kannst es mir glauben, es ist so gewiß wahr, als ich hier sitze. Die Leute strömten herzu, da war ein Gedränge und ein Laufen, aber es glückte nicht, weder den ersten noch den zweiten Tag.

Sie konnten alle gut sprechen, wenn sie draußen auf der Straße waren, aber wenn sie in das Schloßtor traten und sahen die Wachen in Silber und die Treppen hinauf die Diener in Gold und die großen, erleuchteten Säle, dann wurden sie verwirrt; und standen sie vor dem Throne, wo die Prinzessin saß, dann wußten sie nichts zu sagen als das letzte Wort, was sie gesprochen hatte, und sie kümmerte sich nicht darum, das noch einmal zu hören. Es war gerade, als ob die Leute in den Schlaf gefallen wären, bis sie wieder auf die Straße kamen; dann konnten sie wieder sprechen. Da stand eine ganze Reihe vom Stadttor an bis zum Schloß. Ich war selbst drinnen, um es zu sehen!" sagte die Krähe. „Sie wurden sowohl hungrig wie durstig! Aber auf dem Schloß erhielten sie nicht einmal ein Glas Wasser. Zwar hatten einige der Klügsten Butterbrote mitgenommen, aber sie teilten nicht mit ihrem Nachbar, sie dachten: ‚Laß ihn nur hungrig aussehen, dann nimmt die Prinzessin ihn nicht!‘"

„Aber Karl, der kleine Karl?" fragte Gretchen. „Wann kam der? War er unter der Menge?"

„Warte, warte, nun sind wir gerade bei ihm! Es war am dritten Tag, da kam eine kleine Person, ohne Pferd oder Wagen, ganz fröhlich gerade auf das Schloß marschiert; seine Augen glänzten wie deine, er hatte schöne, lange Haare, aber sonst ärmliche Kleider."

„Das war Karl!" jubelte Gretchen. „Oh, dann habe ich ihn gefunden!" Und dann klatschte sie in die Hände.

„Er hatte ein kleines Ränzel auf dem Rücken!" sagte die Krähe.

„Nein, das war sicher sein Schlitten", sagte Gretchen, „denn mit dem Schlitten ging er fort!"

„Das kann wohl sein", sagte die Krähe, „ich sah nicht so genau danach; aber das weiß ich von meiner zahmen Geliebten, daß, wie er in das Schloßtor kam und die Leibwache in Silber und die Treppe hinauf die Diener in Gold sah, er nicht im mindesten verlegen wurde, nickte und zu ihnen sagte: ‚Das muß langweilig sein, auf der Treppe zu stehen, ich gehe lieber hinein!' Da glänzten die Säle von Lichtern; Geheimräte und Staatsräte gingen auf leisen Füßen und trugen Goldgefäße; man konnte wohl bedenklich werden; seine Stiefel knarrten gewaltig laut, aber ihm wurde doch nicht bange!"

„Das ist ganz gewiß Karl!" sagte Gretchen. „Ich weiß, er hatte neue Stiefel, ich habe sie in der Großmutter Stube knarren hören!"

„Ja, sie knarrten", sagte die Krähe, „und fröhlich ging er gerade zur Prinzessin hinein, die auf einer großen Perle saß, so groß wie ein Spinnrad. Alle Hofdamen mit ihren Jungfern und den Jungfern der Jungfern, und alle Ritter mit ihren Dienern und den Dienern der Diener, die wieder einen Burschen hielten, standen ringsherum aufgestellt; und je näher sie der Tür standen, desto stolzer sahen sie aus. Den Burschen von des Dieners Diener, der immer in Pantoffeln geht, darf man kaum anzusehen wagen, so stolz steht er in der Tür."

„Das muß greulich sein!" sagte das kleine Gretchen. „Und Karl hat doch die Prinzessin erhalten?"

„Wäre ich nicht Krähe gewesen, so hätte ich sie genommen, und das, ungeachtet ich verlobt bin. Er soll ebensogut gesprochen haben, wie ich spreche, wenn ich die Krähensprache rede, das habe ich von meiner zahmen Geliebten gehört. Er war fröhlich und niedlich; er war gar nicht gekommen zum Freien, sondern nur, um der Prinzessin Klugheit zu hören, und die fand er gut, und sie fand ihn wieder gut."

„Ja, sicher, das war Karl!" sagte Gretchen. „Er war so klug, er konnte mit Brüchen kopfrechnen! – Oh, willst du mich nicht auf dem Schlosse einführen?"

„Ja, das ist leicht gesagt!" sagte die Krähe. „Aber wie machen wir das? Ich werde darüber mit meiner zahmen Geliebten sprechen; sie kann uns wohl Rat erteilen; denn das muß ich dir sagen, so ein kleines Mädchen wie du bekommt nie Erlaubnis hineinzukommen!"

„Ja, die erhalte ich!" sagte Gretchen. „Wenn Karl hört, daß ich da bin, kommt er sogleich heraus und holt mich!"

„Erwarte mich dort am Gitter!" sagte die Krähe, wackelte mit dem Kopf und flog davon.

Erst als es spät am Abend war, kehrte die Krähe zurück. „Rar, rar!" sagte sie. „Ich soll dich vielmal von ihr grüßen, und hier ist ein kleines Brot für dich, das nahm sie aus der Küche, da ist Brot genug, und du bist sicher hungrig! – Es ist nicht möglich, daß du in das Schloß hineinkommst. Du hast ja bloße Füße. Die Wachen in Silber und die Diener in Gold würden es nicht erlauben. Aber weine nicht, du sollst schon hinaufkommen. Meine Geliebte kennt eine kleine Hintertreppe, die zum Schlafgemach führt, und sie weiß, wo sie den Schlüssel erhalten kann."

Sie gingen in den Garten hinein, in die große Allee, wo ein Blatt nach dem andern abfiel, und als auf dem Schlosse die Lichter ausgelöscht wurden, eines nach dem andern, führte die Krähe das kleine Gretchen zu einer Hintertür, die angelehnt stand.

Oh, wie Gretchens Herz vor Angst und Sehnsucht pochte! Es war ihr, als ob sie etwas Böses tun wollte, und sie wollte ja doch nur wissen, ob der kleine Karl da sei. Ja, er mußte hier sein; sie gedachte ganz deutlich seiner klaren Augen, seines langen Haares; sie konnte ihn lächeln sehen wie damals, als sie daheim unter den Rosen saßen. Er würde sicher froh sein, sie zu erblicken, zu hören, welch langen Weg sie um seinetwillen zurückgelegt, zu wissen, wie betrübt sie alle daheim gewesen, als er nicht wiedergekommen. Oh, das war eine Furcht und eine Freude!

Nun waren sie auf der Treppe. Da brannte eine kleine Lampe auf einem Schranke, und mitten auf dem Fußboden stand die zahme Krähe und wendete den Kopf nach allen Seiten und betrachtete Gretchen, die sich verneigte, wie die Großmutter sie gelehrt hatte.

„Mein Verlobter hat mir sehr viel Gutes von Ihnen gesagt, mein kleines Fräulein", sagte die zahme Krähe, „Ihr Lebenslauf ist auch sehr rührend! – Wollen Sie die Lampe nehmen, dann werde ich vorangehen. Wir gehen hier den geraden Weg, denn da begegnen wir niemand!"

„Es ist mir, als käme gerade jemand hinter uns!" sagte Gretchen, und es sauste an ihr vorbei; es war wie Schatten an der Wand entlang, Pferde mit fliegenden Mähnen, Jägerburschen, Herren und Damen zu Pferde.

„Das sind nur Träume!" sagte die Krähe, „die kommen und holen der hohen Herrschaft Gedanken zur Jagd ab. Das ist recht gut, dann können Sie sie besser im Bette betrachten. Aber ich hoffe, wenn Sie zu Ehren und Würden gelangen, daß Sie dann ein dankbares Herz zeigen werden."

„Darüber bedarf es keiner Worte!" sagte die Krähe vom Wald.

Nun kamen sie in den ersten Saal, der war von rosenrotem Atlas, mit künstlichen Blumen an den Wänden hinauf. Hier sausten die Träume schon an ihnen vorüber, aber sie fuhren so schnell, daß Gretchen nicht die hohen Herrschaften zu sehen bekam. Ein Saal war immer prächtiger als der andere, ja, man konnte wohl betäubt werden, und nun waren sie im Schlafgemach. Die Decke hier glich einer großen Palme mit Blättern von kostbarem Glas, und mitten auf dem Fußboden hingen an einem dicken Stengel von Gold zwei Betten, von denen jedes wie eine Lilie aussah. Das eine Bett war weiß, in diesem lag die Prinzessin; das andere war rot, und in diesem sollte Gretchen den kleinen Karl suchen. Sie bog eines der roten Blätter zur Seite, und da sah sie einen braunen Nacken. – Oh, das war Karl! – Sie rief ganz laut seinen Namen, hielt die Lampe gegen ihn hin – die Träume sausten zu Pferde wieder in die Stube herein – er erwachte, wendete das Haupt und – es war nicht der kleine Karl.

Der Prinz glich ihm nur im Nacken, aber jung und hübsch war er. Und aus dem weißen Lilienblatt blinzelte die Prinzessin hervor und fragte, was das sei. Da weinte das kleine Gretchen und erzählte ihre ganze Geschichte und alles, was die Krähen für sie getan hatten.

„Du armes Kind!" sagten der Prinz und die Prinzessin, belobten die Krähen und sagten, daß sie gar nicht böse auf sie seien, aber sie sollten es doch nicht wieder tun. Übrigens sollten sie eine Belohnung erhalten.

„Wollt ihr frei fliegen?" fragte die Prinzessin. „Oder wollt ihr feste Anstellung als Hofkrähen haben mit allem, was da in der Küche abfällt?"

Beide Krähen verneigten sich und baten um feste Anstellung, denn sie gedachten des Alters und sagten, es sei schön, etwas für das Alter zu haben.

Der Prinz stand aus seinem Bette auf und ließ Gretchen darin schlafen, mehr konnte er wirklich nicht tun. Sie faltete ihre kleinen Hände und dachte: ‚Wie gut sind die Menschen und die Tiere!' und dann schloß sie ihre Augen und schlief sanft. Alle Träume kamen wieder hereingeflogen, und da sahen sie wie Gottes Engel aus, und sie zogen einen kleinen Schlitten, auf dem Karl saß und nickte. Aber das Ganze war nur Traum.

Am nächsten Tage wurde sie von Kopf bis zu Fuß in Seide und Samt gekleidet; es wurde ihr angeboten, auf dem Schloß zu bleiben und gute Tage zu genießen, aber sie bat nur um einen kleinen Wagen mit einem Pferd davor und um ein Paar Schuhe, dann wollte sie wieder in die weite Welt hinausfahren und Karl suchen.

Sie erhielt sowohl Schuhe und Muff, sie wurde niedlich gekleidet, und als sie fort wollte, hielt vor der Tür eine neue Kutsche von reinem Gold; des Prinzen und der Prinzessin Wappen glänzte an ihr wie ein Stern. Kutscher, Diener und Vorreiter, denn da waren auch Vorreiter, saßen mit Goldkronen auf dem Kopfe. Der Prinz und die Prinzessin halfen ihr selbst in den Wagen und wünschten ihr alles Glück. Die Waldkrähe, die nun verheiratet war, begleitete sie die ersten drei Meilen; sie saß ihr zur Seite, denn sie konnte nicht ertragen, rückwärts zu fahren. Die andere Krähe stand in der Tür und schlug mit den Flügeln, sie kam nicht mit, denn sie litt an Kopfschmerzen, seitdem sie feste Anstellung und zuviel zu essen erhalten hatte. Inwendig war die Kutsche mit Zuckerbrezen gefüttert, und im Sitze waren Früchte und Pfeffernüsse.

„Lebe wohl! Lebe wohl!" riefen der Prinz und die Prinzessin, das kleine Gretchen weinte, und die Krähe weinte auch. – So ging es die ersten Meilen, da sagte auch die Krähe Lebewohl, und das war der schwerste Abschied. Sie flog auf einen Baum und schlug mit ihren schwarzen Flügeln, solange sie den Wagen, der wie der klare Sonnenschein glänzte, erblicken konnte.

Fünfte Geschichte
Das kleine Räubermädchen

Sie fuhren durch den dunkeln Wald, aber die Kutsche leuchtete gleich einer Fackel. Das stach den Räubern in die Augen, das konnten sie nicht ertragen.

„Das ist Gold, das ist Gold!" riefen sie, stürzten hervor, ergriffen die Pferde, schlugen die kleinen Vorreiter, den Kutscher und die Diener tot und zogen nun das kleine Gretchen aus dem Wagen.

„Sie ist fett, sie ist niedlich, sie ist mit Nußkernen gefüttert!" sagte das alte Räuberweib, die einen struppigen Bart und Augenbrauen hatte, die ihr über die Augen herabhingen. „Das ist so gut wie ein kleines, fettes Lamm! Na, wie soll die schmecken!" Und dann zog sie ihr blankes Messer heraus, und das glänzte, daß es greulich war.

„Au!" sagte das Weib zu gleicher Zeit, denn sie wurde von ihrer eigenen Tochter, die auf ihrem Rücken hing, so wild und unartig, daß es eine Lust war, in das Ohr gebissen. „Du häßlicher Balg!" sagte die Mutter und kam nicht dazu, Gretchen zu schlachten.

„Sie soll mit mir spielen!" sagte das kleine Räubermädchen.

„Sie soll mir ihren Muff, ihr hübsches Kleid geben, bei mir in meinem Bett schlafen!" und dabei biß sie wieder, daß das Räuberweib in die Höhe sprang und sich ringsherum drehte, und alle Räuber lachten und sagten: „Sieh, wie sie mit ihrem Jungen tanzt!"

„Ich will in den Wagen hinein!" Und sie mußte und wollte ihren Willen haben, denn sie war verzogen und hartnäckig. Sie und Gretchen saßen darinnen, und so fuhren sie über Stock und Stein tiefer in den Wald hinein. Das kleine Räubermädchen war so groß wie Gretchen, aber stärker, breitschultriger und von dunkler Haut. Die Augen waren ganz schwarz, sie sahen fast traurig aus. Sie nahm das kleine Gretchen um den Leib und sagte: „Sie sollen dich nicht schlachten, solange ich dir nicht böse werde! Du bist wohl eine Prinzessin?"

„Nein!" sagte Gretchen und erzählte ihr alles, was sie erlebt hatte und wieviel sie vom kleinen Karl hielt.

Das Räubermädchen betrachtete sie ganz ernsthaft, nickte ein wenig mit dem Kopfe und sagte: „Sie sollen dich nicht schlachten, selbst wenn ich dir böse werde, dann werde ich es schon selbst tun!" und dann trocknete sie Gretchens Augen und steckte ihre beiden Hände in den schönen Muff, der weich und warm war.

Nun hielt die Kutsche still; sie waren mitten auf dem Hofe eines Räuberschlosses, das von oben bis unten auseinandergeborsten war. Raben und Krähen flogen aus den offenen Löchern, und die großen Bullenbeißer, von denen ein jeder aussah, als könne er einen Menschen verschlingen, sprangen hoch empor, aber sie bellten nicht, denn das war verboten.

In dem großen, alten, verräucherten Saale brannte mitten auf dem steinernen Fußboden ein großes Feuer; der Rauch zog unter der Decke hin und mußt sich selbst den Ausweg suchen; ein großer Braukessel mit Suppe kochte, und Hasen und Kaninchen wurden an Spießen gebraten.

„Du sollst diese Nacht mit mir bei allen meinen kleinen Tieren schlafen!" sagte das Räubermädchen. Sie bekamen zu essen und zu trinken und gingen dann nach einer Ecke, wo Stroh und Teppiche lagen. Oben darüber saßen auf Latten und Stäben mehr als hundert Tauben, die alle zu schlafen schienen, sich aber doch ein wenig drehten, als die beiden kleinen Mädchen kamen.

„Die gehören mir alle!" sagte das kleine Räubermädchen und ergriff eine der nächsten, hielt sie bei den Füßen und schüttelte sie, daß sie mit den Flügeln schlug. „Küsse sie!" rief sie und schlug sie ihr ins Gesicht. „Da sitzen die Waldtauben!" fuhr sie fort und zeigte hinter eine Anzahl Stäbe, die vor einem Loche oben in die Mauer eingeschlagen waren. „Das sind Waldtauben, die beiden, die fliegen gleich fort, wenn man sie nicht ordentlich eingeschlossen hält; und hier steht mein alter, liebster Bä!" und damit zog sie ein Renntier am Horn, das einen kupfernen Ring um den Hals trug und angebunden war. „Den müssen wir auch in der Klemme halten, sonst springt er von uns fort. An jedem Abend kitzele ich ihn mit meinem scharfen Messer, davor fürchtet er sich!" Und das kleine Mädchen zog ein langes Messer aus einer Spalte in der Mauer und ließ es über des Renntiers Hals hingleiten. Das arme Tier schlug mit den Beinen aus, aber das kleine Räubermädchen lachte und zog dann Gretchen mit in das Bett hinein.

„Willst du das Messer behalten, wenn du schläfst?" fragte Gretchen und blickte etwas furchtsam nach ihm.

„Ich schlafe immer mit dem Messer!" sagte das kleine Räubermädchen. „Man weiß nie, was vorfallen kann. Aber erzähle mir nun wieder, was du mir vorhin von dem kleinen Karl erzähltest und weshalb du in die weite Welt hinausgegangen bist." Gretchen erzählte wieder von vorn an, und die Waldtauben knurrten oben im Käfig, und die andern Tauben schliefen. Das kleine Räubermädchen legte ihren Arm um Gretchens Hals, hielt das Messer in der andern Hand und schlief, daß man es hören konnte; aber Gretchen konnte ihre Augen nicht schließen, sie wußte nicht, ob sie leben oder sterben würde. Die Räuber saßen rings um das Feuer, sangen und tranken, und das Räuberweib schoß Purzelbäume. Oh, es war für das kleine Mädchen ganz greulich anzusehen.

Da sagten die Waldtauben: „Kurre, kurre! Wir haben den kleinen Karl gesehen. Ein weißes Huhn trug seinen Schlitten, er saß im Wagen der Schneekönigin, die dicht über den Wald hinfuhr, als wir im Neste lagen; sie blies auf uns Junge, und außer uns beiden starben alle; kurre, kurre!"

„Was sagt ihr dort oben?" rief Gretchen. „Wohin reiste die Schneekönigin?"

„Sie reiste wahrscheinlich nach Lappland, denn dort ist immer Schnee und Eis! Frage das Renntier, das am Strick angebunden steht."

„Dort ist Eis und Schnee, dort ist es herrlich und gut!" sagte das Renntier; „dort springt man frei umher in den großen glänzenden Tälern; dort hat die Schneekönigin ihr Sommerzelt, aber ihr festes Schloß hat sie droben gegen den Nordpol, auf der Insel, die Spitzbergen genannt wird!"

„O Karl, kleiner Karl!" seufzte Gretchen.

„Nun mußt du stilliegen", sagte das Räubermädchen, „sonst stoße ich dir das Messer in den Leib!"

Am andern Morgen erzählte Gretchen ihr alles, was die Waldtauben gesagt hatten.

Das Räubermädchen sah ganz ernsthaft aus, nickte aber mit dem Kopf und sagte: „Das ist einerlei, das ist einerlei! – Weißt du, wo Lappland ist?" fragte sie das Renntier.

„Wer könnte es wohl besser wissen als ich!" sagte das Tier, und die Augen funkelten ihm im Kopfe. „Dort bin ich geboren und erzogen, dort bin ich auf den Schneefeldern herumgesprungen."

„Höre!" sagte das Räubermädchen zu Gretchen, „du siehst, alle unsere Mannsleute sind fort, jedoch die Mutter ist noch hier, und sie bleibt zu Hause. Gegen Mittag aber trinkt sie aus der großen Flasche und schlummert dann ein wenig darauf – dann werde ich etwas für dich tun!" Nun sprang sie aus dem Bett, fuhr der Mutter um den Hals, zog sie am Knebelbart und sagte: „Mein einzig lieber Ziegenbock, guten Morgen!" Die Mutter gab ihr Nasenstüber, daß die Nase rot und blau wurde, aber alles aus lauter Liebe.

Als die Mutter dann aus der Flasche getrunken hatte und darauf einschlief, ging das Räubermädchen zum Renntier hin und sagte: „Ich könnte große Freude davon haben, dich noch manchesmal mit dem scharfen Messer zu kitzeln, denn dann bist du so possierlich; aber das ist einerlei, ich will deine Schnur lösen und dir hinaushelfen, damit du nach Lappland laufen kannst. Du mußt aber tüchtig springen und dieses kleine Mädchen zum Schloß der Schneekönigin bringen, wo ihr Spielkamerad ist. Du hast wohl gehört, was sie erzählte, denn sie sprach laut genug, und du lauschtest."

Das Renntier sprang vor Freude hoch empor. Das Räubermädchen hob das kleine Gretchen hinauf und hatte die Vorsicht, sie festzubinden, ja ihr sogar ein kleines Kissen zum Sitzen zu geben. „Das ist einerlei", sagte sie, „da hast du deine Pelzschuhe, denn es wird kalt, aber den Muff behalte ich, der ist gar zu niedlich! Darum sollst du doch nicht frieren. Hier hast du meiner Mutter

große Fausthandschuhe, die reichen dir gerade bis zum Ellenbogen hinauf; ziehe sie an! – Nun siehst du an den Händen gerade wie meine Mutter aus!"

Gretchen weinte vor Freude.

„Ich kann nicht leiden, daß du weinst!" sagte das kleine Räubermädchen. „Nun mußt du gerade recht froh aussehen; und da hast du zwei Brote und einen Schinken, dann wirst du nicht hungern." Beides wurde hinten auf das Renntier gebunden; das kleine Räubermädchen öffnete die Tür, lockte alle großen Hunde herein, durchschnitt dann den Strick mit ihrem scharfen Messer und sagte zum Renntier: „Laufe, aber gib recht auf das kleine Mädchen acht!"

Gretchen streckte die beiden Hände mit den großen Fausthandschuhen gegen das Räubermädchen aus und sagte Lebewohl, und dann flog das Renntier über Stock und Stein davon, durch den großen Wald, über Sümpfe und Steppen, soviel es nur konnte.

Die Wölfe heulten, und die Raben schrien. Es war gerade, als sprühte der Himmel Feuer.

„Das sind meine alten Nordlichter!" sagte das Renntier, „sieh, wie sie leuchten!"

Und dann lief es noch schneller davon, Nacht und Tag. Die Brote wurden alle verzehrt und der Schinken auch, und dann waren sie in Lappland.

Sechste Geschichte
Die Lappin und die Finnin

Vor einem kleinen Hause hielten sie an, es war sehr ärmlich; das Dach ging bis zur Erde hinunter, und die Tür war so niedrig, daß die Familie auf dem Bauch kriechen mußte, wenn sie heraus- oder hineinkommen wollte. Hier war außer einer alten Lappin, die bei einer Tranlampe Fische kochte, niemand zu Hause. Das Renntier erzählte Gretchens ganze Geschichte, aber zuerst seine eigene, denn diese erschien ihm weit wichtiger, und Gretchen war von der Kälte so mitgenommen, daß sie nicht sprechen konnte.

„Ach, ihr Armen", sagte die Lappin, „da habt ihr noch weit zu laufen! Ihr müßt über hundert Meilen weit nach Finnmarken hinein, denn dort wohnt die Schneekönigin auf dem Lande und brennt jeden Abend bengalische Flammen. Ich werde ein paar Worte auf einen trockenen Klippfisch schreiben, Papier habe ich nicht, den Fisch werde ich euch für die Finnin dort oben mitgeben; die kann euch besser Bescheid erteilen als ich."

Und als Gretchen nun erwärmt worden war und zu essen und zu trinken erhalten hatte, schrieb die Lappin ein paar Worte auf einen trockenen Klippfisch, bat Gretchen, wohl darauf zu achten, band sie wieder auf das Renntier fest, und dieses sprang davon. Die ganze Nacht brannten die schönsten, blauen Nordlichter; – und dann kamen sie nach Finnland und klopften an den Schornstein der Finnin, denn sie hatte nicht einmal eine Tür.

Da war eine Hitze drinnen, so daß die Finnin selbst fast ganz nackt ging; sie war klein und dabei ganz schmutzig. Sie löste gleich die Kleider des kleinen Gretchen auf, zog ihr die Fausthandschuhe und Stiefel aus, denn sonst wäre es ihr zu heiß geworden, legte dem Renntier ein Stück Eis auf den Kopf und las dann, was auf dem Klippfisch geschrieben stand. Sie las es dreimal, und dann wußte sie es auswendig und steckte den Fisch in den Suppenkessel, denn er konnte ja gut gegessen werden, und sie verschwendete nie etwas.

Nun erzählte das Renntier zuerst seine Geschichte, dann die des kleinen Gretchen, und die Finnin blinzelte mit den klugen Augen, sagte aber nichts.

„Du bist klug!" sagte das Renntier. „Ich weiß, du kannst alle Winde der Welt in einen Zwirnsfaden zusammenbinden; wenn der Schiffer den einen Knoten löst, so erhält er guten Wind, löst er den andern, dann weht es scharf, und löst er den dritten und vierten, dann stürmt es, daß die Wälder umfallen. Willst du nicht dem kleinen Mädchen einen Trank geben, daß sie Zwölf-Männer-Kraft erhält und die Schneekönigin überwindet?"

„Zwölf-Männer-Kraft", sagte die Finnin, „ja, das würde viel helfen!"

Dann ging sie nach einem Brette, nahm ein großes, zusammengerolltes Fell hervor und rollte es auf. Da waren wunderbare Buchstaben darauf geschrieben, und die Finnin las, daß ihr das Wasser von der Stirn herunterlief.

Aber das Renntier bat so sehr für das kleine Gretchen, und Gretchen blickte die Finnin mit so bittenden Augen voller Tränen an, daß diese wieder mit den ihrigen zu blinzeln anfing und das Renntier in einen Winkel zog, wo sie ihm zuflüsterte, während es wieder frisches Eis auf den Kopf bekam:

„Der kleine Karl ist noch bei der Schneekönigin und findet dort alles nach seinem Geschmack und Gefallen, er glaubt, es sei der beste Ort in der Welt. Das kommt aber davon, weil er einen Glassplitter ins Herz und ein kleines Glaskörnchen ins Auge bekommen hat; die müssen zuerst heraus, sonst wird er nie ein guter Mensch, und die Schneekönigin wird die Gewalt über ihn behalten!"

„Aber kannst du nicht dem kleinen Gretchen etwas eingeben, so daß sie Gewalt über das Ganze erhält?"

„Ich kann ihr keine größere Gewalt geben, als sie schon besitzt! Siehst du nicht, wie groß diese ist? Siehst du nicht, wie Menschen und Tiere ihr dienen müssen, wie sie auf bloßen Füßen so gut in der Welt fortgekommen ist? Sie kann ihre Macht nicht von uns erhalten, diese sitzt in ihrem Herzen und besteht darin, daß sie ein liebes, unschuldiges Kind ist. Kann sie nicht selbst zur Schneekönigin hineingelangen und das Glas aus dem kleinen Karl bringen, dann können wir nicht helfen! Zwei Meilen von hier beginnt der Garten der Schneekönigin, dahin kannst du das kleine Mädchen tragen. Setze sie beim großen Busche ab, der mit roten Beeren im Schnee steht, verliere aber nicht viele Worte und spute dich, hierher zurückzukommen." Damit hob die Finnin das kleine Gretchen auf das Renntier, und das lief, was es konnte.

„Oh, ich bekam meine Schuhe nicht! Ich bekam meine Fausthandschuhe nicht!" rief das kleine Gretchen in der schneidenden Kälte, aber das Renntier wagte nicht anzuhalten, es lief, bis es zu dem Busche mit den roten Beeren gelangte. Da setzte es Gretchen ab, küßte sie auf den Mund, und es liefen einige große Tränen über des Tieres Backen, und dann lief es, was es nur konnte, wieder zurück. Da stand das arme Gretchen ohne Schuhe, ohne Handschuh, mitten in dem fürchterlich eiskalten Finnmarken.

Sie lief vorwärts, so schnell sie konnte; da kam ein ganzes Heer Schneeflocken, aber sie fielen nicht vom Himmel herunter; der war klar und glänzte von Nordlichtern. Die Schneeflocken liefen gerade auf der Erde hin, und je näher sie kamen, desto größer wurden sie. Gretchen erinnerte sich noch, wie groß und künstlich sie damals ausgesehen hatten, als sie die Schneeflocken durch ein Brennglas betrachtet hatte, aber hier waren sie wahrlich noch viel größer und fürchterlicher, sie waren lebend, sie waren der Schneekönigin Vorposten. Sie hatten die sonderbarsten Gestalten; einige sahen aus wie häßliche, große Stachelschweine, andere wie ganze Knoten, gebildet von Schlangen, die nach allen Seiten ihre Köpfe hervorstreckten, und andere wie kleine, dicke Bären, auf denen die Haare sich sträubten, alle glänzten weiß, alle waren lebendige Schneeflocken.

Da betete das kleine Gretchen, und die Kälte war so groß, daß sie ihren eigenen Atem sehen konnte; der wurde immer dichter und dichter und gestaltete sich zu kleinen, klaren Engeln, die mehr und mehr wuchsen, wenn sie die Erde berührten, und alle Helme auf dem Kopf und Spieß und Schild in den Händen hatten. Ihre Anzahl wurde größer und größer, und als Gretchen ihr Gebet geendet hatte, da war ein ganzes Heer um sie; sie stachen mit ihren Spießen gegen die greulichen Schneeflocken, so daß diese in hundert Stücke zersprangen, und das kleine Gretchen ging ganz sicher und froh vorwärts. Die Engel liebkosten ihre Hände und Füße, da fühlte sie weniger, wie kalt es war, und ging rasch gegen der Schneekönigin Schloß vor.

Aber nun wollen wir erst sehen, wie es Karl geht. Er dachte freilich nicht an das kleine Gretchen und am wenigsten, daß sie draußen vor dem Schloß stand.

Siebente Geschichte
Von dem Schlosse der Schneekönigin und was sich später darin zutrug

Des Schlosses Wände waren gebildet von dem treibenden Schnee und Fenster und Türen von den schneidenden Winden, da waren über hundert Säle, alle wie der Schnee sie zusammentrieb, der größte erstreckte sich mehrere Meilen lang, alle beleuchtet von dem starken Nordlicht, und sie waren leer, eisig, kalt und glänzend. Nie gab es hier eine Lustbarkeit, nicht einmal einen kleinen Bärenball, wozu der Sturm aufspielen und die Eisbären auf den Hinterfüßen gehen und dabei ihre Gebärden hätten zeigen können; nie ein klein bißchen Kaffeeklatsch der weißen Fuchsfräulein; leer, groß und kalt war es in den Sälen der Schneekönigin. Die Nordlichter flammten so genau, daß man sie zählen konnte, wenn sie am höchsten und wenn sie am niedrigsten standen. Mitten in diesem leeren, unendlichen Schneesaale war ein zugefrorener See, der war in tausend Stücke gesprungen, aber jedes Stück war dem andern so gleich, daß es ein wahres Kunstwerk war. Mitten auf diesem saß die Schnee-königin, wenn sie zu Hause war, und dann sagte sie, daß sie im Spiegel des Verstandes sitze und daß dieser der einzige und der beste in der Welt sei.

Der kleine Karl war ganz blau vor Kälte, ja fast schwarz, aber er merkte es nicht, denn sie hatte ihm den Frostschauer abgeküßt, und sein Herz glich einem Eisklumpen. Er ging und schleppte einige scharfe, flache Eisstücke, die er auf alle mögliche Weise aneinander paßte, gleich, wie wenn wir kleine Holztafeln haben und diese in Figuren zusammenlegen, was man das chinesi-sche Spiel nennt. Karl ging auch und legte die allerkünstlichsten Figuren, das war das Eisspiel des Verstandes. In seinen Augen waren die Figuren ganz aus-gezeichnet und von der höchsten Wichtigkeit. Das machte das Glaskörnchen, das ihm im Auge saß! Er legte Figuren, die ein geschriebenes Wort waren, aber nie konnte er es herausbringen, das Wort zu legen, was er gerade haben wollte, das Wort ,Ewigkeit', und die Schneekönigin hatte gesagt: „Kannst du die Figur ausfindig machen, dann sollst du dein eigener Herr sein, und ich schenke dir die ganze Welt und ein Paar neue Schlittschuhe." Aber er konnte es nicht.

„Nun sause ich fort nach den warmen Ländern!" sagte die Schneekönigin. „Ich will hinfahren und in die schwarzen Töpfe hineinsehen!" – Das waren die feuerspeienden Berge, Ätna und Vesuv, wie man sie nennt. „Ich werde sie ein wenig weiß machen, das gehört dazu, das tut den Zitronen und Weintrauben gut!" Damit flog die Schneekönigin davon, und Karl saß ganz allein in dem viele Meilen weiten, großen, leeren Eissaal, betrachtete die Eisstücke und dachte und dachte, so daß es in ihm knackte. Ganz still und steif saß er, man hätte glauben können, er sei erfroren.

Da war es, daß das kleine Gretchen durch das Tor in das Schloß trat. Hier herrschten schneidende Winde; aber sie betete ein Abendgebet, und da legten sich die Winde, als ob sie schlafen wollten, und sie trat in die großen, leeren, kalten Säle hinein – da erblickte sie Karl, sie erkannte ihn, sie flog ihm um den Hals, hielt ihn dann fest und rief: „Karl! Lieber, kleiner Karl! Da habe ich dich endlich gefunden!"

Aber er saß ganz still, steif und kalt; da weinte das kleine Gretchen heiße Tränen, die fielen auf seine Brust, sie drangen in sein Herz, sie tauten den Eis-klumpen auf und verzehrten das kleine Spiegelstück darin; er betrachtete sie, und sie sang:

> „Rosen, die blühn und verwehn,
> Wir werden den Weihnachtsbaum sehn!"

Da brach Karl in Tränen aus; er weinte, daß das Spiegelkörnchen aus dem Auge schwamm, er erkannte sie und jubelte: „Gretchen! Liebes, kleines Gretchen! – Wo bist du doch so lange gewesen? Und wo bin ich gewesen?" Und er blickte rings um sich her. „Wie kalt ist es hier! Wie es hier weit und leer ist!" Und er klammerte sich an Gretchen an, und sie lachte und weinte vor Freude. Das war so herrlich, daß selbst die Eisstücke vor Freude ringsumher tanzten, und als sie müde waren und sich niederlegten, lagen sie gerade in den Buchstaben, von denen die Schneekönigin gesagt hatte, daß er sie ausfindig machen sollte, dann sei er sein eigener Herr und sie wollte ihm die ganze Welt und ein Paar neue Schlittschuhe geben.

Gretchen küßte seine Wangen, und sie wurden blühend; sie küßte seine Augen, und sie leuchteten gleich den ihren; sie küßte seine Hände und Füße, und er war gesund und munter. Die Schneekönigin mochte nun nach Hause kommen, sein Freibrief stand da mit glänzenden Eisstücken geschrieben.

Sie faßten einander an den Händen und wanderten aus dem großen Schloß hinaus; sie sprachen von der Großmutter und von den Rosen auf dem Dache; und wo sie gingen, ruhten die Winde, und die Sonne brach hervor. Als sie den Busch mit den roten Beeren erreichten, stand das Renntier da und wartete; es

hatte ein anderes junges Renntier mit sich, dessen Euter voll war, und dieses gab den Kleinen seine warme Milch und küßte sie auf den Mund. Dann trugen sie Karl und Gretchen erst zur Finnin, wo sie sich in der heißen Stube aufwärmten und über die Heimreise Bescheid erhielten, dann zur Lappin, die ihnen neue Kleider genäht und ihren Schlitten instand gesetzt hatte.

Das Renntier und das Junge sprangen zur Seite und folgten mit bis zur Grenze des Landes; dort sproßte das erste Grün hervor, da nahmen sie Abschied vom Renntier und von der Lappin. „Lebt wohl!" sagten alle. Und die ersten kleinen Vögel begannen zu zwitschern, der Wald hatte grüne Knospen, und aus ihm kam auf einem prächtigen Pferde, das Gretchen kannte – es war vor die goldene Kutsche gespannt gewesen –, ein junges Mädchen geritten, mit einer glänzenden, roten Mütze auf dem Kopfe und Pistolen im Halfter. Das war das kleine Räubermädchen, das es satt hatte, zu Hause zu sein, und nun erst gegen Norden und später, wenn ihr dies zusagte, nach einer anderen Weltgegend hin wollte. Sie erkannte Gretchen sogleich, und Gretchen erkannte sie, das war eine Freude.

„Du bist ein wahrer Künstler im Herumstreifen!" sagte sie zum kleinen Karl. „Ich möchte wissen, ob du verdienst, daß man deinethalben bis an der Welt Ende läuft!"

Aber Gretchen klopfte ihr die Wangen und fragte nach dem Prinzen und der Prinzessin.

„Die sind nach fremden Ländern gereist!" sagte das Räubermädchen.

„Aber die Krähe?" fragte Gretchen.

„Ja, die Krähe ist tot!" erwiderte sie. „Die zahme Geliebte ist Witwe geworden, geht mit einem Stückchen schwarzem Garn um das Bein und klagt ganz jämmerlich. Aber erzähle mir nun, wie es dir ergangen ist und wie du ihn erwischt hast." Gretchen und Karl erzählten.

Das Räubermädchen nahm beide bei den Händen und versprach, daß sie, wenn sie je durch ihre Stadt kommen sollte, hinaufkommen wolle, sie zu besuchen, und dann ritt sie in die weite Welt hinaus. Aber Karl und Gretchen gingen Hand in Hand, und wie sie gingen, war es herrlicher Frühling mit Blumen und mit Grün; sie erkannten die hohen Türme, die große Stadt, es war die, in der sie wohnten, und sie gingen hinein und hin zu der Tür der Großmutter, die Treppe hinauf, in die Stube, wo alles wie früher auf derselben Stelle stand. Die Uhr sagte „Tick! tack!" und die Zeiger drehten sich; aber indem sie durch die Tür gingen, bemerkten sie, daß sie erwachsene Menschen geworden waren. Die Rosen aus der Dachrinne blühten zum offenen Fenster herein, und da standen noch die kleinen Kinderstühle. Karl und Gretchen setzten sich ein jeder auf den seinigen und hielten einander bei den Händen; die kalte, leere Herrlichkeit bei der Schneekönigin hatten sie gleich einem schweren Traum vergessen. Die Großmutter saß in Gottes hellem Sonnenschein und las: „Werdet ihr nicht wie die Kinder, so werdet ihr das Reich Gottes nicht erben!"

Karl und Gretchen sahen einander in die Augen, und sie verstanden auf einmal den alten Gesang:

„Rosen, die blühn und verwehn,
Wir werden den Weihnachtsbaum sehn!"

Da saßen sie beide, erwachsen und doch Kinder, Kinder im Herzen; und es war Sommer, warmer, wohltuender Sommer.

DER FLASCHENHALS

In der engen, winkeligen Gasse zwischen andern Häusern der Armut stand ein besonders schmales und hohes Haus von Fachwerk, dem die Zeit dermaßen mitgespielt hatte, daß es fast nach allen Seiten hin aus den Fugen gegangen war. Das Haus wurde von armen Leuten bewohnt, und am ärmlichsten sah es in der Dachkammerwohnung im Giebel aus, wo vor dem einzigen kleinen Fenster ein altes verbogenes Vogelbauer im Sonnenscheine hing, das nicht einmal ein Wassernäpfchen, sondern nur einen umgekehrten mit Wasser gefüllten Flaschenhals mit einem Pfropfen unten hatte. Eine alte Jungfer stand am Fenster; hatte das Bauer mit grünem Vogelkraut behangen; und ein kleiner Hänfling hüpfte von einer Sprosse zur andern hin und her und sang und zwitscherte, daß es eine Lust war.

„Ja, du hast gut singen!" sagte der Flaschenhals, das heißt, er sprach es freilich nicht in der Weise aus, wie wir es tun können; denn sprechen kann ein Flaschenhals nicht, sondern er dachte es so bei sich, in seinem stillen Sinne, wie wenn wir Menschen in uns selbst hinein reden. „Ja, du hast gut singen, du, der du deine Glieder alle unversehrt hast. Du solltest mal versuchen, was das heißt, sein Unterteil verloren, nur Hals und Mund und obendrein einen Pfropfen drin zu haben wie ich, und du würdest gewiß nicht singen. Aber es mag immerhin gut sein, daß doch jemand vergnügt ist! Ich habe keinen Grund zu singen, und ich kann auch nicht singen! Ja, als ich eine ganze Flasche war, tat ich es wohl, wenn man mich mit dem Pfropfen rieb; man nannte mich damals die Lerche – als ich mit der Kürschnerfamilie auf einer Waldpartie war und die Tochter verlobt wurde –, ja, das weiß ich noch, als wär's erst gestern gewesen! Ich habe vieles erlebt, wenn ich mich recht darauf besinne! Ich bin im Feuer und im Wasser, bin tief in der schwarzen Erde und höher hinauf als die meisten andern gekommen, und jetzt schwebe ich hier an der äußersten Seite des Vogelbauers in Luft und Sonnenschein! Oh, es dürfte wohl der Mühe wert sein, meine Geschichte zu hören, aber ich rede nicht laut davon, weil ich es nicht kann!"

Nun erzählte der Flaschenhals seine Geschichte, die merkwürdig genug war; erzählte sie in sich hinein oder dachte sie so in seinem stillen Sinn; und der kleine Vogel sang vergnügt sein Lied, und unten auf der Straße war ein Gefahre und Gelaufe. Jedermann dachte an das Seine oder dachte gar nichts – nur der Flaschenhals dachte. Er gedachte des flammenden Schmelzofens in der Fabrik, in der er ins Leben geblasen worden; erinnerte sich noch, daß er warm gewesen sei, daß er in den zischenden Ofen, die Heimat seines Ursprungs, geschaut und große Lust empfunden habe, gleich wieder in sie hineinzuspringen; daß er aber allmählich, indem er immer kühler wurde, sich dort recht wohl befunden, wohin er gekommen sei. Er habe in Reih und Glied gestanden mit einem ganzen Regiment Brüder und Schwestern, alle aus demselben Ofen, von denen allerdings einige als Champagnerflaschen, andere als Bierflaschen geblasen waren, und das macht einen Unterschied! Später, draußen in der Welt, kann es wohl kommen, daß eine Bierflasche die köstlichsten Lacrimae Christi

enthält und eine Champagnerflasche mit Essig gefüllt wird, aber an der Schablone ist es doch immerhin zu sehen, wozu man geboren ist.

Sämtliche Flaschen wurden verpackt und unsere Flasche auch. Damals dachte sie nicht daran, als Flaschenhals ihre Laufbahn zu enden, sich zu einem Vogelnapf emporzuarbeiten. Die Flasche aber erblickte erst das Tageslicht wieder, als sie mit den übrigen Kameraden im Keller des Weinhändlers ausgepackt und ausgespült wurde – das war ein kurioses Gefühl. Da lag sie nun leer und ohne Pfropfen, ihr war sonderbar zumute, es fehlte ihr etwas, allein sie wußte selbst nicht, was. – Endlich wurde sie mit einem guten, herrlichen Weine angefüllt, bekam auch einen Pfropfen und wurde zugelackt; ‚Auslese‘ wurde ihr angeklebt, es war ihr, als habe sie das beste Zeugnis bei der Prüfung davongetragen, aber der Wein war dafür auch gut, und die Flasche war gut. Wenn man jung ist, ist man Lyriker! Es sang und klang in ihr von Dingen, die sie gar nicht kannte: von den grünen sonnigen Bergen, wo der Wein wächst, wo fröhliche Winzer und Winzerinnen singen und kosen und sich küssen; – wohl ist das Leben schön! Von alledem sang und klang es in der Flasche wie in den jungen Poeten, die auch gar oft das nicht begreifen, wovon es in ihnen klingt.

Eines Morgens wurde sie angekauft; – der Kürschnerlehrling sollte eine Flasche Wein ‚vom besten‘ bringen. Und nun wurde sie in den Eßkorb nebst Schinken, Käse und Wurst gesteckt; die feinste Butter, das feinste Brot wurden mit hineingelegt; die Kürschnertochter packte den Korb; sie war jung und schön; um die braunen Augen und um ihre Lippen spielte ein Lächeln. Sie hatte feine weiche Hände, die schön weiß waren, aber Hals und Busen waren noch viel weißer. Man sah es ihr sogleich an, daß sie eines der schönsten Mädchen der Stadt war – und doch noch nicht verlobt!

Der Vorratskorb stand auf dem Schoße des jungen Mädchens, als die Familie in den Wald hinausfuhr; der Flaschenhals blickte hervor zwischen den Zipfeln des weißen Tischtuches; an dem Pfropfen war roter Lack; die Flasche blickte dem Mädchen gerade ins Gesicht; sie sah auch den jungen Seemann an, der neben dem Mädchen saß. Er war ein Jugendfreund, der Sohn eines Malers. Vor kurzem hatte er das Examen als Steuermann mit Ehren bestanden, und morgen sollte er mit einem Schiffe abgehen, weithin nach fernen Küsten. Hiervon wurde während des Packens viel gesprochen, und währenddessen sprach freilich nicht gerade der Frohsinn aus den Augen und dem Munde der schönen Kürschnertochter.

Die jungen Leute lustwandelten im grünen Walde, sie sprachen miteinander – was sprachen sie? Ja, das vernahm die Flasche nicht, stand sie doch im Vorratskorbe. Es währte lange, bis sie hervorgezogen wurde, als das aber endlich geschah, waren auch fröhliche Dinge geschehen; alle lachten, auch die Tochter des Kürschners lachte, aber sie sprach weniger als vorher, ihre Wangen glühten wie zwei rote Rosen.

Väterchen nahm die volle Flasche und den Korkzieher zur Hand. – Ja, es ist sonderbar, so zum ersten Male aufgezogen zu werden! Der Flaschenhals hatte später diesen feierlichen Augenblick nie vergessen können, hatte es doch „Schwapp" in seinem Innern gesagt, als der Pfropfen herausfuhr, und wie gluckste es erst, als der Wein in die Gläser hineinfloß!

„Die Verlobten sollen leben!" sprach der alte Papa, und jedes Glas wurde bis auf die Neige geleert, und der junge Steuermann küßte seine schöne Braut.

„Glück und Segen", sagten die beiden Alten, Vater und Mutter; und der junge Mann füllte noch einmal die Gläser: „Rückkehr und Hochzeit heute übers Jahr!" rief er, und als die Gläser geleert waren, nahm er die Flasche, hob sie empor und sprach: „Du bist dabeigewesen an dem schönsten Tag meines Lebens, du sollst nimmermehr einem andern dienen!"

Und er schleuderte sie hoch in die Luft. Die Kürschnertochter dachte damals nicht daran, daß sie die Flasche öfter würde fliegen sehen, und doch sollte es der Fall sein. – Sie fiel damals in das dichte Röhricht am Ufer eines kleinen Waldsees nieder – der Flaschenhals entsann sich noch lebhaft, wie er dort eine Zeitlang gelegen hatte. „Ich gab ihnen Wein, und sie gaben mir Sumpfwasser – allein so ist es auch gut gemeint!" Er sah nicht länger die Verlobten und die vergnügten Alten, aber er vernahm noch lange, wie sie jubelten und sangen. Dann kamen endlich zwei Bauernknaben, guckten in das Röhricht hinein, erblickten die Flasche und hoben sie auf; nun war sie versorgt.

Daheim, im Waldhause, war gestern der älteste Bruder dieser Knaben, ein Seemann, der eine längere Fahrt antreten wollte, gewesen, um Abschied zu nehmen; die Mutter war eben damit beschäftigt, noch dieses und jenes einzupacken, das er mit auf die Reise bekommen und der Vater abends in die Stadt tragen sollte, um noch einmal den Sohn zu sehen und ihm seinen und der Mutter Gruß zu bringen. Eine kleine Flasche mit Kräuterbranntwein war schon eingewickelt und ein Paket beigelegt, da traten die Knaben mit einer größeren, stärkeren Flasche, die sie gefunden hatten, zur Tür herein. In diese ginge mehr als in das kleine Fläschchen, und ‚der Schnaps sei gut für einen schlechten Magen, sei mit Kräutern versetzt'. Es war nicht wie früher der rote Wein, den man jetzt in die Flasche einfüllte, es waren bittere Tropfen, aber auch die sind gut – für den Magen. Die neue große und nicht die kleine Flasche sollte mit; – und so ging die Flasche wieder auf die Wanderung. Sie kam an Bord bei Peter Jensen, und zwar an Bord desselben Schiffes, mit welchem der junge Steuermann fuhr. Doch er sah die Flasche nicht, und er hätte sie auch nicht wiedererkannt oder gar gedacht: Das ist dieselbe, bei der wir die Verlobung gefeiert und schon ein Hoch auf die Rückkehr ausgebracht haben.

Freilich, Wein spendete sie nicht mehr, aber sie beherbergte doch etwas in ihrem Innern, das ebensogut war; sie wurde auch stets, wenn Peter Jensen sie hervorholte, von den Kameraden ,der Apotheker‘ geheißen; sie schenkte die beste Medizin, die, welche den Magen kurierte, und sie spendete treu ihre Hilfe, solange sie einen Tropfen hatte. Das war eine vergnügte Zeit, und die Flasche sang, wenn man sie mit dem Pfropfen streichelte, sie hieß die Lerche, ,Peter Jensens Lerche‘.

Lange Tage und Monate verstrichen, sie stand bereits geleert in einem Winkel; da geschah es – ja, ob auf der Ausfahrt oder Rückfahrt, das wußte die Flasche nicht genau anzugeben, war sie doch gar nicht ans Land gekommen –, daß ein Sturm sich erhob; große Wogen wälzten sich finster und schwer einher und hoben und warfen das Fahrzeug. Der Hauptmast zersplitterte, eine Woge schlug eine der Schiffsplanken ein, die Pumpen brachten keine Hilfe mehr; es war stockfinstere Nacht; das Schiff sank – aber in der letzten Minute schrieb der junge Steuermann auf ein Blatt Papier: „In Gottes Namen! Wir gehen unter!“ Er schrieb den Namen seiner Braut, schrieb seinen und des Schiffes Namen, steckte das Blatt in eine leere Flasche, die ihm in die Hand fiel, preßte den Pfropfen fest ein und warf die Flasche in die tobende See hinaus. Er wußte es nicht, daß es dieselbe war, die ihm und ihr einst den Becher der Freude und der Hoffnung gefüllt hatte; – sie wiegte sich nun auf der Woge mit Gruß und Todesbotschaft.

Das Schiff sank, die Mannschaft sank; die Flasche flog dahin gleich einem Vogel – trug sie doch ein Herz, einen Liebesbrief in sich! Und die Sonne ging auf, und sie ging unter – der Flasche war es wie zur Zeit ihrer Entstehung in dem roten glühenden Ofen, sie empfand eine Sehnsucht, wieder hinein zu fliegen. –

Sie durchlebte die Meeresstille und auch neue Stürme; – sie stieß aber gegen keine Klippe, wurde von keinem Hai verschlungen und trieb sich über Jahr und Tag umher, bald gen Norden, bald gen Süden, wie die Strömungen sie eben führten. Sie war im übrigen ihr eigener Herr, aber dessen kann man auch überdrüssig werden.

Das beschriebene Blatt, das letzte Lebewohl vom Bräutigam an die Braut, würde nur Trauer bringen, wenn es einmal in die rechten Hände käme; allein, wo waren die Hände so weiß und weich, die damals das Tischtuch auf den frischen Rasen in dem grünen Walde am Tage der Verlobung ausbreiteten? – Wo war die Tochter des Kürschners? Ja, wo war das Land, und welches Land läge ihr wohl am nächsten? Die Flasche wußte es nicht; sie trieb und trieb und wurde endlich auch des Herumtreibens überdrüssig, weil das jedenfalls nicht ihre Aufgabe war; allein sie trieb sich doch umher, bis sie endlich Land, fremdes Land erreichte. Sie verstand kein Wort von dem, was hier gesprochen wurde, es war nicht die Sprache, die sie früher hatte reden hören, und es geht einem viel verloren, wenn man die Sprache nicht versteht.

Die Flasche wurde herausgefischt und von allen Seiten betrachtet; der Zettel, der in ihr steckte, wurde gesehen, herausgenommen, gedreht und gewendet, aber die Leute verstanden nicht, was dort geschrieben war. Zwar begriffen sie, daß die Flasche über Bord geworfen sein müsse und daß hiervon auf dem Papiere stehe, allein was stand geschrieben? Das war das Wunderbare. Der Zettel wurde wieder in die Flasche gesteckt und diese in einen großen Schrank, in einer großen Stube, in einem großen Hause aufgestellt.

Jedesmal, wenn Fremde kamen, wurde der Zettel hervorgenommen, gewendet und gedreht, so daß die Schrift, die nur mit Bleistift geschrieben war, allmählich immer unleserlicher wurde, zuletzt sah niemand mehr, daß es Buchstaben waren. – Und noch ein ganzes Jahr blieb die Flasche im Schranke stehen, dann stellte man sie auf den Boden, und Staub und Spinngewebe lagerten sich auf ihr. Wie dachte sie nun zurück an bessere Tage, an die Zeiten, wo sie in dem frischen grünen Walde den roten Wein gespendet, wo sie auf den Meereswellen schaukelte, ein Geheimnis, einen Brief, einen Abschiedsseufzer in sich getragen hatte!

Volle zwanzig Jahre stand sie auf dem Boden; sie hätte noch länger dort stehen können, hätte das Haus nicht umgebaut werden sollen. Das Dach wurde aber abgetragen, man bemerkte die Flasche und sprach von ihr, allein sie verstand die Sprache nicht; die lernt man nicht dadurch, daß man auf dem Boden steht, selbst in zwanzig Jahren nicht. „Wäre ich unten in der Stube geblieben", meinte sie zwar, „hätte ich sie doch wohl gelernt!"

Sie wurde nun gewaschen und ausgespült, es tat ihr not; sie fühlte sich klar und durchsichtig, sie war wieder verjüngt auf ihre alten Tage, aber der Zettel, den sie treu getragen – der war in der Wäsche daraufgegangen.

Man füllte die Flasche mit Sämereien, sie wußte nicht, was das eigentlich war; man pfropfte sie zu und wickelte sie gut ein; sie bekam weder Licht noch Laterne, geschweige denn Sonne und Mond zu sehen, und etwas muß man doch sehen, wenn man auf Reisen geht, meinte sie; aber sie sah nichts, doch das Wichtigste tat sie – sie reiste und gelangte an den Ort ihrer Bestimmung und wurde dort ausgepackt.

„Was sie sich dort im Auslande mit der Flasche für Mühe gegeben haben!" hörte sie sagen, „und sie wird doch wohl zerbrochen sein!" – aber sie war nicht

zerbrochen. Die Flasche verstand jedes Wort, das gesprochen wurde, es war die Sprache, die sie am Schmelzofen, beim Weinhändler und im Walde und auf dem Schiffe vernommen, die einzige gute, alte Sprache, die man verstehen konnte; sie war zurückgekommen in ihre Heimat, und die Sprache war ihr ein Gruß des Willkommens. Vor Freude wäre sie beinahe den Leuten aus den Händen gesprungen; sie bemerkte es kaum, daß ihr der Pfropfen ausgezogen, daß sie selbst ausgeschüttet und in den Keller getragen wurde, um dort aufgehoben und vergessen zu werden. Die Heimat ist doch der beste Ort, selbst im Keller! Es fiel ihr nie ein, darüber nachzudenken, wie lange sie wohl dort liege; sie lag gut und lag jahrelang; endlich kamen Leute herab, die alle Flaschen aus dem Keller und auch die unsere holten.

Draußen im Garten war ein großes Fest; flammende Lampen hingen dort als Girlanden, papierne Laternen strahlten wie große Tulpen. Es war ein herrlicher Abend, das Wetter still und klar; die Sterne flimmerten, und es war Neumond. Eigentlich erblickte man den ganzen runden Mond als eine blaugraue Kugel mit goldenem Halbrand, was schön zu sehen war – mit guten Augen.

Auch bis in die entlegenen Gartengänge erstreckte sich die Illumination, wenigstens so viel, daß man bei ihrem Scheine sich dort zurechtfinden konnte. In dem Gezweige der Hecken standen Flaschen, in jeder ein brennendes Licht, hier befand sich auch die Flasche, die wir kennen, die einmal als Flaschenhals, als Vogelnapf enden sollte. Ihr kam alles hier wunderschön vor, war sie doch wieder im Grünen, wieder inmitten der Freude und beim Feste, vernahm Gesang und Musik und das Toben und Gemurmel der vielen Menschen, namentlich aus dem Teile des Gartens, wo die Lampen flammten und die papiernen Laternen ihre Farbenpracht zur Schau trugen. So stand sie zwar in einem entlegenen Gange, allein gerade das hatte etwas Beschauliches, sie trug ihr Licht, stand hier zum Nutzen und Vergnügen, und so ist es recht; in einer solchen Stunde vergißt man zwanzig Jahre auf dem Boden – und gut ist es zu vergessen.

Dicht an ihr vorüber schritt ein einzelnes Paar, wie das Brautpaar damals im Walde, wie der Steuermann und die Kürschnertochter; es war der Flasche, als erlebe sie das alles wieder aufs neue! Im Garten gingen nicht allein die Gäste, sondern auch Leute, die sich diese und das festliche Gepränge ansehen durften, und unter den letzteren schritt ein altes Mädchen einher, das allein ohne alle Verwandtschaft in der Welt stand. Es dachte wie die Flasche, dachte an den grünen Wald und an ein junges Brautpaar, welches ihm sehr nahelag, an dem es teilhatte, ja dessen einer Teil es war – damals in der glücklichsten Stunde seines Lebens, und die Stunde vergißt man nie und nimmer und würde man eine noch so alte Jungfer. – Allein sie kannte die Flasche nicht, und diese bemerkte auch die alte Jungfer nicht; so geht man aneinander vorüber in dieser Welt – bis man sich wieder begegnet, und das taten die beiden, waren sie doch jetzt beide wieder in derselben Stadt.

Die Flasche kam vom Garten noch einmal wieder zum Weinhändler, wurde wieder mit Wein gefüllt und an den Luftschiffer verkauft, der am folgenden Sonntage mit dem Ballon aufsteigen wollte. – Eine große Menschenmenge hatte sich zusammengefunden, um sich ‚das anzusehen‘, es war Musik bestellt, und viele andere Vorbereitungen waren getroffen. Die Flasche sah alles von einem Korbe aus, in dem sie neben einem lebenden Kaninchen lag, das ganz verblüfft war, weil es wohl wußte, daß es mit hinauf solle, um mittels Fallschirms wieder hinab zu gehen; die Flasche aber wußte nichts, weder vom ‚Hinauf‘ noch ‚Hinab‘, sie sah nur, daß der Ballon sich groß aufblies, immer größer, und sich, als er nicht größer werden konnte, zu heben und unruhiger zu werden begann; die Taue, die ihn festhielten, wurden durchschnitten, und er schwebte mit dem Luftschiffer, dem Korbe, der Flasche und dem Kaninchen hinauf, die Musik erklang, und alle Menschen schrien hurra!

‚Das ist eine wunderliche Fahrt, so in die Luft hinauf!‘ dachte die Flasche, ‚das ist eine neue Segelfahrt; hier oben wird man aber ebenfalls an nichts anrennen können!‘

Tausende von Menschen schauten dem Ballon nach, und die alte Jungfer blickte auch nach ihm aus; sie stand in ihrem offenen Dachkammerfenster, unter dem der Käfig mit dem kleinen Hänfling hing, der damals noch kein Wassernäpfchen hatte, sondern sich mit einer Obertasse begnügen mußte. Im Fenster selbst stand eine Myrte im Topfe, und dieser war ein wenig beiseitegeschoben, damit er nicht hinausfalle, denn die alte Jungfer bog sich aus dem Fenster, um etwas zu sehen. Sie sah auch deutlich den Luftschiffer im Ballon und daß er das Kaninchen mit dem Fallschirm herabließ, dann auf das Wohl aller Menschen trank und endlich die Flasche hoch in die Luft emporschleuderte; – sie dachte nicht daran, daß sie eben dieselbe Flasche, ihr und ihrem Freunde zu Ehren am Tage der Freude im grünen Walde, in ihrer Jugend hatte hoch emporfliegen sehen.

Der Flasche blieb keine Zeit übrig, um nachzudenken, kam es ihr doch gar zu unerwartet und plötzlich, so auf dem Höhepunkt ihres Lebens zu sein. Türme und Dächer lagen weit, weit unten, die Menschen nahmen sich vollends recht klein aus.

Nun sank sie aber, und das mit einer ganz andern Fahrt als das Kaninchen; die Flasche machte Purzelbäume in der Luft, sie fühlte sich so jung, außer Rand und Band, sie war noch halbvoll von Wein, aber das blieb sie nicht lange. Welche Reise! Die Sonne beschien die Flasche, alle Menschen sahen ihr nach, der Ballon war schon weit weg, und bald war auch die Flasche weg, sie fiel auf eines der Dächer herab, und damit war sie entzwei, aber die Stücke sprangen und rollten weiter, bis sie im Hof in noch kleineren Scherben liegenblieben; nur der Flaschenhals blieb ganz.

„Der wäre prächtig als Vogelnapf!" sagten die Kellerleute, allein sie hatten weder einen Vogel noch einen Käfig; und sich solche anzuschaffen, weil sie jetzt den Flaschenhals hatten, der als Napf zu gebrauchen wäre, sei doch zuviel verlangt – aber die alte Jungfer unter dem Dache, ja, sie hatte vielleicht Gebrauch dafür – und nun gelangte der Flaschenhals zu ihr hinauf. Er bekam einen Pfropfen eingesetzt, und was früher oben war, wurde jetzt nach unten gekehrt, wie es gar oft bei Veränderungen geschieht, frisches Wasser wurde ihm eingegossen, man hing ihn an den Käfig des kleinen Vogels, der sang und zwitscherte, daß es eine Lust war.

„Ja, du hast gut singen!" sagte der Flaschenhals, und der war ja merkwürdig genug, er war ja im Ballon gewesen – mehr wußte man von seiner Geschichte nicht. Jetzt hing er da als Vogelnapf, hörte die Leute unten auf der Straße murmeln und wirtschaften, hörte die Rede der alten Jungfer drinnen in der Kammer; sie hatte Besuch von einer alten Freundin, sie sprachen – nicht aber von dem Flaschenhalse, sondern von der Myrte im kleinen Fenster.

„Nein, du darfst wahrlich keinen Taler ausgeben für einen Brautkranz für deine Tochter!" sagte die alte Jungfer, „du sollst von mir ein allerliebstes Sträußchen voller Blüten haben! Siehst du, wie prächtig der Baum steht? Ja, der stammt auch von einem Senker der Myrte ab, die du mir am Tage nach meiner Verlobung schenktest, von der ich mir selbst, wenn das Jahr um wäre, meinen Brautkranz hatte nehmen sollen – allein der Tag kam nie! Die Augen schlossen sich, die mir in diesem Leben zur Freude und zum Segen hätten leuchten sollen. Auf dem Meeresgrunde schlummert er süß, der treue Freund! – Die Myrte wurde ein alter Baum, allein ich wurde noch älter, und als der Baum endlich einging, nahm ich den letzten grünen Zweig, steckte ihn in die Erde, und aus dem ist ein großer Baum geworden, und die Myrte kommt nun endlich doch noch zum Hochzeitsfeste – als Brautkranz für deine Tochter."

Und Tränen perlten in den Augen der alten Jungfer; sie sprach von dem Freunde ihrer Jugend, von der Verlobung im Walde; gar viele Gedanken kamen ihr, aber daran dachte sie doch nicht, daß sich ganz in ihrer Nähe vor dem Fenster noch eine Erinnerung an jene Zeit befand; der Hals der Flasche, die laut aufjauchzte, als der Pfropfen mit einem Knall bei der Verlobung aufsprang. Doch der Flaschenhals erkannte auch sie nicht wieder, denn er hörte nicht auf das, was sie sprach und erzählte – weil er nur an sich dachte. – Darum ist es nur gut, daß ein junger Dichter uns die ganze Geschichte aufgeschrieben hat.

DER WASSERTROPFEN

Du kennst ja wohl ein Vergrößerungsglas, so ein rundes Brillenglas, das alles viele Male größer macht, als es ist? Wenn man es nimmt und vor das Auge hält und dadurch den Wassertropfen draußen vom Teiche betrachtet, so erblickt man über tausend wunderbare Tiere, die man sonst nie im Wasser sieht, aber sie sind da, es ist wirklich so. Es sieht fast aus wie ein ganzer Teller voll Krabben, die untereinander herumspringen, sie sind sehr raubgierig, sie reißen einander Arme und Beine, Enden und Stücke ab, und doch sind sie auf ihre Weise froh und vergnügt.

Nun war einmal ein alter Mann, den alle Leute Kribbel-Krabbel nannten, denn so hieß er. Er wollte immer das Beste von jeder Sache haben, und wenn das durchaus nicht gehen wollte, dann nahm er es durch Zauberei.

Dieser Mann saß eines Tages und hielt sein Vergrößerungsglas vor das Auge und betrachtete einen Wassertropfen, der von draußen aus einer Pfütze im Graben genommen war.

Wie es da kribbelte und krabbelte! Alle die tausend Tierchen hüpften und sprangen, zerrten aneinander und fraßen voneinander.

„Aber das ist ja abscheulich!" sagte der alte Kribbel-Krabbel. „Kann man sie nicht dahin bringen, in Ruhe und Frieden zu leben und daß sich jedes nur um sich bekümmert?" Er dachte und dachte, aber es wollte nicht recht gehen, und deshalb mußte er zaubern. „Ich muß ihnen Farbe geben, damit sie deutlicher gesehen werden können!" sagte er, und dann tröpfelte er etwas, einem kleinen Tropfen Rotwein ähnlich, in den Wassertropfen, aber das war Hexenblut von der feinsten Art zu sechs Pfennigen aus dem Ohrläppchen. Nun wurden die wunderbaren Tierchen über den ganzen Körper rosenrot, es sah aus wie eine ganze Stadt voller nackter, wilder Männer.

„Was hast du da?" fragte ein anderer alter Zauberer, der keinen Namen hatte, und das war gerade das Feine an ihm.

„Ja, kannst du raten, was es ist", sagte Kribbel-Krabbel, „so will ich es dir schenken, aber es ist nicht leicht herauszufinden, wenn man es nicht weiß!"

Der Zauberer, der keinen Namen hatte, sah durch das Vergrößerungsglas. Es sah wirklich aus wie eine ganze Stadt, wo alle Menschen ohne Kleider herumliefen. Es war schauerlich, aber noch schauerlicher war es, zu sehen, wie der eine den andern puffte und stieß, wie sie gezwickt und gezupft, gebissen und gezaust wurden! Was unten war, sollte nach oben, und was oben war, sollte wieder nach unten! „Sieh! Sieh! Sein Bein ist länger als meins! Bah! Weg damit!" Da ist einer, der hat eine kleine Beule hinter dem Ohr, ein kleines, unschuldiges Beulchen, aber sie quält ihn, und darum soll sie ihn noch mehr quälen. Sie hackten in sie hinein, und sie zerrten ihn, und sie fraßen ihn der kleinen Beule wegen. Da saß einer so still wie eine kleine Jungfrau und wünschte nur Ruhe und Frieden. Aber nun sollte die Jungfrau hervor, und sie zerrten an ihr, und sie zerrissen und verschlangen sie.

„Das ist sehr belustigend!" sagte der Zauberer.

„Ja, aber was glaubst du wohl, was es ist?" fragte Kribbel-Krabbel. „Kannst du es ausfindig machen?"

„Nun, das ist ja leicht zu sehen!" sagte der andere. „Das ist irgendeine große Stadt, sie gleichen einander ja alle. Eine große Stadt ist es!"

„Es ist Grabenwasser!" sagte Kribbel-Krabbel.

DIE PRINZESSIN AUF DER ERBSE

Es war einmal ein Prinz, der wollte eine Prinzessin heiraten, aber es sollte eine wirkliche Prinzessin sein. Da reiste er in der ganzen Welt herum, um eine solche zu finden, aber überall war da etwas im Wege. Prinzessinnen gab es genug, aber ob es wirkliche Prinzessinnen waren, konnte er nicht herausbringen, immer war etwas, was nicht in der Ordnung war. Da kam er wieder nach Hause und war ganz traurig, denn er wollte doch gern eine wirkliche Prinzessin haben.

Eines Abends zog ein furchtbares Wetter auf; es blitzte und donnerte, der Regen stürzte herunter, es war ganz entsetzlich. Da klopfte es an das Stadttor, und der alte König ging hin, aufzumachen.

Es war eine Prinzessin, die draußen vor dem Tore stand. Aber wie sah sie vom Regen und dem bösen Wetter aus! Das Wasser lief ihr von den Haaren und Kleidern herunter und lief in die Schnäbel der Schuhe hinein und aus den Hacken wieder heraus, und sie sagte, daß sie eine wirkliche Prinzessin sei.

‚Ja, das werden wir schon erfahren!' dachte die alte Königin, aber sie sagte nichts, ging in die Schlafkammer hinein, nahm alle Betten ab und legte eine Erbse auf den Boden der Bettstelle. Darauf nahm sie zwanzig Matratzen, legte sie auf die Erbse und dann noch zwanzig Eiderdunenbetten oben auf die Matratzen.

Da sollte nun die Prinzessin die ganze Nacht liegen.

Am Morgen wurde sie gefragt, wie sie geschlafen habe.

„Oh, schrecklich schlecht!" sagte die Prinzessin. „Ich habe meine Augen die ganze Nacht nicht geschlossen! Gott weiß, was das im Bette gewesen ist. Aber auch nicht eine Minute lang habe ich schlafen können. Ich habe auf etwas Hartem gelegen, so daß ich ganz braun und blau über meinem ganzen Körper bin! Es ist ganz entsetzlich!"

Nun sahen sie wohl, daß es eine wirkliche Prinzessin war, da sie durch die zwanzig Matratzen und die zwanzig Eiderdunenbetten die Erbse verspürt hatte. So empfindlich konnte niemand sein außer einer wirklichen Prinzessin.

Da nahm der Prinz sie zur Frau, denn nun wußte er, daß er eine wirkliche Prinzessin besitze, und die Erbse kam auf die Kunstkammer, wo sie noch zu sehen ist, wenn sie niemand genommen hat.

Sieh, das ist eine wahre Geschichte.

INHALT